Marie-Antoinette

En couverture :
Elisabeth Louise Vigée Le Brun
Marie-Antoinette en grand costume de cour (détail)
Innsbruck, Schloss Ambras,
dépôt du Kunsthistorisches Museum, Vienne
(cat. 94)

49, rue Etienne-Marcel - 75001 Paris

ISBN : 978-2-7118-5486-8

Galeries nationales du Grand Palais, Paris
15 mars – 30 juin 2008

Marie-Antoinette

Cette exposition est coproduite par la Réunion des musées nationaux
et l'Etablissement public du musée et du domaine national de Versailles

Coordination générale et organisation : Réunion des musées nationaux

Direction du développement culturel

David Guillet
Directeur

Marion Mangon
Chef du département des expositions

Vincent David
Chef de projets d'exposition

Sarah Paronetto
Coordinatrice du mouvement des œuvres

Magali Sicsic
Administratrice des Galeries nationales du Grand Palais

Direction de la communication, des relations publiques et du mécénat

Françoise Pams
Directrice

Cécile Vignot
Chef du service promotion et partenariats média

Gilles Romillat
Attaché de presse

Cécile Debray
Conservateur, chargée de mission auprès de l'Administrateur général

Scénographie

Robert Carsen
Directeur artistique
assisté de Ian Burton

Nathalie Crinière, agence NC
Scénographe maître d'œuvre

Comité d'honneur

Jean-Jacques Aillagon
Ancien ministre
Président de l'Etablissement public du musée et du domaine national de Versailles

Francine Mariani-Ducray
Directrice des musées de France

Jean-Ludovic Silicani
Président du conseil d'administration de la Réunion des musées nationaux

Thomas Grenon
Administrateur général de la Réunion des musées nationaux

Commissariat

Pierre Arizzoli-Clémentel
Directeur général de l'Etablissement public du musée et du domaine national de Versailles

Xavier Salmon
Chef de l'Inspection générale des musées de France
Directeur scientifique du catalogue

Une exposition d'une telle ampleur est indéniablement le résultat de maints efforts conjugués. Nombreux sont celles et ceux qui nous ont apporté leur appui et leur aide. Nous leur devons beaucoup.

La confiance des membres du comité d'honneur, Mme Francine Mariani-Ducray et MM. Jean-Jacques Aillagon, ancien ministre, Jean-Ludovic Silicani et Thomas Grenon, a permis au projet d'être conduit avec rigueur et détermination. Les prêteurs publics et privés ont accepté de se séparer quelques mois d'œuvres importantes de leurs collections.

Composé d'Ilsebill Barta, Marc Bascou, Anne Forray-Carlier, Olivier Gabet, Pierre-Xavier Hans, Elfriede Iby, Bertrand Rondot, Karl Schütz et Selma Schwartz, le comité scientifique s'est attaché à partager ses connaissances du sujet. Et chacun des auteurs du catalogue a tenu à mieux faire connaître Marie-Antoinette.

A la Réunion des musées nationaux et aux Galeries nationales du Grand Palais, les compétences conjointes de Hugues Charreyron, Annick Duboscq, Richard Garcia, Anne Giani, David Guillet, Sébastien Jamesse, Alix de La Marandais, Jean-Jacques Le Blastier, Fatima Louli, Marion Mangon, Catherine Marquet, Jean Naudin, Françoise Pams, Sarah Paronetto, Cécilia Pommier, Marie-Sophie Potier, Annick Roger, Gilles Romillat, Magali Sicsic, Panthéa Tchoupani, Pierre Vallaud, Elise Vanhaecke, Cécile Vignot, Roselyne Vigouroux, et de toutes les personnes impliquées dans le projet, ont fait de l'exposition un événement d'exception. Que soient également remerciés Emilie Martin-Neute, Aude Virey-Wallon, et plus spécialement Frédéric Célestin et Anne Chapoutot.

Une mention toute particulière doit être accordée à Vincent David et Laurence Posselle, respectivement chef de projets d'exposition et responsable d'édition à la Réunion des musées nationaux, qui n'ont jamais compté leur temps.

Robert Carsen, directeur artistique de la scénographie, son assistant Ian Burton, Nathalie Crinière, scénographe maître d'œuvre, et ses collaborateurs ont œuvré avec talent afin de mettre en scène l'exposition.

A la Direction des musées de France, Anna Gräfin von Mirbach-Harff, Patricia Cohen-Tannugi, Laurence Cornet et Vincent Bastien nous ont patiemment assistés.

Tout au long de la préparation de l'exposition, nombreuses ont été les personnes à nous aider. En les nommant, nous souhaitons leur rendre hommage : Dr. Aurelio Aghemo, Maria D'Amuri, Dr. Daniela Antonin, Sylvie Aubenas, Dr. Alfred Auer, Prof. Dr. Leopold Auer, Jean-Pierre Babelon, Dominique Babin, Joseph Baillio, Nathalie Bastière, Philippe Bata, Hélène Bayou, Dr. Christian Benedik, Julie Beret, Marie-Alice Béziaud, Dr. Daniela Biancolini, Claude Billaud, Martine de Boisdeffre, Roland Bossard, Céline Boudot, Bruno Bourg-Broc, Bernadette de Boyson, Bronwyn Bracher, Geneviève Bresc-Bautier, Fabia Bromovsky, Emmanuelle Brugerolles, David Caméo, Yves Carlier, João Castel-Branco Pereira, Serge Chambaud, Daniel Chanet, Laure Chedal-Anglay, Alain Chevalier, Hélène Couot, Laurent Courbu, Henry-Claude Cousseau, Alexis Coussement, Laurent Creuzet, Michel Dalens, Hélène Dalifard, Hélène David-Weill, Béatrice Delestre, Isabelle Delory-Denis, Jean Dérens, Christiane Dole, Boris Drahusak, Vincent Droguet, Delphine Dubois, Dominique Ducassou, Joël Dugot, Cécile Dupont-Logié, Henry Ferreira-Lopes, Eva Fisli, Lauren Fodor, Fabien Fontaine, Hélène Font, Jean-Louis Fousseret, Vice-Amiral Jean-Noël Gard, Sœur Marie-Christine Gillier, Bruno Girveau, Thierry Grillet, Christian Grimbert, Denis Grisel, Caroline Guignard, Laurence Guilbaud, Caroline de Guitaut, Dr Bernd Hakenjos, Antoinette Hallé, Stefan Hammenbeck, Corinne Hubert, Natacha Haut, Dr. Margarete Heck, Olga Ilmenkova, Michel Jamet, Maria Jansén, Jean-François Jarrige, Kristin Jedlicka, Mark Jones, Marion Kalt, Daniëlle Kisluk-Grosheide, Jean-Philippe Harriague, Dr. Monika Knofler, Tim Knox, Dr. Tibor Kovács, Dr. Johann Kräftner, Sieglinde Kunst, Frédéric Lacaille, Geneviève Lagardère, Peter Larsson, Anne Lebas, Nathalie Léman, Jean-Marc Léri, Ariane de Lestrange, David Liot, Henri Loyrette, Elisabeth Maisonnier, Philippe Malgouyres, Jean-Marc Manaï, Christiane Marçot, Catherine Massip, Cäsar Menz, Hélène Meyer, Katia Mollet, Olivier Morel, Jean Morin, Marjolaine Mourot, Dr. Sabine Muckensturm, Isabelle Neuschwander, Marc Nolibé, Bernard Notari, Annick Notter, Prof. Dr. Hans Ottomeyer, David Packer, Roberto Papis, Ing. Francesco Pernice, Emmanuelle Pessy, Jean-Jacques Petit, Dr. Hans Petschar, Etienne Pinte, Prof. Dr. Mikhail Piotrovsky, Geneviève Pobeda, Patrick Poch, Earl A. Powell III, Tamara Préaud, Dr. Johanna Rachinger, Bruno Racine, Karine Raczynski, Valérie de Raignac, Daniel Rault, Noami Richards, Eva Ringborg, Sir Hugh Roberts, Marie-Françoise Rose, Lord Jacob Rothschild, Nicolas Sainte-Fare-Garnot, Béatrice Salmon, Dr. Franz Sattlecker, Mireille Schneider, Prof. Dr. Ulrich Schneider, Jean-Louis Schneiter, Bernard Schotter, Dr. Waltraud Schreilechner, Dr. Klaus Albrecht Schröder, Prof. Dr. Peter-Klaus Schuster, Michael Schyschke, Prof. Wilfried Seipel, Evelyne Simonin, Christine Surtmann, Tova Sylvan, Daniel Thoulouze, Juliette Trey, Marie-Chantal de Tricornot, Dr. Helmut Trnek, Carel van Tuyll, André Vallini, Nuno Vassallo e Silva, Dr. George Vilinbakhov, Dr. Dieter Vorsteher, Marie-Claire Waille, Rebecca Wallace, Jeremy Warren, Dr. Moritz Wullen.

Enfin, il nous est agréable de souligner le généreux soutien apporté au catalogue par Madame Charles Wrightsman, en souvenir de la baronne Elie de Rothschild.

A toutes et à tous nous exprimons notre reconnaissance.

Que les collectionneurs qui ont eu à cœur de participer à cette exposition par des prêts généreux trouvent ici l'expression de notre gratitude :

Monsieur Didier Cramoisan
Prof. Dr. Jürgen Kleinstein
Monsieur Kristen van Riel

ainsi que celles et ceux qui ont préféré conserver l'anonymat.

De même, nos sincères remerciements s'adressent aux responsables des collections publiques suivantes, pour les œuvres qu'ils nous ont obligeamment confiées :

Allemagne

BERLIN
Deutsches Historisches Museum Berlin
Staatliche Museen zu Berlin, Kunstbibliothek

DÜSSELDORF
Hetjens-Museum, Deutsches Keramikmuseum Düsseldorf

FRANCFORT-SUR-LE-MAIN
Museum für Angewandte Kunst

Autriche

INNSBRUCK
Hofburg
Schloss Ambras

SCHLOSSHOF
Marchfeldschlösser Revitalisierungs- und Betriebsges m.b.H

VIENNE
Akademie der Bildenden Künste Wien, Kupferstichkabinett
Albertina
Bildarchiv der Österreichischen Nationalbibliothek
Bundesmobilienverwaltung
Kunsthistorisches Museum
Gemäldegalerie
Hofjagd- und Rüstkammer
Kunstkammer
Liechtenstein Museum
Museen des Mobiliendepots
Österreichisches Staatsarchiv
Abteilung Haus-, Hof- und Staatsarchiv
Schloss Schönbrunn

Etats-Unis d'Amérique

WASHINGTON (D.C.)
National Gallery of Art

France

BESANÇON
Bibliothèque municipale

BORDEAUX
Chambre de Commerce et d'Industrie
Musée des Arts décoratifs

CHÂLONS-EN-CHAMPAGNE
Bibliothèque municipale Georges Pompidou

CREIL
Musée Gallé-Juillet – Ville de Creil

EPINAL
Musée départemental d'art ancien et contemporain

FONTAINEBLEAU
Musée national du château de Fontainebleau

PARIS
Archives nationales, site de Paris
Bibliothèque historique de la Ville de Paris
Bibliothèque nationale de France
département des Estampes et de la Photographie
département de la Musique
Ecole nationale supérieure des Beaux-Arts
Institut de France - Musée Jacquemart-André
Musée national des Arts asiatiques Guimet
Musée des Arts décoratifs
Musée des Arts et Métiers – Conservatoire national des arts et métiers
Musée Carnavalet - Histoire de Paris
Musée du Louvre
département des Arts graphiques
et Collection Edmond de Rothschild
département des Objets d'art
département des Sculptures
Musée national de la Marine

REIMS
Musée des Beaux-Arts

SASSENAGE
Fondation Berenger-Sassenage (sous l'égide de la Fondation de France) – château de Sassenage

SCEAUX
Musée de l'Ile-de-France

SÈVRES
Manufacture nationale de Sèvres
Musée national de Céramique

VAUHALLAN
Abbaye Saint-Louis-du-Temple

VENDÔME
Musée de Vendôme

VERSAILLES
Archives communales
Bibliothèque municipale
Etablissement public du musée et du domaine national de Versailles

VIZILLE
Musée de la Révolution française

Hongrie

BUDAPEST
Magyar Nemzeti Múseum, Történelmi Képcsarnok

Italie

MODÈNE
Biblioteca Estense Universitaria

TURIN
Palazzo Reale di Torino, Soprintendenza Beni Architettonici e Paesaggio del Piemonte

Portugal

LISBONNE
Museu Calouste Gulbenkian

Royaume-Uni

LONDRES
The Royal Collection
Victoria and Albert Museum

WADDESDON
Rothschild Family Trust, Waddesdon Manor

Russie

SAINT-PETERSBOURG
Musée de l'Ermitage

Suède

LINKÖPING
Östergötlands Länsmuseum

Suisse

GENÈVE
Musées d'art et d'histoire de la Ville de Genève

Le personnage de Marie-Antoinette a la dimension d'un mythe historique et populaire. Cette figure « de légende » permet de dresser une histoire du goût, une traversée des arts de la cour de Versailles des années 1770-1780.

Dernière fille de l'impératrice Marie-Thérèse d'Autriche, Marie-Antoinette épouse en 1770 l'héritier de la couronne de France, le futur Louis XVI. Avec le couple qui bientôt succède à Louis XV règnent à Versailles la beauté et la jeunesse, l'espoir, les idées neuves. Marie-Antoinette incarne ce tournant générationnel et la fin d'un ordre ancien, où l'étiquette domine, où l'individu n'a pas de poids. En matière de divertissements et au gré de ses commandes pour l'aménagement et l'embellissement de ses retraites favorites – le Petit Trianon, le Hameau de la reine… –, elle imprime aux arts décoratifs, à la musique, à la mode, un style très personnel, un nouvel état d'esprit. Toute la vie de Marie-Antoinette épousera la marche de l'Histoire, jusqu'au bouleversement de la Révolution française.

L'exposition raconte cette vie passionnante à travers trois cents œuvres provenant de toute l'Europe et pour beaucoup du Château de Versailles, partenaire et coproducteur essentiel de cette manifestation. Elle offre pour la première fois, grâce au travail remarquable et à l'engagement de ses commissaires, Pierre Arizzoli-Clémentel et Xavier Salmon, que je souhaite ici saluer, une approche rigoureuse et complète de Marie-Antoinette.

Un si grand événement culturel se devait d'être traité de façon exceptionnelle : la Réunion des musées nationaux a donc demandé à Robert Carsen, metteur en scène, d'en assumer la direction artistique et d'y apporter une dimension théâtrale – le théâtre étant l'une des passions de Marie-Antoinette. Qu'il soit ici tout particulièrement remercié, ainsi que Nathalie Crinière ; tous deux nous livrent une mise en « représentation » qui fait sens et entre discrètement en résonance avec la luminosité et la majesté du Grand Palais.

Thomas Grenon

Administrateur général de la Réunion des musées nationaux

Si Louis XIV est le monarque versaillais par excellence, celui qui a rêvé et conçu Versailles, Marie-Antoinette est incontestablement la reine qui aura le plus marqué de son empreinte le château et son domaine. Cette empreinte est sensible, au sein du château, tout particulièrement dans la chambre de la reine et le salon des Nobles, dont elle confia la transformation à Richard Mique, architecte d'origine lorraine qu'elle imposa à la cour.

Mais plus encore qu'à Versailles, c'est à Trianon que Marie-Antoinette est reine. Ce lieu, où tout parle d'elle, est aujourd'hui en cours de restauration grâce au précieux concours d'un mécène généreux, Breguet SA. Ce sont ces travaux, dont l'achèvement est programmé pour cet automne, qui, rendant disponibles les meubles et les œuvres qui décorent le Petit Trianon, auront permis d'organiser l'exposition Marie-Antoinette que reçoivent les Galeries nationales du Grand Palais. Ce Trianon a en effet été la résidence de prédilection de Marie-Antoinette, celle où son goût, son esprit, sa personnalité se sont exprimés de la façon la plus intime.

Nous devons cette exposition à Pierre Arizzoli-Clémentel, directeur général de l'Etablissement public du musée et du domaine national de Versailles, et à Xavier Salmon, chef de l'Inspection générale des musées de France à la Direction des musées de France, commissaires de l'exposition. Ils ont rassemblé avec précision, avec passion, avec pertinence, les tableaux, sculptures, meubles, porcelaines et objets d'art qui évoquent avec tant de justesse l'une des plus belles périodes des arts décoratifs français. Qu'ils en soient remerciés. C'est à mon ami le metteur en scène Robert Carsen que nous devons la scénographie de cette exposition qui constitue, à travers un parcours chronologique subtil, une parfaite introduction à l'histoire de cette souveraine. Que Robert Carsen soit également remercié d'avoir bien voulu prendre part à cette aventure originale, en compagnie de Nathalie Crinière, dont j'ai maintes fois apprécié le talent. Grâce à l'association de tant de compétences, le visiteur pourra parcourir l'histoire à la fois éblouissante et tragique de cette souveraine, depuis son enfance à la cour de Vienne, auprès de sa mère Marie-Thérèse et de son père François de Lorraine, jusqu'à sa fin tragique, le 16 octobre 1793, quand celle qui était devenue la « veuve Capet » fit face, avec courage et dignité, à l'échafaud qui allait transfigurer cette femme encore jeune de trente-huit ans, hier réputée frivole, en héroïne dramatique.

Si l'Ancien Régime s'éteint ainsi avec Marie-Antoinette, après presque vingt ans de règne, la dernière reine versaillaise a bien écrit l'une des plus belles pages du songe éveillé qu'est Versailles. Puisse cette exposition le faire mieux découvrir à ses visiteurs et les engager à remettre leurs pas dans ceux des plus grands artistes qui ont contribué à la splendeur de ce domaine royal et dont l'œuvre immortelle donne tort à ces vers du poète André Chénier, écrits en 1793 :

O Versailles, ô bois, ô portiques
Par les dieux et les rois
Elysée embelli…
Tout a fui. Des grandeurs, tu n'es plus le séjour.

De toutes ces grandeurs et de toutes ces grâces, Versailles reste l'impérissable écrin. Dans quelques mois, le Petit Trianon, rendu au public, en apportera un témoignage supplémentaire et rendra vie à l'ombre d'une reine qui trouva là sa « maison de campagne, à elle en propre », son boudoir aux Glaces mouvantes, sa chambre, son mobilier et le « jardin à l'anglaise », parc extraordinaire, restauré après la tempête de 1999 et rouvert au public en 2006, qu'elle fit dessiner par Richard Mique et Hubert Robert, avec sa grotte, son belvédère, sa rivière, son temple de l'Amour et, bien sûr, son hameau.

Jean-Jacques Aillagon

Ancien ministre
Président de l'Etablissement public du musée et du domaine national de Versailles

Auteurs du catalogue

Pierre Arizzoli-Clémentel
Conservateur général du Patrimoine
Directeur général de l'Etablissement public du musée
et du domaine national de Versailles

Dr. Ilsebill Barta (I. B.)
Referatsleiterin für Kustodische Angelegenheiten
Wissenschaftliche Leiterin des Hofmobiliendepots-Möbel Museum,
Vienne, und der Silberkammer – Hofburg, Vienne

Marc Bascou (M. B.)
Conservateur général chargé du département des Objets d'art
du musée du Louvre, Paris

Vincent Bastien (V. B.)
Doctorant en histoire de l'art

Christian Baulez (C. B.)
Conservateur général honoraire

Dr. Christian Beaufort (Ch. B.)
Directeur de Hofjagd- und Rüstkammer
Kunsthistorisches Museum, Vienne

Yves Carlier (Y. C.)
Conservateur au musée national du château de Fontainebleau

Vincent Droguet (V. D.)
Conservateur en chef au musée national du château de Fontainebleau

Anne Forray-Carlier (A. F.-C.)
Conservateur en chef au musée des Arts décoratifs, Paris
Responsable du département XVIIe-XVIIIe siècles

Olivier Gabet
Conservateur du Patrimoine
Agence France Museums

Mátyás Gödölle (M. G.)
Historien de l'art,
Budapest, Magyar Nemzeti Múzeum, Törtènelmi Képcsarnok

Pascale Gorguet-Ballesteros
Conservateur au musée de la Mode et du Costume
de la Ville de Paris – Palais Galliera

Pierre-Xavier Hans (P. X.-H.)
Conservateur au musée national des châteaux de Versailles et de Trianon

Dr. Lieselotte Hanzl-Wachter (L. H.-W.)
Directrice scientifique du château de Schlosshof, Autriche

Dr. Elfriede Iby (E. I.)
Conservateur au Département scientifique
Château de Schönbrunn, Vienne

Dr. Franz Kirchweger (F. K.)
Conservateur, Kunstkammer, Weltliche & Geistliche Schatzkammer
Kunsthistorisches Museum, Vienne

Raphaël Masson (R. M.)
Conservateur au musée national des châteaux de Versailles et de Trianon

Agnès Mirambet-Paris (A. M.-P.)
Conservateur au musée de la Marine, Paris

Dr. Eva B. Ottilinger (E. B. O.)
Conservateur, Bundesmobilienverwaltung-Hofmobiliendepot
MöbelMuseum, Vienne

Dr. Sabine Pénot (S. P.)
Historienne de l'art
Gemäldegalerie, Kunsthistorisches Museum, Vienne

Bertrand Rondot (B. R.)
Conservateur au musée national des châteaux de Versailles et de Trianon

Xavier Salmon (X. S.)
Conservateur en chef du Patrimoine
Chef de l'Inspection générale des musées de France

Dr. Karl Schütz (K. S.)
Directeur de la Gemäldegalerie, Kunsthistorisches Museum
Directeur adjoint du Kunsthistorisches Museum, Vienne

Selma Schwartz (S. S.)
Associate Curator, The Rothschild Collection, Waddesdon Manor, Aylesbury

Rosine Trogan (R. T.)
Conservateur général au musée Carnavalet, Paris

Jean Tulard
Membre de l'Institut

Chantal Waltisperger
Conservateur en chef au musée national des châteaux de Versailles et de Trianon

Les textes d'I. Barta, Ch. Beaufort, L. Hanzl-Wachter, E. Iby, F. Kirchweger, E. B. Ottilinger, S. Pénot, K. Schütz ont été traduits de l'allemand par Aude Virey-Wallon.

Les textes de Selma Schwartz ont été traduits de l'anglais par Emilie Neute.

Sommaire

Marie-Antoinette : trois figures d'un destin

Jean Tulard
de l'Institut

En trois portraits se résume le destin de Marie-Antoinette.
Voici la dauphine, médaillon de Boizot. Marie-Antoinette est vue de profil : nez marqué des Habsbourg, bouche sensuelle, regard vif et curieux, un brin amusé. C'est une adolescente prête à profiter de la vie.
Nous sommes maintenant à la veille de la Révolution. La dauphine a laissé la place à la reine. Mme Vigée Le Brun la représente dans l'éclat de la trentaine, assise sur un fauteuil, accoudée à une table sur laquelle est posé un vase contenant des fleurs qui se détachent sur une opulente tenture. Marie-Antoinette se remarque par la majesté de son attitude, l'élégance de la toilette, de la jupe de soie blanche garnie de fourrure à l'aigrette qui surmonte la coiffe. Le regard reste vif, mais est devenu un peu hautain, « dédaigneux », dit Michelet lorsqu'il commente ce tableau dans son *Histoire de la Révolution française*.
Quatre ans plus tard, David dessine Marie-Antoinette sur la charrette qui la conduit à l'échafaud. Le croquis est pris sur le vif et nous offre une femme sans âge, les yeux baissés, les cheveux pendant sous son bonnet de lin, les mains liées derrière le dos. Ce n'est plus que la veuve Capet.
Mythes et légendes se nourrissent de contrastes. Il n'en est peut-être pas de plus frappants que ceux-là.
Marie-Antoinette est d'abord une jeune princesse adulée et encensée, rayonnant au milieu de la cour la plus raffinée de l'Europe. Le monde que découvre cette jeune Autrichienne sans véritable éducation est celui du goût le plus exquis qui triomphe dans le mobilier, la toilette ou les mœurs, celui aussi du libertinage élégant et pervers qu'illustrent un Laclos, un Sade, un Mirabeau, bref, le monde de la douceur de vivre dont les survivants garderont la nostalgie.
Admiratifs, les Goncourt observent dans leur *Histoire de Marie-Antoinette* que, d'emblée, la dauphine « promène à Versailles le tapage de ses mille grâces. La jeunesse et l'enfance, tout se mêle en elle pour séduire, tout s'allie contre l'étiquette, tout plaît dans cette princesse la plus adorable, la plus femme de toutes les femmes de la cour, toujours sautante et voltigeante ». Tout semble lui être permis. Elle est populaire, on se presse à son passage, on l'acclame, on l'admire. C'est la princesse de Boizot.

Puis l'insouciance fait place à la gravité. D'immondes pamphlets dénoncent les mœurs prétendument licencieuses de la dauphine devenue reine. Ce sont les frères du roi et le duc d'Orléans qui mènent la danse. L'enjeu est clair : discréditer l'époux pour se substituer à lui. Des intrigues de cour, on passe au mécontentement populaire. On reproche à Marie-Antoinette de trop dépenser au moment où la monarchie se débat dans une crise financière aggravée par la guerre d'Amérique. « Un voile gracieux couvrait encore la ruine publique », écrit Michelet ; Necker le lève dans son fameux *Compte-rendu*. On y découvre les largesses de la reine à ses amies Lamballe et Polignac. Une goutte d'eau, mais cela suffit pour valoir à Marie-Antoinette le surnom de « Madame Déficit ».
La reine se durcit face à la montée de la Révolution. Elle est mère et donc désormais attachée à l'avenir du trône. Cette attitude majestueuse dans laquelle elle s'enferme et que rend bien Mme Vigée Le Brun la dessert. On lui prête des mots méprisants et d'ailleurs apocryphes, comme « S'ils n'ont pas de pain, qu'ils mangent de la brioche ». Elle aimait plaire à la cour, elle dédaigne le peuple.
Elle apparaît vite comme le bastion de l'intransigeance monarchique, tandis que la violence succède à la médisance. Les femmes des faubourgs de Paris envahissent Versailles le 6 octobre 1789. Il faut s'installer ce même jour aux Tuileries où rien n'a été préparé, où la surveillance de la Garde nationale est pesante encore qu'inefficace. Marie-Antoinette est accusée d'avoir inspiré la fuite manquée à Varennes en juin 1791 ; elle pousserait le roi à refuser les réformes que demandent les patriotes, de là son nouveau surnom : Madame Veto. *La Carmagnole* en fait l'ennemie du peuple. En avril 1792, la guerre contre l'Autriche voulue par le roi qu'elle a inspiré et par les girondins pour des raisons diamétralement opposées, l'un compte sur la défaite pour faire rétablir son autorité par les vainqueurs, les autres sur la victoire pour établir leur pouvoir, la guerre, donc, porte un coup fatal à la reine. Elle est désormais « l'Autrichienne ».
Commence une terrible descente aux enfers : l'exécution du roi le 21 janvier 1793, la séparation d'avec le dernier fils, le Tribunal révolutionnaire, la condamnation à mort et l'exécution le 16 octobre 1793. La reine n'est plus qu'une femme vieillie, malade, rési-

gnée, mais toujours d'une grande dignité, comme le montre sa dernière lettre à sa belle-sœur, Madame Elisabeth : « Je suis calme comme on l'est quand la conscience ne reproche rien. »

Pourtant, Marie-Antoinette n'a-t-elle pas une part de responsabilité dans un destin si tragique ?

Certes, c'est une adolescente qui arrive à Versailles, mais elle dispose d'un mentor en la personne de sa mère, l'impératrice Marie-Thérèse, qui lui écrit des lettres la mettant en garde contre la frivolité de la cour de France et lui prodiguant ses conseils : pourquoi ne les suit-elle pas ? D'autant qu'elle peut aussi compter sur l'ambassadeur d'Autriche Mercy d'Argenteau et que son frère Joseph vient à Versailles lui tracer un règlement de conduite qu'elle s'empresse d'oublier. L'affaire du Collier, à laquelle elle n'est pas mêlée directement, aurait pu être évitée si elle avait su choisir ses fréquentations. Quels furent ses rapports avec Fersen ? A coup sûr ambigus.

Son influence sur le roi à partir de 1789 n'a pas été heureuse. Grave est l'accusation concernant le « comité autrichien » qu'aurait animé la reine. Celui-ci a-t-il poussé à la guerre et renseigné l'ennemi ? Des messages chiffrés auraient prévenu Vienne, en mars 1792, des projets d'offensive de Dumouriez. En réalité, les défaites françaises, au printemps, à la frontière du Nord, s'expliquent surtout par l'insuffisance des chefs et l'impréparation de l'armée. Au demeurant, le « comité autrichien » a-t-il réellement existé sous la forme que lui prêtera l'imagination des patriotes, c'est-à-dire comme une mythique variante du « complot aristocratique » ? Reste la correspondance avec Fersen et Mercy d'Argenteau, restent aussi les missions secrètes de Breteuil et de Gourguelat.

Trop de légèreté d'abord, trop d'imprudences ensuite.

Mais comment demeurer insensible au charme d'une princesse qui impose Gluck et fait applaudir Beaumarchais, à la lucidité d'une reine qui ne souhaite être sauvée ni par un Mirabeau, ni par un La Fayette, dont elle devine les ambitions et les limites, à la douleur d'une mère qui perd son fils aîné en pleine réunion des Etats généraux, et doit faire face par la suite aux ignobles accusations du cadet inventées par Hébert ?

Le dessin de David a effacé la peinture de Mme Vigée Le Brun. Les erreurs s'oublient devant le malheur. Un mythe naît, dont s'emparent biographies romancées à la Stefan Zweig, feuilletons historiques à la Dumas et innombrables films.

Dans l'œuvre de Dumas, Marie-Antoinette est aussi importante que d'Artagnan. Elle règne à Versailles dans *Le Collier de la reine*, elle affronte la Révolution dans *Ange Pitou*, elle est prisonnière au Temple dans *Le Chevalier de Maison-Rouge*.

Elle a inspiré un peu moins de films que Napoléon, mais autant – ou presque – que Jeanne d'Arc. Les trois facettes de son personnage sont tour à tour évoquées. L'évaporée et frivole princesse de Versailles se retrouve dans l'extravagante *Marie-Antoinette* de Van Dyke, en 1938, à l'apogée d'Hollywood. Le réalisateur reconstitue le célèbre bal masqué de l'Opéra à la façon d'une comédie musicale où costumes et décors délirants semblent bien éloignés de la réalité historique. Il en va de même pour la *Marie-Antoinette* de Sofia Coppola, riche en anachronismes volontaires qui tirent le film vers la comédie américaine, celle qui finit dans les larmes, ainsi que le rappelle l'émouvant adieu à Versailles qui termine le film.

De *L'Affaire du collier de la reine* de Marcel L'Herbier à *Si Versailles m'était conté* de Sacha Guitry, on retrouve la même image d'une reine frivole que le malheur va mûrir.

Suzanne Bianchetti dans le *Napoléon* de Gance en 1927 et Lise Delamare dans *La Marseillaise* dix ans plus tard nous offrent l'image d'une reine hautaine et méprisante, fermée aux revendications des révolutionnaires.

Troisième facette : la prisonnière du Temple, héroïne du *Prince au masque rouge* de Cottafavi, libre adaptation du *Chevalier de Maison-Rouge*, mieux servi par un téléfilm de Claude Barma. Et comment oublier Michèle Morgan en route vers l'échafaud dans une biographie filmée en 1955 ? C'est David mis en scène par Delannoy.

Alain Decaux et Robert Hossein ont refait sur scène avec un jury de spectateurs le procès de la reine. Malgré ses fautes et ses erreurs, elle fut le plus souvent acquittée. Ainsi Marie-Antoinette s'est-elle réconciliée avec ce peuple qu'elle avait tant dédaigné. Elle est finalement pardonnée au nom de la beauté et de l'infortune.

Marie-Antoinette en 2008 : chroniques d'une exposition

Xavier Salmon

En 1758, l'archiduchesse Marie-Antoinette fête ses trois ans. En 1768, elle n'est pas encore devenue dauphine de France. En 1778, elle est déjà reine. En 1788, la souveraine a définitivement perdu l'amour de ses sujets. En 1798, elle n'est plus.

L'année 2008 ne répond donc à aucune célébration particulière. Alors, pourquoi avoir choisi cette date afin de rendre un hommage national à cette figure de l'histoire de France ?

Cela n'aura échappé à personne, depuis trois ans Marie-Antoinette est partout.

2005 marqua le deux cent cinquantième anniversaire de sa naissance. L'événement fut accompagné de nouvelles biographies et d'une réédition de la correspondance. Plusieurs ouvrages s'attachèrent à traiter de certains points particuliers. Le musée des Arts décoratifs de Bordeaux et le château de Versailles s'associèrent afin d'évoquer le goût de Marie-Antoinette pour les arts. Présentée dans les intérieurs raffinés de l'hôtel de Lalande, joyau néoclassique du patrimoine bordelais, l'exposition et son catalogue connurent un grand succès.

2006 célébra aussi la reine. A Versailles même, après plusieurs années de restauration de son jardin anglo-chinois, le domaine du Petit Trianon et la plupart de ses fabriques furent rouverts au public. Au cinéma, grâce à Sofia Coppola, Marie-Antoinette devint superstar. Paillettes et macarons, musique décalée sous les masques grimaçants du Palais Garnier, ébats fantasmés donnèrent vie à une éternelle adolescente prisonnière d'une cour étrangère. Il n'en fallait pas plus pour « relancer » la reine. Créateurs de mode, publicitaires, artistes, tous se l'approprièrent. Marie-Antoinette défile désormais sur les podiums de la haute couture ; elle assure avec sa sœur jumelle la promotion à la télévision d'un numéro de renseignement téléphonique, ou sur les abribus d'une marque de café ; elle arbore sous l'œil créatif de Natacha Lesueur une indescriptible perruque à la fontaine lors de *Versailles Off*. Dans la bouche de certains hommes politiques et de journalistes, elle s'impose même en sujet de référence pour dénoncer une attitude et un propos jugés maladroits.

Pouvait-on dès lors espérer circonstances plus heureuses pour organiser une nouvelle exposition ? Certes non, mais l'exercice est difficile. En 1955, il avait été conduit une première fois par Marguerite Jallut sous la houlette de Gérald van der Kemp. Afin de commémorer le deux centième anniversaire de la naissance de Marie-Antoinette, l'historienne conservatrice avait réuni au rez-de-chaussée du château de Versailles, de manière pléthorique, tout ce qu'elle avait pu trouver. Dans cette accumulation à la Prévert, dont témoigne parfaitement un catalogue non illustré aux notices succinctes classées par ordre alphabétique, le plus beau côtoyait le plus anecdotique, le plus sûr le plus douteux, le mieux documenté le moins bien connu.

Notre choix se veut aujourd'hui tout autre. Dans les espaces du Grand Palais à Paris, nous souhaitons raconter l'histoire d'une vie. Pour ce faire, près de trois cents œuvres contemporaines de Marie-Antoinette ont été retenues et classées selon des thèmes qui nous paraissent emblématiques du personnage. Le choix de ces thèmes est de notre fait. Ils n'entendent pas illustrer de manière exhaustive tous les événements qui jalonnèrent l'existence de Marie-Antoinette, ou bien tous les traits de son caractère. Nourris des lectures des textes de contemporains de la reine, et seulement de ses contemporains, ils aident à cheminer de Vienne à la Conciergerie et s'enchaînent inéluctablement afin de former une véritable tragédie en trois actes.

Le premier acte est celui d'une vie déterminée. Née à Vienne, Marie-Antoinette grandit au sein d'une cour où le sentiment de la famille avait une dimension résolument politique. Les palais de Schönbrunn et de la Hofburg étaient des lieux régis par l'étiquette où les arts s'épanouissaient suivant le goût de l'impératrice Marie-Thérèse et de son époux. La petite archiduchesse y grandit, apprenant à tenir son rang avec tout ce que cela entendait, familiarisant son œil à la beauté. Le jeu des alliances européennes la désigna bientôt comme l'épouse de l'héritier de la couronne de France et c'est en véritable « produit de cour » qu'elle arriva dans son nouveau pays. Si les us et coutumes de Versailles étaient certes différents de ceux de Vienne, ils n'en étaient cependant pas si éloignés. L'enfant les apprit rapidement et s'appliqua, toujours étroitement conseillée par les lettres de sa mère et par son entourage à Versailles, à tenir à la perfection son rôle de dauphine. Le faste des cérémonies du mariage, l'amour qu'on lui témoigna et le soin que l'on prit à la faire connaître, comme les premières intrigues, ne

Fig. 1

Fig. 2

Fig. 1, 2 et 3
Maquettes de Robert Carsen pour la scénographie de l'exposition *Marie-Antoinette* au Grand Palais.

permirent pas à Marie-Antoinette de revendiquer une quelconque indépendance. Tout juste fit-elle preuve de quelques enfantillages. Lorsqu'elle monta sur le trône, elle n'avait pas encore vingt ans. Nouvelle reine, elle dut avant tout donner un héritier au royaume et apprendre à mieux gérer son image. Elisabeth Louise Vigée Le Brun livra en 1778 le premier portrait de la souveraine donnant entière satisfaction. La naissance tant espérée n'eut lieu qu'en 1781. Avant même ces événements s'était ouvert le deuxième acte.

Reine de France, Marie-Antoinette n'entendit pas devenir une nouvelle Marie Leszczyńska, souveraine effacée qui s'attacha à donner naissance et s'abîma dans la dévotion religieuse. Jeune et belle, légitimement elle chercha à manifester une certaine indépendance à l'égard du système de cour, elle désira faire des choix et prendre des décisions. Ces choix, puisque la politique lui fut longtemps interdite, elle les prit dans le domaine des arts. Avec l'aide et le soutien de l'administration royale, et sous l'influence de ce qui se faisait à Paris, elle s'attacha à créer des intérieurs raffinés où elle témoigna de son attrait pour l'Orient, suivant en cela l'exemple de sa mère, et de son goût pour la modernité. Du Petit Trianon, dont elle reçut la jouissance peu après l'accession au trône de Louis XVI, elle fit un lieu des idées nouvelles. Non seulement Marie-Antoinette y manifesta son amour de la nature, mais elle s'y mit en scène, au sens propre comme au sens figuré, suivant ses propres règles. Lieu de la mode, lieu des fêtes et du théâtre, lieu des amis, Trianon permit à la souveraine d'être femme. Il lui permit d'être elle-même. Cette liberté, cette autonomie à l'égard de la cour, Marie-Antoinette ne put la conserver. Le troisième acte sourdait au son du glas.

Rapidement perçu par l'opinion publique comme le lieu des dépenses effrénées et des débauches, le Petit Trianon devint le Petit Vienne et le cercle de la reine fut perçu comme une assemblée d'oisifs et de profiteurs aux mœurs dissolues. En but à la calomnie, Marie-Antoinette dut affronter l'affaire du Collier et tenta, avec l'appui de son administration, de répondre à la critique en diffusant de nouvelles images où elle se voulait avant tout une mère. Peine perdue, dans les esprits, elle était devenue Madame Déficit et un agent à la solde de l'Autriche.

Emportée par l'histoire et la force du destin, noyée sous le flot des libelles, des publications ordurières et des estampes satiriques, la famille royale s'était engagée sur le chemin de l'échafaud.

Pour mettre en scène cette tragédie dans les Galeries nationales du Grand Palais, il fallait du talent. Soutenu par Jean-Jacques Aillagon et Thomas Grenon, assisté par Nathalie Crinière et Ian Burton, Robert Carsen a relevé le défi. En homme d'opéra, il a aussitôt perçu toute la dimension théâtrale du synopsis que nous avions élaboré en faisant le choix des œuvres exposées. Il en a aussi mesuré parfois les faiblesses, avec, en particulier, la difficulté à évoquer la vie de cour, ou à souligner le rôle éminent que Marie-Antoinette avait exercé dans le domaine de la musique ou de la

Fig. 3

mode. Rien ne subsiste ainsi de la garde-robe de la souveraine. De nombreux aspects de sa vie sont connus par les sources écrites, mais ne peuvent être évoqués de manière visuelle. La scénographie aidera, nous l'espérons, à faire oublier ces absences. Elle soutient, nous en sommes convaincus, les thèmes de l'exposition. Aux espaces dévolus à l'enfance autrichienne, à la dauphine de France et à la reine chargée d'enfanter, répondent ainsi l'enfilade des portes palatiales de Schönbrunn et de Versailles et les images des théâtres de cour de chacune de ces deux résidences *(fig. 1)*. A l'exemple de la galerie du palais Spada à Rome, l'œil est trompé par la proximité de ces portes et leurs dimensions décroissantes. Il est aussi contraint, comme pour marquer le peu de liberté laissé à Marie Antoinette dans son rôle officiel. En revanche, lorsque la souveraine manifeste son goût personnel, l'espace se scinde en deux magnifiques scènes de théâtre, l'une diurne, l'autre nocturne, inspirées des œuvres de Châtelet décrivant les fabriques des jardins de Trianon *(fig. 3)*. Ouvertes sur le ciel et la nature, abritant la beauté des œuvres les plus précieuses, ces salles n'en demeurent pas moins des décors qui masquent la réalité. Tout autre, enfin, se veut l'ultime galerie de l'exposition. Avec son mur lame qui porte seul les œuvres ou les abrite, et qui réduit progressivement l'espace, elle conduit à l'ultime image de Marie-Antoinette, celle fixée par David avant l'échafaud *(fig. 2)*.
Entre le beau dessin de Liotard décrivant une petite fille qui semble déjà consciente de sa destinée et le terrible croquis des derniers instants, toute une vie s'est écoulée. L'exposition n'a pour autre but que d'en souligner le caractère exceptionnel. Le pari n'était pas facile. Laissons aux visiteurs le soin de déterminer s'il fut réussi et levons à cet effet le rideau.

Marie-Antoinette et Versailles

Pierre Arizzoli-Clémentel

Versailles a été définitivement marqué par le séjour de Marie-Antoinette, depuis la période de dix-neuf ans où elle y a résidé, en tant que dauphine puis comme reine de France. Les touristes, le grand public, les amateurs, recherchent avec passion des traces vraies ou supposées de sa présence dans le palais, à Trianon. Elle est en fait la seule reine de France qui ait survécu dans l'imaginaire du public, effaçant complètement le souvenir de Marie-Thérèse, de Marie Leszczyńska, cette dernière y ayant pourtant vécu près de cinquante ans. Injustice sans doute, mais que faire contre une destinée hors pair, depuis le trône le plus brillant de l'époque jusqu'au Temple et à la Conciergerie ?

De celle à propos de laquelle on détournait la tête lorsqu'on évoquait son nom devant sa famille à Vienne, sans répondre aux questions pressantes de Napoléon, comme le rappelle Las Cases dans son *Mémorial de Sainte-Hélène*, à l'icône postmoderne imaginée par Sofia Coppola, il y a effectivement un précipice. Dorénavant, elle émeut, elle passionne, on republie sa volumineuse correspondance (exceptionnelle d'ampleur pour une reine...), on met au point un *Dictionnaire Marie-Antoinette* (2006), comme pour les plus grands personnages de l'histoire. On se bat pour ses meubles, ses objets, ses souvenirs lorsqu'ils paraissent en vente, atteignant des prix astronomiques.

Il faut bien s'y faire, il y a donc un peu partout une Marie-Antoinettemania, contrairement, ce qui n'est pas sans étonner, à son pays d'origine. Versailles, quant à lui, a fait bien des efforts pour reconstruire un passé disparu, même si âprement poursuivi et attendu, dans ce mouvement général de reconnaissance et d'admiration, oublieux des côtés plus contestables de la personnalité de celle qui est devenue « la Reine », à l'exclusion de toute autre. Celle qui est décrite au Temple par sa propre fille, dans le mémoire que cette dernière a rédigé en 1795 : « Souvent son calme et son maintien si digne en imposèrent : c'était rarement à elle qu'on osait adresser la parole », elle force maintenant l'admiration et suscite l'amour.

Ceux qui l'ont bien connue, Walpole, Ligne, Besenval..., saisis par sa grâce, sa manière de marcher, son fameux port de tête, qu'on peut déjà noter chez Liotard, et que ses ennemis prirent pour de la hauteur, rendent compte de ce sentiment, effacé provisoirement par les pamphlets de la Révolution, malgré la plaidoirie de Mme de Staël et les chants du poète Delille.

La reconquête du souvenir remonte à loin, ici, puisqu'on peut déjà noter les efforts entrepris en 1835 pour meubler l'appartement de « jour » prévu pour la reine Marie-Amélie, épouse de Louis-Philippe, et elle-même fille de la sœur préférée de Marie-Antoinette, la reine Marie-Caroline de Naples (cette parenté ne fut pas sans causer quelques problèmes au sein même de la famille royale, le roi descendant de Philippe-Egalité, qui avait voté la mort de Louis XVI...).

L'appartement en question avait d'ailleurs été mis au point dans les anciens petits appartements de la reine, avec des recherches de couleurs, de formes, dont on peut se demander si Louis-Philippe ne s'occupa pas directement, à travers ses souvenirs d'avant 1789. En témoigne cette recherche, dans les collections du Garde-meuble, de petits meubles de la fin du XVIIIe siècle qui pouvaient faire illusion, les pièces les plus soignées étant la Méridienne et le cabinet doré, meublés en Louis XVI. Cet appartement ne devait pas beaucoup servir, le roi et la reine préférant les appartements du Grand Trianon, avec des meubles de leur temps, ou marqués par le goût de l'historicisme débutant.

Mais, dans le sillage de l'admiration des Goncourt (leur *Histoire de Marie-Antoinette* publiée en 1858), c'est bien entendu l'impératrice Eugénie qui, au XIXe siècle, doit le plus retenir l'attention pour son action en faveur de la reine, dont elle vénérait la mémoire, elle qui se voyait « finir » comme elle, n'hésitant pas à écrire à sa sœur, la duchesse d'Albe, alors qu'elle venait de perdre un enfant à la suite d'une fausse-couche : « En ce moment, je rends grâce à Dieu de n'avoir pas réalisé une espérance qui me remplissait de joie, car je pense au pauvre Dauphin Louis XVII, à Charles Ier, à Marie Stuart, à Marie-Antoinette... »

Non contente de rassembler des meubles précieux dans ses appartements privés des Tuileries, avec des provenances vraies ou supposées – elle fit acheter par le Mobilier impérial la fameuse table de Weisweiler en laque, acier et bronze doré (cat. 141), l'un des plus beaux meubles jamais créés pour la reine, à la vente Beauvau en 1865 –, Eugénie profita de l'Exposition universelle de 1867 pour « reconsacrer », pour ainsi dire, le Petit Trianon au souvenir de

Marie-Antoinette, en y faisant déposer une série d'objets et de mobilier censés avoir appartenu à la souveraine, choisis par une commission spéciale présidée par le comte Lepic, surintendant des Palais, le secrétariat étant assuré par M. de Lescure, biographe de la reine.

Au milieu de « reliques » prêtées par des collectionneurs privés (l'impératrice elle-même, lord Hertford, le baron Double...) brillaient des chefs-d'œuvre comme le grand serre-bijoux de Schwerdfeger (on n'imagine mal ce meuble de proportions monumentales dans les salons boisés et peints du Petit Trianon, en l'occurrence le billard aux dimensions tout de même réduites...) ou le portrait de Wertmüller de 1785 obtenu du roi de Suède, puis copié l'année suivante. Tout l'ensemble devant faire un peu « débarras » de luxe dans une ambiance gris Trianon inventée pour l'occasion. Eugénie, de Saint-Cloud, y entraînera nombre de souverains en visite à Paris : ainsi, l'illusion devait être complète, pensait-elle, comme lorsqu'elle apparut au bal masqué du carnaval de 1866 aux Tuileries dans un costume inspiré du grand tableau de Vigée Le Brun, provoquant même la réplique insolente d'un masque anonyme : « Votre costume est des plus vrais, aussi, gare à la tête ! »

Tout devait un peu retomber à la fin du XIXe siècle, jusqu'aux élégantes fêtes, mélancoliques, des « décadents », autour de la comtesse Greffulhe et de son cousin Robert de Montesquiou, par exemple en 1901 : évocations évanescentes, musicales, tout de blanc revêtues à la manière d'une célèbre fête de fin du XVIIIe siècle, dans le cadre du hameau, ce qui a peut-être fait naître les visions hallucinées de deux demoiselles anglaises, source de bien des conjectures – les Anglais, toujours attirés par Marie-Antoinette, ne payaient-ils pas pour passer une nuit frissonnante dans la chambre de la reine au Petit Trianon, lorsque le bâtiment de Gabriel fut provisoirement transformé en gargote après 1797 ?

C'est l'époque où un jeune conservateur, nommé un peu contre sa volonté à Versailles, va bâtir une œuvre mémorable, d'une grande élégance de style, dans le désert scientifique de l'époque, où tout était à redécouvrir, à comprendre, à expliquer. Pierre de Nolhac, conservateur de 1892 à 1920, aura, en trente ans, le loisir et le talent d'écrire des dizaines de volumes, débroussaillant les personnages, leur histoire, le contexte, et particulièrement avec Marie-Antoinette : *Marie-Antoinette Dauphine* en 1896, et *La Reine Marie-Antoinette* en 1890, réédités en 1929, après l'œuvre pionnière de G. Desjardins sur le Trianon et ses jardins (1885). Grand connaisseur de l'Italie, par son séjour comme membre de l'Ecole française de Rome au palais Farnèse, il aura la bonne fortune de retrouver en 1894, perdu dans une bibliothèque de Modène, le merveilleux album d'aquarelles de 1786 illustrant le domaine de Trianon au faîte de sa splendeur (cat. 200) et qui est la référence incontournable pour la connaissance de l'œuvre de Mique à Versailles, à la veille de la Révolution.

Dix ans plus tard, en 1932, le grand écrivain autrichien Stefan Zweig allait mettre son immense talent au service d'une biographie de Marie-Antoinette, restée insurpassée, éternel succès de librairie traduit en dix langues, même si l'on a depuis découvert bien des documents, et si l'interprétation s'est parfois affinée. Par ce succès, l'écrivain de renommée mondiale a plus fait pour la mémoire de la reine qu'aucun autre. Etant autrichien lui-même, il a compris, avec son intelligence aiguë, ce caractère « moyen », ballotté par les événements, tentant maladroitement d'influencer le destin et se dépassant à la fin, alors que tout est perdu.

C'est aussi l'époque, la fin des années 1930, balbutiante, des premières acquisitions apportant une touche de vérité aux appartements royaux vides, avec de petits moyens, s'appuyant sur une recherche de documents, nouvelle dans son ampleur, que Pierre Verlet allait imposer à partir de 1937 comme une nouvelle science, avec un nouvel intérêt, comparable aux arts majeurs, donné aux arts décoratifs qui y gagnaient là leur reconnaissance définitive : les quatre volumes qu'il devait publier sur le mobilier royal français à partir de 1945 allaient rester comme des exemples d'érudition intelligente, des pierres miliaires indispensables pour les musées-châteaux. Ce fut alors l'arrivée, en 1938, de la console en bois doré dans la Méridienne, premier achat, avec l'aide de la Caisse nationale des monuments historiques, suivie l'année suivante, en 1939, de l'écran de cheminée (cat. 153) de la grande chambre d'apparat de Marie-Antoinette au château. Ce mouvement devait marquer un temps d'arrêt avec la guerre, mais le conservateur en chef Charles Mauricheau-Beaupré eut quand même la chance de voir arriver dans les collections, en 1942, l'ensemble unique du mobilier dit « aux épis » de Georges Jacob, qui allait prendre place, beaucoup plus tard, dans la chambre de la reine au Petit Trianon.

Avant d'en arriver là, il fallait rendre figure humaine au Petit Trianon : un conservateur, Gaston Brière, devait s'atteler, dans les années 1930, au retour des grandes peintures disséminées depuis le XIXe siècle dans les musées de province : un article dans le *Bulletin de l'histoire de l'art français* devait rendre compte, en 1967, de l'épopée que furent ces retours, s'étalant sur de longues années, notamment pour la grande salle à manger avec les toiles de Hallé, Vien, Lagrenée et Doyen, ensemble commandé par les Bâtiments à la fin du règne de Louis XV, et qui ne plut pas tant à Marie-Antoinette lorsqu'elle reçut le petit château de Louis XVI en 1774. La reine demanda alors à sa mère l'impératrice des répliques des tableaux de Weikert la représentant dansant avec ses frères et sœurs à l'occasion des fêtes du mariage de Joseph II, en 1765 à Vienne, et qui n'arrivèrent qu'en 1780 à Versailles.

L'entre-deux-guerres sera aussi l'époque d'une sorte de résurrection des maisons du hameau, grâce aux fonds si généreusement attribués à Versailles par la famille Rockefeller (« restauration »-restitution qui sera dénoncée, faut-il le rappeler, par Pierre de Nolhac dans *Le Figaro* en 1933 comme trop poussée : le vieil académicien ne goûtait pas les travaux architecturaux de ses contemporains...).

Pendant la Seconde Guerre mondiale prit aussi forme la politique de retissage à l'identique des soieries de Lyon qui autrefois ornaient et embellissaient Versailles. La grande affaire fut le retissage, entrepris en 1946, du grand broché de l'alcôve de la grande chambre de Marie-Antoinette au château (« gros de Tours broché dessin de fleurs nuées, ruban et plumes de paon », Desfarges, 1786). Mais cela ne fut possible que grâce à la persévérance et au goût d'un grand amateur, Charles de Beistegui, qui put faire retisser le bon modèle pour le salon de son château de Groussay dès 1941, Charles Mauricheau-Beaupré en ayant identifié un fragment. On vit ainsi l'effet que produirait une telle tenture. Devait suivre, beaucoup plus tard, la mise sur métier du satin broché du billard du second étage au château, d'après Gondoin, chef-d'œuvre lyonnais dû à l'extrême générosité de lady Michelham of Hellingly (1984-1993).

Entre-temps avaient débuté les efforts pour la remise en état, dès les années 1950, sous la responsabilité de Gérald van der Kemp, des petits appartements de la reine, avec la remise en place de la « grenadière » bleu glacé dans la Méridienne, pièce emblématique s'il en fut. Tout cela était dû aux efforts de recherche, à la passion pour la souveraine, animant une conservatrice, Marguerite Jallut, qui allait être la cheville ouvrière d'une énorme manifestation ayant lieu en 1955, année du bicentenaire de la naissance de la reine, investissant toutes les salles du rez-de-chaussée du corps central du château, avec ses mille vingt-neuf numéros. Bien des prêts étrangers, autrichiens, suédois, anglais, américains, venaient compléter l'immense marée des reliques, des souvenirs, composant un tableau qu'il ne serait plus envisageable de refaire de nos jours, mais qu'il fut possible d'entreprendre, alors, grâce à la protection tutélaire d'une personnalité entièrement dévouée à la cause de la reine, la baronne Elie de Rothschild, née Liliane Fould-Springer.

Ayant collectionné toute sa vie des témoignages du goût de la reine, ayant été jusqu'à refaire, étape par étape, le voyage de Vienne à Versailles, via Strasbourg, en souvenir du voyage de 1770, on lui confia exceptionnellement le rôle de secrétaire générale de l'exposition, dont elle s'acquitta à merveille, convainquant les collectionneurs privés de participer, ne ménageant ni son temps ni sa peine. Le résultat fut à la hauteur des attentes, l'exposition étant maintenant considérée comme mythique dans les annales de Versailles. Le public devait y remarquer une acquisition majeure de l'année précédente, le célèbre pastel de la reine par Kucharski, daté de 1792, comme le portrait en pied par Gautier-Dagoty si critiqué en 1775, donné par Paul-Louis Weiller en 1955.

Plus tard, en 1964, les longues recherches entreprises dès les années 1950 par Mlle Jallut sur les appartements privés de Marie-Antoinette à Versailles, et notamment le dernier appartement, celui du rez-de-chaussée sur la cour de marbre, furent publiées dans la *Gazette des Beaux-Arts*. Elles servirent de base aux restitutions autorisées par la loi-programme voulue par le président Giscard d'Estaing en 1975, qui vit une renaissance de ces espaces muséaux du rez-de-chaussée du corps central du château, ainsi qu'aux acquisitions, notamment le mobilier de Jacob de la chambre (1788) en bois peint, avec son décor de palmettes, revenu en partie à partir de 1945.

Dans le sillage de « Si Versailles m'était conté », cette moitié des années 1950 vit la réalisation, concomitamment à l'exposition de Versailles, d'un grand film sur la reine, par le réalisateur Jean Delannoy, tourné en partie au château et à Trianon. Le rôle-titre en échut à Michèle Morgan, qui succédait à Norma Shearer dans une première tentative américaine avant la guerre (de W. S. Van Dyke en 1938, avec Robert Morley). Le film était tout entier centré sur l'idylle avec Fersen, à la suite de la découverte en Suède de correspondances de la reine avec le comte suédois.

Toutes ces manifestations participèrent d'un regain d'intérêt pour la sauvegarde de Versailles, après la période d'abandon de la guerre. Elles devaient culminer avec la réouverture de l'Opéra royal de Gabriel en 1957, après une longue et minutieuse restauration, où le rôle du mécanicien Arnould commença à être évoqué, le Sénat ayant bien voulu rendre l'exceptionnelle salle en 1952. Les faux marbres verts, gris et roses, les draperies de soie bleue, le rideau de scène avec son semis de lis broché d'or, les banquettes en velours gaufré, la moquette en fausse peau d'ourson..., tout concourait dans cette résurrection à faire un écrin exceptionnel, emblématique du mariage de l'archiduchesse autrichienne avec le dauphin futur Louis XVI, en mai 1770. Il allait recevoir, pour sa première visite en France, en tant que reine, la jeune Elisabeth II d'Angleterre, accueillie par le président Coty le 9 avril 1957 à Versailles. Les petits appartements de la reine au château allaient être mis à sa disposition pour un court repos durant sa visite, réaménagés, éclairés pour l'occasion.

C'était un cri d'alarme qui allait être lancé, d'autre part, dans le magazine *Connaissance des arts* en novembre 1970, intitulé « Pitié pour le Petit Trianon », pour alerter sur l'état d'abandon de ce bâtiment célèbre qui n'avait pas connu de travaux depuis de nombreuses années, contrairement au Grand Trianon, entièrement rénové en 1966 (seul dans les années 1950 avait été repris le grand escalier d'accès au bel étage, la première pièce à avoir été restaurée étant la grande salle à manger, inaugurée en mai 1970, avec ses tableaux enfin remis en place). Fermé de longs mois, on en profita pour faire des sondages sur les boiseries, ce qui donna lieu à la redécouverte du « petit vert » rechampi de blanc revêtant les boiseries du grand étage, abolissant d'un coup l'invention du gris Trianon chère au XIXe siècle, comme le cabinet des Glaces mouvantes, retrouvant son mécanisme (électrifié), retrouva aussi ses teintes bleu et blanc des lambris de 1787, la seule boiserie du goût le plus moderne voulue par Marie-Antoinette. Plus tard, en 1985, on réouvrit l'appartement de Louis XVI à l'attique, après restauration.

C'est aussi l'époque où l'on s'attacha, avec bien des difficultés, à remeubler le Petit Trianon avec des meubles plus en conformité avec les lieux et selon ce qu'avait voulu la reine, qui devait elle-même cohabiter, rappelons-le, de nombreuses années avec le luxueux mobilier Transition, quasiment disparu, commandé pour le pavillon par Louis XV à la fin de son règne.

Des équivalences furent progressivement mises en place avec le mobilier pour Mme Du Barry à Saint-Hubert (Foliot, 1771) ou le mobilier de Jacob pour le pavillon Balbi à côté du potager du roi (1785), offert par Pierre David-Weill en 1966. L'une des dernières joies de Pierre Verlet fut, dans son ultime volume sur le mobilier royal français (1990), de rappeler la découverte dans un château de province oublié d'un mobilier en bois peint, d'un Louis XVI fort simple, mais possédant la marque circulaire du Garde-meuble de Marie-Antoinette. Il fut heureusement acquis par le musée en 1987, apportant ainsi une petite touche de véracité bienvenue dans cette reconquête perpétuelle qu'est le remeublement, et qui sera fort bien employée dans le grand chantier de restauration rendu possible par le mécénat de la société Breguet, annoncé en juin 2006 et qui doit aboutir courant 2008.

D'autres mécénats ont déjà rendu possibles des restaurations complémentaires à Trianon, mettant notamment en valeur un domaine qui sera évoqué dans l'exposition du Grand Palais, et je veux tout particulièrement dire le théâtre, qui occupa une si grande part dans les années heureuses à Trianon, de 1780 à 1785. La petite salle de Mique, réduction inspirée de l'opéra de Gabriel, a pu être rendue à sa primitive beauté grâce au mécénat du World Monuments Fund France (2001) dans ses tons de soie bleus, et dans son décor de carton-pâte rehaussé de plusieurs tons d'or, qui avait vu la reine elle-même sur la scène chanter et jouer des rôles tirés du *Devin du village* de Rousseau ou du *Barbier de Séville* de Beaumarchais, avec des arias de Paisiello. La soirée d'inauguration, le 4 octobre 2001, reste dans le souvenir avec des airs des *Noces* de Mozart et d'*Iphigénie en Tauride* de Gluck, opéra qui fut joué dans ce théâtre lors de la visite de l'empereur Joseph II, frère de la reine, à Versailles.

Bien des travaux devaient être entrepris dans les jardins de Trianon, dans les années 1990 (replantation du jardin français), mais, surtout, à la suite de la tempête de décembre 1999, qui a véritablement anéanti le jardin anglais. Grâce à des crédits spéciaux de l'Etat, une replantation totale a été entreprise sur quatre ans, aboutissant au chantier le plus important en France de remise en état selon les plans anciens d'un jardin à l'anglaise (16 hectares), agrémenté de fabriques progressivement restaurées : les maisons du hameau (la ferme, 1992 ; le moulin, 1994 ; le réchauffoir, 1998 ; la tour de Marlborough, puis la maison du fermier, 2007), la grotte, et le temple de l'Amour dont la fin de la restauration, à l'été 2006, a coïncidé avec l'ouverture de ce qui a été appelé le « domaine de Marie-Antoinette » autour du Petit Trianon. Il sera enrichi bientôt du pavillon frais et de son jardin, restitué grâce à l'action des American Friends of Versailles.

Revenant au château lui-même, outre l'évocation du décor en toiles peintes des petits cabinets du second étage (don Monrocq, 2007, par l'intermédiaire des Amis de Versailles), l'ensemble célèbre appelé « petits appartements de la reine », au premier étage, derrière sa grande chambre, a bénéficié d'une restauration importante qui devrait être suivie par d'autres. Il s'agit du fameux décor boisé du grand cabinet intérieur, ou cabinet doré, de 1784, dû à Mique et aux frères Rousseau, symphonie de blanc et d'or aux motifs strictement néoclassiques, d'un raffinement inouï. Rendue possible par un mécénat (2003) d'une société japonaise, la société Hankyu, cette restauration a permis une dépose complète des lambris et un remontage, ainsi qu'un traitement général de l'ensemble jusqu'à la restitution des chiffres royaux, peut-être perfectible. Cela rend d'autant plus regrettable la disparition du somptueux mobilier original de ce salon, définitivement exilé à New York, et qui était en syntonie avec les collections de laques du Japon, noir et or, disposées là par la reine, après le legs reçu de sa mère l'impératrice Marie-Thérèse en 1780, dont l'histoire a été rappelée dans une exposition qui s'est tenue au château en 2001. Meubles d'une richesse extraordinaire (commode, secrétaire à abattant) dus au grand Riesener, vendus à la Révolution, ayant appartenu à la collection écossaise des ducs de Hamilton, une donation Vanderbilt a fixé leur destin de l'autre côté de l'Atlantique depuis 1920. Il n'en demeure pas moins que le château a continué sa tâche d'enrichissement des collections par des meubles et objets ayant appartenu à la reine et que l'on pourra admirer au Grand Palais : si l'on ne veut pas remonter à l'exceptionnel retour de la console néoclassique en acajou, par Schwerdfeger (cat. 205), dans la chambre à coucher de la reine au Petit Trianon, acquise en vente publique en 1976, ou à l'arrivée, par dépôt, du mobilier en bois doré de G. Jacob du cabinet doré de la reine, comme à celle par dation, en 1990, du fauteuil de Sené au chiffre de Marie-Antoinette (cat. 156), citons simplement, pour les meubles les plus importants, le coffre à bijoux de Carlin (cat. 72), probable cadeau de mariage à la nouvelle dauphine, acquis en 1997, grâce au Fonds du patrimoine et à plusieurs mécènes et, plus récemment, le coffre de campagne ou de voyage de Riesener (1785), trésor national acquis en 2005 (cat. 111).

Il y a certes encore beaucoup à faire, notamment dans le domaine des objets : à côté du beau service « riche » de la reine en sèvres (1784), dont nous avons pu acquérir quarante-huit pièces en vente publique en 1993 (cat. 165), il resterait par exemple à pouvoir montrer à Versailles un échantillonnage significatif du fameux service, plus simple, « à perles et à barbeaux », de 1781 (cat. 164), souvent copié et peut-être fait pour Trianon… Du moins peut-on l'espérer en découvrant cette exposition, résultat de bien du travail, où le visiteur appréciera le chemin parcouru dans une meilleure connaissance d'une époque et d'un personnage exceptionnel, « entre deux rives, entre deux mondes », selon le mot de Chateaubriand.

L'enfance d'une princesse à la cour de Vienne

Elfriede Iby

La famille impériale

Marie-Thérèse et François Etienne de Habsbourg-Lorraine se réjouissaient de leur nombreuse descendance, qui s'agrandissait presque chaque année et marquait la vie de la cour de sa gaieté enfantine, de sa joie de vivre et sans doute aussi d'un certain caractère primesautier. Chacun sait que le couple impérial (depuis 1745) n'était guère adepte d'une étiquette rigoureuse ni du cérémonial « espagnol » ; ainsi s'instaura une étonnante alliance entre représentation impériale et intimité familiale. Vers 1760, la cour de Vienne était considérée comme l'une des plus séduisantes d'Europe. A la suite de sa première visite, le prince Albert de Saxe, futur gendre de Marie-Thérèse, déclarait : « Il n'y a guère spectacle plus charmant que de voir la longue file des enfants suivant leurs illustres parents lors des cérémonies religieuses officielles[1] ».

Marie-Thérèse et François Etienne aimant séjourner à la campagne, ils firent agrandir et transformer le château de Schönbrunn en résidence d'été, mais ils appréciaient aussi beaucoup le château de Laxenburg, non loin de Vienne, pour la chasse et autres divertissements de cour (cat. 9).

En dépit de l'assouplissement du cérémonial et des codes vestimentaires, la vie de cour était minutieusement réglée dans le déroulement des jours et de l'année. Spectacles organisés pour les anniversaires et fêtes des membres de la famille impériale *(fig. 4)*, mais aussi fêtes religieuses, de cour et de la Toison d'or (rassemblement solennel des chevaliers de l'ordre) étaient consignés dans le *Kayser-Königlicher Hof- und Ehren-Calender*.

Dès sa prise de pouvoir en 1740, Marie-Thérèse s'efforça d'établir son propre programme quotidien, pour pouvoir se consacrer à la fois aux affaires de l'Etat et à sa famille. Se sentant responsables de l'intégrité de leur vie familiale, les deux parents impériaux accordèrent certainement une valeur essentielle à l'éducation de leur nombreuse progéniture. Le choix de bons précepteurs, comme l'établissement d'objectifs précis – forger le caractère et encourager les talents individuels – devaient garantir la formation requise (cat. 21 et 22).

Outre la culture générale et un savoir spécifique adapté à la future carrière de chacun des enfants, une attention particulière était aussi portée à l'éducation artistique et musicale, attention qui répondait aux propres intérêts du couple impérial. Dans sa jeunesse, Marie-Thérèse elle-même était passionnée par la danse, et douée pour le chant. François Etienne, pour sa part, avait un penchant marqué pour l'art et les sciences naturelles : il fit même venir à la cour de Vienne un cercle d'artistes

 Double page précédente : détail du cat. 32.

Fig. 4
Martin Van Meytens
et son atelier
Sérénade dans les salles de la Redoute de Schönbrunn
1760-1762
Château de Schönbrunn, salle des Cérémonies

lorrains qui imprima de sa marque l'activité artistique. C'est dans ce cercle que furent recrutés les professeurs, notamment Gabrielle Beyer-Bertrand, dont le père était jardinier à la cour de François Etienne. Engagée en 1764, elle donnera des cours de dessin aux archiduchesses Marie-Caroline et Marie-Antoinette[2]. L'encouragement de ces talents entraîna aussi la participation des enfants au décor des châteaux, comme en témoignent les nombreux pastels et gouaches signés des archiduchesses qui ornent aujourd'hui encore les murs lambrissés des appartements privés du château de Schönbrunn *(fig. 5 et 6)*.

La formation musicale avait aussi sa place dans cet enseignement, les filles apprenant le chant et la danse, tandis que les garçons étaient plutôt orientés vers la pratique d'un instrument. En 1747, le château de Schönbrunn s'enrichit de son propre théâtre, solennellement inauguré le jour de la fête de l'empereur par un spectacle des enfants. A l'occasion du second mariage du prince héritier Joseph et de Josepha de Bavière, en 1765, l'opéra *Il Parnasso Confuso* de Christoph Willibald Gluck fut donné pour la première fois dans l'actuelle salle des Cérémonies *(Zeremoniensaal)* du château de Schönbrunn, avec, dans les rôles principaux, les enfants du couple impérial et de jeunes aristocrates. Ce furent aussi les enfants de Marie-Thérèse qui interprétèrent le ballet *Il Trionfo d'Amore*[3] (cat. 32).

1. Iby et Koller 2000, p. 161.
2. Zedinger 2000, p. 193.
3. Mathis 1981.

Fig. 6
Joueuse de flûte
Pastel sur vélin signé *M.A.f.*
dans le Cabinet des Miniatures
Château de Schönbrunn

Fig. 5
Cabinet des Miniatures
Château de Schönbrunn

Archives et tableaux conservent le souvenir des nombreux bals, bals masqués *(fig. 7)*, redoutes et autres festivités auxquelles participaient les membres de la cour en tant qu'acteurs principaux, et la population en tant que spectateurs. Ces fêtes étaient souvent organisées à l'occasion d'un événement historique important, et soigneusement consignées, comme la première victoire de Marie-Thérèse sur la Bavière après la reconquête de Prague, célébrée par le « Carrousel des dames » dans le manège d'hiver de la Hofburg de Vienne le 2 janvier 1743.

Baptêmes, remises de distinctions, mariages, bals, mascarades – autant de manifestations qui rythmaient le calendrier de la famille impériale et de la cour de Vienne, tout en assurant une fonction de représentation et de prestige pour les souverains et leur cour.

Marie-Antoinette

« Peu avant la naissance [...] l'impératrice et un comte Dietrichstein se disputèrent en plaisantant au sujet du sexe de l'enfant à venir. Le comte assurait que ce serait un prince, l'impératrice une princesse. Ils firent un pari, et l'impératrice gagna : l'enfant était une archiduchesse ; le comte Dietrichstein dut payer. Il s'en sortit, conformément au goût de ce temps, par une aimable galanterie. Il fit exécuter en porcelaine une figure qui le représentait à genoux, tendant d'une main une feuille à l'impératrice sur laquelle étaient écrits ces vers de Métastase :

Perdo, è ver, l'augusta figlia
A pagar m'ha condannato,
Ma s'è ver che a te somiglia,
Tutto il mondo ha guadagnato[4]. »

La dernière fille de Marie-Thérèse et François Ier Etienne vit le jour le 2 novembre 1755, et fut baptisée le lendemain par l'archevêque de Vienne sous les noms de Maria Antonia Anna Josepha Johanna. Les parrain et marraine, le couple royal de Naples, étaient représentés par les frère et sœur aînés du nourrisson, Marie-Anne et Joseph. Comme tous les autres enfants, Marie-Antoinette fut confiée aux soins d'une gouvernante, responsable de son bon développement. En janvier 1758, l'enfant résista à la variole grâce au dévouement de la comtesse Judith von Brandis, qui devint dès lors la gouvernante de Marie-Antoinette et de sa sœur Marie-Caroline, de trois ans son aînée[5]. A cette occasion, le grand maî-

Fig. 7
Martin Van Meytens
Marie-Thérèse en costume turc
Vers 1744
Château de Schönbrunn

tre de cour *(Obersthofmeister)* Khevenhüller-Metsch nota que l'on se « fit bien du souci pour cette belle et gentille femme[6] ».

La plus jeune des archiduchesses était une enfant particulièrement jolie et gracieuse, aimée de tous, mais très gâtée par sa gouvernante, qui ne devait guère l'inciter par la suite à étudier sérieusement.

L'éducation des archiducs et archiduchesses à la cour impériale

En principe, le choix d'un gouverneur ou d'une gouvernante (généralement issus de la haute noblesse) était arrêté par le couple impérial après mûres réflexions concernant les compétences pédagogiques des intéressés et l'adéquation de leurs idées avec celles des souverains. Parmi les principales exigences émises par Marie-Thérèse comptaient la patience et la persévérance, l'amour et la compassion, une conduite irréprochable en regard de l'étiquette de cour, mais aussi l'aptitude à stimuler les traits de caractère positifs et les talents de leurs protégés.

Si la personne choisie ne répondait pas à ces attentes, elle était remplacée par un candidat plus approprié. Les raisons d'un renvoi pouvaient être aussi bien une rigueur excessive qu'une autorité insuffisante.

Par son attitude face aux nourrissons, Marie-Thérèse faisait déjà figure de mère moderne. Sous l'influence de son médecin personnel Gerhard Van Swieten, elle introduisit de nombreuses innovations en matière de soins et d'hygiène. Ainsi, les nourrissons n'étaient plus solidement emmaillotés, mais enveloppés dans des langes confortables. Sorties en plein air et exercices physiques faisaient aussi partie de ces nouvelles méthodes, qui devaient à la fois renforcer et endurcir le corps et encourager la discipline.

Marie-Thérèse établit un vaste ensemble de mesures d'éducation pour sa nombreuse progéniture, mesures qui régissaient la journée entière et étaient ensuite adaptées à chaque enfant individuelle-

4. Pichler 1844, cité d'après Mraz 1979, p. 221. Vers que l'on peut traduire par :
« Je perds, il est vrai ; l'auguste fille / A payer m'a condamné, / Mais s'il est vrai qu'elle te ressemble, / Tout le monde a gagné. »

5. Wachter 1968, p. 237.
6. Khevenhüller-Metsch 1911, p. 6.

ment. Les instructions complètes étaient élaborées par le couple impérial en personne, gouverneurs et précepteurs devant s'y conformer à tous les égards. Chaque enfant avait son propre programme d'enseignement, et des comptes rendus réguliers faisaient état de leurs succès ou d'éventuelles difficultés.

Marie-Thérèse voyait dans la religion un fondement essentiel de l'éducation : « Sans fondement religieux, l'homme n'est rien et les vertus ne durent pas[7] », écrivait-elle en 1779 à sa belle-fille Marie-Béatrice d'Este à Milan. Elle ordonnait que des cours de religion fussent prodigués par son confesseur dès l'âge de cinq ans, deux ans avant le début de l'enseignement général. Le confesseur surveillait les lectures des enfants pour éviter qu'une mauvaise littérature ne les soumît à des influences néfastes ou immorales. Marie-Thérèse et François Etienne accordaient tous deux une grande importance à l'éducation religieuse. L'impératrice était surtout attachée aux exercices religieux, à la fréquence et à la durée des prières, tandis que son époux encourageait davantage la piété intérieure, l'instauration d'une relation personnelle avec le Créateur présent en tout lieu et le Dieu bienveillant.

L'éducation de Marie-Antoinette

Pour Marie-Antoinette aussi, l'éducation commença par des cours de religion, suivis par l'apprentissage de l'écriture, de la musique et du pianoforte. Pourtant, à partir de 1765, lorsque apparurent les premiers signes concrets d'un projet de mariage avec la maison royale de France, son savoir se révéla très lacunaire, en raison notamment de la négligence de la comtesse von Brandis qui fermait les yeux sur ses nombreuses échappatoires et son extrême oisiveté. En décembre 1765, après la mort du dauphin de France, c'est son fils le duc de Berry et futur Louis XVI qui devint l'héritier du trône. Même son grand-père Louis XV était favorable à une union avec une archiduchesse de la maison de Habsbourg, avec pour réserve qu'aucune déformation physique n'intervînt avant le mariage[8].

Six mois plus tard, Louis XV choisit parmi les filles de Marie-Thérèse celle qui épouserait le dauphin, comme le rapporte le comte Starhemberg au chancelier Kaunitz en mai 1766 : « Toutes les archiduchesses sont belles, déclara-t-il [le roi], bien mises et bien éduquées, et la nôtre le sera certainement aussi… Il pensait que c'était la plus jeune, l'archiduchesse Marie-Antoinette, qui conviendrait le mieux. C'est donc elle que Sa Majesté pria de retenir[9]. »

La préparation de Marie-Antoinette à son rôle de dauphine puis de reine de France

Une attention particulière fut désormais portée à l'éducation de Marie-Antoinette, l'enseignement étant surtout déterminé par le contexte français afin de la préparer à son futur rôle de reine de France. La responsabilité en fut confiée à la comtesse Lerchenfeld, plus résolue, tandis que l'on demandait à l'ancien ministre des Affaires étrangères français, le duc Etienne de Choiseul-Stainville, de chercher un précepteur en France pour enseigner à Marie-Antoinette la langue et la littérature françaises ; l'archiduchesse dut aussi se perfectionner en musique, chant, danse, dessin et travaux d'aiguille[10].

Pleine de vivacité et d'entrain, l'archiduchesse comprenait vite, mais se montrait inattentive et espiègle, avec peu de propension à s'intéresser aux choses sérieuses. Lorsque les projets de mariage se précisèrent, il devint nécessaire d'élaborer un programme éducatif renforcé pour combler ses lacunes. La quête d'un précepteur approprié fut confiée au comte Florimond de Mercy-Argenteau, ambassadeur d'Autriche auprès de la cour de Versailles. Finalement, sur la recommandation de l'évêque d'Orléans[11], c'est l'abbé Matthieu Jacques de Vermond, grand vicaire de l'archevêché de Toulouse et bibliothécaire du collège des Quatre-Nations, qui fut chargé de cette tâche[12].

L'abbé arriva à la cour de Vienne en octobre 1768, et commença à partir de janvier 1769 à rendre compte régulièrement des succès et progrès de l'archiduchesse. Charmé par sa grâce, il dresse, dans une lettre à Mercy-Argenteau du 21 janvier 1769, un portrait extrêmement positif de son élève : « Je suis certain que notre cour et la nation française seront ravies de notre future dauphine. Elle allie à une figure charmante un caractère fort séduisant, et si elle mûrit encore un peu, comme on est en droit de l'espérer, elle disposera de tous les atouts souhaitables pour une princesse de haut rang. Son caractère, son cœur, sont tout à fait remarquables, et il ne lui manque plus que la légèreté d'expression pour montrer ce don admirable que possède sa mère de toujours dire aux gens les choses les plus aimables[13]. » La future reine de France dut aussi suivre des cours de langue française, après que Louis XV se fut indigné en apprenant qu'elle ne savait pas parler le français sans accent, et encore bien moins l'écrire correctement[14]. Vermond n'eut donc pas tâche facile. Il raconte d'ailleurs que son élève était superficielle et dissipée, aimait par-dessus tout jolies toilettes et divertissements, et qu'on « ne pouvait l'instruire qu'en l'amusant[15] ».

La danse était aussi au cœur de cet enseignement. Louis XV envoya donc le célèbre maître de ballet Jean Georges Noverre à la cour de Vienne pour instruire Marie-Antoinette. Enfin, pour parfaire son apparence extérieure, on fit appel à un dentiste, à des couturiers et à des friseurs français.

La demande officielle et les festivités

Cette éducation focalisée sur les points essentiels connut bientôt son terme, car, dès le 16 avril 1770, la cour de Vienne reçut la demande officielle du roi de France par l'intermédiaire de son ambassadeur le marquis de Durfort. Pour marquer l'événement, l'impératrice organisa le 17 avril une fête somptueuse au Belvédère, avec un bal masqué et un impressionnant feu d'artifice relatés en détail par le grand maître de cour Khevenhüller-Metsch : la cour s'amusa jusqu'à deux heures du matin, le bal lui-même se prolongeant jusque vers sept heures[16].

Le lendemain soir, l'ambassadeur français organisa à son tour une fête dans le jardin du prince Liechtenstein, mais ces festivités – selon Khevenhüller – ne pouvaient soutenir la comparaison avec celles du Belvédère[17].

Le 19 avril 1770, le nonce apostolique procéda au mariage par procuration, le dauphin de France étant représenté par le frère de Marie-Antoinette, l'archiduc Ferdinand. Le 21 avril, la jeune fille, qui n'avait pas encore quinze ans, prit congé de sa mère et de la cour de Vienne, munie d'instructions de Marie-Thérèse « à lire tous les mois ».

Ces instructions n'étaient pas différentes de celles qu'avaient reçues les sœurs de Marie-Antoinette pour accompagner leur existence future dans les cours étrangères d'Italie ; sans doute Marie-Thérèse était-elle consciente que l'éducation de sa fille n'était pas achevée. Clairvoyante et riche d'une longue expérience, l'impératrice avait convenu d'une correspondance secrète avec sa fille et l'ambassadeur Mercy, qui devait garantir la poursuite de sa formation (et son contrôle maternel)[18].

Comme ses frères et sœurs établis par leur mariage en Italie, Marie-Antoinette fut escortée d'une *Obersthofmeisterin* de la cour impériale, la comtesse Windischgrätz, qui devait informer Marie-Thérèse en toute fiabilité sur la vie de sa fille. A travers les informations régulières de la comtesse, l'impératrice put se faire une idée de la nouvelle existence de sa fille à la cour de Versailles ; elle ne put s'empêcher de la mettre en garde, même dans les affaires les plus personnelles, de lui prodiguer ses conseils et d'exercer son influence sur la reine de France jusqu'à sa propre mort en novembre 1780.

7. Arneth 1881, III. p. 360.
8. Arneth 1863-1879, VII, p. 419.
9. Cité dans Mraz 1979, p. 222.
10. Wachter 1968, p. 238.
11. Weissensteiner 1994, p. 228.
12. Wachter 1968, p. 239.
13. Arneth 1863-1879, VII, p. 430.
14. Weissensteiner 1994, p. 228.
15. Cité *ibid*, p. 229.
16. Cité dans Mraz 1979, p. 224.
17. *Ibid.*
18. Wachter 1968, p. 242.

La Vienne de Marie-Thérèse, de 1755 à 1780

Elfriede Iby

Capitale et résidence impériales, Vienne reçut de la cour des Habsbourg et de l'aristocratie rattachée à la cour une physionomie caractéristique, comme ce fut déjà le cas pour la ville baroque du XVIIe siècle. Elle était à la fois le centre politique et le cœur économique des pays de la Couronne, d'où affluaient les ressources qui étaient redistribuées ou consommées dans la ville. Vienne était aussi le centre de la culture et du goût, définis de manière déterminante par la cour et ses exigences. La victoire de 1683 lors du siège de Vienne par les Ottomans fit de la capitale autrichienne non seulement le séjour permanent de la cour des Habsbourg, mais aussi le centre géographique de l'Empire romain-germanique. Autour de 1700, outre les nombreuses commandes architecturales de la cour et de la noblesse, qui se firent construire par d'éminents architectes des palais en ville, mais aussi des châteaux entourés de parcs à l'extérieur de la capitale pour vivre « à la campagne », la ville connut d'importantes transformations à travers l'aménagement de places, le regroupement de maisons bourgeoises, l'érection de monuments et d'églises, etc. Pourtant, toutes les descriptions de Vienne datant du XVIIIe siècle mentionnent la rigueur de l'étiquette et du cérémonial de cour, imputée au conservatisme et au traditionalisme des Habsbourg.

En 1740, lorsque Marie-Thérèse recueillit l'héritage des Habsbourg, elle fut confrontée à une difficulté majeure : la Pragmatique Sanction négociée par son père Charles VI avec les puissances européennes semblait impossible à faire respecter. Elle parvint néanmoins à conjurer cette menace et à défendre son héritage. Après la fin des guerres de Succession d'Autriche, scellée par la paix d'Aix-la-Chapelle en 1748, Marie-Thérèse, qui s'était employée avec succès à faire élire son époux François Etienne de Lorraine à la tête du Saint Empire en 1745, entreprit de réorganiser la monarchie par de vastes réformes de l'armée, des finances et de l'administration.

A partir de 1740, sous le règne de Marie-Thérèse, la vie de cour commença à changer, comme changea aussi, par son pouvoir et ses réformes, le contexte social de la vie citadine, qui devait connaître ensuite, sous son successeur Joseph II, de nombreuses innovations en matière de politique sociale, marquées notamment par la propagation des idées des Lumières.

Depuis des siècles, la noblesse catholique occupait les plus hautes fonctions à la cour, et c'est avec un cérémonial rigoureux qu'étaient assumées ces charges et la mise en scène de la vie officielle à la cour. Déjà en tant que jeune archiduchesse, Marie-Thérèse avait aspiré à moins de rigidité et moins de protocole, évolution qu'encouragera aussi l'empereur François Ier Etienne.

Le climat culturel viennois fut aussi marqué sous Marie-Thérèse par la cour impériale. Les événements politiques et sociaux avaient lieu à la cour et pour la cour de Marie-Thérèse, indissociable de sa propre famille. Bals, redoutes, musique et théâtre rythmaient la vie culturelle et sociale. Marie-Thérèse elle-même était une fervente amatrice de théâtre : « Il faut des spectacles ; sans eux, on ne peut rester dans une aussi grande résidence », affirmait-elle, fréquentant et soutenant aussi bien le théâtre de la Hofburg que celui du château de Schönbrunn. L'empereur préférait le théâtre de la Porte de Carinthie *(Kärntentortheater)*, où étaient surtout jouées des pièces en langue allemande. Souvent organisés à la faveur de la fête d'un des membres de la famille, les spectacles à la cour étaient très appréciés. Archiducs et princesses interprétaient les rôles les plus divers pour la plus grande joie de leurs parents, comme le commente avec enthousiasme, dans son journal, le grand maître de cour *(Obersthofmeister)* Khevenhüller-Metsch.

Les principaux événements familiaux, comme les fêtes pour le mariage du *Kronprinz* Joseph avec Isabelle de Bourbon-Parme, furent immortalisés par le peintre de cour Martin Van Meytens et son atelier à la demande de Marie-Thérèse. Dès leur exécution, ces peintures furent abondamment commentées par les contemporains en raison de l'exactitude et de la fidélité des détails. Architecture, mode, arts de la table, musique et décorations de fête, thèmes centraux de ce cycle de tableaux, apparaissent comme autant de reflets de la vie culturelle viennoise.

La famille de Marie-Thérèse : esprit de famille et cohésion familiale

Elfriede Iby

Entre 1737 et 1756, entre sa vingtième et sa trente-neuvième année, Marie-Thérèse mit au monde seize enfants, dont trois moururent à la naissance ou en bas âge, et trois autres en pleine jeunesse. Quatre fils et six filles atteignirent l'âge adulte. En octobre 1760, lors du mariage du prince héritier Joseph avec Isabelle de Bourbon-Parme, la dernière fille du couple impérial, Marie-Antoinette, avait presque cinq ans, le plus jeune fils, Maximilien François, pas tout à fait quatre ans, et Charles Joseph, le plus doué des fils et très aimé de l'impératrice, était encore en vie. A l'occasion des festivités du mariage, toute la famille écouta une sérénade au premier rang de la salle de la Redoute *(Redoutensaal)* à la Hofburg de Vienne, les parents et les jeunes mariés au milieu, et les douze enfants alignés de part et d'autre (voir *fig. 4*). La nombreuse famille du couple impérial contribua de manière déterminante à conférer à la cour de Vienne la réputation de cour la plus charmante d'Europe.

Marie-Thérèse ressentait une grande affection pour ses enfants, mais à cette nombreuse descendance étaient aussi liées la tâche et la responsabilité délicates de les marier conformément à leur rang et de concrétiser les idées dynastiques assurant la pérennité de l'Empire. Seule sa fille préférée, Marie-Christine, fut autorisée à épouser l'homme de son choix, le duc Albert de Saxe-Teschen, au rôle politique insignifiant.

Même si les affaires de l'Etat accaparaient grandement son temps, Marie-Thérèse veillait à conserver une vie familiale intacte, marquée moins par la cour que par un certain idéal bourgeois. Leurs parents apprirent aux enfants impériaux à maintenir entre eux de bonnes relations, les incitant plus tard, lorsqu'ils seraient dispersés dans plusieurs cours d'Europe, à se rendre visite mutuellement. Veuve dès 1765, Marie-Thérèse n'alla en revanche jamais voir ses enfants, préférant leur écrire de nombreuses lettres, qui témoignent de son amour maternel, mais aussi d'une étonnante rigueur et d'une ingérence presque indiscrète. Cet amour maternel n'était pas toujours apprécié, et même parvenus à l'âge adulte, les enfants craignirent toujours leur mère dominatrice et presque omniprésente, comme en témoigne la déclaration de Marie-Antoinette, dauphine de France, alors qu'elle était âgée de dix-huit ans : « J'aime l'impératrice, mais elle me fait peur, même de loin. Même quand je lui écris, je ne me sens pas à l'aise[1]. »

Marie-Thérèse veillait scrupuleusement à l'éducation et à la formation de ses enfants, tâches que François Etienne et elle confièrent à des personnes de confiance. Il ressort de l'abondante correspondance des enfants impériaux que François Etienne se montrait bon et généreux, alors que Marie-Thérèse marquait la vie familiale de son caractère critique, sévère et souvent aussi injuste.

Après la mort de François Etienne, décédé brusquement à Innsbruck lors des festivités du mariage de Léopold et de Marie-Louise d'Espagne, le jeune couple dut aussitôt se rendre à Florence pour prendre sa succession à la tête du grand-duché de Toscane. Léopold fut alors sermonné par des lettres régulières de sa mère, surveillé et submergé de conseils : « Il me faut être pour toi père et mère, te donner mon avis et t'aider [...] à ton âge, tu as besoin de conseils[2]. »

L'abondante correspondance échangée entre Marie-Thérèse et ses enfants est émaillée de conseils pour une vie conjugale et familiale réglée, puis marquée par son désir insistant de petits-enfants, allié à des recommandations concernant leurs soins et leur éducation. L'impératrice n'a jamais connu personnellement ses petits-enfants. Son souhait était d'autant plus grand de recevoir des portraits peints de sa descendance Habsbourg-Lorraine, portraits d'après lesquels elle se forgeait son propre jugement sur les jeunes princes et princesses, commentant ensuite leur caractère dans des lettres adressées à leurs parents respectifs.

1. Schütz 2006, p. 187.
2. Mraz 1979, p. 211.

1

Balthasar Ferdinand Moll
(Innsbruck, 1717 – Vienne, 1785)

Copie du tableau de la « Familia Augusta »

Vers 1800, d'après un original de 1767
Tableau comportant 19 portraits dans des médaillons ovales, en bronze doré au feu
Surface du tableau argentée, cadre en bois de tilleul doré
H. 1,390 ; l. 1,585 m

Bibliographie : Cat. exp. Vienne 1980, p. 207 ; Barta 2001, p. 56.

Vienne, Bundesmobilienverwaltung-Hofmobiliendepot Möbel Museum. Inv. MD 004035.

Ce tableau montre un arbre généalogique fait de branches de laurier sur lesquelles sont fixés les portraits de Marie-Thérèse et de François Ier Etienne de Lorraine avec leurs seize enfants. Les cinq fils sont disposés symétriquement au-dessus de leurs parents, Joseph, l'héritier du trône, étant mis en valeur dans le plus grand des médaillons au centre ; les filles apparaissent de part et d'autre de leurs parents. Au portrait de Joseph est suspendu celui de son unique fille Thérèse, décédée en 1770, qui figure entre ses grands-parents. Les rubans partant des médaillons du couple impérial s'entrelacent au-dessus d'une banderole portant l'inscription *Familia Augusta* (la famille impériale). Le cadre richement sculpté est sommé en son centre de la couronne de l'Empire romain-germanique flanquée de l'épée et du sceptre tenus par deux aigles. A gauche et à droite figurent des couronnes héraldiques posées sur des coussins. Cet arbre généalogique sur tableau d'argent avait été offert, comme élément de retable, à l'église de pèlerinage de Mariazell, près de Vienne, afin de placer la famille de Marie-Thérèse sous la protection de Dieu. Mariazell était au cœur de la piété des Habsbourg. Marie-Thérèse entreprit elle-même plusieurs pèlerinages dans cette basilique célèbre pour sa statue miraculeuse de la Vierge à l'Enfant.

L'original de la *Familia Augusta* fut fondu pour financer les dépenses occasionnées par les guerres napoléoniennes. Après 1800, la fille de Marie-Thérèse, Marie-Caroline de Naples, fit exécuter des copies d'après cet original dont une gravure conservait le souvenir.

I. B.

2

Martin Van Meytens le Jeune
(Stockholm, 1695 – Vienne, 1770)

La Famille impériale en 1755

Huile sur toile
H. 1,90 ; l. 1,77 m

Provenance : Coll. Crawford ; acquis 600 francs le 2 avril 1834 pour les musées royaux (inv. Louis-Philippe, arch. Louvre, DD [c] 8).
Bibliographie : Jallut 1955b, p. 5, repr. p. 4, fig. 2 ; Lisholm 1974, p. 66-68 et p. 104, n° 113 ; Salmon 2005a, p. 67-68, n° 1, repr.

Versailles, musée national des châteaux de Versailles et de Trianon. Inv. MV 3860.

La volonté de Marie-Thérèse d'offrir à l'Europe l'image d'une famille impériale nombreuse et unie conduisit l'impératrice à passer commande aux artistes de multiples portraits dynastiques. Peintre officiel de la cour, Martin Van Meytens compta parmi les maîtres les plus sollicités. Avec l'aide de son atelier, il livra de nombreuses effigies individuelles et plusieurs portraits collectifs. En 1752, le maître peignit ainsi la première version d'une composition réunissant sur la terrasse du palais de Schönbrunn Marie-Thérèse et son époux François Ier en compagnie de leurs neuf enfants, Marie-Anne, Joseph, Marie-Christine, Marie-Elisabeth, Marie-Amélie, Léopold, Jeanne-Gabrielle et Marie-Josèphe (Vienne, Kunsthistorisches Museum, en dépôt à la Hofburg à Innsbruck). L'œuvre fut particulièrement appréciée si l'on en juge par les trois autres versions sur lesquelles le peintre fut invité à ajouter les nouveaux enfants du couple impérial en modifiant très légèrement l'agencement des figures centrales.

Sur l'exemplaire de 1754 (Vienne, Kunsthistorisches Museum, en dépôt à Schönbrunn) furent ajoutés Marie-Caroline et son jeune frère Ferdinand. La petite archiduchesse y paraît au centre de la composition, penchée sur le berceau de son cadet. L'œuvre fit en l'état l'objet de deux exemplaires. En 1755, l'une des deux toiles, celle aujourd'hui conservée à Versailles, fut partiellement repeinte afin de disposer différemment Marie-Amélie, Marie-Josèphe et Jeanne-Gabrielle, de glisser dans le berceau la nouvelle archiduchesse Marie-Antoinette et d'asseoir Ferdinand sur le petit fauteuil au premier plan. Enfin, en 1756, dans une nouvelle version du portrait, Van Meytens substitua dans le berceau l'archiduc Maximilien à Marie-Antoinette (Florence, palais Pitti). Expression politique de l'unité familiale, l'image de Van Meytens glorifiait des instants de convivialité qui se faisaient fort rares à la cour de Vienne. On sait par Mme Campan (1823, I, p. 38) que l'impératrice était trop occupée par les intérêts politiques pour pouvoir se livrer aux soins de la maternité. Son médecin visitait tous les matins la jeune famille impériale et donnait ensuite à Marie-Thérèse les détails les plus circonstanciés sur la santé des archiducs et des archiduchesses, qu'elle ne voyait parfois qu'après un intervalle de huit ou dix jours. Aussitôt qu'on avait connaissance de l'arrivée d'un étranger de marque, l'impératrice s'environnait de sa famille, l'admettait à sa table et donnait à croire, par ce rapprochement calculé, qu'elle-même présidait à l'éducation de ses enfants.

X. S.

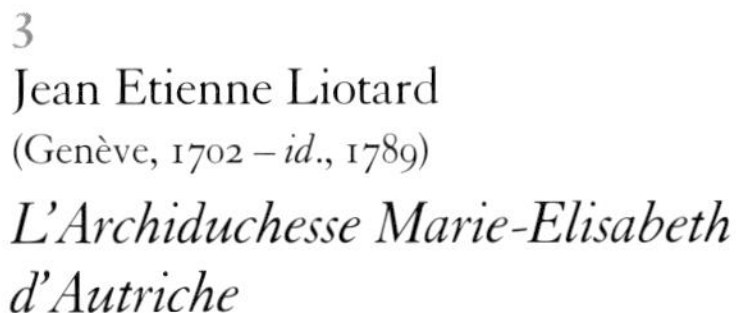

3
Jean Etienne Liotard
(Genève, 1702 – *id.*, 1789)
L'Archiduchesse Marie-Elisabeth d'Autriche

1762
Pierre noire, sanguine, crayon de graphite, aquarelle et glacis d'aquarelle, sur papier vergé blanc
Rehaussé au verso : les mains et les yeux sont soulignés à la pointe de sanguine, la coiffure et le haut de la robe à la pierre noire ; mains, visage et siège sont silhouettés aux frottis et lavis de sanguine et la table dans un mélange sanguine-pierre noire ; la robe et la coiffure sont rehaussées à l'aquarelle bleu vif
H. 32,1 ; l. 24,6 cm

4
Jean Etienne Liotard
L'Archiduc Pierre Léopold d'Autriche

1762
Sanguine, pierre noire, crayon de graphite, aquarelle rose, sur papier vergé blanc
Rehaussé au verso : visage et mains à la sanguine estompée, cheveux, ombre derrière le dos, pantalons et dossier aux frottis de sanguine-pierre noire
H. 32 ; l. 26,5 cm

Provenance : Commandés par Marie-Thérèse à Vienne en 1762 ; vendus par la famille impériale en 1911 ; coll. baronne Maria, puis baron Reitzes-Marienwerth, Vienne ; vente, Lucerne, galerie Fischer, 10 mai 1947, n°s 1295-1301 et 1303-1305 ; acquis par la fondation Gottfried Keller avec le concours du musée de Genève.
Bibliographie : Herdt 1992, p. 206-225, n°s 113-116, 118-119 et 122 (avec bibl. détaillée et liste exhaustive des expositions) ; Bleeker 2006, p. 70-77, 80, repr.

Genève, musée d'Art et d'Histoire, cabinet des Dessins, dépôt de la fondation Gottfried Keller. Inv. 1947-35 (cat. 3), 1947-44 (cat. 4), 1947-37 (cat. 5), 1947-39 (cat. 6), 1947-40 (cat. 7), 1947-42 (cat. 8) ; fondation G. Keller, 932-1 (cat. 3), 932-10 (cat. 4), 932-3 (cat. 5), 932-5 (cat. 6), 932-6 (cat. 7), 932-8 (cat. 8).

Lors d'un second séjour à Vienne en 1762, Liotard obtint la commande de plusieurs portraits de la famille impériale. Les onze dessins décrivant les enfants de Marie-Thérèse furent tracés en même temps. Destinés à la collection personnelle de l'impératrice, ils furent conçus de dimensions réduites afin de pouvoir être aisément transportés et de ne jamais quitter leur commanditaire. Le portraitiste prit un soin extrême à leur exécution, obtenant de chacun des modèles une ou plusieurs séances de pose. Indéniablement, l'intérêt de l'artiste s'était avant tout porté sur les visages de ses modèles. D'une échelle légèrement supérieure au reste du corps, ils furent jugés d'une ressemblance remarquable. Liotard s'était appliqué, à l'aide d'une technique extrêmement soignée, à jouer de la transparence

5
Jean Etienne Liotard
L'Archiduchesse Marie-Amélie

1762
Sanguine, pierre noire, crayon de graphite, aquarelle rose, glacis d'aquarelle grise et rose, sur papier vergé blanc
Rehaussé au verso : visage, décolleté et mains silhouettés au lavis de sanguine ; cou, décolleté et mains soulignés à la pointe de sanguine ; cheveux repris au lavis gris, coiffure et robe à l'aquarelle rose
H. 31,8 ; l. 25,7 cm

6
Jean Etienne Liotard
L'Archiduchesse Jeanne-Gabrielle d'Autriche

1762
Sanguine, pierre noire, crayon de graphite, glacis bleu pâle sur la robe et gris sur la table, sur papier vergé blanc
Rehaussé au verso
H. 32,3 ; l. 24,8 cm

d'un papier vergé blanc d'une grande finesse. A cet effet, il avait travaillé l'avers et le verso de la feuille, réussissant ainsi à accentuer le volume de chacun des visages. Une fois le travail accompli, Marie-Thérèse manifesta aussitôt son grand contentement. Jamais maître n'était parvenu à reproduire si fidèlement la réalité. Dépourvu de ce sens exarcerbé de la psychologie, Martin Van Meytens, le portraitiste de la cour, n'offrait que de brillantes effigies où le faste des habits galonnés d'or rehaussait des visages de poupées fardées résolument heureuses. Le 29 novembre 1762, l'impératrice écrivait à Mme Liotard, qui attendait un enfant dont elle serait la marraine : « Je vous renvoie votre mari en bonne santé en vous marquant en même temps de la satisfaction que j'ai eu de ses ouvrages » (cité par Herdt 1992, p. 206). Le 13 novembre 1777, à l'occasion de son dernier séjour viennois, Liotard indiquait encore à son épouse : « L'impératrice m'a dit que tous les portraits que j'ay fait de sa famille elle les portait avec elle dans tous ses voyages. Elle estime sur

7
Jean Etienne Liotard
L'Archiduchesse Marie-Josèphe d'Autriche

1762
Sanguine, pierre noire, crayon de graphite, glacis d'aquarelle rose en deux tons, sur papier vergé blanc
Rehaussé au verso
H. 32,3 ; l. 24,8 cm

8
Jean Etienne Liotard
L'Archiduchesse Marie-Antoinette d'Autriche

1762
Sanguine, pierre noire, crayon de graphite, aquarelle rose, glacis rose, sur papier vergé blanc
Rehaussé au verso
H. 31,1 ; l. 24,9 cm

toutes choses les portraits de ses enfants que j'ay dessinés aux deux crayons » *(ibid.)*. Le 19 novembre suivant, il précisait à l'amateur et médecin genevois François Tronchin : « Elle chérit extrêmement ces dessins, elle n'a jamais été [aussi] contente des portraits que d'autres ont fait de sa famille que des miens » *(ibid.)*.
Images fidèles d'une réalité physique et psychologique, les dessins se veulent aussi des instants de vie quotidienne à la cour de Vienne. Marie-Elisabeth semble lire. Pierre Léopold dessine le plan d'un bastion à l'aide d'un compas. Marie-Amélie se livre à des travaux d'aiguille. Jeanne-Gabrielle écrit. Marie-Josèphe joue du clavecin. Marie-Antoinette, enfin, prend la pose, un exercice auquel elle se livrera si souvent, tout en s'occupant à parfiler ou à faire des nœuds à l'aide d'une navette. Vêtus de riches habits qui leur confèrent le caractère d'adultes miniaturisés, tous témoignent de leurs activités quotidiennes et des caractéristiques de leur éducation. **X. S.**

9

Bernardo Bellotto, dit aussi Canaletto le Jeune

(Venise, 1722 – Varsovie, 1780)

Le Château de Schönbrunn vu de la cour d'honneur

Inscription en bas à droite : *XVI. Augusti Anno M.D.C.C.LIX Prusso caeso ad Francofortum ab exercitu Russo-Austriaco*
Entre août 1759 et décembre 1760
Huile sur toile
H. 1,35 ; l. 2,35 m

Provenance : Peint à la demande de l'impératrice Marie-Thérèse ; en 1781 au château de Presbourg ; à partir de 1822 au château de Laxenburg ; exposé depuis 1881 à la Gemäldegalerie de Vienne.
Bibliographie : Kozakiewicz 1972, p. 119, n° 280 ; Prohaska 2005, n° 24.

Vienne, Kunsthistorisches Museum, Gemäldegalerie. Inv. 1666.

Quittant Dresde où les commandes se raréfiaient en raison de la guerre de Sept Ans, Bernardo Bellotto arriva à Vienne en 1759. Au cours des deux années suivantes, il exécuta, à la demande de l'impératrice Marie-Thérèse, treize vues de Vienne et des châteaux impériaux de Schönbrunn et Schloss Hof.

Conçu à partir de 1696 par Johann Bernhard Fischer von Erlach, le château de Schönbrunn était resté inachevé à la mort de l'empereur Joseph Ier en 1711. Sous Marie-Thérèse, le château fut transformé et terminé par Nikolaus Pacassi, de même que le parc. Schönbrunn devint par la suite la résidence d'été préférée de la cour impériale.

La vision monumentale de la cour d'honneur éclairée par la lumière matinale donnait en même temps l'occasion d'immortaliser un événement historique précis : la nouvelle de la victoire remportée par l'alliance austro-russe sur l'armée prussienne à Kunersdorf, près de Francfort-sur-l'Oder. Sur le balcon du château, au-dessus de l'escalier extérieur construit par Pacassi, Marie-Thérèse attend, le 16 août 1759, la nouvelle officielle de la victoire que vient lui transmettre le comte Joseph Kinsky dans un carrosse escorté de cavaliers.

Bellotto accroît l'effet de l'architecture par de légères transformations de la perspective par rapport à la réalité, notamment par le fort raccourci des bâtiments annexes situés à gauche dans l'ombre, raccourci qui semble rapprocher le château du spectateur et le fait paraître plus grand, mais aussi par l'étirement de la façade ouest de la cour qui élargit la place précédant la résidence. **K. S.**

Marie-Thérèse et François Etienne collectionneurs

Elfriede Iby

En compensation de la perte des duchés de Lorraine et de Bar, François Etienne reçut le grand-duché de Toscane. Après un bref séjour à Florence en 1738-1739, le jeune couple retourna à Vienne pour bientôt recueillir l'héritage des Habsbourg.

Couronné empereur du Saint Empire romain-germanique en 1745 à Francfort, François Etienne manifesta toujours un grand intérêt de collectionneur, passion à laquelle il put s'adonner au plus tard après le renversement des alliances en 1756. Dès son retour de Toscane, il s'entoura à Vienne d'un cercle d'artistes et d'érudits lorrains qu'il chargea de l'aménagement du parc de Schönbrunn et de l'installation d'une ménagerie – tous deux sur le modèle français –, mais aussi de la constitution des collections d'histoire naturelle. Dans ce domaine, les Habsbourg pouvaient s'enorgueillir d'une longue tradition à laquelle se rattacha François Etienne, tout en l'élargissant à ses propres intérêts artistiques et scientifiques. Il s'employa aussi à dégager les moyens financiers nécessaires pour satisfaire sa passion de collectionneur : ainsi finança-t-il plusieurs expéditions en Amérique centrale et en Amérique latine, pour enrichir la collection d'animaux et de plantes de la ménagerie et du jardin botanique *(Holländisch-Botanischer Garten)* de Schönbrunn. Il collectionna entre autres de précieuses œuvres en pierres dures des manufactures florentines, mais aussi des monnaies et autres objets rares.

Si François Etienne s'intéressait surtout aux sciences naturelles, son épouse Marie-Thérèse avait une prédilection particulière pour l'art « indien » d'Extrême-Orient, notamment les porcelaines et les laques. « Rien au monde, tous les diamants ne me sont rien, mais ce qui vient des Indes, [....] sont les seules choses qui me font plaisir », déclara un jour Marie-Thérèse à Joseph Wenzel, prince de Liechtenstein, à propos des objets d'Extrême-Orient qu'elle employait pour décorer ses châteaux préférés, comme Schönbrunn, ou pour offrir des présents diplomatiques prestigieux.

La souveraine appréciait aussi beaucoup les pastels, notamment ceux de la main de l'artiste genevois Jean Etienne Liotard (1702-1789). Non seulement elle lui commanda de nombreux portraits de sa propre famille lors de ses trois séjours à la cour de Vienne, mais elle lui acheta aussi plusieurs œuvres qu'il avait apportées, dont le portrait au pastel de Mlle Suzanne Curchod, future épouse de Necker, directeur général des Finances de Louis XVI. L'impératrice se réjouira sa vie durant de le voir accroché dans ses appartements de la Hofburg.

10

Anonyme viennois

L'Empereur François Ier Etienne

Vers 1760-1765
Huile sur toile
H. 2,36 ; l. 1,50 m

Provenance : Lieu de destination initiale inconnu ; localisé depuis la fin du XIXe siècle dans le dépôt de la Gemäldegalerie.
Bibliographie : Schütz 2006, no 11.

Vienne, Kunsthistorisches Museum, Gemäldegalerie.
Inv. 3459.

Représenté en figure entière, François Ier se tient près d'une table, entouré de différents objets et pièces de collection qui illustrent son intérêt pour les arts, l'histoire et les sciences naturelles. L'empereur avait fait aménager à ses frais trois collections – un cabinet de médailles, une collection de *naturalia* et un cabinet de physique et d'astronomie –, chacune administrée par un directeur scientifique particulier.
Sur la table apparaissent un *Zischägge*, « casque de hussard » de l'époque influencé par des modèles orientaux, une gravure montrant une ville, le plan d'une construction octogonale (peut-être le bâtiment central dessiné par Jadot pour la ménagerie de Schönbrunn à laquelle François Ier était particulièrement attaché), un dessin colorié avec une scène de genre, plusieurs coquillages et médailles ; sur le sol, devant la table, sont posés une sphère armillaire, une lunette et quelques instruments, et, derrière, plusieurs in-folio et un violon. A l'arrière-plan se distinguent deux jacinthes en fleur dans des vases et un aloès en pot au-dessus duquel vole un perroquet. Le mur est orné d'un portrait en relief de l'impératrice Marie-Thérèse enchâssé dans un cadre ovale.
Si la composition évoque les portraits de Martin Van Meytens, l'exécution picturale, avec le clair-obscur marqué du visage, diffère complètement de la manière de ce peintre. Ce portrait de l'empereur se rapproche d'un portrait de groupe plus tardif (1773) qui montre François Ier entouré des directeurs de ses collections (Vienne, Naturhistorisches Museum), et dont les têtes furent peintes par Franz Messmer et les accessoires par Ludwig Kohl. K. S.

11

Franz Walter

(Purnitz, 1733 – Vienne, 1804)

Charles-Alexandre de Lorraine et sa soeur Anne-Charlotte dans un jardin.

Vers 1770
Encre de Chine sur papier crème
H. 36 ; l. 29 cm

Bibliographie : Vollmer [n. d.], XXXV, p. 121 ; Hajós 1995, p. 26 ; cat. exp. Schallaburg 2000, no 10.09, p. 231.
Vienne, Bildarchiv der Nationalbibliothek.
Inv. Pk 2.533.

Jusqu'à ce jour, chacun s'accordait à reconnaître sur le dessin l'empereur François 1er Etienne et son épouse Marie-Thérèse. Il convient à présent de rétablir l'identité véritable des deux modèles. Franz Walter semble en effet s'être inspiré d'un portrait peint par Bernard Verschoot (Bruges, 1728 – Bruxelles, 1783) réunissant Charles-Alexandre de Lorraine et Anne-Charlotte, frère et sœur de l'empereur François 1er Etienne. Les comptes de Charles-Alexandre comportent en effet pour l'année 1769-1770 la mention d'un tableau de 3 pieds 1 pouce de haut sur 4 pieds 3 pouces de large représentant le portait d'Anne-Charlotte habillée en satin blanc figurée en pied et celui de son frère Charles-Alexandre en jardinier. Le souvenir de cette œuvre aujourd'hui disparue (une autre version réunissant dans un jardin le portait d'Anne-Charlotte avec le buste de son frère appartient à une collection privée, voir le catalogue de l'exposition Charles-Alexandre de Lorraine organisée en 1987 à Bruxelles, Europalia, n°VII, 3, p. 333-335), nous est sans doute conservé grâce au dessin de Walter. L'œuvre témoigne de l'intérêt partagé par l'oncle et la tante de Marie-Antoinette pour les jardins et la nature.

X. S.

12

Cabinet en marqueterie Boulle de la Hofburg

Vienne, vers 1700
Bâti : épicéa et poirier noirci et poli ; palissandre marqueté d'écaille, de laiton et d'étain, gravé et doré
H. 1,73 ; l. 1,14 ; prof. 0,515 m

Bibliographie : Viegenthart 1995.

Vienne, Bundesmobilienverwaltung-Hofmobiliendepot Möbel Museum. Inv. MD 036278 (ancien numéro à la Hofburg : 30524).

Les meubles Boulle comptaient, à la fin du XVIIe et au début du XVIIIe siècle, parmi les meubles de luxe les plus appréciés des cours européennes. Au service du roi de France depuis 1672, l'ébéniste André Charles Boulle (1642-1732) était si réputé pour ses travaux de marqueterie que son nom devint synonyme de marqueterie d'écaille et de laiton. La cour de Vienne possédait elle aussi des meubles Boulle. Un atelier Boulle viennois fut même aménagé vers 1700, qui travaillait pour la cour et l'aristocratie.

Le piètement du cabinet comporte six pieds à extrémité conique et une partie arrière cintrée. Encadré de deux colonnes, l'élément supérieur est surmonté d'une corniche au profil angulaire. L'ornementation principale des vantaux et des panneaux latéraux est constituée d'une corbeille de fruits insérée entre un baldaquin et des lambrequins. Ce cabinet à décor en « première partie » présente de grandes similitudes stylistiques avec d'autres travaux de l'atelier Boulle de Vienne, auquel il convient sans doute de l'attribuer.

Jusqu'à présent, aucune source n'a été retrouvée qui nous renseignerait sur la commande de ce meuble et sur son utilisation au XVIIIe siècle. En 1881, le cabinet et d'autres meubles Boulle furent transportés du Franzensburg, à Laxenburg, dans la Hofburg de Vienne, et installés dans l'ancien appartement de Marie-Thérèse. E. B. O.

13

Cabinet en laque du cabinet de travail de Marie-Thérèse à la Hofburg

13 a

Cabinet en laque

Japon, vers 1700
Laque noir sur bois, poudre d'or, garnitures de cuivre doré
H. 74; l. 96; pr. 53 cm

Vienne, Bundesmobilienverwaltung-Hofmobiliendepot Möbel Museum. Inv. MD 038244 (ancien numéro à la Hofburg : 1410).

13 b

Piètement

Vienne, vers 1750
Hêtre, sculpté et doré; laque de fabrication européenne
H. 78; l. 100; pr. 61 cm

Vienne, Bundesmobilienverwaltung-Hofmobiliendepot Möbel Museum. Inv. MD 038245.

Le cabinet en laque provient vraisemblablement de l'ancien cabinet de travail de Marie-Thérèse, situé à l'étage supérieur de l'aile Léopoldine de la Hofburg, à Vienne; donnant sur la cour intérieure, il se trouvait entre la salle à manger *(Tafelzimmer)* et la chambre à coucher de la souveraine. En 1832, l'aménagement de cette pièce était décrit en ces termes : « Cette pièce [la salle à manger] est suivie du cabinet de travail, également de couleur blanche avec beaucoup d'ornements dorés. On y trouve de grands coffres chinois d'un travail admirable, avec des garnitures richement ornées et dorées au feu, qui contenaient les bijoux et le trésor privé de la souveraine, à côté de plusieurs vases chinois » (Ritter 1832, p. 29-30). Le cabinet est un laque du Japon d'une qualité exceptionnelle avec des représentations de paysages en relief saupoudrés de poudre d'or selon la technique du *maki-e*. La partie arrière (ci-contre) montre le mont Fuji. Le piètement a probablement été exécuté à Vienne pour former un ensemble avec le cabinet.
Marie-Thérèse avait une prédilection particulière pour les objets en laque de Chine et du Japon. Entre 1763 et 1765, elle fit habiller de panneaux en laque le « cabinet rond » et le « cabinet ovale » à côté de la petite galerie du château de Schönbrunn. En 1770, après la mort de l'empereur François Ier, elle fit aussi aménager le salon Vieux-Laque *(Vieux-Laque-Zimmer)* à la mémoire de son époux selon les plans de l'architecte Isidore Canevale. Les murs en furent entièrement tapissés de petits panneaux en laque achetés par Marie-Thérèse pour 12 869 florins *(fig. 13 a et b)*. E. B. O.

Fig. 13 a et b
Le salon « Vieux-Laque » aménagé par Marie-Thérèse à Schönbrunn

14
Chaise blanche cannée

Vienne, après 1750
Hêtre, peint en blanc et or ; siège et dossier cannés
H. 96 ; l. 53 ; pr. 46 cm

Provenance : Schloss Hof.
Bibliographie : Witt-Dörring 1978, p. 191 ; Hladky 2005, p. 104-105, 172.

Vienne, Bundesmobilienverwaltung. Inv. MD 001388.

15
Chaise

Vienne, après 1750
Hêtre, peint en brun et or ; siège et dossier capitonnés
H. 91 ; l. 53 ; pr. 46 cm

Provenance : Schloss Hof.
Bibliographie : Hladky 2005, p. 104-105, 172.

Vienne, Bundesmobilienverwaltung. Inv. MD 001403.

Les chaises de ce type firent partie du mobilier de Schloss Hof à partir de 1755. Elaboré sous l'influence des modèles français des années 1720-1740, le décor se compose de coquilles stylisées au centre du châssis et du cadre du dossier, et de cartouches pour habiller l'angle des pieds. L'effet décoratif est encore renforcé par la dorure qui souligne les moulures aux extrémités enroulées. Ces dernières accompagnent et accentuent les contours des pieds, du bord inférieur cintré du châssis et du dossier.
La variante capitonnée de cette chaise ne correspond pas à l'état d'origine. Le modèle reconstitué aujourd'hui reprend une version ultérieure.
Situé à une soixantaine de kilomètres de Vienne, Schloss Hof fut transformé après 1725 pour le prince Eugène de Savoie, par Johann Lucas von Hildebrandt, lequel en fit un *tusculum rurale* – une « retraite à la campagne » – qui allait devenir l'un des ensembles baroques aux aspects les plus variés d'Europe. Le château fut acheté en 1755 par Marie-Thérèse et l'empereur François Ier Etienne de Lorraine. Dans la première phase d'aménagement sous Marie-Thérèse, seul l'appartement du couple impérial subit des modifications. Le nouveau mobilier fut probablement placé avant tout dans cet appartement. Les membres de la famille impériale se rendaient chaque année à Schloss Hof au printemps, en été et en automne, pour y passer quelques jours. C'est là que fut célébré, en 1766, le mariage de l'archiduchesse Marie-Christine et du duc Albert de Saxe. **L. H.-W.**

16
Plateau en pierres dures

Atelier grand-ducal sous la direction de Louis Siries, Florence, vers 1745
Commesso di pietre dure, monture en argent, partiellement doré
L. 55 ; l. 30,5 cm

Bibliographie : Cat. exp. Florence 1988-1989, n° 53, p. 194 *sq.* ; Winkler 1996, p. 29 ; Ottillinger 2000.

Vienne, Bundesmobilienverwaltung, Hofsilber- und Tafelkammer Hofburg. Inv. MD 180514.

Après l'extinction des Médicis, François Etienne de Lorraine devint en 1736 grand-duc de Toscane. Il soutint la *Galleria dei lavori*, atelier grand-ducal de lapidaires, riche d'une longue tradition, en lui confiant de nombreuses commandes, tels que plateaux de table, coffrets et cabinets. Il avait une prédilection particulière pour les tableaux en marqueterie de pierres de couleur exécutés sous la direction du lapidaire Louis Siries d'après des dessins de Giuseppe Zocchi. Entre 1750 et 1764, François Etienne, devenu désormais l'empereur François Ier, commanda quatorze séries de tableaux dont les sujets allaient des allégories des quatre éléments, des heures du jour, des continents et des arts, jusqu'à des scènes de jeux et des vues portuaires. D'abord placés dans le *Kaiserhaus*, palais privé de François Etienne, ces tableaux en pierres dures furent présentés après sa mort dans le cabinet de *naturalia* aménagé par ses soins à la Hofburg, à Vienne. Depuis 1841, tous les panneaux sont rassemblés dans la *Pietra Dura Zimmer*, dans l'aile Léopoldine à la Hofburg.

Le décor du plateau se compose de guirlandes de fleurs encadrant un collier de perles ouvert et des papillons. D'après la facture de l'orfèvre florentin Gaetano Rabbuiati du 16 mars 1746 concernant la monture en argent, le plateau lui-même est à dater de 1745. E. B. O.

17

Anton Matthias Domanöck

(Vienne, 1713 – *id.*, 1779)

Pièces du service à petit déjeuner de l'empereur François Ier Etienne

Vienne, vers 1750

Or, bois, porcelaine de Meissen, porcelaine japonaise d'Imari

Provenance: Mis en dépôt à la Wiener Schatzkammer en 1781.

Bibliographie: Neumann 1964, p. 93; Heitman 1985, p. 11-14; Wild 1985, n°s 1.01 à 1.34; Kirchweger 2006, n° 68 (avec bibl.).

Vienne, Kunsthistorisches Museum, Kunstkammer. Inv. KK 1197, 1205, 1206, 1207, 1213, 1217, 1218, 1221, 1260.

Les objets présentés ici font partie d'un service de toilette et de petit déjeuner, comportant quelque soixante-dix pièces, qui fut mis en dépôt à la Schatzkammer (Trésor du palais impérial) de Vienne en 1781, un an après la mort de l'impératrice Marie-Thérèse. Ces circonstances valurent à ce service d'être désigné plus tard sous le nom de « service de nuit en or » *(goldenes Nachtzeug)* de l'impératrice. Le fait que cet ensemble, conservé au XVIIIe siècle dans un même coffre, comprenne un « nécessaire de barbier » avec six rasoirs prouve toutefois qu'il n'était certainement pas destiné à l'origine à Marie-Thérèse, mais à son époux l'empereur François Ier Etienne (règne: 1745-1765). Parmi les trois ensembles comparables en or dix-huit carats existant à travers le monde, ce nécessaire de toilette masculine est le seul qui comprenne autant d'éléments. Marie-Thérèse, qui commanda probablement cet ensemble pour son époux, le conserva manifestement dans ses appartements privés jusqu'à sa propre mort, en souvenir de l'empereur trop tôt disparu.

Le service à petit déjeuner comprend entre autres une théière, une cafetière et une chocolatière, des tasses à thé en porcelaine japonaise d'Imari accompagnées de leur soucoupe, des tasses à chocolat avec trembleuse, cuillère et couvercle, telles qu'on les voit dans la sélection exposée ici. Il paraît peu probable que ce service fut utilisé un jour, car les objets ne portent aucune trace d'usure.

L'élégance des formes avec leur décor rocaille caractéristique de l'époque, l'effet de l'alliance des différents matériaux (or, porcelaine, bois d'ébène) et l'exécution parfaite des différentes pièces font de cette garniture l'une des réalisations majeures de l'orfèvrerie viennoise du XVIIIe siècle. Elle est l'œuvre d'Anton Matthias Domanöck, actif à Vienne à partir de 1736 en tant qu'orfèvre, sculpteur et médailleur. Il devint en 1767 le premier directeur de l'Académie de gravure nouvellement fondée. Domanöck fut aussi connu en son temps comme créateur de meubles et d'éléments décoratifs en métal. Il ne subsiste de ces travaux que la table de 1770 (cat. 239), offerte par le duc Albert de Saxe-Teschen à sa belle-sœur Marie-Antoinette, ainsi qu'un vase en acier (Vienne, MAK).

Au milieu du XVIIIe siècle, de grandes quantités de chocolat étaient consommées à la cour de Vienne. Selon ses propres dires, Marie-Thérèse n'appréciait pas particulièrement cette boisson, contrairement à son mari François Etienne, qui était réputé en boire beaucoup. F. K.

18

Service « à rubans verts » offert par Louis XV à Marie-Thérèse en 1756

Manufacture de Vincennes-Sèvres
1756-1757
Porcelaine tendre (« fritte ») à décor polychrome

18 a

Terrine « gondole » avec plateau

Lettre-date : Sèvres E (1757)
Terrine : H. 32 ; L. 38 ; l. 20 cm
Plateau : H. 9 ; L. 48 ; l. 33 cm

18 b

Seau crénelé (verrière)

Lettre-date : Sèvres E (1757)
Marque de peintre : croissant (peintre d'oiseaux Louis Denis Armand l'Aîné, actif de 1746 à 1788)
H. 12,5 ; L. 29 ; l. 20 cm

18 c

Compotier coquille

Lettre-date : E (1757)
Marque de peintre : Jean-Baptiste Tandart l'Aîné, actif de 1754 à 1803
H. 5,5 ; diam. 22 cm

Bibliographie : *Ehemalige Hofsilber* 1996, p. 227 *sq.* ; Guillemé Brulon 1985, p. 22.

Vienne, Bundesmobilienverwaltung-Silberkammer Hofburg. Inv. MD 180529.

Composante importante de la diplomatie, l'échange de cadeaux entre les cours princières d'Europe nous fournit des informations historiques précieuses quant aux relations personnelles ou officielles entretenues par les différents pays et maisons régnantes.

En 1748, après les guerres de Succession d'Autriche (1741-1748) et la perte de la Silésie au profit de la Prusse, la situation politique était on ne peut plus critique pour l'impératrice Marie-Thérèse. La nécessité de reconsidérer ses alliances avec les cours princières d'Europe la conduisit le 1er mai 1756 à conclure une nouvelle alliance entre la France et l'Autriche.

Pour sceller cette entente, le roi Louis XV offrit à Marie-Thérèse des tonneaux de vin, mais aussi le précieux service « à rubans verts ».

En décembre 1758, les livres de comptes de la manufacture de Sèvres font état d'une livraison au roi : le cadeau destiné à Marie-Thérèse, comprenant un service de table et à dessert de cent quatre-vingt-cinq pièces en porcelaine à décor de rubans verts, trente-huit figurines en biscuit formant un surtout (parmi lesquelles des groupes d'après François Boucher), et cent seize autres pièces en porcelaine telles que déjeuners, pots-pourris, vases, bols, verseuses, fontaine, vases de nuit, terrines et bassins d'une valeur incroyable de 48 981 livres. Ce service fut conçu exclusivement pour la cour de Vienne. Les autres services ornés de rubans sont tous d'une autre couleur. La plupart des pièces furent exécutées en 1757, certaines dès 1756 alors que la manufacture – transférée à Sèvres en 1756 – était encore établie à Vincennes. De même, la majorité des modeleurs et des peintres venaient de l'ancienne manufacture fondée en 1738. C'est à Vincennes, seule manufacture française possédant le privilège de la polychromie, que le motif des rubans fut élaboré vers 1750 ; expérimentée à partir de 1752, la couleur verte y était déclinée en vingt-six tonalités. La matière complexe de ce service – de la porcelaine tendre artificielle (ou « fritte ») sans kaolin – est également une invention française. Elle a l'avantage de pouvoir recevoir un décor de petit feu aux couleurs extrêmement lumineuses. En revanche, sa glaçure se raye facilement et offre une faible résistance aux agressions thermiques, raisons pour lesquelles la porcelaine tendre reste réservée à la vaisselle de luxe. Les terrines s'inspirent des modèles de l'orfèvrerie, tout comme la forme en gondole des terrines plus petites, de conception unique dans la production sévrienne. Les modèles et dessins de ce service sont encore conservés de nos jours à la manufacture de Sèvres.

Des cent quatre-vingt-cinq pièces livrées du service de table, quarante-cinq se trouvent encore aujourd'hui à la Silberkammer de Vienne. Outre les rubans verts à bordure dorée, le décor dominant est constitué de fleurs en semis sur fond blanc, d'oiseaux, de *putti* et de scènes allégoriques exécutés par les meilleurs peintres de la manufacture. Les couples d'oiseaux figurés en pleine parade nuptiale sur le registre médian des rafraîchissoirs font allusion au thème de l'amour. Cette thématique se poursuit sur les terrines dans des représentations narratives inspirées de gravures et tableaux de François Boucher, qui mettent en scène des *putti* et illustrent différents stades du sentiment amoureux, depuis la tendre amourette jusqu'aux cœurs transpercés par les flèches de l'Amour. Sur les couvercles et plateaux des terrines apparaissent les allégories de la poésie lyrique, épique et satirique, avec les références correspondantes à Anacréon, à *L'Odyssée* d'Homère et au *Tartuffe* de Molière. Cette ronde de l'univers de l'amour et des arts s'achève par des allégories de la musique, de la peinture et de la sculpture, de la géographie et de l'astronomie. De cette thématique participent enfin les boutons de couvercle en forme d'artichaut, un légume réputé pour ses vertus aphrodisiaques.

I. B.

19-20

Vases Imari quadrangulaires à monture en bronze doré offerts par Mme de Pompadour à Marie-Thérèse

1720-1750
Porcelaine d'Imari, monture en bronze
(France, vers 1740-1750)
H. 47 cm et H. 29,5 cm

Bibliographie : Cat. exp. Düsseldorf 2000, p. 92 *sq.* ; Ayers *et al.* 1990.

Vienne, Bundesmobilienverwaltung-Silberkammer Hofburg. Inv. MD 038354 et 038356.

Depuis le milieu du XVIIe siècle, la porcelaine d'Imari comptait parmi les objets décoratifs de luxe des châteaux européens. Elle était importée en Europe, le plus souvent du port d'Arita, par les Compagnies des Indes orientales. Destinées à la cour impériale, les porcelaines japonaises conservées à la Silberkammer de Vienne présentent un intérêt exceptionnel en raison de leurs montures en argent, en argent doré ou en bronze doré.

Marie-Thérèse elle-même possédait à Schönbrunn deux cabinets dont les murs étaient respectivement décorés de porcelaines chinoises (cabinet rond) et japonaises (cabinet ovale), séparées par des panneaux en laque venus d'Extrême-Orient.

Les assiettes, coupes et bouteilles en *ko-Imari* (« vieil Imari ») sont généralement agrémentées de décors symboliques – essentiellement bleu, rouge et or – inspirés de la nature, avec des animaux et des plantes associés dans des combinaisons particulières promettant le bonheur ou traduisant l'atmosphère des différentes saisons (le chrysanthème, par exemple, symbolise l'automne et une vie frugale). Les paysages, empreints de douceur, sont la métaphore des puissances naturelles bénéfiques ; le bambou, le pin et le prunus sont les « Trois Amis » de l'hiver. Les vases exposés ici furent probablement vendus par le marchand parisien Lazare Duvaux à la marquise de Pompadour. On peut supposer que cette dernière les offrit en cadeau, à titre privé, à Marie-Thérèse.

A l'origine, le premier vase était incontestablement une bouteille quadrangulaire dont on coupa la partie supérieure. Le décor des deux vases est formé d'une composition s'étirant sur deux côtés qui représente des pins, une carpe remontant une cascade et un lion *(shishi)* devant des pivoines en fleur. On remarquera le bleu nuit presque noir et le mouvement fougueux des lignes, mais surtout les surfaces irrégulièrement remplies de rinceaux de feuilles dans la partie inférieure du décor peint. Les montures parisiennes en bronze, qui relient harmonieusement socle, ouverture et anses, accentuent encore le caractère dynamique de ces pièces.

La Kaiserliche Hofsilber- und Tafelkammer (Collections d'argenterie et de porcelaine de la cour impériale) de Vienne possède huit vases de ce type. Deux autres exemplaires comparables, attestés dans la littérature spécialisée, appartiennent à la reine d'Angleterre (The Royal Collection, St. James's Palace, Londres). I. B.

L'éducation artistique des enfants impériaux

Elfriede Iby

Marie-Thérèse et François Ier Etienne prenaient tous deux à cœur l'éducation de leurs enfants. Leur guide était le fort apprécié *Fürstenspiegel*, ou « Miroir du prince », qui contenait des conseils pratiques et des objectifs clairement définis en matière d'éducation. A ces enseignements s'ajoutaient les instructions précises données par le couple impérial : Marie-Thérèse exigeait des gouverneurs et précepteurs qu'ils fussent à l'écoute des enfants, prêtant attention à leurs particularités et encourageant leurs talents.

La formation de leur caractère constituait la priorité, suivie par l'apprentissage de savoirs généraux et spécifiques. Pour les garçons, une importance particulière était attribuée à la formation militaire, mais ils bénéficiaient aussi de cours de musique et de danse. Si les filles apprenaient essentiellement le chant, les garçons jouaient plutôt d'un instrument.

Le dessin et la peinture étaient également au programme, les filles témoignant à cet égard d'un talent plus marqué. C'est Gabrielle Beyer-Bertrand, dont le père était jardinier à la cour de l'empereur François Ier Etienne, qui fut engagée comme professeur de peinture et de dessin.

Les enfants exécutèrent avec leur père, également talentueux, de nombreuses œuvres communes utilisées notamment, avec leurs propres créations individuelles, pour orner les appartements privés du château de Schönbrunn. Ainsi, le cabinet de Porcelaine *(Porzellanzimmer)*, qui servait de cabinet de travail à l'impératrice, fut agrémenté de dessins à l'encre de Chine, tandis que le cabinet des Miniatures *(Miniaturenkabinett)* recevait, incorporées dans ses lambris, de nombreuses aquarelles et gouaches, exécutées pour la majorité d'entre elles d'après des modèles hollandais et parfois signées.

Marie-Christine et Marie-Antoinette étaient les filles les plus douées de la famille impériale, la première devenant même, en 1776, membre effective de la prestigieuse Académie de Saint-Luc à Rome. Marie-Christine peignit de nombreux portraits des membres de la famille impériale, et les fameuses scènes de genre *La Fête de la Saint-Nicolas* et *Joseph auprès d'Isabelle de Parme en couches*, œuvres copiées d'après des modèles hollandais qui illustrent le bonheur domestique de la famille impériale selon l'idéal bourgeois.

ERZ.HERZOGIN.ANTONIA.,

21
Martin Van Meytens
(Stockholm, 1695 – Vienne, 1770)
L'impératrice Marie-Thérèse, avec l'archiduc Joseph, son épouse Isabelle de Bourbon-Parme et l'archiduchesse Marie-Christine
1763
Huile sur toile
H. 41,5 ; l. 60,3 cm
Berlin, Deutsches historisches Museum.
Inv. Gm 2004/20.

Le portrait de Marie-Thérèse, pendant de celui de François Ier, la représente accompagnée de ses enfants (préférés), même si son amour pour le *Kronprinz* Joseph relevait sans doute davantage de motivations politiques. C'est probablement aussi pour des raisons dynastiques qu'Isabelle de Parme fut accueillie aussi chaleureusement au sein de la famille impériale. En revanche, son amour pour Marie-Christine – née le même jour que l'impératrice – était incontestable et dénué de toute intention sous-jacente ; elle fut la seule de ses filles à pouvoir épouser l'homme de son cœur. La sympathie de Marie-Christine à l'égard de sa belle-sœur ne fut sans doute pas étrangère à l'accueil d'Isabelle et à son intégration naturelle dans la famille impériale.
Les personnages sont regroupés autour d'une table. Assise au centre, Marie-Thérèse initie manifestement le prince héritier Joseph aux affaires de l'Etat et à l'étude des dossiers. Figurée en face de Joseph, Marie-Christine s'adonne à son activité favorite : la palette à la main, elle peint un portrait. Entre elle et l'impératrice se tient Isabelle de Parme, un journal à la main. **E. I.**

22
Martin Van Meytens
L'Empereur François Ier Etienne de Lorraine, les archiduchesses Marie-Anne, Marie-Elisabeth et l'archiduc Léopold

1763
Huile sur toile
H. 41,5 ; l. 60,3 cm
Berlin, Deutsches historisches Museum.
Inv. Gm 2004/21.

François Ier est représenté, sans doute dans ses appartements privés, en compagnie de trois de ses enfants (préférés). L'archiduchesse Marie-Anne est assise au clavecin, tandis que sa sœur cadette Marie-Elisabeth, debout à sa gauche, tient des partitions (elle devait probablement chanter). Assis derrière le clavecin, l'empereur a disposé devant lui des médailles et en présente une dans sa main. A droite, s'apprêtant à refermer un livre, se tient l'archiduc Léopold, futur grand-duc de Toscane puis successeur, en 1790, de son frère aîné Joseph à la tête de l'Empire romain-germanique.
Vêtus en habits de cour, les personnages sont réunis dans un décor privé.

Née en 1738, Marie-Anne, fille aînée du couple impérial, était de santé fragile. Douée d'une prédilection pour les sciences naturelles, elle avait beaucoup d'affection pour son père, qui l'assurait continuellement de sa protection. Née en 1743, Marie-Elisabeth était la plus jolie des archiduchesses, et de ce fait la favorite de la diplomatie matrimoniale. Or, à vingt-quatre ans, elle contracta la petite vérole et resta sa vie durant défigurée par un goitre ; délaissée par le « marché » des mariages princiers, elle resta comme Marie-Anne à la cour de Vienne. Immédiatement après la mort de Marie-Thérèse en 1780, les deux sœurs furent bannies de la cour par Joseph II. **E. I.**

23
Martin Van Meytens
Les Archiduchesses Marie-Amélie et Marie-Josèphe avec l'archiduc Ferdinand

1763
Huile sur toile
H. 41,5 ; l. 60,3 cm
Bibliographie : Barta 2001, chap. III, p. 99-104, 178-179 ; cat. exp. Berlin 2006, n° III.96-99, p. 219-220.

Berlin, Deutsches historisches Museum.
Inv. Gm 2004/23.

Marie-Josèphe et Ferdinand sont représentés avec leur sœur aînée Marie-Amélie, qui leur enseigne manifestement la géographie. Conformément à la tradition de la maison de Habsbourg, Marie-Thérèse jugeait naturel d'associer presque tous ses enfants à sa politique matrimoniale afin de prévoir et d'assurer la pérennité de la dynastie. Même si elle put elle-même épouser l'homme qu'elle aimait, elle demeura fortement attachée à la tradition du XVIIIe siècle quant au mariage de ses enfants, considérant que l'amour ne constituait pas la priorité d'une union entre deux époux.
Alors qu'elle était âgée de seize ans et promise à Ferdinand, prince héritier du trône de Naples, Marie-Josèphe mourut de la petite vérole lors de l'épidémie de 1767. Selon la volonté de sa mère, Marie-Amélie (née en 1746) dut épouser le duc Ferdinand de Parme, de cinq ans son cadet ; en effet, Marie-Thérèse refusa qu'elle se marie avec le prince Charles de Deux-Ponts, qui n'entrait pas dans son concept politique. De plus, c'était le rapprochement avec la France qui prévalait.
Quant à l'archiduc Ferdinand, il reçut pour épouse Marie-Béatrice de Modène-Este, dont le grand-père était gouverneur du duché de Milan. La datation des quatre portraits de famille, qui, d'après les dernières investigations, seraient des portraits « de candidature » envoyés en plusieurs versions dans les différentes cours princières, s'appuie sur le fait que tous les archiducs portent l'ordre de la Toison d'or. Or les deux plus jeunes – Ferdinand et Maximilien – ne reçurent cette distinction qu'en 1763. Dans tous les tableaux, les enfants s'adonnent à des activités artistiques ou à des études scientifiques, les ententes personnelles ou les rôles politiques envisagés jouant sans doute un rôle dans leur représentation en compagnie de leurs parents. Ces portraits constituent aussi des *Lehrstücke* (« pièces didactiques ») illustrant l'éducation princière et la préparation au rôle de souverain, à travers un large enseignement qui couvrait la politique, l'histoire, la géographie et les langues étrangères, mais aussi les beaux-arts, la musique et le chant. **E. I.**

24
Martin Van Meytens
La Petite-Fille du couple impérial Marie-Thérèse (fille du prince héritier Joseph), les archiduchesses Marie-Caroline et Marie-Antoinette, avec l'archiduc Maximilien François

1763
Huile sur toile
H. 41,5 ; l. 60,3 cm
Berlin, Deutsches historisches Museum.
Inv. Gm 2004/22.

Née en 1762, la petite Marie-Thérèse est représentée en compagnie de ses tantes Marie-Caroline et Marie-Antoinette, plus âgées de quelques années seulement, et du plus jeune fils du couple impérial Maximilien François. Les enfants sont manifestement en train d'étudier : assises à la table, les archiduchesses consultent un livre ouvert, tandis que Maximilien, debout, tient lui aussi un livre ouvert à la main. A peine âgée de deux ans et pourtant vêtue comme ses aînées, Marie-Thérèse, au premier plan, semble déjà autorisée à « participer » à la leçon avec son bichon. **E. I.**

25

Maître des portraits des archiduchesses

L'Archiduchesse Marie-Caroline

Vers 1765
Huile sur toile
H. 92,5 ; l. 73,5 cm

Bibliographie : Cat. exp. Vienne 1980, cat. 36,06, p. 219 ; Weissensteiner 1994, p. 169-217.

Vienne, Kunsthistorisches Museum, Schloss Schönbrunn. Inv. GG 2137.

Généralement prénommée Charlotte par sa famille jusqu'à son mariage, Marie-Caroline naquit à Schönbrunn en 1752 ; elle était l'avant-dernière fille de Marie-Thérèse et fut élevée en même temps que sa sœur cadette Marie-Antoinette. C'est elle dont le caractère ressemblait le plus à celui de sa mère : courageuse, volontaire et énergique, elle était animée d'un désir effréné de liberté et d'indépendance. Alors qu'elle était âgée de quinze ans, elle demanda à sa mère de changer de préceptrice, pour ne plus « partager » la comtesse Judith von Brandis avec sa sœur Marie-Antoinette. C'était là une exigence inouïe, et grande fut la surprise de toute la cour impériale lorsque Marie-Thérèse céda à cette revendication.

Immédiatement après, la vie de l'archiduchesse connut un tournant décisif. Alors qu'elle était déjà promise en mariage au prince Ferdinand de Naples-Sicile, sa sœur Marie-Josèphe, d'un an plus âgée, mourut brutalement de la variole en 1767. Il fallait donc trouver une autre fiancée : le choix tomba sur Marie-Caroline, qui dut se préparer en un temps record à son futur rôle de reine de Naples. Le contrat de mariage fut signé en février 1768 et le mariage célébré le 7 avril de la même année, le frère de Marie-Caroline, l'archiduc Ferdinand, remplaçant le marié absent. Le départ pour Naples s'effectua le jour même, après le repas commun de la mère et de la fille, qui pleurèrent, paraît-il, pareillement leur séparation. Toutes deux ne devaient plus jamais se revoir.

Le portrait de Marie-Caroline s'inscrit dans la série des six « portraits des archiduchesses » longtemps attribués au peintre de cour Martin Van Meytens, mais exécutés par un artiste de la cour impériale dont on ignore le nom. Immortalisées vraisemblablement peu après la mort de François Ier Etienne (peut-être pour appuyer leur « candidature » auprès des cours princières d'Europe), les archiduchesses sont vêtues de luxueux costumes d'apparat et parfois parées de riches bijoux. Marie-Caroline tient dans sa main un portrait dessiné de son père, sans doute autographe, destiné à montrer leur intérêt commun pour les arts. **E. I.**

26

Ecole de Martin Van Meytens

(Stockholm, 1695 – Vienne, 1770)

L'Archiduchesse Marie-Christine dessinant

Années 1750
Huile sur toile
H. 1,12 ; l. 0,86 m

Provenance : Acheté en 1890 à Elek Valkovszky par la Történelmi Képcsarnok.
Bibliographie : Peregriny et Pulszky 1894, p. 80, n° 238 ; Felvinczi Takács 1907, p. 83, n° 18 ; Peregriny 1915, p. 15, n° 415 ; Felvinczi 1922, p. 30, n° 289 ; Heinz 1979, p. 289, ill. 130 ; Koschatzky et Krasa 1982, p. 45.
Expositions : Schloss Hof 1995, n° 3.91 ; Budapest 2000-2001, n° 3.1.7.

Budapest, Magyar Nemzeti Múzeum, Történelmi Képcsarnok. Inv. 415.

Marie-Christine (« Mimi » pour ses intimes) naquit le 13 mai 1742 à Vienne, cinquième enfant de l'empereur François Ier de Lorraine et de Marie-Thérèse, reine de Hongrie. De toutes les filles la préférée de sa mère, elle se caractérisait par son intelligence, son amabilité et un grand talent d'artiste – en premier lieu pour la peinture. Comme il était d'usage à l'époque, toutes les filles de la famille régnante reçurent une éducation artistique, mais ce fut Marie-Christine qui alla le plus loin dans sa pratique d'amateur. Pour ce qui est de son activité de mécène, elle trouva un égal en la personne de son époux, Albert, duc de Saxe-Teschen, avec qui elle ras-

sembla la plus grande collection d'art graphique de la dynastie, laquelle constitue aujourd'hui le fonds de l'Albertina de Vienne. Après sa mort, survenue le 24 juin 1798 à Vienne, son époux passa commande à Antonio Canova d'un imposant monument dédié « A la meilleure épouse » *(« Uxori optimae »)*, qui se trouve dans l'église augustinienne située près de la Hofburg.

Sur la peinture, l'archiduchesse, âgée d'une dizaine d'années, est assise à la table à dessin, le portemine en main. On distingue, sur la feuille de papier placée devant elle, une esquisse de portrait de profil. Derrière, la couronne archiducale d'Autriche est placée sur un coussin en velours bleu, et une chape de brocart d'or à col d'hermine gît à terre. A l'arrière-plan à gauche, au-delà d'un pupitre à musique, on aperçoit le jardin par la fenêtre ; à droite, le mur est recouvert d'un rideau de brocart rouge. Le style décoratif et détaillé de cette œuvre est bien représentatif des travaux exécutés par l'atelier des peintres de cour formé par Martin Van Meytens (peintre de chambre à Vienne depuis 1732), qui immortalisent d'une manière un peu monotone, mais dans des représentations techniquement très abouties, les membres de la dynastie régnante ainsi que les événements significatifs de leur existence. M. G.

27

Archiduchesse Marie-Christine
(Vienne, 1742 – *id.*, 1798)

La Fête de la Saint-Nicolas

Gouache sur papier
H. 39 ; l. 45 cm
Signé et daté : *Marie fecit 1762*

Vienne, Bundesmobilienverwaltung, Schloss Schönbrunn. Inv. MD 039840 (ancien numéro au Kunsthistorisches Museum : GG 7521 ; ancien numéro à Schönbrunn : S 020817).

Fille la plus douée du couple impérial tant pour le dessin que pour la peinture, l'archiduchesse Marie-Christine exécuta de nombreuses œuvres autographes d'après des modèles en partie puisés dans les riches collections de la maison impériale. La gouache présentée ici s'inspire d'une gravure de Jacobus Houbraken (Dordrecht, 1698 – Amsterdam, 1780) d'après le tableau de Cornelis Troost *Het St. Nicolaas feest* (1761 ; aujourd'hui conservé à l'Albertina, Vienne, inv. HB 71[3] f° 100.023).

Partant du modèle hollandais, l'artiste a remplacé les protagonistes par les membres de sa propre famille, afin de montrer, à travers la représentation de la Saint-Nicolas, le bonheur domestique de la famille impériale selon l'idéal bourgeois.

La scène se déroule dans un simple intérieur (plus simple encore que sur le modèle) au moment du petit déjeuner : coiffé d'une sorte de turban et vêtu d'une robe de chambre, l'empereur est assis devant la cheminée, tandis que Marie-Thérèse se tient derrière son fauteuil. A côté d'eux, Marie-Antoinette et Maximilien jouent avec les cadeaux que leur a apportés saint Nicolas. Marie-Christine s'est représentée elle-même à gauche, les verges à la main, feignant de menacer son frère Ferdinand debout devant elle et protégeant son visage de sa main. Le regard du père, qui tient un papier à la main (sans doute la liste des fautes du jeune archiduc), s'adresse au garçonnet à qui il est demandé des explications.

E. I.

28

Archiduchesse Marie-Christine

Joseph auprès d'Isabelle de Parme en couches

Gouache sur papier
H. 39; l. 45 cm
Signé et daté: *Marie fecit 1762*

Bibliographie: Mraz 1979, p. 204-205; Vocelka et Heller 1998, p. 25; cat. exp. Schallaburg 2000, n° 12.18, p. 287-288; Barta 2001, p. 133 *sq.*, 179-180.

Vienne, Bundesmobilienverwaltung, Schloss Schönbrunn. Inv. MD 039841 (ancien numéro au Kunsthistorisches Museum: GG 7520; ancien numéro à Schönbrunn: S 020816).

Pour ce sujet, Marie-Christine s'est également servie d'un modèle, la gravure sur cuivre de Pieter Tanje (Bolsward, Frise, 1706 – Amsterdam, 1761) exécutée d'après la *Chambre d'accouchée hollandaise* de Cornelis Troost (1757; la gravure se trouve aujourd'hui à l'Albertina, inv. HB 71[3] f° 100.026, Vienne).
Dans la composition, presque identique, les protagonistes – sans doute en raison de l'accouchement, cette année même, de la princesse héritière Isabelle – ont à nouveau été remplacés par des membres de la famille impériale: l'accouchée dans son lit et Joseph, drapé dans une robe de chambre, qui se tourne tendrement vers elle. Le centre est occupé par la sage-femme portant le nouveau-né. Derrière, le seul personnage debout est probablement Marie-Christine elle-même, mise en valeur par le bleu de sa robe. Les groupes de figures sont isolés d'un côté par un paravent, de l'autre par le lit à baldaquin.
La Fête de la Saint-Nicolas, comme *Joseph auprès d'Isabelle de Parme en couches*, a été interprété à tort par plusieurs auteurs comme une image réelle de la vie de la famille impériale et invoqué comme une preuve de relations quasi bourgeoises, et non plus princières, entre les membres de la famille.
Les nombreux enfants et leur participation à la vie de la cour lors des représentations théâtrales, des bals et des concerts, ont certainement contribué à cette interprétation. Il est indiscutable que les rigueurs de l'étiquette furent considérablement assouplies sous Marie-Thérèse, et que la vie conjugale du couple impérial était marquée non seulement par la raison d'Etat, mais aussi par une vraie dimension sentimentale. Ainsi, alors qu'il n'était pas d'usage pour un couple impérial de faire chambre commune, Marie-Thérèse put imposer son souhait personnel à l'encontre de la tradition.

E. I.

29

Archiduchesse Marie-Anne
(Vienne, 1738 – Klagenfurt, 1789)

Tête féminine

Vers 1767
Sanguine
H. 54,1 ; l. 42,2 cm

Bibliographie : Cat. exp. Schallaburg 2000, n° 12.23, p. 290.

Vienne, Akademie der Bildenden Künste, Kupferstichkabinett. Inv. 17120.

Fille aînée de Marie-Thérèse et François Ier Etienne de Habsbourg-Lorraine, Marie-Anne manifesta dès sa jeunesse un intérêt, inhabituel de la part d'une princesse, pour les études scientifiques et artistiques : elle dessinait et pratiquait la gravure à l'eau-forte. Elle devint en 1767 la première femme membre honoraire de la Kupfersticherakademie (Académie des graveurs sur cuivre). La vigueur du trait et le choix du motif de l'œuvre présentée ici rappellent un dessin similaire de Jakob Schmutzer, directeur de la Kupfersticherakademie, dont l'archiduchesse suivit probablement les cours.
Longtemps considéré comme une œuvre de Marie-Antoinette, ce dessin peut être attribué, grâce aux dernières investigations, à son aînée l'archiduchesse Marie-Anne. En effet, cette sanguine correspond sans doute au travail qu'évoque en 1783 Anton Weinkopf, dans la première histoire de l'Académie : « L'archiduchesse Marie-Anne, Altesse royale, daigna remettre à l'Académie un dessin de sa main, pour s'en faire déclarer membre honoraire. Le 5 mars 1767… »

E. I.

30

Marie-Antoinette
(Vienne, 1755 – Paris, 1793)

L'Empereur François Ier

Sanguine sur papier crème
H. 20 ; l. 17 cm

Provenance : Coll. Albert de Saxe-Teschen.

Vienne, Graphische Sammlung Albertina. Inv. 20586.

Le dessin ne fut certainement pas tracé d'après le modèle vivant, mais plus probablement d'après un portrait peint ou plus vraisemblablement d'après une estampe. Il s'agissait là d'un exercice tout à fait courant et que les maîtres à dessiner imposaient régulièrement à leurs élèves princiers. Dans ses mémoires, Mme Campan relatait combien la petite archiduchesse avait manifesté peu d'intérêt envers la pratique du dessin. Elle indiquait ainsi (1823, I, p. 39-40) : « On parlait un jour à la reine d'un dessin fait par elle et donné par l'impératrice à M. Gérard, premier commis des affaires étrangères, lorsqu'il avait été à Vienne pour rédiger les articles de son contrat de mariage. Je rougirais, répondit-elle, si l'on me présentait cette preuve de la charlatanerie de mon éducation ; je ne crois pas avoir une seule fois posé le crayon sur ce dessin. »

X. S.

30

31
Attribué à Marie-Antoinette
Tête d'ange

Vers 1770
Pierre noire sur papier crème
H. 43,2; l. 36 cm

Bibliographie: Wachter 1968, p. 227; Plank 1999, p. 103 *sq.*; cat. exp. Schallaburg 2000, nº 12.24, p. 291.

Vienne, Akademie der Bildenden Künste, Kupferstichkabinett. Inv. 8410.

Marie-Antoinette reçut en même temps que sa sœur Marie-Caroline, future reine de Naples, des leçons de dessin de la pastelliste lorraine Gabrielle Bertrand, qui avait quitté l'Italie et le grand-duché de Toscane avec son père pour rejoindre la cour de Vienne. Les registres la mentionnent au service de la cour à partir de 1764. Avant cette date, c'est à la comtesse Judith von Brandis qu'avait été confiée l'instruction artistique des deux jeunes filles talentueuses. Dans l'inventaire du Kupferstichkabinett, l'attribution à Marie-Antoinette est suivie d'un point d'interrogation. Si ce dessin est de sa main, il ne peut avoir été exécuté qu'en 1770 à Vienne, avant que l'archiduchesse – qui n'avait pas encore quinze ans – ne quittât l'Autriche pour épouser le dauphin de France. **E. I**

32
Martin Van Meytens
(Stockholm, 1695 – Vienne, 1770) et atelier

Les enfants de Marie-Thérèse dansant le ballet-pantomime « Le Triomphe de l'Amour » de Franz Hilverding et Leopold Florian Gassmann

1765 ou peu après
Huile sur toile
H. 2,26 ; l. 1,51 m

Provenance : Lieu de destination initiale inconnu ; localisé depuis la fin du XIXe siècle dans le dépôt de la Gemäldegalerie.
Bibliographie : Cat. exp. Vienne 1980, n° 72,13 ; Eisendle 2006, n° 83.

Vienne, Kunsthistorisches Museum, Gemäldegalerie. Inv. 3148.

Ce tableau fait partie d'une série d'évocations de représentations théâtrales auxquelles participèrent les enfants de Marie-Thérèse en tant qu'acteurs, chanteurs ou danseurs. Il montre une scène du ballet *Le Triomphe de l'Amour* conçu selon un projet du poète de cour Pierre Métastase, avec une chorégraphie du maître de ballet Franz Hilverding (1710-1768) sur une musique de Leopold Florian Gassmann. Ce ballet fut présenté à Schönbrunn le 24 janvier 1765, à l'occasion du mariage de l'archiduc Joseph, fils aîné de Marie-Thérèse et futur corégent puis empereur Joseph II, et de sa seconde épouse Josepha de Bavière. Dans les rôles principaux figurent les plus jeunes enfants de Marie-Thérèse : à droite, en Flore, l'archiduchesse Marie-Antoinette (née en 1755) ; au centre, en Cupidon, l'archiduc Maximilien (né en 1756), futur grand-maître de l'Ordre teutonique et archevêque de Cologne ; à gauche, en Myrtille, l'archiduc Ferdinand (né en 1754), futur évêque de Modène et fondateur de la branche cadette des Habsbourg de Modène-Este. Les bergers et bergères de l'arrière-plan sont joués par des enfants de l'aristocratie de cour : Xavier comte d'Auersperg, Frédéric-Joseph landgrave de Fürstenberg, Joseph et Wenceslas comtes de Clary, Pauline et Christine comtesses d'Auersperg, Thérèse et Christine de Clary.
En 1778, Marie-Thérèse offrit à sa fille Marie-Antoinette une copie du tableau peinte par Weikert (cat. 221) pour le Petit Trianon. **K. S.**

33
Franz Xaver Wagenschön
(Littisch, Bohême, 1726 – Vienne, 1790)

L'Archiduchesse Marie-Antoinette au clavecin

Avant 1770
Huile sur toile
H. 1,50 ; l. 0,98 m

Provenance : Ancienne propriété de la cour d'Autriche.
Bibliographie : Jallut 1955a, n° 6, p. 26-27 ; Jallut 1955b, p. 8-10 ; cat. exp. Tokyo 1998, n° 20, p. 63, 127 ; Hosford 2004.

Vienne, Kunsthistorisches Museum. Inv. 7084.

Avant tout actif en tant que peintre religieux, Wagenschön, originaire de Bohême, fut également portraitiste et décorateur à la cour impériale. Marie-Antoinette, assise au clavecin dans une pose altière, semble interrompre son jeu pour accorder un bref regard à son portraitiste. L'archiduchesse est vêtue d'une robe de soie bleue *à la française* constituée d'une jupe, d'un corsage décoré de perles en rangs serrés et d'un manteau garni de fourrure. De ses manches dépassent des engageantes en dentelle. La mention *ERZ.HERZOGIN. ANTONIA.* sur le clavecin au premier plan suggère une datation de l'œuvre antérieure au départ de Marie-Antoinette pour la France. La coiffure de l'archiduchesse, devant jouer un rôle non négligeable dans le processus de son assimilation à la culture française, corrobore cette hypothèse. Parmi les efforts entrepris dès 1768 pour parfaire l'éducation et l'apparence de la future reine, l'impératrice Marie-Thérèse demande en effet à Kaunitz qu'un *friseur* accompagne le portraitiste Joseph Ducreux que Louis XV fit envoyer à Vienne. La comparaison du portrait de Wagenschön avec le premier portrait officiel de Marie-Antoinette par Ducreux, peint en 1769 (cat. 34), dont on conserve une copie, témoigne de la métamorphose censée atténuer les traits Habsbourg de la future reine. Les monticules de boucles encore prédominants chez Wagenschön céderont dorénavant la place à la coiffure en queue de paon *à la dauphine*.
Sur fond de *vedute* italianisantes, ce portrait qui revêt le caractère d'une peinture de genre rend hommage à la culture musicale de l'archiduchesse, dont Christoph Willibald Gluck fut le maître de musique. **S. P.**

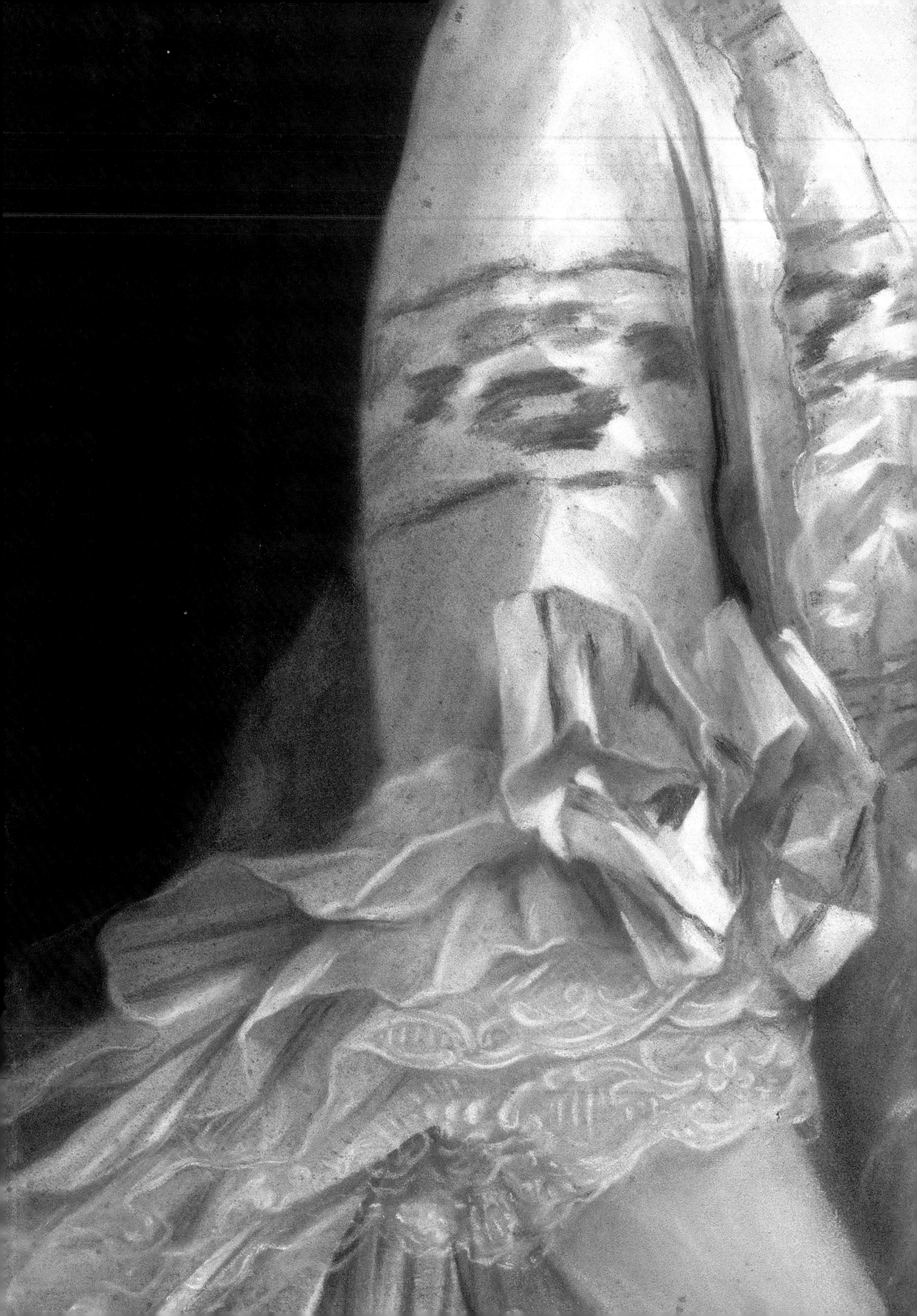

Une dauphine de France adulée

Xavier Salmon

La petite archiduchesse était jolie. Le peuple de France était tout disposé à lui offrir son cœur. Tout au long du chemin, de Vienne à Versailles, il lui manifesta sa joie, et lors des cérémonies du mariage, suivant le mot du duc de Croÿ, il « s'étouffa » afin de la voir[1]. Grande et bien faite, quoique un peu mince, le visage allongé et régulier, le nez aquilin bien que pointu du bout, le front haut, les yeux bleus et vifs, la bouche très petite semblant légèrement dédaigneuse, un teint d'un éclat rare mêlé de lis et de roses, les cheveux d'un blond cendré, un port de tête remarquable[2], Marie-Antoinette appelait les cœurs. Elle ne déçut aucunement.

Le 29 novembre 1770, ainsi que le relatait Mercy-Argenteau à Marie-Thérèse[3], au retour d'une chasse dans les environs de Versailles, en passant sur un pont, le postillon de son carrosse tomba et fut piétiné par les quatre chevaux de l'attelage. On le retira couvert de sang et sans connaissance. La dauphine s'arrêta et fit aussitôt chercher des chirurgiens. En attendant, un exempt des gardes qui la suivait pansa le malade. On voulut l'emmener dans une chaise, mais Marie-Antoinette s'y opposa, arguant du risque qu'il y avait à transporter de la sorte le blessé. Il fut finalement posé sur un brancard et porté à Versailles, accompagné de deux chirurgiens et de plusieurs personnes du cortège. Lorsque la dauphine fut elle aussi de retour, elle inspira respect et admiration. Elle fit venir les chirurgiens pour connaître l'état du blessé et marqua un sentiment de joie en apprenant qu'il pourrait ne pas en mourir. Quand elle raconta les détails de cet accident à la cour, elle ajouta : « Je disais à tout le monde qu'ils étaient mes amis, pages, palefreniers, postillons. Je leur disais : Mon ami ! va chercher les chirurgiens ; mon ami ! cours vite pour un brancard ; vois s'il parle, s'il est présent. » A ce récit, chacun fut dans l'attendrissement et dans l'admiration, et le propos général à Versailles fut de dire « que dans une pareille occasion Marie-Thérèse aurait bien reconnu sa fille, et Henri IV son héritière. »

Généreuse, Marie-Antoinette faisait aussi œuvre de charité. Elle aimait de préférence à donner aux pauvres, mais ne donnait point au hasard. Les preuves multipliées de son discernement avaient aussi fait le meilleur effet[4].

Début mai 1771, la dauphine se promenait à cheval dans les environs de Versailles[5]. Le cheval d'un de ses écuyers fit une ruade et toucha le pied de la petite princesse, qui ne laissa pas paraître la moindre douleur. Elle continua sa promenade et revint le pied fort enflé. Aux remarques de ses dames qui lui indiquaient qu'elle aurait dû déclarer le mal ressenti, elle répondit qu'elle l'avait caché

 Double page précédente : détail du cat. 34.

pour épargner à son écuyer le chagrin de se voir l'auteur involontaire de ce petit accident. Ce nouveau trait de bonté pénétra tous ceux qui en avaient été témoins. Peu de temps après, Marie-Antoinette suscita à nouveau l'admiration générale[6]. Sachant combien elle aimait la danse, le duc de Duras, gentilhomme de la Chambre de service pour l'année, lui avait proposé de prendre des dispositions pour qu'il y eût des bals pendant le séjour de Fontainebleau. La dauphine lui répondit que cet arrangement lui agréerait beaucoup, mais que, comme il en résulterait une augmentation de dépense, elle ne voulait pas qu'il fût dit qu'on trouvait de l'argent pour ses amusements, tandis que l'on n'en trouvait pas pour payer les appointements des gens de sa maison. Mercy précisa à cette occasion que la réponse, ignorée de personne, causa une admiration générale, « d'autant mieux méritée que l'intérieur de cette cour-ci [Versailles] est bien éloigné de produire des exemples de modération ou de réflexion compatissante sur le sort de ceux qui souffrent ».

Loin de s'effacer au contact de la cour, cette bonté et cette humanité naturelles de Marie-Antoinette se manifestèrent régulièrement. Le 1er août 1770, lors d'une chasse, la princesse refusa ainsi de traverser en calèche un champ de blé, sachant que le cultivateur serait peu et mal dédommagé[7]. Quelques jours après, elle renvoya ses chevaux de selle de Compiègne à Versailles afin que son écuyer puisse assister à l'accouchement de sa femme[8]. Le 12 septembre 1772, la comtesse de Provence et la dauphine rentrant d'une promenade en forêt chacune dans leur voiture, un palefrenier attaché au service de la première fit une mauvaise chute de son cheval et se blessa grièvement. La princesse italienne ne fit pas halte. Marie-Antoinette, elle, arrêta son équipage et ne voulut pas quitter la place avant que le blessé ne fût secouru. Cette différence de conduite fut particulièrement remarquée, et ce, bien entendu, tout à l'avantage de l'archiduchesse[9].

Colportés de bouche à oreille, parfois même diffusés par l'intermédiaire de l'estampe (voir cat. 76 fig. a), ces marques de compassion, ces preuves de charité et ces élans du cœur laissaient à chaque fois une vive impression et donnaient entière satisfaction à Marie-Thérèse, car elle savait qu'en les multipliant le public serait convaincu du bon cœur de sa fille. Elle ne se trompait pas. Le 8 juin 1773, le dauphin et la dauphine faisaient leur entrée solennelle à Paris. Le 14 juin, Marie-Antoinette écrivait à sa mère au sujet de cet événement[10] : « nous avons fait notre entrée à Paris. Pour les honneurs, nous avons reçu tous ceux qu'on a pu imaginer ; tout cela, quoique fort bien, n'est pas ce qui m'a touché le plus, mais c'est la tendresse et l'empressement de ce pauvre peuple, qui, malgré les impôts dont il est accablé, était transporté de joie de nous voir. Lorsque nous avons été nous promener aux Tuileries, il y avait une si grande foule que nous avons été trois quarts-d'heure sans pouvoir ni avancer ni reculer. M. le dauphin et moi avons recommandé plusieurs fois aux gardes de ne frapper personne, ce qui a fait un très-bon effet. Il y a eu si bon ordre dans cette journée que, malgré le monde énorme qui nous a suivis partout, il n'y a eu personne blessé. Au retour de la promenade, nous sommes montés sur une terrasse découverte et y sommes restés une demi-heure. Je ne puis vous dire, ma chère maman, les transports de joie, d'affection, qu'on nous a témoignés dans ce moment. Avant de nous retirer, nous avons salué avec la main le peuple, ce qui a fait grand plaisir. Qu'on est heureux dans notre état de gagner l'amitié de tout un peuple à si bon marché ! Il n'y a pourtant rien de si précieux : je l'ai bien senti et ne l'oublierai jamais ».

1. Croÿ 1906, II, p. 414.
2. Oberkirch 1970, p. 32
3. Arneth et Geffroy 1874, I, p. 107-108.
4. *Ibid.*, I, p. 109.
5. *Ibid.*, I, p. 163.
6. *Ibid.*, I, p. 176.
7. *Ibid.*, I, p. 206.
8. *Ibid.*, I, p. 212.
9. *Ibid.*, I, p. 346.
10. *Ibid.*, I, p. 458-456.

34

Joseph Ducreux

(Nancy, 1735 – Paris, 1802)

L'Archiduchesse Marie-Antoinette d'Autriche

Pastel sur parchemin
H. 64,8 ; l. 49,5 cm

Provenance : Peint en 1769 à Vienne et envoyé à Versailles, le pastel fut exposé dans l'appartement intérieur à la demande de Louis XV ; il est cité en 1920 par Pierre de Nolhac dans la coll. de Paul Binet ; en 1958, il appartenait au comte de Fels ; après être passé sur le marché de l'art parisien (galerie Maurice Ségoura) il y a quelques années, il fut acquis par un amateur américain qui le revendit chez Sotheby's New York le 30 janvier 1998 (lot 235, repr.) ; le château de Versailles l'acheta à cette occasion ; entré au musée le 6 mars 1998.
Bibliographie : Nolhac 1920, p. 372-374, repr. en regard de la p. 374 ; Lyon 1958, p. 53-54, 186, repr. pl. II ; Salmon 1997, p. 60 ; Salmon 1999, p. 44, n° 34, repr. ; Salmon 2005a, p. 69, n° 2.

Versailles, musée national des châteaux de Versailles et de Trianon. Inv. MV 8973 ; inv. dessins 1207.

35

Croisey

Graveur à Paris, actif dans la seconde moitié du XVIIIe siècle

L'Archiduchesse Marie-Antoinette

Burin et eau-forte
H. 31,8 ; l. 20,7 cm (au trait carré)
H. 38,3 ; l. 24 cm (pour la feuille)
La lettre indique : *Marie-Antoinete / Archiduchesse d'Autriche, / Dauphine de France / inu & Fecit Ornamenta*
Sous le trait carré en bas : *A.P.D.R. / A Paris, chez Croisey Graveur Quay des Augustins à la Minerve.*

Provenance : Albums Louis-Philippe.
Bibliographie : Salmon 1999, p. 144 ; Salmon 2005b, p. 24, repr.

Versailles, musée national des châteaux de Versailles et de Trianon. Inv. L.P 83-13[1].

Les négociations conduites entre Versailles et Vienne afin d'unir le futur Louis XVI à l'archiduchesse Marie-Antoinette furent comme à l'accoutumée marquées par l'envoi de portraits.

Négociatrice adroite, Marie-Thérèse argua de l'absence de portraitistes talentueux en Autriche pour obtenir qu'un peintre français vînt à elle. A Drouais, dans un premier temps approché, mais aux prétentions financières jugées trop élevées, Versailles préféra Joseph Ducreux, élève de Maurice Quentin de La Tour. Entre le 14 février et le 16 novembre 1769, l'artiste fixa à Vienne les traits de la plupart des membres de la famille impériale. Pour ce faire, il utilisa le pastel, technique qu'il avait apprise auprès de son célèbre maître et qui lui permettait de ne pas exiger de ses modèles de trop longues séances de pose.
De Marie-Antoinette, il exécuta trois portraits. Le premier ne donna pas satisfaction à l'impératrice et demeura à Vienne. Le second fut achevé le 2 mai et, à la requête de Louis XV, aussitôt transporté jusqu'à Versailles. A sa vue, le souverain manifesta publiquement son contentement. Le troisième portrait fut remis à Choiseul le 8 décembre par Ducreux lui-même, de retour en France. Des deux effigies envoyées en France, une seule est aujourd'hui connue en toute certitude. Acquise par Versailles, elle fut gravée par Croisey. Le 8 mai 1770, l'estampe avait été présentée au dauphin. Le mois suivant, le *Mercure de France* en annonçait l'édition et précisait à son sujet : « Ce portrait, qui nous rappelle les traits d'une Princesse de Vienne, l'objet chéri des vœux de la Nation, a été gravé avec soin par le sieur Croisey, qui a donné à son burin beaucoup de douceur et d'agrément. Cet artiste a copié ce portrait d'après les tableaux originaux qui sont dans les appartements de sa Majesté… »
Première image ayant fait connaître le visage de Marie-Antoinette en France, le pastel de Ducreux rendait hommage à la beauté enfantine de la petite archiduchesse. Certainement, il aida à conduire les négociations matrimoniales jusqu'à leur heureuse issue. L'estampe de Croisey contribua ensuite à diffuser les traits de l'élue auprès d'un plus large public. X. S.

36

François-Hubert Drouais
(Paris, 1727 – *id.*, 1775)

Louis XV âgé de soixante-trois ans

Huile sur toile
H. 72,5 ; l. 59,5 cm
Signé et daté en bas à gauche : *Drouais / en aoust / 1773*

Provenance : Exécuté sans commande officielle en 1773 et présenté la même année au Salon à Paris (n° 77) ; entré à Versailles sous Louis-Philippe.
Bibliographie : Engerand 1900, p. 169 ; Gabillot 1906, p. 170 ; Wildenstein 1958, p. 100 ; Salmon 2007, p. 114-116, n° 37, repr., p. 217-218, n° 36.

Versailles, musée national des châteaux de Versailles et de Trianon. Inv. MV 4438.

Formé par son père, le portraitiste Hubert Drouais, puis dans les ateliers de Donatien Nonnotte, Carle Van Loo, Charles Natoire et François Boucher, Drouais s'inscrit dans la lignée de Nattier et Tocqué. S'il confère à ses modèles une douceur souvent dénuée de psychologie, il excelle par contre dans la brillante description des atours. Exposant régulièrement au Salon de 1755 à sa mort, il travailla pour la famille royale (les filles de Louis XV) comme pour les favorites (la marquise de Pompadour, National Gallery de Londres). Son succès lui permit d'obtenir en 1772 le titre de Premier peintre du comte de Provence.
On possède peu de portraits figurant Louis XV après 1765. Outre que le roi n'accordait aux artistes que peu de temps pour les séances de pose, il ne fut plus enclin, les années passant, à satisfaire les demandes des artistes qui voyaient dans l'exécution du portrait royal une source de consécration. On peut dès lors mesurer tout le caractère exceptionnel du portrait peint par François Hubert Drouais en août 1773, peu de temps avant la mort du roi. Il s'agit en effet de la toute dernière image du monarque avec celle exécutée à la peinture éludorique (peinture sous verre) la même année par Armand Vincent de Montpetit (1713-1800), dont le château de Versailles possède une réplique autographe signée et datée de mars 1774 (MV 8452).
Les deux œuvres présentent un modèle aux traits alourdis par l'âge qui pourraient témoigner en faveur d'ultimes séances de pose accordées par le roi. Mais, dans le portrait de Drouais,

l'aspect encore très juvénile se dégageant de cet homme âgé de soixante-trois ans semble s'opposer à cette hypothèse. Lors de l'exposition du tableau au Salon de 1773, il n'avait d'ailleurs pas échappé au critique Pidansat de Mairobert. On pouvait ainsi lire sous sa plume: « [le peintre] a échoué absolument dans le portrait du Roy, trop flatté, trop rajeuni, dont il a rétréci les yeux et qu'il a dégradé par une position peu spirituelle ». Si la position et le cadrage n'avaient pas eu l'heur de plaire, c'est probablement car le peintre les appliquait pour la première fois à la personne royale. En optant pour une image à mi-corps, légèrement de trois quarts, et pour un habit de cour assez sobre mais portant les ordres de la Toison d'or et du Saint-Esprit, Drouais empruntait une formule courante à la gravure d'adaptation de format ovale et au portrait sans les mains, moins onéreux. Lorsque Duplessis peignit en 1776 le portrait de Louis XVI, sa dette à l'égard de Drouais fut manifeste. X. S.

37

Jean Martial Frédou

(Fontenay-Saint-Père, 1710 – Versailles, 1795)

Etude pour le visage du dauphin Louis de France, père du futur Louis XVI

Pierre noire, fusain, rehauts de pastel rose et bleu sur papier bleu

H. 45,5; l. 37,5 cm

Provenance: Coll. part. en Lorraine; acquis auprès du collectionneur pour le château de Versailles en 2007.

Bibliographie: Hugues 2003, p. 147, repr. p. 143, fig. 2.

Versailles, musée national des châteaux de Versailles et de Trianon. Inv. MV 9109; inv. dessins 1244.

Copiste du Cabinet du roi chargé de dupliquer les effigies des membres de la famille royale peintes par Nattier, La Tour, Natoire, Louis Michel Van Loo, Roslin ou Duplessis, Jean Martial Frédou fut aussi un portraitiste à part entière.

Entre 1760 et 1762, il exécuta ainsi à la demande de leur mère, la dauphine Marie-Josèphe de Saxe, onze portraits des enfants de France. Ceux-ci avaient été soit peints à l'huile, soit dessinés aux trois crayons (pierre noire, sanguine et craie blanche) rehaussés de pastel. Les effigies dessinées avaient très certainement été tracées d'après le modèle vivant, car la technique se prêtait à des séances de pose plus courtes. Deux de ces portraits aujourd'hui conservés à Versailles et représentant tous deux le duc de Bourgogne (1751-1761), fils aîné du dauphin Louis, avant et pendant la maladie qui l'emporta (MV 8380, MV 4398), témoignent d'une grande acuité psychologique et sont empreints de beaucoup d'humanité.

Le portrait du dauphin Louis de France est certainement contemporain de la commande documentée de 1760-1762. Il offre la même technique que les deux effigies du duc de Bourgogne, un format similaire, et ce même caractère profondément humain qui incite à penser que le prince avait accepté de poser pour Frédou. L'image est rare, parce qu'elle est dépourvue de cette pompe officielle qui caractérise normalement les portraits des membres de la famille royale. Elle est tout à fait représentative du talent de psychologue de son auteur et de sa maîtrise technique. Elle constitue aujourd'hui le portrait le plus intimiste du père de Louis XVI. X. S.

38
Louis Michel Van Loo
(Toulon, 1707 – Paris, 1771)
Le Duc de Berry, futur Louis XVI

Huile sur toile
H. 64 ; l. 49 cm
Signé et daté à mi-hauteur à droite : *L. M. Van Loo 1769*

Provenance : Commandé en 1768 ou 1769 par les Bâtiments du roi, le portrait ne fut payé qu'après la mort de Van Loo ; à la date du 1er avril 1771, sur l'exercice de 1770, les comptes mentionnent effectivement : « Aux héritiers du sieur Michel Van Loo, 10 970 livres en contrats à 4 % sur les Aides et Gabelles pour faire, avec 30 500 à luy ordonnés acompte, savoir 24 000 sur 1762 en billets de l'emprunt sur l'Alsace du 16 mars 1769 le 12 octobre 1767, 5 000 comptant sur l'exercice de 1764 le 18 septembre 1766, et 1 500 sur l'exercice de 1769 le 6 mai 1770, le parfait payement de 41 470 livres, à quoy montent tant les tableaux représentant le Roy en pied que M. le Dauphin, M. le comte de Provence et M. le comte d'Artois et Madame Infante, duchesse de Parme, qu'il a faits pour le service de sa majesté, et pour frais de voyages qu'il a pareillement faits pendant le cours des années 1759, 1760, 1761, 1762, 1769 et 1770 » (Engerand 1900, p. 492-493) ; il fut probablement exposé au ministère des Affaires étrangères à Versailles (cité sous le n° 5 dans l'*Etat des ornements existants au dépôt des Affaires étrangères déposés par ordre du Ministre dressé des anciens bureaux de la Marine à Versailles et transportés ensuite par ordre* [...] *dans une des salles de l'hôtel de la Guerre lors de son installation dans les bureaux de la marine en 9bre 1793*, Paris, Bibliothèque historique de la ville de Paris, B 17 VP, ms. 796, f° 189) ; entré au château de Versailles sous Louis-Philippe.

Versailles, musée national des châteaux de Versailles et de Trianon. Inv. MV 3889.

Le portrait présente les traits du futur Louis XVI à l'âge de quinze ans, soit quelques mois avant que Marie-Antoinette n'arrive à la cour de Versailles. Il fit l'objet de plusieurs copies et constitua rapidement un modèle pour d'autres artistes. En 1771, à la demande de Nicolas Beaujon, Michel Henri Cozette, sous la direction de son père, Pierre François Cozette, chef d'atelier, le fit tisser à la manufacture royale des Gobelins (Fenaille 1907, p. 317-318, repr.). La tapisserie fut présentée au Salon de 1773 avant d'être exposée dans les appartements de l'hôtel d'Evreux à Paris, alors propriété de Beaujon. En 1786, elle fut léguée par Beaujon à la chambre de commerce de Bordeaux, sa ville natale, où elle est toujours conservée. En 1773, le portrait du duc de Berry peint par Van Loo fut également gravé à la manière noire par Richard Brookshaw. X. S.

Le voyage

39
Johann III Striedbeck
(Francfort, 1707 – Strasbourg, 1772)
D'après Samuel Werner (1720-1775), inspecteur des bâtiments de la ville de Strasbourg, et Henri Haldenwanger, peintre décorateur à Strasbourg
Décoration élevée vis-à-vis du palais épiscopal de Strasbourg pour la réception de la dauphine Marie-Antoinette en mai 1770

Eau-forte et burin
H. 43,7 ; l. 73,6 cm
La lettre indique : *REPRESENTATION DES EDIFICES ET DECORATIONS ELEVES VIS A VIS LE PALAIS / par Ordre du Magistrat de la Ville de Strasbourg, à l'occasion de L'arrivée de Madame La Dauphine le 7 May. 1770.*
Sous le trait carré, à gauche : *Inventé par le Sr. Werner Inspr des batiments de la Ville*, à droite : *Peint par Henri Haldenwanger*, et en bas à droite : *Dessiné et gravé par Jean Striedbeck à Strasbourg, ruë du Dôme.*

Bibliographie : Gruber 1972, p. 40-47, 187, repr. fig. 18, pl. XIII.

Paris, musée Carnavalet. Inv. Coll. Est., 4 G-C.

Le voyage de Marie-Antoinette vers la cour de France fut ponctué de plusieurs étapes qui toutes donnèrent lieu à des fêtes. La plus importante fut sans conteste celle de Strasbourg. Le 7 mai 1770, vers midi, la petite archiduchesse se présenta avec sa suite devant le pavillon qui avait été construit sur l'île du Rhin, entre Kehl et Strasbourg. Là, elle quitta sa suite autrichienne pour sa suite française, conduite par la comtesse de Noailles, sa nouvelle dame d'honneur. Puis elle prit le chemin de Strasbourg, où elle entra par un arc de triomphe spécialement élevé à son intention, et fut directement conduite au palais épiscopal, où elle prit ses appartements. Face au palais, afin de masquer l'irrégularité des maisons bordant le quai de l'Ill, on avait élevé un palais éphémère composé de trois corps réunis par une colonnade. Les cœurs enflammés, les armes du dauphin et de la dauphine, et les inscriptions qui en constituent le décor, annonçaient le futur mariage. En avant du corps central, un bassin formait cascade, et, sur la rivière, un large pont de bateaux portant un jardin avait été dressé pendant que Marie-Antoinette avait assisté à la comédie après son déjeuner. A l'issue du souper, la dauphine parut sur le balcon du palais afin d'admirer l'illumination qui embrasa l'architecture éphémère et le parterre fleuri. Sur celui-ci, des tonneliers et de jolies filles habillées à la strasbourgeoise exécutèrent un chœur et dansèrent des allemandes jusqu'au coucher de la petite princesse. Le lendemain, Marie-Antoinette reçut les honneurs des personnes présentées, puis elle quitta Strasbourg pour Saverne, Nancy et Châlons-sur-Marne. X. S.

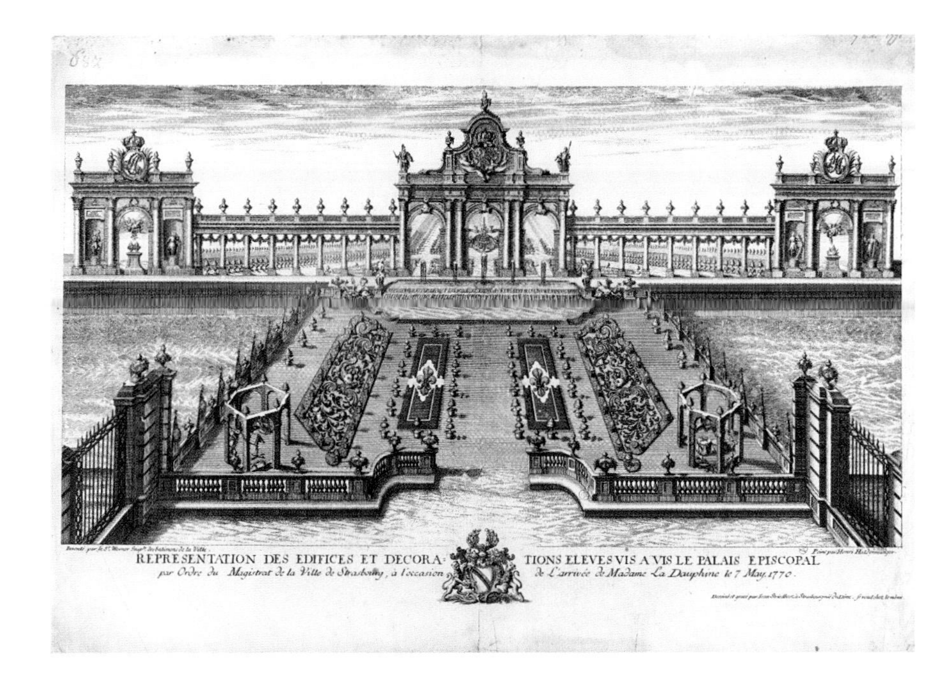

40

Radel

Architecte actif dans la seconde moitié du XVIIIe siècle

Feu d'artifice tiré en l'honneur de la dauphine Marie-Antoinette à Soissons en 1770

Plume et encre noire, rehauts de lavis et d'aquarelle ; collé en plein

H. 35,3 ; l. 53,8 cm

Annoté dans le cartouche, en bas : *DESSEIN DU FEU D'ARTIFICE TIRÉ EN PRESENCE DE MADAME LA DAUPHINE, ET DE L'ILLUMINATION FAITE A SON PASSAGE PAR LA VILLE DE SOISSONS DANS LE PALAIS DE / MONSEIGNEUR L'EVÊQUE ET PAR SES ORDRES, LE XII ET XIII DU MOIS DE MAI M.DCCLXXI* [sic], *Dessiné par Radel, architecte*

Bibliographie : Gruber 1972, p. 48-51, 187-188, repr. fig. 21, pl. XIV.

Paris, musée du Louvre, département des Arts graphiques. Inv. 32695.

Après l'étape de Châlons-sur-Marne, où l'intendant de Champagne Rouillé d'Orfeuil l'avait fastueusement accueillie, Marie-Antoinette et son cortège arrivèrent à Soissons le 12 mai 1770. La petite dauphine y résida deux jours avant de rejoindre Compiègne où l'attendaient Louis XV et le dauphin. Pour elle, la cité s'était parée d'arbres fruitiers disposés le long des rues conduisant à l'évêché et reliés entre eux par des festons de fleurs et de rubans d'or et d'argent. Dans le jardin de sa résidence, l'évêque avait également fait dresser un temple de l'Hymen abritant la statue de Louis XV et un grand portail en arc de triomphe décoré de transparents illuminés à l'image de l'aigle impérial et du dauphin, de monogrammes aux initiales de Louis et de Marie-Antoinette et de lis. C'est là que la petite princesse assista nuitamment à des danses populaires et à un feu d'artifice. X. S.

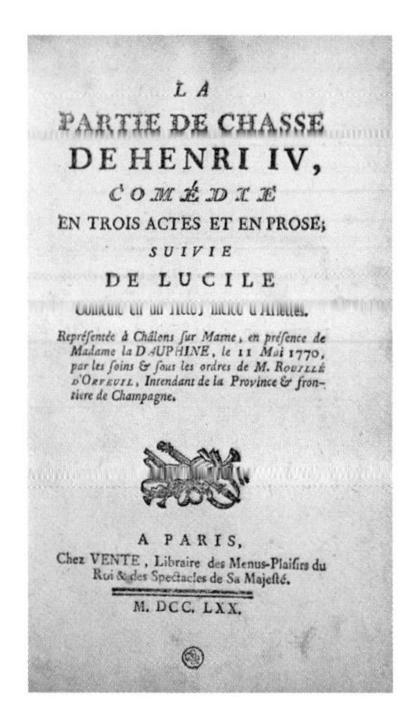

LA
PARTIE DE CHASSE
DE HENRI IV,
COMÉDIE
EN TROIS ACTES ET EN PROSE;
SUIVIE
DE LUCILE
[illegible]
Représentée à Châlons sur Marne, en présence de Madame la DAUPHINE, le 11 Mai 1770, par les soins & sous les ordres de M. ROUILLÉ D'ORFEUIL, Intendant de la Province & frontière de Champagne.

A PARIS,
Chez VENTE, Libraire des Menus-Plaisirs du Roi & des Spectacles de Sa Majesté.
M. DCC. LXX.

41
Charles Collé
(Paris, 1709 – *id.*, 1783)
La partie de chasse de Henri IV, comédie en trois actes et en prose ; suivie de Lucile, comédie en un acte, mêlée d'Ariettes. Représentée à Chalons-sur-Marne, en présence de Madame la Dauphine, le 11 mai 1770, par les soins & sous les ordres de M. Rouillé d'Orfeuil.

A Paris : chez Vente, 1770
In-8° ; H. 20,5 ; l. 13,3 cm
Reliure en maroquin rouge, plats ornés d'un grand décor de dentelle à dauphins et fleurs de lis ; armes de la dauphine sur maroquin noir (fer répertorié sous le n° 5 par Olivier, Hermal et Rothon, pl. 2529).

Bibliographie : Cat. exp. Versailles 2006-2007, n° 1.

Versailles, Bibliothèque municipale.
Inv. Res. Lebaudy (PS).

La tradition veut que cet ouvrage soit le premier que Marie-Antoinette se vît offrir en France. *La Partie de chasse de Henri IV* fut en effet représentée devant elle lors de son passage à Châlons-sur-Marne le 11 mai 1770, où elle fut fastueusement reçue par l'intendant de Champagne Gaspard Louis Rouillé d'Orfeuil.
Le thème de la pièce, célébrant la justice royale et une monarchie idéale fondée sur son étroit rapport avec le peuple, a été fréquemment traité au théâtre.
Créée en 1764 d'après une pièce anglaise de Robert Dodsley, *The King and the Miller of Mansfield* (1737), *La Partie de chasse de Henri IV* exalte la popularité du Vert-Galant. A l'acte III (scène 17) est chanté le célèbre « Vive Henri Quatre », qui deviendra l'un des hymnes de la Restauration.
La raison pour laquelle cette comédie fut choisie pour être donnée à Marie-Antoinette n'est pas connue. Etait-ce une manière de donner à la future reine de France une « leçon » de monarchie idéale ou tout simplement l'occasion de célébrer la dynastie par une pièce à la mode ?
Lucile, qui fut également donnée le même jour, est une comédie en un acte mêlée d'ariettes, sur un livret de Marmontel et une musique de Grétry. Elle avait été créée le 5 janvier 1769 à la Comédie-Italienne. Sa représentation devant la dauphine permit à celle-ci de découvrir la musique de Grétry peut-être pour la première fois et d'entendre le fameux quatuor « Où peut-on être mieux qu'au sein de sa famille », promis à un succès durable qui se prolongea jusqu'à la Restauration. **R. M.**

42
André Basset
Editeur à Paris, actif entre 1749 et 1779
Arrivée de Marie-Antoinette à Versailles

Burin rehaussé d'aquarelle au pochoir
H. 23 ; l. 34,4 cm (au trait carré)
H. 25,2 ; l. 34,4 cm (pour la feuille)
La lettre indique en bas : *l'Archiduchesse Marie Antoinette, sœur de l'Empereur née à Vienne le 2 novembre 1755, arrivé à Versailles le 16 mai 1770, jour de son Mariage avec Monseigneur Louis Auguste Dauphin de France, née le 23 Aoust 1754. / Avec permission ce 11 may 1770 DE SARTINE. A Paris chez Basset rue S. Jacques.*

Provenance : Coll. Henri Grosseuvre, Versailles ; acquis à l'amiable par le château de Versailles avant la vente de la coll. organisée à Paris, hôtel Drouot, du 16 au 18 avril 1934 (partie du lot 503 : ensemble de 14 pièces).

Versailles, musée national des châteaux de Versailles et de Trianon. Inv. grav. 934.

L'estampe témoigne de l'apparat qui accompagna l'arrivée de Marie-Antoinette à Versailles. Le carrosse abritant la princesse était précédé de la garde française et des suisses, des mousquetaires noirs, des gardes du corps du roi, des mousquetaires gris, des chevau-légers, des gendarmes de la Garde et des valets de pied. **X. S.**

Les fêtes du mariage

43
Graveur anonyme
d'après Claude Louis Desrais
(Paris, 1746 – *id.*, 1816)
Cérémonie du mariage de Louis Auguste, dauphin de France, avec l'archiduchesse Marie-Antoinette

Eau-forte rehaussée d'aquarelle
H. 32,7 ; l. 24,1 cm (au trait carré)
H. 38,4 ; l. 27,1 cm (pour la feuille)
La lettre indique : *Cérémonie du Mariage de LOUIS AUGUSTE Dauphin de France avec L'archiduchesse / MARIE-ANTOINETTE d'Autriche, sœur de Lempereur ; Célébré dans la Chapelle de / Versailles, le 16 May 1770. par Mr. de la Roche Aymon, Archevêque de Rheims.*
Sous le trait carré à gauche : *Dessiné par Desrais.*

Provenance : Fonds ancien.

Versailles, musée national des châteaux de Versailles et de Trianon. Inv. grav. 5905.

La cérémonie du mariage se déroula dans la chapelle royale du château de Versailles le 16 mai 1770 entre treize heures et quatorze heures. L'événement inspira naturellement de nombreuses estampes populaires. Certaines prirent beaucoup de liberté avec la réalité, d'autres cherchèrent au contraire, à l'exemple de celle ici présentée, à demeurer fidèles. Mise en couleurs, la gravure témoigne du faste des solennités. Le duc de Croÿ en faisait également part dans son journal (1906, II, p. 396-397): « Le Roi, précédé des princes et de M. le Dauphin qui donnait la main à la Dauphine, alla à la chapelle en grand cortège, que suivaient soixante-dix dames et les seigneurs de la Cour. Les appartements, garnis de dames de Paris bien mises faisaient, avec ce cortège, un grand effet. [...] L'entrée de la chapelle et toute cette auguste cérémonie fit un plus superbe coup d'œil que je n'aurais cru. Les mariés étaient sur des carreaux, au pied de l'autel, le Roi à son prie-Dieu, fort reculé; trente-cinq femmes de la Cour et du service faisaient un cordon d'habits superbe des deux côtés, et toutes les charges de la Cour, avec quelques dames titrées [...], achevaient de remplir la chapelle d'habits magnifiques, sans confusion, mais les dames étaient fort pressées.

« Le mariage se fit par l'archevêque de Reims officiant. Le Roi et toute la famille royale et les princes et princesse du sang étaient en groupes derrière. Les mariés n'eurent pas l'air embarrassé, tout se passa de bonne grâce.

« D'où j'étais, surtout, le coup d'œil de la chapelle ainsi garnie, haut et bas, avec de hauts gradins partout, de sorte qu'on ne voyait qu'une masse et amphithéâtre de beaux habits, était une des plus belles choses qu'on pût voir, surtout le soleil en rehaussant l'éclat. » **X. S.**

44

Registres paroissiaux de l'église Notre-Dame de Versailles

Acte de mariage du dauphin Louis et de l'archiduchesse Marie-Antoinette, le 16 mai 1770

[N. p.], grand-format

Versailles, Archives municipales. GG 209.

Les registres paroissiaux de Notre-Dame de Versailles, paroisse dont dépend le château, mentionnent tous les sacrements reçus par la famille royale lorsque les événements afférents s'y sont déroulés: naissances, baptêmes, mariages ou décès. L'acte de mariage du futur Louis XVI et de Marie-Antoinette, célébré à la chapelle royale le 16 mai, est ainsi enregistré par le curé Allart et signé par les époux et la famille royale: Louis XV, les comtes de Provence et d'Artois, Mesdames Adélaïde, Victoire, Clotilde et Élisabeth, le duc d'Orléans et le duc de Chartres. **R. M.**

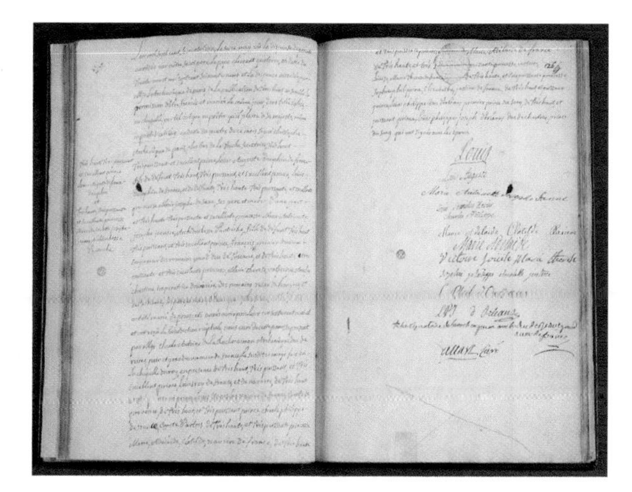

45

Claude Jean-Baptiste Jalliers de Savault
(Château-Chinon, 1740 – Paris, 1806)

Coupe sur la longueur de la salle du Bal paré, de la salle de spectacle et du foyer de l'Opéra de Versailles

Plume et lavis d'encre de Chine, rehauts d'aquarelle ocre, bleu, vert, rose et gris sur papier crème
H. 49; l. 154,6 cm
Signé en bas à gauche: *Jallier del.*

Provenance: Fonds de l'architecte des Menus-Plaisirs Pierre Adrien Pâris (1745-1819).
Bibliographie: Gruber 1972, p. 70, 191, repr. fig. 40, pl. XXVII.

Besançon, bibliothèque municipale. Inv. fonds Pâris, RI 37.

Ainsi que l'a souligné Alain-Charles Gruber, l'aménagement intérieur de la nouvelle salle de l'Opéra royal fut conçu par le machiniste architecte des Menus-Plaisirs Blaise Henry Arnoult (?-1792), probablement avec l'assistance de François-Joseph Bélanger (1744-1818) et de Claude Jean-Baptiste Jalliers de Savault. Ce dernier fut tout particulièrement appelé à collaborer avec Arnoult pour la conception du décor de la salle lorsqu'elle devait être utilisée pour le bal paré. Le fonds Pâris à Besançon conserve en effet deux dessins signés de sa main (RI 37 et RI 38) qui décrivent le décor provisoirement dressé sur la scène de l'opéra à cette occasion. Créé à l'aide de toiles peintes et dorées et de bois, ce décor éphémère avait fait grande impression sur le public. La manière dont la nouvelle salle de spectacle de Versailles pouvait être facilement adaptée avait aussi frappé les esprits.
Le duc de Croÿ s'en faisait ainsi l'écho (1906, II, p. 406-407):
« La salle peut donc se changer pour différents objets:
« 1° La salle des spectateurs, qui peut varier en galerie en haut ou en loge, ou en ôtant l'amphithéâtre et élevant le parterre pour faire belle salle de bal masqué, en faisant un fond cintré sur le théâtre et le laissant pour amphithéâtre de spectateurs, et une salle de rafraîchissement derrière.
[…]
« 2° En salle de festin, en mettant un masque de grandes colonnes à l'avant-scène, et faisant un beau porche en voussure pour l'amphithéâtre de musique sur le théâtre, ce qui fait un très beau fond avec les glaces; mais à cette décoration la forme de fer à cheval de la salle cadre mal avec le masque droit sur l'avant-scène. Ce défaut est racheté par l'avantage de voir des loges le festin et d'éclairer la belle salle, ce qui fait au mieux.
« 3° En salle de bal, qui n'est que sur le théâtre et garnissant tout le reste jusqu'au mur de la rue. La décoration est des plus riches; il y a des entre-colonnements un peu serrés par le manque de fond, le bout est un peu plat, et cela ne cadre plus avec le reste de la salle, qui devient comme inutile.
« J'observai à M. Arnoult qu'en laissant les deux colonnes des balcons, en y ajoutant deux autres sur l'avant-scène, et répétant le fer à cheval de la salle sur le théâtre, on aurait pu en faire un superbe ensemble, mais il me fit remarquer que les Bâtiments ne lui ont pas donné assez de fond et d'évasement sur le théâtre pour cela, et que, ne pouvant pas aisément baisser le théâtre, par la quantité de choses à déplacer dessous, cela ne valait pas la peine pour un seul jour, et un bal paré qui ne doit pas être en si grande salle qui aurait l'air d'une halle. […] J'examinai à fond comment se font les changements des différentes salles, tous les plafonds n'étant que des châssis peints qui s'agrafent à crochets de fer, ayant des anneaux pour l'enlever et des poulies partout; on sent qu'on peut, en peu d'heures, tout changer et enlever par morceaux. Je fus seulement étonné que cela pût prendre assez de solidité pour faire loge, et du grand risque du feu, dans tout cela. S'il n'y a pas de très habiles gens dans la suite, et que la pourriture s'y mette, je doute que toutes ces décorations-là durent longtemps! » X. S.

46

Jean-Michel Moreau, dit Moreau le Jeune
(Paris, 1741 – *id.*, 1814)

Souper du mariage du dauphin, futur Louis XVI, avec Marie-Antoinette, à l'Opéra de Versailles, le 16 mai 1770

Plume et encre noire, rehaut de lavis gris sur papier crème
H. 23,5; l. 27,5 cm

Provenance: Coll. Jacques Doucet; coll. du Dr Tuffier.
Bibliographie: Gruber 1972, p. 191, repr. fig. 41, pl. XXVIII; Ennès 1993, p. 288, n° 91, repr. p. 55.

Berlin, Staatliche Museen zu Berlin, Kunstbibliothek. Inv. Lipp-Hdz 172.

47

Bal paré pour le mariage du dauphin avec Marie-Antoinette, à l'Opéra de Versailles, le 19 mai 1770

Plume et encre noire, rehauts de lavis gris sur papier crème
H. 23,5; l. 27,5 cm

Provenance: Coll. Jacques Doucet; coll. du Dr Tuffier; cité en 1954 dans la coll. Peñard y Fernandez.
Bibliographie: Gruber 1972, p. 191, repr. fig. 42, pl. XXIX.

Berlin, Staatliche Museen zu Berlin, Kunstbibliothek. Inv. Lipp-Hdz 173.

46

47

48

L'Opéra royal de Versailles lors de la représentation d'« Athalie » de Racine, le 23 mai 1770

Plume et encre noire, rehauts de lavis gris, sur tracé à la pierre noire, sur papier crème
H. 24,9 ; l. 29,3 cm
Annoté au verso sur le carton de montage à la plume et encre brune : *Moreau J^e^ / La salle de spectacle du château de / Versailles.* ; annoté sur le montage en bas à droite à la plume et encre noire : *Moreau J^e^. La salle de spectacle du Chât. de Versailles.*

Provenance : Acquis sur le marché de l'art parisien en 1999 ; entré à Versailles le 19 mai 1999.
Bibliographie : Salmon 2001, p. 62-63, n° 28, repr. ; Salmon 2005a, p. 72-75, n° 4, repr.

Versailles, musée national des châteaux de Versailles et de Trianon. Inv. MV 8986 ; inv. dessins 1214.

Les fêtes qui accompagnèrent la cérémonie du mariage de l'héritier de la Couronne avec l'archiduchesse Marie-Antoinette furent marquées par un faste extrême. Afin d'en conserver le souvenir, le dessinateur des Menus-Plaisirs, Moreau le Jeune, exécuta plusieurs dessins qui devaient servir de modèles à l'édition d'estampes. Le 16 mai 1770, le festin royal donné sur le parterre de la salle de l'opéra de Versailles tout juste achevée lui fournit le sujet d'un premier croquis. Le 19 mai, toujours à l'Opéra royal, l'artiste s'appliqua à représenter l'agencement de la salle à l'occasion du bal paré. Le 23 mai, il assistait à la représentation de l'*Athalie* de Racine. De petites dimensions et tracés avec rapidité, les trois dessins auraient constitué pour Moreau le Jeune les *riccordi* lui permettant d'exécuter les dessins aboutis et de plus grandes dimensions destinés à être donnés aux graveurs. Le projet d'éditer un

livre illustré dédié aux fêtes du mariage ayant été finalement abandonné, il semble que le maître n'ait jamais tracé les feuilles les plus achevées, à l'exemple de celle décrivant l'embrasement des jardins de Versailles et du pourtour du Grand Canal le 19 mai au soir (voir cat. 51).
Malgré leur synthétisme, les trois croquis des soirées de l'Opéra royal sont d'une précision remarquable et donnent une image fidèle de chacun des événements décrits. Le 16 mai, le festin royal s'était déroulé à partir de dix heures du soir. Dans son journal, le duc de Croÿ en avait fait relation. Il écrivait (1906, II, p. 398) : « rien dans cette journée, n'égala le coup d'œil de la salle de spectacle, arrangée en salle de festin. La table de vingt-deux personnes, le Roi, sa famille et les princes, et un monde prodigieux autour et dans les loges, garnissait cette charmante et superbe salle et en faisait, au dire général, la plus belle salle qu'on eût jamais vue en Europe ». Le 19, le mémorialiste, toujours présent à Versailles, faisait à nouveau état de son émerveillement lors du bal paré, tout en regrettant que l'espace fût alors trop réduit. Il précisait (*ibid.*, II, p. 409-410) : « On eut assez de peine à avoir place ; la salle n'occupant que le théâtre, n'était pas immense. Le Roi arriva à sept heures. Tout le monde convint que l'on n'avait pas encore vu un aussi beau coup d'œil. Cependant, comme salle de bal paré, celle aux écuries au mariage de feu M. le Dauphin, était plus grande et commode. Pendant le menuet du Dauphin et de la Dauphine, tout le monde se tenant debout ou grimpé sur les banquettes, il n'était pas possible de voir un plus riche ensemble de belles dames, de beaux habits, dans une plus riche et superbe salle de décoration.
« Le Roi, voyant qu'on s'était rendu et que tout réussissait, reprit sa belle mine. Mme la Dauphine dansa de très bonne grâce et comme bien habituée à représenter, étant élevée au mieux, à tous égards. M. le Dauphin, a cause de sa vue, et qu'il n'est pas dans sa force, ne danse pas si bien. Les jeunes princes dansèrent de bon cœur, sans se gêner ; presque tout le reste dansa bien. »
Enfin, le 23 mai pour la représentation d'*Athalie*, au cours de laquelle Mlle Clairon fut imposée dans le rôle-titre, Moreau le Jeune avait choisi de représenter le tableau final de la pièce de Racine. Eclairée par douze grands lustres suspendus entre les colonnes des troisièmes loges, la salle permettait de voir la famille royale assise dans des fauteuils au premier rang de l'amphithéâtre comme le temple dressé par Arnoult sur la scène. Cet édifice de bois, de carton et de toile avait suscité la plus vive admiration. Le duc de Croÿ s'en fit également le témoin en écrivant (*ibid.*, II, p. 414-415, 417) : « Le 23 fut la grande représentation d'Athalie. Il me paraît que, d'un accord unanime, ce fut le plus beau spectacle de ce genre qui ait jamais paru. Nous vîmes, enfin, ce chef d'œuvre de tragédie dans tout son lustre, avec tous ses accompagnements, ce qu'on n'avait pas encore vu de ce règne. La pompe et la majesté de ce spectacle furent des plus frappantes. La grande beauté de la salle, jointe à la grandeur et à la largeur du théâtre, qui allait bien avec la forme convenable à la décoration, fit, avec le superbe morceau de l'architecture du temple, le plus bel ensemble possible. La salle, surtout, me parut, chose rare, gagner à être vue souvent. » Il ajoutait encore : « Le coup d'œil de la fin réunit tous les suffrages. L'immense dôme du fond était surmonté d'une colonnade en jubé, garnie de peuple resté tout en haut, qui faisait la plus grande illusion, et le coup d'œil du combat nombreux, le tumulte avec ordre bien groupé. » X. S.

49

Plan de table du souper du mariage du dauphin de France avec l'archiduchesse Marie-Antoinette

Plume et encre noire sur papier crème
H. 40 ; l. 31,5 cm
Paris, Archives nationales. Inv. K 147 14 2.

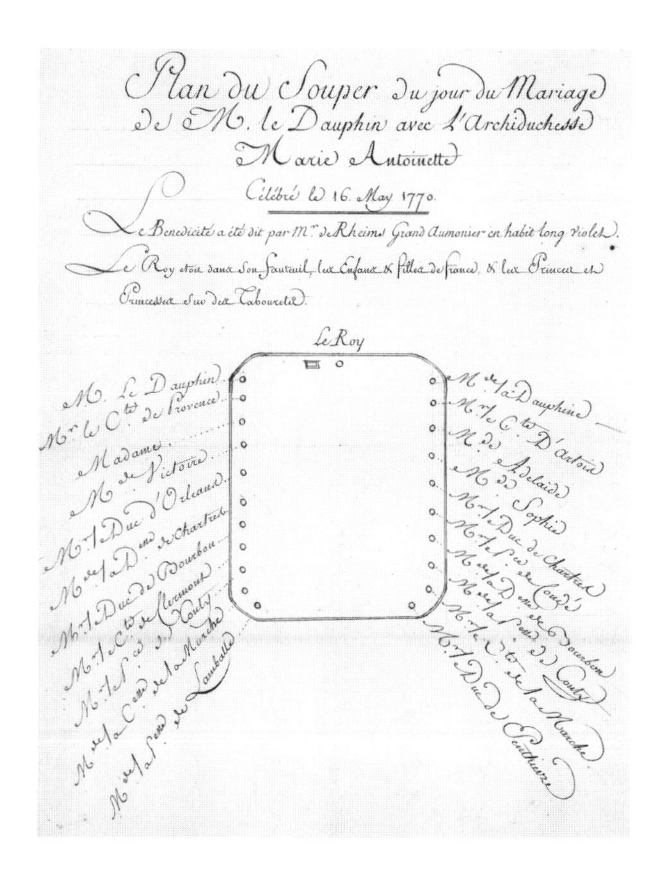
Plan du Souper du jour du Mariage de M. le Dauphin avec l'Archiduchesse Marie Antoinette
Célébré le 16. May 1770.
Le Benedicité a été dit par Mr. de Rheims Grand Aumonier en habit long violet.
Le Roy étoit dans son fauteuil, les Enfans & filles de France, & les Princes et Princesses sur des Tabourets.

50

Anonyme,
attribué à la maison Beurdeley
Surtout dit « du mariage du Dauphin »

Manufacture royale de porcelaine de Sèvres, vers 1769-1770
Pâte tendre; entablement en biscuit de porcelaine; bronze, glace, marbre du XIXe siècle
H. 0,62; l. 3; pr. 1,89 m
Marque *PH* en creux dans la pâte

Provenance: Anc. coll. Beurdeley; 13e vente Beurdeley, 11-13 avril 1900; acquis en 1910.
Bibliographie: *Mercure de France*, juillet 1770; Vitry, in *Les Musées de France*, 1911, n° 4, p. 58-59; Ennès 1987, p. 63-73; Ennès 1993, n° 93; Hans 2007, n° 94, p. 139.

Versailles, musée national des châteaux de Versailles et de Trianon. Inv. V 3605.

Ce surtout est un remontage partiel de celui exécuté par la manufacture de Sèvres pour la table du festin donné le 16 mai 1770 par Louis XV dans la nouvelle salle d'opéra du château à l'occasion du mariage du dauphin de France avec l'archiduchesse d'Autriche.
A partir d'éléments de l'entablement du surtout du mariage, la maison Beurdeley, fabricant de bronzes et d'ébénisterie à Paris, a très certainement remonté un surtout rectangulaire aux angles en quart de cercle à la fin du XIXe siècle. La colonnade dorique de quarante colonnes supporte un entablement en biscuit de Sèvres: quatre paires de colonnes sur chacun des deux grands côtés et trois colonnes en triangle aux huit angles. Les métopes ont un décor très fin sculpté, montrant alternativement le chiffre du roi en palmes, la fleur de lis, l'aigle à deux têtes et le dauphin. Les colonnes sont en marbre gris veiné blanc et jaune. Après les festivités du mariage, Sèvres reprit le surtout et le vendit au marchand-mercier Mme Lair, qui composa plusieurs surtouts.
C'est au peintre Jean-Jacques Bachelier que l'on devait la conception d'ensemble de ce très riche surtout à programme d'une longueur de 5 mètres environ, pourvu de cinquante-six colonnes. Le dessin de Moreau le Jeune nous restitue l'événement, le surtout bien visible. Au centre de la colonnade dominait un biscuit, une statue du roi Louis XV d'après J.-B. Pigalle. Des groupes et figures de biscuit accompagnaient la figure royale. Le sculpteur Mouchy avait très certainement donné le modèle d'ensemble du surtout. « Le tout de porcelaine d'une blancheur éblouissante. » Un jardin en miniature avec boulingrin en deux terrasses unifiait l'ensemble du décor en biscuit de Sèvres. Le surtout du mariage constituait le chef-d'œuvre de la manufacture de Sèvres, un spectacle à lui tout seul. **P.-X. H.**

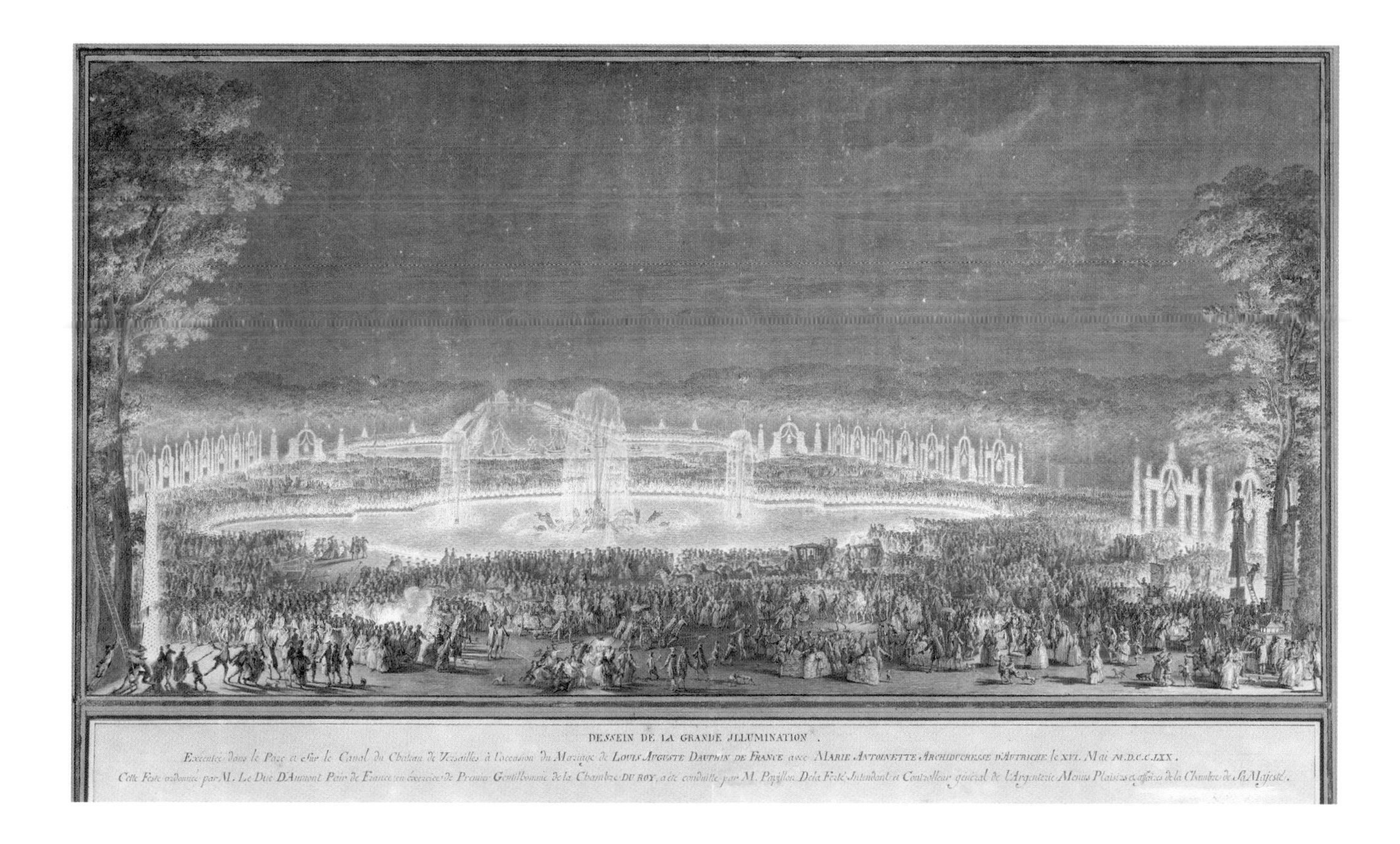

51

Jean-Michel Moreau, dit Moreau le Jeune

(Paris, 1741 – *id.*, 1814)

Illuminations du parc de Versailles lors des fêtes du mariage du dauphin et de l'archiduchesse Marie-Antoinette, le 19 mai 1770

Plume et encre grise, rehauts de lavis gris sur papier brun
H. 39,6 ; l. 80 cm
Signé et daté en bas à gauche à la plume et encre noire : *J. M. Moreau Le jeune 1775.*
Cachet du musée impérial du Louvre (Lugt 1955) en bas à gauche
Sur le montage, un cartouche indique en bas à la plume, encre brune et encre grise : *DESSEIN DE LA GRANDE ILLUMINATION. / Exécutée dans le parc et sur le Canal du Château de Versailles à l'occasion du Mariage de LOUIS AUGUSTE DAUPHIN DE FRANCE avec MARIE ANTOINETTE ARCHIDUCHESSE D'AUTRICHE Le XVI. mai M.D.C.C.LXX. / Cette Feste ordonnée par M. Le Duc d'Aumont Pair de France en exercice de Premier Gentilhomme de la Chambre DU ROY ; a été conduitte par M. Papillon De la Ferté, Intendant et Controlleur général de L'Argenterie Menus Plaisirs et affaires de la Chambre de Sa Majesté.*

Provenance : Dessinée en 1775, la feuille fut exposée au Salon en 1781 (*n° 300. Dessin de l'Illumination, ordonnée par M. le Duc d'Aumont, pour le mariage du Roi. Cette vue est prise du bas du Tapis Vert, d'où l'on voit toute l'étendue du Canal)* ; coll. royales ; Museum central des arts à Paris ; dépôt du musée du Louvre (inv. R.F. 31358) au château de Versailles entre 1912 et 1931.
Bibliographie : Moureau 1893, p. 42-43, repr. hors texte ; Pératé et Brière 1931, p. 190, n° 1027 ; Rouchès et Huyghe 1938, XI, p. 123, n° 11766, repr. p. 122 ; Hoog 1992, p. 98, n° 48, repr. p. 99 ; Salmon 2001, p. 64-68, n° 30, repr. ; Salmon 2005a, p. 72, n° 5.

Versailles, musée national des châteaux de Versailles et de Trianon. Inv. dessins 682.

En raison du mauvais temps, les réjouissances publiques prévues le soir du 16 mai 1770 durent être reportées au 19. Ce jour-là, Versailles connut une affluence exceptionnelle, surtout lors de l'illumination du Grand Canal. Au mois de juin, le *Mercure de France* donna relation du spectacle. En moins d'une heure, toute la longueur du Tapis vert et du canal, et toutes les grandes allées du parc ainsi que les bosquets s'éclairèrent de milliers de lampions. L'extrémité ouest du canal laissa apparaître le palais lumineux du Soleil. Les eaux se mirent à jaillir. Plusieurs théâtres de bateleurs, de danseurs et de voltigeurs étaient dispersés dans le parc. Dans les différents bosquets, le peuple se livra à la danse. A l'agrément de l'œil s'était donc ajouté celui de l'oreille et du corps. Comme à l'accoutumée, Moreau le Jeune s'attacha à fixer le souvenir de ces fêtes somptueuses. A l'aide de croquis tracés le soir même, il exécuta en 1775 le dessin achevé aujourd'hui conservé à Versailles. Avec beaucoup de méticulosité, l'artiste a représenté la foule massée autour du bassin d'Apollon afin de voir les arcades lumineuses et les pyramides embrasées dressées autour du canal, le portique du temple élevé à son extrémité, et toute la flottille. Exposé au Salon de 1781, le dessin ne semble pas avoir été gravé. X. S.

52
Marie-Louise Adélaïde Boizot
(Paris, 1744 – *id.*, 1800)
D'après Jean-François Thérèse Chalgrin
(Paris, 1739 – *id.*, 1811)

Elévation extérieure de la salle de bal construite pour le comte de Mercy-Argenteau, ambassadeur de Marie-Thérèse à Paris, à l'occasion du mariage du dauphin et de la dauphine en 1770

Eau-forte et burin
H. 42; l. 56,5 cm
La lettre mentionne: *ELEVATION DE L ENTRÉE D'UNE SALE DE BAL / Construite à l'occasion du Mariage de Mgr LE DAUPHIN avec MARIE-ANTOINETTE ARCHIDUCHESSE D'AUTRICHE / Pour les Festes données par son Excellence Mr. le Comte de MERCY DARGENTAU Ambassadeur de leurs Majestés Impériales et Rles Apostoliques.*

Bibliographie: Gruber 1972, p. 74-79, 193, repr. fig. 48, pl. XXXIV.

Paris, musée Carnavalet. Inv. GC Hist. IV A.

53
Jean-François Thérèse Chalgrin
(Paris, 1739 – *id.*, 1811)

Bal paré du 29 mai 1770 dans la salle de bal construite pour le comte de Mercy-Argenteau

Plume et encre noire, rehauts de gouache et d'aquarelle sur papier crème
H. 59; l. 69 cm
Annoté sur le montage de manière inexacte:
Salle de bal construite à Versailles…

Provenance: Coll. Henry Destailleur; sa vente, Paris, 1896, lot 65; coll. L. Decloux; sa vente, Paris, 1898, lot 33, repr.; coll. Dr Tuffier; coll. Comtesse de Chavagnac; coll. H. Leroux; sa vente, Paris, 1968, lot 4, repr.; acquis à cette vente par le musée du Louvre.
Bibliographie: Gruber 1972, p. 74-79, 194, repr. fig. 50, pl. XXXV; Volle 1979, p. 76-77, n° 27, repr. fig. 24.

Paris, musée du Louvre, département des Arts graphiques. Inv. RF 31877.

Fin mai 1770, le comte de Mercy-Argenteau, ambassadeur d'Autriche, donna un grand souper et un bal paré en l'honneur du mariage du dauphin avec Marie-Antoinette. Afin d'accueillir somptueusement ses invités, il demanda à Chalgrin de construire une salle provisoire jouxtant l'hôtel du Petit-Luxembourg, sa résidence parisienne louée au prince de Condé à partir de 1768. Le 7 juin, il écrivait au baron de Neny, secrétaire de Marie-Thérèse (cité par Gruber 1972, p. 74-75): « J'ai donné mes fêtes le 27 et le 29 mai avec tout le succès que je pouvais désirer. La première soirée à été remplie pour un souper de deux cent cinquante couverts, de la musique, des jeux, et une illumination assez considérable; plus de mille spectateurs de tous les ordres de citoyens se sont trouvés à ce souper, et une garde de cent hommes a eu bien de la peine à empêcher que ma maison ne fût forcée par le peuple. Le jour de mon bal, il est entré chez moi six mille masques, quoique je n'eusse fait distribuer que quatre mille cinq cents billets. La consommation de vivres qui s'y est faite est presque incroyable, et les derniers masques en sont partis le lendemain à quatre heures après midi. Je n'avais pas oublié le peuple, lequel, dans une place attenante à mon hôtel, a eu des fontaines de vin, des comestibles et des violons. »

Le duc de Croÿ ajoutait au sujet de la salle temporaire (*ibid.*, p. 75): « Elle avait cent quatorze pieds de long, sans les galeries, quatre-vingt pieds de large, quarante-six pieds de haut; elle était supportée par vingt-quatre grandes colonnes corinthiennes cannelées, le tout peint avec goût et éclairé de deux mille cinq cents bougies. Au tiers de hauteur des colonnes, qui paraissent pourtant presque isolées, il y avait un jubé garni de monde qui faisait bien, et d'où le coup d'œil était superbe. »

Sur le plafond de la salle, dans la tradition de l'*Apothéose d'Hercule* peinte par François Lemoyne au château de Versailles, Jean Simon Berthélemy avait figuré les portraits du dauphin et de la dauphine présentés aux dieux de l'Olympe. X. S.

54
Manufacture de La Courtille

Groupe allégorique au mariage du dauphin et de la dauphine

Paris, vers 1773-1774
Biscuit de porcelaine dure

Provenance : Don Jules Audéoud, 1885.
Bibliographie : Cat. exp. Paris, 1884, n° 468 ; Jallut 1955a, n° 139.

Paris, musée des Arts décoratifs. Inv. 2623.

La jeune « manufacture de porcelaine allemande » créée par Jean-Baptiste Locré rue de la Fontaine-au-Roi en 1772 s'était assuré le concours d'un talentueux sculpteur, le Hessois Laurent Russinger, à qui fut finalement confiée la direction de l'établissement. En 1773, année où fut déposée la marque aux flambeaux croisés, il modela ce groupe ambitieux, rivalisant avec les créations les plus élaborées de Sèvres. Par cet hommage au couple princier, la jeune manufacture espérait se faire remarquer, face à la manufacture royale et à ses concurrentes parisiennes à l'approche du nouveau règne.
Retenu par les figures de la Fidélité et de l'Amour, le médaillon est orné des profils affrontés du futur Louis XVI et de Marie-Antoinette. Il repose sur un autel à l'antique portant les armes du dauphin et de la dauphine.
Un autre groupe porte l'inscription *LOCRET / FECIT.ANNO / 1774* (Plinval de Guillebon 1986, p. 44). Du fait de son héraldique delphinale, le modèle ne dut plus être diffusé après le sacre.

B. R.

55

Première lettre écrite par Marie-Antoinette à sa mère l'impératrice Marie-Thérèse, le 9 juillet 1770

Plume et encre sur papier crème
Vienne, Österreichisches Staatsarchiv.
Inv. HHSTA HA SB3, alt 35/12, f° 1-4.

La correspondance échangée en français entre Marie-Antoinette et sa mère, et celle échangée entre Marie-Thérèse et son ambassadeur à Paris, Mercy-Argenteau, sont d'un intérêt majeur à la fois pour cerner au plus près la personnalité de la petite dauphine puis de la reine de France, et pour mieux connaître la vie de cour. Du mariage par procuration en Autriche début 1770 au décès de Marie-Thérèse, le 29 novembre 1780, quatre-vingt quinze lettres de Marie-Antoinette sont aujourd'hui connues. La première envoyée depuis la France donne une idée du ton de ces échanges dans les premières années :
« [...] Le roi a mille bontés pour moi, et je l'aime tendrement, mais c'est à faire pitié la faiblesse qu'il a pour Mme du Barry, qui est la plus sotte et impertinente créature qui soit imaginable. [...] Pour mon cher mari, il est changé de beaucoup et tout à son avantage. Il marque beaucoup d'amitié pour moi et même il commence à marquer de la confiance. [...] Il est arrivé une singulière histoire l'autre jour. J'étais seule avec mon mari, lorsque M. de La Vauguyon [gouverneur du dauphin] approche d'un pas précipité à la porte pour écouter. Un valet de chambre, qui est sot ou très honnête homme, ouvre la porte, et M. le duc s'y trouve planté comme un piquet sans pouvoir reculer. Alors je fis remarquer à mon mari l'inconvénient qu'il y a de laisser écouter aux portes, et il l'a très bien pris. »

X. S.

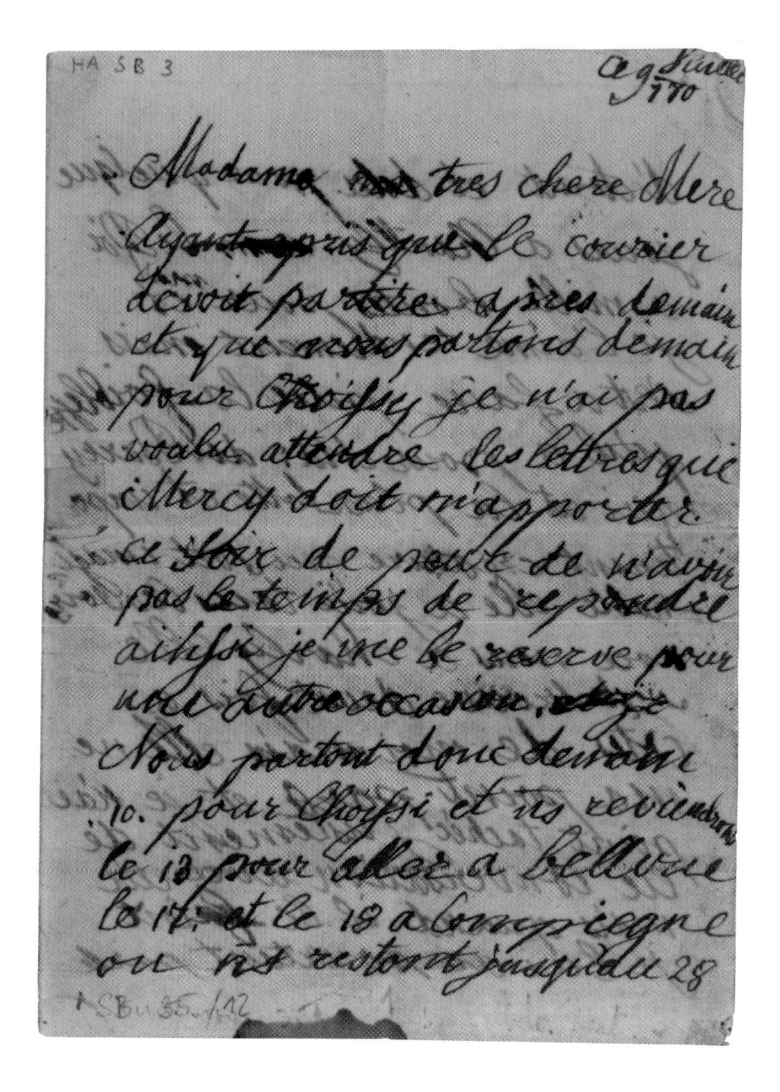
HA SB 3
ce 9 Juillet 1770
Madame ~~ma~~ tres chere Mere
~~Ayant appris~~ que le courier
devoit partire après demain
et que nous partons demain
pour Choisy je n'ai pas
voulu attendre les lettres que
Mercy doit m'apporter
ce soir de peur de n'avoir
pas le temps de repondre
ainsi je me le reserve pour
une autre occasion.
Nous partons donc demain
10. pour Choisi et ns reviendrons
le 13 pour aller a bellvue
le 17. et le 18 a compiegne
ou ns restorons jusqu'au 28

Se faire connaître

Xavier Salmon

Marie-Antoinette n'avait pas posé le pied sur le sol français qu'aussitôt chacun voulut la voir et la connaître. Afin de satisfaire cette légitime curiosité, il fallut multiplier les images de la petite dauphine. Editée dès mai 1770, l'estampe exécutée par Croisey d'après le pastel peint à Vienne en 1769 par Joseph Ducreux (voir cat. 34 et 35) permit dans un premier temps de répondre à la demande. Mais, rapidement, la princesse dut aussi accorder de nouvelles séances de pose aux artistes car il était impossible de se contenter d'un seul modèle. Elle se plia à l'exercice avec grâce. Depuis sa plus tendre enfance, elle avait en effet été accoutumée à consacrer un peu de son temps aux peintres et aux dessinateurs. Elle avait aussi rapidement manifesté beaucoup d'intérêt pour sa propre image, s'attachant tout particulièrement à la ressemblance, condition impérative à ses yeux pour que le portrait fût réussi.

Dès la fin de l'année 1770, Marie-Thérèse demandait un portrait de sa fille cadette. Les mois passant, sa requête s'était faite toujours plus pressante. Début décembre, elle indiquait à Marie-Antoinette[1] : « J'attends le tableau de Liotard avec grand empressement, mais dans votre parure, point en négligé, ni dans l'habillement d'homme, vous aimant à voir dans la place qui vous convient. »

L'œuvre n'était pas encore achevée que l'impératrice en demandait une autre, figurant cette fois-ci Marie-Antoinette à cheval. Ni l'une ni l'autre ne donnèrent pleinement satisfaction, la princesse étant jugée d'une beauté insuffisante, adoptant une pose trop droite, arborant une coiffure surprenante ou manquant de ressemblance. D'abord confiée à Louis Michel Van Loo, puis, après le décès de ce dernier, à Joseph Siffred Duplessis (cat. 58), l'effigie équestre fut abandonnée. Le 17 août 1771, après avoir reçu un premier portrait dont l'auteur était probablement Liotard, Marie-Thérèse avait cependant écrit à sa fille[2] : « J'ai reçu votre portrait en pastel, bien ressemblant ; il fait mes délices et celles de toute la famille ; il est dans mon cabinet où je travaille [...] ainsi je vous ai toujours avec moi, devant mes yeux. »

L'année suivante, elle pouvait également manifester son contentement après que le buste de Marie-Antoinette sculpté par Jean-Baptiste II Lemoyne lui eut été envoyé (cat. 57).

Cependant, Marie-Antoinette continuait à poser. En 1772, sous le pinceau de François-Hubert Drouais, elle se transformait en Hébé ou en jeune femme de la cour (cat. 59). Malgré les efforts déployés par tous les artistes, la dauphine demeurait insatisfaite. Le 13 août 1773, elle écrivait ainsi à sa mère[3] : « On me peint actuellement ; il est bien vrai que les peintres n'ont pas encore attrapé ma ressemblance : je donnerais de bon cœur tout mon bien à celui qui pourrait exprimer dans mon portrait la joie que j'aurais à revoir ma chère Maman. »

Même s'ils ne furent pas jugés suffisamment ressemblants, tous les portraits et leurs variantes n'en constituèrent pas moins une source d'inspiration pour de nombreux autres artistes. En premier lieu, ils servirent de modèles aux copistes du Cabinet du roi, atelier installé à l'hôtel de la surintendance à Versailles qui avait pour fonction de fournir toutes les effigies de Marie-Antoinette destinées à être offertes en présent officiel (cat. 61). Ensuite, ils furent reproduits à l'envi avec plus ou moins de talent et de fidélité par les nombreux graveurs parisiens.
Grâce à toutes ces images, le visage de la petite dauphine devint plus familier au peuple de France.

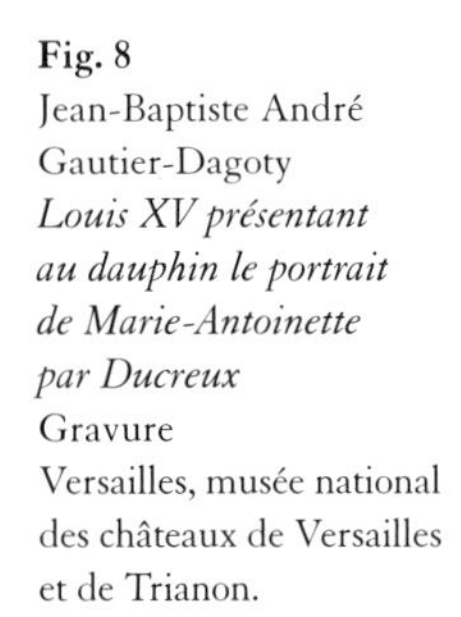

Fig. 8
Jean-Baptiste André Gautier-Dagoty
Louis XV présentant au dauphin le portrait de Marie-Antoinette par Ducreux
Gravure
Versailles, musée national des châteaux de Versailles et de Trianon.

1. Arneth et Geffroy 1874, I, p. 36.
2. *Ibid.*, I, p. 196.
3. *Ibid.*, II, p. 17.

56
Joseph Krantzinger
(Maltzen, 1740 – ?, après 1772)
Marie-Antoinette en habit de chasse

Pastel, rehauts de gouache sur tracé au crayon, sur papier brun
H. 60; l. 47,5 cm

Provenance: Collection particulière, Vienne.
Bibliographie: Jallut 1955b, p. 15-16.

Collection particulière.

La composition date de 1770. Cette année-là, Krantzinger utilisa le même visage pour deux portraits différents de la dauphine. Sur l'un, elle paraissait en buste, vêtue d'une robe rose enrichie d'un nœud du parfait contentement de couleur bleue (Vienne, Kunsthistorisches Museum). Jean-Charles Levasseur en donna l'estampe en juillet 1770. Sur l'autre, l'adolescente était cette fois-ci représentée à mi-corps, vêtue d'un bel habit de chasse rouge, avec gilet brodé de fleurs, tricorne galonné d'or, et cravache en main. L'œuvre fut gravée par Bonnet et la gravure annoncée dès juin 1770. Elle donna entière satisfaction puisque la version originale, semble-t-il destinée à l'appartement de Mesdames, tantes du roi, à Versailles, fit l'objet de plusieurs répliques, dont celle commandée en 1771 pour la cour d'Autriche payée par Marie-Thérèse (Vienne, Kunsthistorisches Museum), celle offerte en 1772 à la marquise de Flers (citée en 1903 dans la collection Montrichard à Fontainebleau) et celle qui appartint à la famille de Noailles (collection du duc de Mouchy). X. S.

57
Jean-Baptiste II Lemoyne
(Paris, 1704 – *id.*, 1778)
Marie-Antoinette, dauphine de France

Marbre blanc
H. 76,5 cm
Signé et daté: *Marie-Antoinette-Josèphe-Jeanne d'Autriche, archiduchesse, Dauphine de France, par J. B. Lemoyne, De Paris, 1771.*

Provenance: Commandé en juillet 1770 pour être offert à Marie-Thérèse; après avoir exécuté des études d'après le modèle au château de Compiègne, le sculpteur demanda le 25 septembre au marquis de Marigny, directeur des Bâtiments du roi, de lui fournir le bloc de marbre nécessaire à la taille du buste; après une année de travail, l'œuvre fut présentée au roi le 15 septembre 1771 avant d'être exposée au Salon lors de ses derniers jours d'ouverture au public; en 1772, elle fut envoyée par l'intermédiaire du comte de Mercy-Argenteau à l'impératrice; aussitôt transporté à Schönbrunn, le buste y demeura jusqu'en 1890, année de son transfert au Kunsthistorisches Museum à Vienne.
Bibliographie: Salmon 2005b, p. 42-43, repr.; Delieuvin 2006, p. 20, n° 1, repr. (avec bibl. détaillée).

Vienne, Kunsthistorisches Museum, Plastik und Kunstgewerbe Sammlung. Inv. 5478.

Dès l'été 1770, décision fut prise d'envoyer à Vienne un buste en marbre de Marie-Antoinette. Sur les conseils de son entourage, la petite dauphine choisit le sculpteur Jean-Baptiste II Lemoyne. L'homme jouissait d'une grande renommée. Il avait déjà portraituré Louis XV à plusieurs reprises et, en 1768, son buste de Madame Adélaïde avait plu. Il livra l'œuvre le 15 septembre 1771 et fut ensuite invité à la présenter au public pendant les derniers jours du Salon. Chacun put alors admirer à loisir les traits de l'adolescente. Nombreux furent ceux à en louer la ressemblance.

Dans les *Mémoires secrets*, on indiquait ainsi (Fort 1999, p. 90-91): « Cet ouvrage précieux du Sr Lemoyne [...] a d'abord été présenté le dimanche 15 au roi, à toute la famille royale et a subi à Versailles les divers observations des courtisans. L'artiste, après avoir reçu des suffrages aussi difficiles, l'a fait mettre au Salon. Comme aucune distinction ne caractérisait ce buste, qu'on n'en avait pas encore parlé et que le peuple, en général, n'a pas le bonheur de connaître la princesse, elle a été exposée, pour ainsi dire, incognito, pendant quelques jours. Enfin cette heureuse nouvelle s'est insensiblement transmise de bouche en bouche et la foule a redoublé pour jouir de ce spectacle désiré.

« Ce buste, Monsieur, a d'abord la qualité la plus essentielle du genre, c'est-à-dire qu'il est parfaitement ressemblant [...]. Le ciseau du Sr Lemoyne, également précis, exact, élégant,

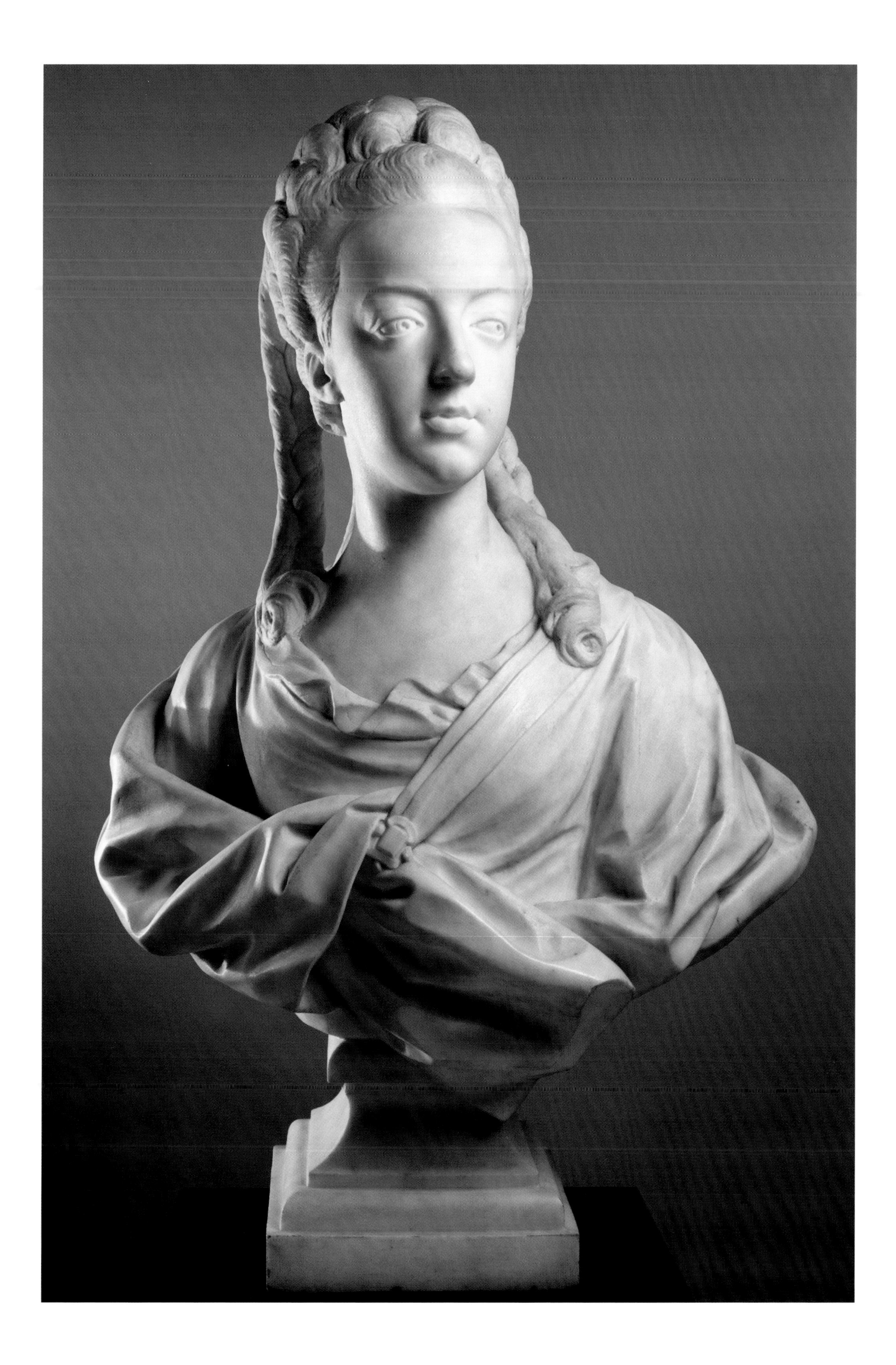

sans flatter son sujet, ne lui a rien ôté de ses agréments.

« La princesse porte la tête du côté de l'épaule gauche et a ce regard auguste tempéré par la douceur, qui annonce et la majesté de son rang et la bonté de son cœur. Le reste de la physionomie est plein de grâce et de vie ; la vérité y est entière et l'artiste a conservé à ce portrait la lèvre un peu renflée, appelée la lèvre autrichienne, parce que ce genre de traits est particulièrement affecté aux personnages de cette maison. La gorge est couverte d'une draperie à l'antique, attachée par une agrafe, qui revient à l'épaule gauche et donne au tronc du buste une ampleur et une richesse dignes du sujet. Tout le monde a paru extrêmement content d'un tel chef-d'œuvre. »

François Tronchin, le célèbre amateur suisse, ne démentait pas un tel jugement. A son épouse, il écrivait depuis Paris : « Lemoyne a fait, pour être envoyé à Vienne, le buste de Madame la Dauphine : il a fait de la chair de son marbre. C'est un morceau précieux. Le Roi lui a dit que c'est son chef-d'œuvre, mes yeux ne l'ont pas démenti » (Réau 1927, p. 88-89, 146-147). X. S.

58

Joseph Siffred Duplessis

(Carpentras, 1725 – Paris, 1802)

Etude pour le visage de la dauphine Marie-Antoinette

Huile sur toile
H. 44 ; l. 33,5 cm

Provenance : Coll. Pierre de Nolhac ; don au château de Versailles le 7 septembre 1936 en souvenir de Pierre de Nolhac par son épouse et ses enfants.
Bibliographie : Nolhac 1909, p. 130-132, repr. p. 129 ; Salmon 2007, p. 150-151, 224-225, n° 53, repr.

Versailles, musée national des châteaux de Versailles et de Trianon. Inv. MV 6249.

Parmi les peintres sollicités afin de livrer un portrait de Marie-Antoinette, Louis Michel Van Loo reçut la commande d'une effigie équestre. A son décès, en 1771, l'œuvre n'avait pas été achevée. L'impératrice Marie-Thérèse désirant toujours recevoir le tableau, la commande en fut alors transmise à Duplessis, autre maître renommé. Il semble que l'artiste se soit mis au travail pendant l'été 1771. Le 3 septembre, le Premier peintre, Jean-Baptiste Marie Pierre, écrivait à ce sujet à Marigny, le directeur des Bâtiments du roi : « Incessamment, Monsieur, l'esquisse de M. Duplessis pour le portrait de Madame la Dauphine à cheval, sera en état de vous être présentée ; si cet ouvrage réussit comme ceux de la plupart de ceux de cet artiste qui sont au Salon, il y a lieu d'espérer qu'il rétablira la réputation que le Sr Ducreux a laissé à la cour de l'Impératrice Reine » (Furcy-Raynaud 1905, p. 240). Le 20 septembre, Marigny lui répondait : « J'apprends avec plaisir que l'esquisse de celui représentant Mme la Dauphine à cheval sera incessamment achevé [*sic*] ; il faudrait me l'envoyer à Fontainebleau, afin que je puisse la communiquer à cette princesse. M. Duplessis n'aurait qu'à la remettre, arrangée à la manière convenable, à M. Montucla, avant le 5 du mois prochain ; je lui ferai repasser par la même voye, et je vous ferai part de mes observations » (*ibid.*, p. 242). Début novembre, Duplessis s'apprêtait à peindre le visage de la dauphine. N'ayant pas obtenu de séance de pose, il avait sollicité le prêt d'un portrait figurant la princesse. C'est semble-t-il d'après cette œuvre prêtée par Jeaurat, le garde des tableaux du roi, qu'il peignit l'étude aujourd'hui conservée à Versailles. Le soin apporté à l'élaboration du tableau conduisit le maître à manifester de grandes exigences financières. Aussitôt, elles parurent beaucoup trop importantes à l'administration. Duplessis dut abandonner l'idée d'une composition équestre et fut invité à peindre un portrait en buste. Cette œuvre reprenait le visage décrit sur l'étude, mais en le rajeunissant un peu (non localisé, ancienne collection Ganay). Elle ne connut que peu de succès. Cependant, en 1774, l'atelier d'Audran en exécuta un tissage à la manufacture des Gobelins.

Le 13 août 1773, Marie-Antoinette n'avait toujours pas obtenu satisfaction. Elle annonçait à sa mère : « il est bien vrai que les peintres n'ont pas encore attrapé ma ressemblance ». X. S.

59

François-Hubert Drouais
(Paris, 1727 – *id.*, 1775)
et son atelier

Marie-Antoinette en habit de cour

Huile sur toile
H. 63,5 ; l. 52 cm

Provenance : Coll. Jones.

Londres, The Victoria and Albert Museum.
Inv. 529-1882.

En septembre 1772, Drouais fut choisi afin de peindre un portrait de la dauphine destiné à Louis XV. Le choix du maître avait été aimablement laissé à Marie-Antoinette. L'effigie devait prendre place dans le cabinet du roi au grand château de Choisy. L'œuvre fut présentée l'année suivante au Salon (nº 78 du livret). La petite princesse y paraissait en Hébé, déesse de la jeunesse, avec l'aiguière, la coupe et l'aigle qui permettaient de l'identifier (Chantilly, musée Condé). Elle avait pour pendant un portrait de la comtesse de Provence en Diane chasseresse. Le choix des travestissements répondait parfaitement au goût de Louis XV, qui, pour cette même résidence de Choisy, avait commandé en 1745 à Jean-Marc Nattier les portraits de ses filles Henriette et Adélaïde en Flore et en Diane. Au Salon, les critiques furent beaucoup moins enclins à louer les œuvres. Pour les *Mémoires secrets*, Drouais avait échoué car les portraits n'avaient aucun relief et les étoffes ne faisaient nullement illusion. Pour l'auteur du *Dialogue sur la peinture*, l'effigie de la dauphine était « si peu rendue » qu'elle n'appelait pas à être montrée. Ces jugements n'eurent cependant aucune incidence sur le succès du tableau. En réutilisant à l'identique le visage de son portrait mythologique, l'artiste fut invité à peindre de nouvelles effigies décrivant la dauphine en habit de cour. L'une d'entre elles, décrite dans l'état post-mortem de ce qui était dû à Drouais (Arch. nat., minutier central, LIII-521, 12 décembre 1775), était destinée à Geoffroy de Limon, l'intendant des finances de la maison du comte de Provence. Décrite comme de format ovale sur une toile de 29 (72,9 x 59,4 cm), elle montrait le modèle sans les mains. Peut-être s'agissait-il du portrait aujourd'hui conservé au Victoria and Albert Museum. Une autre toile avait également servi de modèle aux tapisseries tissées par les Cozette (voir cat. 60).

Toutes ces images décrivaient la jeune princesse dans toute sa beauté et, de manière assez exceptionnelle dans l'iconographie de Marie-Antoinette, la paraient de bijoux somptueux.

X. S.

60

Manufacture des Gobelins

Atelier de haute lisse de Pierre François Cozette (Paris, 1714 – *id.*, 1801) et de son fils Michel Henri (Paris, 1744 – *id.*, 1822)

D'après François-Hubert Drouais (Paris, 1727 – *id.*, 1775)

Marie-Antoinette

Tapisserie

H. 72 ; l. 55,5 cm

Signé et daté à droite : *Cozette ex[t] / en 1774*

Annoté à gauche : *Drouais p[it] / en 1773*

Provenance : Coll. de Nicolas Beaujon (1718-1786), salon des petits appartements de l'hôtel d'Evreux à Paris (actuel palais de l'Elysée) ; léguée par Beaujon en 1786 à la chambre de commerce de Bordeaux afin d'être placée dans la salle d'assemblée du commerce ; pendant la Révolution, l'œuvre fut cachée dans le bâtiment, puis remise au musée, qui la restitua à la chambre de commerce le 13 août 1814.

Bibliographie : Fenaille 1907, p. 318-321, repr. ; Védère 1955, p. 178-187, repr. p. 188 ; Salmon 2005a, p. 70-71, n° 3, repr.

Bordeaux, Chambre de commerce et d'industrie.

En 1771, Beaujon commanda aux Cozette les portraits de Louis XV, de Marie Leszczyńska et du dauphin, futur Louis XVI. Ces œuvres furent tissées aux Gobelins d'après les portraits de Louis Michel Van Loo et Jean-Marc Nattier. En 1774, la série fut complétée par une quatrième tapisserie figurant Marie-Antoinette. Cozette père éprouva alors quelque difficulté à choisir le modèle. Le 5 octobre 1774, il écrivait à D'Angiviller : « Monsieur de Beaujon m'avait chargé de lui faire en tapisserie un portrait de la Reine. Je me suis trouvé très embarassé sur le tableau que je devrais prendre pour modèle. Ceux qui ont été faits par M. Duplessis et par M. Drouais n'ont pas été trouvés parfaitement ressemblants. Celui de ce dernier a paru à la cour l'être le plus, mais cependant un peu trop sérieux et c'est celui dont nous nous sommes servis en profitant de certaines observations, que j'ai faites plusieurs fois, en examinant la Reine, à son dîner » (Arch. nat., O[1] 2047, cité par Fenaille 1907, p. 319).

A la suite de la commande du portrait de Marie-Antoinette figurée en Hébé, œuvre exposée au Salon de 1773, Drouais avait été immédiatement conduit à peindre d'autres portraits de la dauphine en réutilisant le même visage, mais en habillant la princesse à la moderne. L'une de ces images servit de modèle aux Cozette. Outre l'exemplaire destiné à Beaujon, une seconde version de la tapisserie fut tissée aux Gobelins. Peu avant mai 1775, les Cozette en firent hommage au duc de Penthièvre qui, lui-même, l'offrit à sa fille, la princesse de Lamballe. Il pourrait s'agir du portrait tissé aujourd'hui conservé au château de Versailles (V 8210). **X. S.**

61

Peintre du Cabinet du roi

Entre 1770 et 1774

La Dauphine Marie-Antoinette

Huile sur toile

H. 64 ; l. 52 cm

Provenance : Anc. coll. ; entré au château de Versailles sous le règne de Louis-Philippe.

Bibliographie : Flammermont 1897, p. 16 ; Nolhac 1909, p. 128 ; Salmon 2005b, p. 54-55, repr. ; Salmon 2007, p. 146-148, n° 52, repr., p. 224, n° 52.

Versailles, musée national des châteaux de Versailles et de Trianon. Inv. MV 3891.

L'œuvre est caractéristique des multiples portraits de la dauphine commandés aux copistes du Cabinet du roi. Rattaché à l'administration des Bâtiments du roi et localisé à l'hôtel de la Surintendance à Versailles, cet atelier avait pour fonction de démultiplier les images des membres de la famille royale. Pour ce faire, les peintres reproduisaient des effigies officielles peintes généralement par les plus célèbres portraitistes de l'Académie. Afin de donner à leurs œuvres un sentiment de nouveauté, ils n'hésitaient pas à emprunter à plusieurs images différentes des éléments de composition qu'ils réassemblaient à leur manière. Aussi est-il parfois un peu complexe de déterminer les modèles utilisés. Le visage de la dauphine sur l'œuvre ici exposée semble ainsi s'inspirer de deux modèles différents. Pierre de Nolhac soulignait au début du XXe siècle la similitude des traits avec ceux apparaissant sur un portrait peint au pastel qui, en 1909, appartenait à la collection Marnier-Lapostolle. Selon l'historien de Versailles, cette œuvre pouvait être l'un des deux pastels peints par Ducreux à Vienne en 1769. Les deux visages sont effectivement très proches. Mais le pastel ne

peut avoir inspiré le portrait à l'huile. L'effigie Marnier-Lapostolle présente un métier fort différent de celui des œuvres peintes en 1769, trop fondu, trop peu dessiné. Il faut à notre sens y reconnaître une copie, peut-être contemporaine des nombreuses images de Marie-Antoinette produites pendant la Restauration. Le copiste du Cabinet du roi pouvait aussi avoir utilisé comme modèle un portrait peint en 1770 par le maître autrichien Joseph Krantzinger, dont le souvenir nous est aujourd'hui conservé par l'intermédiaire de l'estampe de Jean-Charles Levasseur. Sur la gravure comme sur le portrait à l'huile, les deux visages sont effectivement très similaires. La question du modèle utilisé demeure donc ouverte. Elle n'en diminue pas moins l'intérêt du portrait, tout à fait emblématique des images de la dauphine qui furent offertes à ceux et celles que l'on souhaitait honorer ou remercier. X. S.

62

Ecole française de la seconde moitié du XVIIIe siècle

Projet de frontispice ou de vignette avec le buste de la dauphine Marie-Antoinette et ses armes

Plume et encre noire, rehauts de lavis gris et de bistre sur papier crème
H. 25,5 ; l. 27 cm

Provenance : Coll. Raymond Jeanvrot (1884-1966) à Bordeaux ; acquis par le musée des Arts décoratifs en 1958.

Bordeaux, musée des Arts décoratifs. Inv. 58.1.5552.

A la suite du mariage du dauphin avec Marie-Antoinette, plusieurs artistes illustrateurs furent invités à donner des dessins préparatoires à des gravures destinées à l'usage de la nouvelle dauphine. Charles Dominique Joseph Eisen (1720-1778) fut ainsi chargé du modèle du frontispice du catalogue de sa bibliothèque (mine de plomb sur vélin, 1770, collection particulière). La feuille du musée des Arts décoratifs de Bordeaux nous semble relever de cette catégorie. L'espace laissé vide sous les amours, sous le buste de Marie-Antoinette et sous ses armes, peut fort bien avoir été destiné à accueillir quelques mots. Le style graphique du dessin nous évoque celui de Jean-Jacques François Le Barbier l'Aîné (1738-1826), qui donna des illustrations pour les œuvres d'Ovide, Racine, Rousseau et Delille. X. S.

63
Anonyme français, vers 1774
Profil du dauphin, futur Louis XVI

Marbre blanc
H. 33,5 (H. du médaillon : 27,5) ; l. 22,5 cm
Le socle porte un texte gravé : *PEUPLE VAILLANT, PEUPLE FIDÉLE / FRANCOIS, POUR BIEN AIMER TON ROI / TU N'A PAS BESOIN DE MODELL / MAIS CEDE AU PRINCE QUE TU VOI / L'HONNEUR D'ETRE MEME POUR TOI / UNE LECON VIVANTE, ET D'AMOUR, ET DE ZÈLE.*

Versailles, musée national des châteaux de Versailles et de Trianon. Inv. MV 2151.

64
Profil de la dauphine Marie-Antoinette

Marbre blanc
H. 34,5 (H. du médaillon : 28,5) ; l. 21,5 cm
Le socle porte un texte gravé : *MARIE ANTOINNETTE ARCHIDUCHESSE / SŒUR DE L'EMPEREUR / DAUPHINE DE FRANCE / NEE A VIENNE LE 12 NOV^{BRE} 1755*
Le contre-socle porte un autre texte : *DU SANG LE PLUS AUGUSTE ELLE ARECU LE JOUR / ET SON MOINDRE MERITE EST SA HAUTE NAISSANCE / MINERVE AVEC TENDRESSE ELEVA SON ENFANCE / ELLE EN FIT L'ORNEMENT D'UNE BRILLANTE COUR / AUJOURD'HUI TOUS LES DIEUX INSPIRES PAR L'AMOUR / COMBLENT PAR SON HYMEN LE BONHEUR DE LA FRANCE.*

Provenance : Ancien fonds.
Bibliographie : Maumené et d'Harcourt 1931, p. 464, nº 21 (pour le profil du dauphin) ; Salmon 2005b, p. 59, repr. (pour le profil de la dauphine).

Versailles, musée national des châteaux de Versailles et de Trianon. Inv. MV 2152.

L'artiste anonyme qui sculpta les deux profils s'est inspiré de gravures. Pour le dauphin, il semble que l'image utilisée ait été le portrait gravé par François Hubert (collection De Vinck, Paris, BnF, t. I, nº 102). Pour Marie-Antoinette, il s'agissait de l'estampe gravée par Pierre Adrien Le Beau (né à Paris en 1748) d'après un dessin de Clément Pierre Marillier (1740-1808). Illustrant en frontispice l'*Eloge de Charles Quint* par Dom Ansart dédié à la dauphine et publié à Paris en 1774, la planche comprend un texte identique à celui apparaissant sous le médaillon de marbre et permet de dater les deux œuvres de Versailles.

X. S.

65
Alexandre Briceau
Graveur travaillant à Paris dans la seconde moitié du XVIIIe siècle
D'après Jean-Baptiste Huet (Paris, 1745 – *id.*, 1811)
Louis XV et sa famille

Manière de crayon, eau-forte et burin
H. 63,5 ; l. 41,5 cm
La lettre indique : *Il n'est plus chers Français ce Roy plein de Clémence. / Il n'est plus ce Grand Roy si rempli d'Equité. / Mais ce Soleil n'est point Eclipsé pour la France / Son Digne petit Fils reproduit sa Clarté / Et vous*

Héros naissans affermissez son Trône. / D'un Monarque adoré secondez les projets. / Si vous ne partagez son sceptre et sa Couronne / Partagez avec lui l'Amour de ses Sujets.; sous le trait carré en bas à gauche : *J.B. Huet del.*, et en bas à droite : *Briceau sculp.*
En bas, sous les vers : *N° 102. A Paris chez Briceau rue St Honnoré près l'Oratoire.*

Provenance : Coll. Raymond Jeanvrot (1884-1966) à Bordeaux ; acquis par le musée des Arts décoratifs en 1958.

Bordeaux, musée des Arts décoratifs. Inv. 58.1.9118.

Longtemps prénommé Claude de manière erronée, Alexandre Briceau travailla à plusieurs reprises en collaboration avec Jean-Baptiste Huet. Les deux hommes exécutèrent ensemble les trois planches de *Louis XV et sa famille*, *Louis XVI couronné à Reims* et *Louis XVI et sa famille*. On doit également à Briceau l'estampe décrivant une *Allégorie du mariage du dauphin et de Marie-Antoinette* gravée d'après un dessin du Chevalier de Lorges. Pour la gravure décrivant la famille de Louis XV, Huet fournit le dessin des amours voltigeant autour des médaillons. Chacune des effigies fut inspirée par des portraits peints par d'autres maîtres. Celle décrivant Marie-Antoinette s'inspirait ainsi d'une œuvre du Chevalier de Lorges, qui avait exécuté un portrait de Marie-Antoinette en Diane. Ainsi que le précise la lettre, l'estampe est de peu postérieure à la mort de Louis XV. X. S.

Une enfant à la cour

Xavier Salmon

Arrivée à Versailles, Marie-Antoinette s'installa dans une vie de cour particulièrement bien réglée. Le 12 juillet 1770, elle écrivait à sa mère[1] : « Votre Majesté est bien bonne de vouloir bien s'intéresser à moi et même de vouloir savoir comme je passe ma journée. Je lui dirai donc que je me lève à dix heures ou à neuf heures ou à neuf heures et demie, et m'ayant habillée, je dis mes prières du matin, ensuite je déjeune, et de là je vais chez mes tantes, où je trouve ordinairement le Roi. Cela dure jusqu'à dix heures et demie ; ensuite à onze heures je vais me coiffer. A midi, on appelle la chambre et là tout le monde peut entrer, ce qui n'est point des communes gens. Je mets mon rouge et lave mes mains devant tout le monde, ensuite les hommes sortent et les dames restent et je m'habille devant elles.

« A midi est la messe ; si le Roi est à Versailles, je vais avec lui et mon mari et mes tantes à la messe ; s'il n'y est pas : je vais seule avec M. le Dauphin, mais toujours à la même heure. Après la messe nous dînons à nous deux devant tout le monde, mais cela est fini à une heure et demie, car nous mangeons fort vite tous les deux. De là, je vais chez M. le Dauphin, et s'il a affaires, je reviens, chez moi, je lis, j'écris et je travaille, car je fais une veste pour le Roi, qui n'avance guère, mais j'espère qu'avec la grâce de Dieu, elle sera finie dans quelques années. A trois heures, je vais encore chez mes tantes où le Roi vient à cette heure-là ; à quatre heures vient l'abbé chez moi, à cinq heures tous les jours le maître de clavecin où à chanter jusqu'à six heures. A six heures et demie, je vais presque toujours chez mes tantes, quand je ne vais point promener ; il faut savoir que mon mari va presque toujours avec moi chez mes tantes. A sept heures, on joue jusqu'à neuf heures, mais quand il fait beau, je m'en vais promener et alors il n'y a point de jeu chez moi, mais chez mes tantes.

« A neuf heures nous soupons, et quand le Roi n'y est point, mes tantes viennent souper chez nous, mais quand le Roi y est, nous allons après souper chez elles, nous attendons le roi, qui vient ordinairement à dix heures trois quarts, mais moi en attendant, je me place sur un grand canapé et dors jusqu'à l'arrivée du Roi, mais quand il n'y est pas, nous allons nous coucher à onze heures. Voilà toute notre journée. »

Marie-Antoinette était alors encore très attentive à ne pas décevoir. Avec le temps, à Versailles, comme lors des séjours de Fontainebleau et de Compiègne, elle manifesta davantage son caractère. Jugée par Louis XV « vive et un peu enfant[2] », la dauphine s'oubliait parfois en matière de convenance extérieure, adoptant des attitudes trop libres à table ou au jeu de cavagnol, dérangeant ses ajustements par les petits jeux de la journée, ou plaisantant sur le chapitre de ceux qu'elle trouvait ridicules[3]. Elle manifestait surtout une extrême répugnance aux occupations sérieuses, en particulier pour la lecture. Les conseils de l'ambassadeur d'Autriche Mercy-Argenteau et de son lecteur l'abbé de Vermond lui furent particulièrement utiles et permirent de corriger certaines petites libertés. Mais Marie-Antoinette n'en demeurait pas moins une enfant.

S'attachant peu à l'exercice du clavecin et du chant[4], elle rechercha la compagnie des autres enfants. En août 1770, Mercy précisait à ce sujet que le fils de la première femme de chambre, un petit garçon âgé de cinq ans, ne sortait point de l'appartement de la princesse et était cause de désordre et surtout de beaucoup trop de distraction dans les moments de lecture et d'occupations sérieuses. Il espérait, mais en vain, que, passé certaines heures, les enfants fussent renvoyés[5]. L'année suivante, en juin, il se plaignait à nouveau de la présence du fils et de la fille de la première femme de chambre, enfants bruyants et malpropres qui passaient une grande partie de la journée avec la dauphine, gâtaient ses habits, déchiraient et cassaient les meubles, et mettaient le plus grand désordre dans l'arrangement des appartements. Ce qui lui paraissait encore bien pire, c'est que, lorsque Marie-Antoinette s'était livrée quelques heures de suite à la dissipation, il devenait impossible de fixer son attention sur un seul sujet[6].

Indéniablement, la petite dauphine cherchait à se divertir[7]. Aux promenades en voiture et sur des ânes, elle préféra rapidement monter à cheval, suivant en cela le dauphin et Louis XV, et ce au plus grand mécontentement de sa mère. La chasse, les courses en traîneau pendant l'hiver, la danse, les bals, la comédie, et la compagnie des chiens offraient toujours plus de distraction. Le 10 février 1771, Marie-Thérèse condamnait un tel comportement[8] : « il est permis, surtout à votre âge, de s'amuser, mais d'en faire toute son occupation et de ne rien faire de solide ni d'utile, et de tuer le temps entre promenades et visites, à la longue vous en reconnaîtrez le vide et serez bien aux regrets de n'avoir mieux employé votre temps ».

Le 30 septembre suivant, elle insistait encore et l'invitait à se méfier de ceux qui la traitaient en enfant, car s'attacher seulement à ceux qui lui procuraient des courses à cheval, sur des ânes, avec des enfants, avec des chiens, plutôt qu'au roi, la rendrait à la longue ridicule, ni aimée, ni estimée[9].

En avril 1773, Joseph II faisait encore écho à sa mère, soulignant à sa jeune sœur que si la joie était fort utile à la santé physique, elle ne l'était pas toujours également au moral, surtout quand on se livrait à une trop grande dissipation et que l'on négligeait les choses essentielles[10]. A toutes ces remarques, Marie-Antoinette ne demeurait assurément pas insensible. Elle avouait elle-même à Mercy que, sur bien des points, elle s'était attachée à « se réformer ». A Versailles, elle avait aussi appris son métier de future souveraine. Trop disposée dans les premiers temps à prendre le parti de Madame Adélaïde, sa tante, contre Mme Du Barry, et un peu trop proche de ses beaux-frères et belles-sœurs, Provence et Artois, Marie-Antoinette était parvenue à s'imposer en échappant au jeu des alliances de cour, en ne maintenant ni intimité ni confiance, ni aigreur ni froideur, mais bienséance, et en marquant son rang. Ainsi que le précisait Mercy le 16 juin 1773, elle s'était aussi attachée à aller au-devant de tout ce qui pouvait marquer son amour et son respect pour le roi, lorsque cela avait été compatible avec ses devoirs envers le dauphin[11]. Mais, pour cela, il lui avait fallu bien souvent batailler contre elle-même car, si elle avait peu à peu compris les « affaires » (le mot est de Mercy) avec plus de facilité, longtemps elle les avait craintes à l'excès. Longtemps aussi elle ne s'était pas permis de penser qu'elle aurait un jour du pouvoir et de l'autorité et son caractère avait incliné à prendre une tournure passive et dépendante. De là s'en étaient suivies une certaine timidité et une peur dans les moindres occasions. Marie-Antoinette avait craint de parler au roi ; elle avait craint les ministres ; les personnes même de son service lui en avaient imposé. Pour Mercy-Argenteau, il avait été de la dernière importance que la princesse apprenne à mieux connaître et à évaluer ses forces afin d'accroître son ascendant sur le roi et sur le dauphin[12]. Si le futur Louis XVI avait un sens juste et de bonnes qualités dans le caractère, il n'aurait jamais, aux yeux de l'ambassadeur d'Autriche, ni la force ni la volonté de régner par lui-même. Si la dauphine ne le gouvernait pas, il serait gouverné par d'autres. Il fallait donc lutter contre le caractère peu réfléchi et trop attaché à ses propres idées de Marie-Antoinette, contre sa légèreté et son entêtement[13]. Pour qu'elle gagnât plus de crédit et de pouvoir, il fallait que l'un et l'autre soient étayés par des connaissances acquises[14]. Si le roi ou le dauphin parlaient à la dauphine d'une affaire sérieuse, elle devait être en état de donner une réponse juste et éclairée. Son jugement et son esprit naturel lui donneraient toutes sortes de facilités à cet égard, mais pour cela il était nécessaire d'arracher Marie-Antoinette à l'enfance.

1. Arneth et Geffroy 1874, I, p. 19-20.
2. *Ibid.*, I, p. 14.
3. *Ibid.*, lettre de Mercy-Argenteau à Marie-Thérèse, I, p. 15.
4. *Ibid.*, I, p. 43.
5. *Ibid.*, I, p. 36.
6. *Ibid.*, I, p. 176.
7. *Ibid.*, I, p. 55.
8. *Ibid.*, I, p. 129.
9. *Ibid.*, I, p. 218.
10. *Ibid.*, I, p. 443.
11. *Ibid.*, I, p. 464.
12. *Ibid.*, II, p. 31.
13. *Ibid.*, II, p. 50.
14. *Ibid.*, II, p. 96.

66

Louis Michel Van Loo

(Toulon, 1707 – Paris, 1771)

Le Comte de Provence,
futur Louis XVIII

Huile sur toile
H. 62 ; l. 49 cm
Signé et daté à mi-hauteur à gauche :
L. M. Van Loo / 1770
Versailles, musée national des châteaux de Versailles et de Trianon. Inv. MV 3899.

Fig. 66 a
Richard Brookshaw d'après L.-M. Van Loo
Louis Stanislas Xavier, comte de Provence
Gravure en manière noire
Versailles, musée national des châteaux de Versailles et de Trianon.

67

Le Comte d'Artois, futur Charles X

Huile sur toile
H. 63 ; l. 50 cm
Signé et daté à mi-hauteur à droite :
L. M. Van Loo / 1770

Provenance : Commandés en 1769 ou 1770, les deux portraits ne furent payés par les Bâtiments du roi qu'après la mort de Van Loo (voir cat. 38 ; Engerand 1900, p. 492-493) ; le portrait du comte de Provence conservé à Versailles semble avoir été exposé au ministère des Affaires étrangères à Versailles (cité sous le n° 8 parmi onze portraits dans leurs bordures dorées, dans l'*Etat des ornements existants au dépôt des Affaires Etrangères* dressé en novembre 1793, Paris, Bibliothèque historique de la ville de Paris, B 17 VP, ms. 796, f° 189) ; il est entré au château de Versailles sous Louis-Philippe ; le portrait original du comte d'Artois fut déposé par le musée du Louvre (inv. 6348) au musée d'Epinal en 1872.

Epinal, musée des Beaux-Arts.

Depuis longtemps, une certaine confusion règne quant à l'identité des modèles. L'adolescent au petit minois et aux sourcils un peu épais a souvent été considéré comme étant le comte d'Artois, et celui au visage un peu plus rond comme le comte de Provence. Or il s'agit de l'inverse. Chacun des deux portraits fit l'objet de gravures dont les lettres ne permettent aucune erreur *(fig. 66 a)*. Pendants du portrait du duc de Berry, futur Louis XVI, également peint par Louis Michel Van Loo, mais en 1769 (cat. 38), les effigies donnent une idée exacte des visages adolescents avec lesquels Marie-Antoinette dut se familiariser peu après son arrivée à la cour de France. X. S.

68

François-Hubert Drouais
(Paris, 1727 – *id.*, 1775)

Marie-Joséphine Louise de Savoie, comtesse de Provence (1753-1810)

Huile sur toile
H. 68 ; l. 48 cm

Provenance : Envoyé en 1771 par la comtesse de Provence à ses parents Victor-Amédée III de Savoie et Marie-Antoinette Ferdinande d'Espagne ; coll. de la maison de Savoie au palais royal de Turin.

Turin, palais royal, Soprintendenza per i Beni Architettonici e il Paesaggio per il Piemonte. Inv. 5205.

En 1771, peu après le mariage de la princesse Marie-Joséphine Louise de Savoie avec le comte de Provence célébré à Versailles le 14 mai, François-Hubert Drouais fut chargé de peindre un portrait de la jeune épouse. L'œuvre fut exposée au Salon quelques mois après (n° 58, tableau ovale de 2 pieds 9 pouces de haut sur 2 pieds 2 pouces de large, soit 89,1 x 70,2 cm). Elle connut aussitôt un grand succès et fit l'objet de plusieurs répliques, copies et gravures. Afin de la peindre, Drouais avait peut-être obtenu une ou plusieurs séances de pose au cours desquelles nous serions enclin à penser qu'il avait tracé l'étude de visage signée et datée de 1771 ayant appartenu à la collection Muhlbacher (vente, Paris, galerie Georges Petit, 15-18 mai 1899, lot 115, 34 x 22 cm). A partir de ce dessin, il s'était sans doute ensuite appliqué à peindre avec l'aide de ses collaborateurs les différentes versions du portrait : celle du musée municipal de Draguignan, qui pourrait être l'exemplaire montré au Salon en raison de la qualité de sa facture (dépôt du musée du Louvre fait en 1891, inv. 4133), celle du musée des Beaux-Arts d'Agen, offerte en 1772 au duc de La Vrillière, celle du château de Versailles, d'un métier beaucoup plus modeste, et celle du palais royal de Turin. La toile italienne avait été certainement livrée très peu de temps après que le tableau du Salon fut achevé. Dès le 25 septembre 1771, Marie-Antoinette Ferdinande écrivait en effet à sa fille : « Vous nous dites que vous deviez nous envoyé par le premier courrier votre portrait en grand c'est ce qui pouvait nous faire le plus plaisir, surtout étant bien ressemblant comme vous nous dites » (Paris, archives du ministère des Affaires étrangères, correspondance politique, Sardaigne 251). Le 25 septembre 1773, une autre lettre confirmait que l'envoi avait bien eu lieu en 1771 : « A propos de portraits, comme vous ne nous avez jamais envoyé le votre en petit que nous avions demandé, nous en avons fait copier un par Campana sur celui que vous nous envoyâtes il y a deux ans. » Les comptes des Menus-Plaisirs conservent le mémoire de cette réplique destinée à la cour de Turin et précisent qu'elle fut payée 400 livres (« une copie à l'huile du portrait de Madame la comtesse de Provence, sur un oval, toile de 20 », Arch. nat., O[1] 3034, pièce 391). Ils révèlent aussi que l'épouse du peintre avait aidé à l'exécution de certaines des œuvres. (Nous assurons de toute notre gratitude Laurent Hugues et Jean-Jacques Petit pour leur aide lors de la rédaction de cette notice.) X. S.

69

Joseph Ducreux

(Nancy, 1735 – Paris, 1802)

Marie-Thérèse de Savoie, comtesse d'Artois

Huile sur toile
H. 71 ; l. 58 cm

Provenance : Galerie Acquavella, New York (comme un portrait de Mlle de Puymorin par François-Hubert Drouais) ; vente, Paris, hôtel Drouot, 15 mars 1990, lot 8, repr. (Ecole française, fin du XVIIIe siècle ; femme à la robe aux nœuds ; anc. coll. Comte et comtesse de M. à New York) ; acquis à cette occasion par l'actuel propriétaire.
Bibliographie : Hugues 2003, p. 151, repr. p. 153, fig. 9.

Collection particulière.

Le succès des portraits de la famille impériale peints au pastel en Autriche pendant l'année 1769 assura à Ducreux de nombreuses autres commandes. En 1775, il fut ainsi chargé de fixer les traits de plusieurs membres de la famille royale française. Ces œuvres étaient destinées à Madame Clotilde, sœur cadette de Louis XVI, qui, avant de partir pour Turin où elle devait épouser le 6 septembre Charles-Emmanuel IV, prince de Piémont, avait manifesté le désir de conserver des images des êtres qui lui étaient chers. Connue par deux exemplaires, celle de la comtesse d'Artois décrit une jeune femme âgée de dix-neuf ans. Mariée au comte d'Artois le 16 novembre 1773, Marie-Thérèse de Savoie avait aussitôt fait partie, avec sa sœur aînée la comtesse de Provence, du cercle de la dauphine Marie-Antoinette. X. S.

70

Attribué aux Foliot, Nicolas Quinibert
(Paris, 1706 – *id.*, 1776)
Menuisier reçu maître en 1729
et Toussaint
(Paris, 1715 – *id.*, 1798)
Sculpteur reçu maître en 1732

Fauteuil du cabinet intérieur de Marie-Antoinette à Choisy

Vers 1773-1774
Hêtre sculpté et doré
H. 93 ; l. 57 ; pr. 48 cm

Provenance : Legs comte Isaac de Camondo au Louvre, 1911 ; mobilier déposé à Versailles en 1953.
Bibliographie : Verlet 1945, n° 25, p. 61-65 ; Eriksen 1974, p. 341, pl. 179 ; Meyer 2002, n° 45, p. 180-183 ; Hans 2005, n° 40, p. 122-123.

Versailles, musée national des châteaux de Versailles et de Trianon. Inv. V 3746.

Ce fauteuil à la reine fait partie d'un ensemble de dix pièces comprenant quatre chaises et quatre fauteuils livrés par Nicolas Quinibert Foliot, le menuisier du Garde-meuble du roi, et deux canapés exécutés au début du XIXe siècle. Le mobilier a probablement été livré pour Marie-Antoinette au château de Choisy vers 1773 et dessiné par Jacques Gondoin, architecte et dessinateur du Garde-meuble de la Couronne (Eriksen 1974, p. 341).
Ces fauteuils « Transition » conservent des lignes mouvementées, des pieds cambrés, combinés avec une extrême élégance à la forme pleine du dossier. Leur galbe montre le poids de la tradition, l'attachement au style Louis XV. Le Garde-meuble de la Couronne continue de commander des ensembles Louis XV. Les châteaux royaux fonctionnent sur leurs propres habitudes, indépendamment de la mode.
La sculpture, d'une grande finesse, est attribuée à Toussaint Foliot. Deux fauteuils et quatre chaises provenant du Garde-meuble de la Couronne furent délivrés au tapissier Capin en 1786, pour le cabinet intérieur de la reine à Choisy. Cet ensemble fut complété par de nouvelles pièces : deux bergères et un tabouret de pied recouverts de gros de Tours broché fond blanc.
Le château de Choisy fut démeublé en 1788. Une partie du mobilier du cabinet de la reine fut alors réinstallée dans le cabinet entièrement neuf de la Garde-robe de Louis XVI à Versailles. Cela montre l'importance que l'on accordait à ce mobilier de la reine, même si l'on ignore s'il s'agissait d'un placement définitif de ces sièges.
Ces fauteuils montrent la réussite et la grande beauté du mobilier « Transition » ordonné par le Garde-meuble de la Couronne sous la direction de Jacques Gondoin et destiné à la dauphine Marie-Antoinette. **P.-X. H.**

71

François-Joseph Bélanger
(Paris, 1744 – *id.*, 1818)

Projet de serre-bijoux de la dauphine

1769
Pierre noire, plume et encre noire, rehauts de lavis gris, papier vergé
H. 63,5 ; l. 76,2 cm
Inscriptions à l'encre brune : *Projet du Meuble destiné a serrer les Bijoux de Mde. La Dauphine éxécuté daprés les dessins de M. Belanger architecte, Dessinateur des menus plaisirs du Roy.* ; *approuvé pour etre executé / Le Duc Daumont* ; inscription au revers au crayon : *la Vente Bellanger Architecte*

Provenance : Coll. F.-J. Bélanger ; sa vente, Paris, 15 juin 1818.
Bibliographie : Salverte 1923, pl. XX ; Stern 1930, vol. I, p. 9-12 ; Watson 1960, n° 9 ; Huisman et Jallut 1970, p. 104 ; Eriksen 1974, p. 79, 81, pl. 448 ; Baulez 1986, p. 593 ; Thornton 1998, pl. 339 ; Fuhring 2005, n° 92.

Paris, Bibliothèque nationale de France, département des Estampes et de la Photographie. Inv. Ha 58, f° 32.

« Après que Mme la Dauphine eut reçu les serments des principaux officiers de sa maison, M. le Duc d'Aumont lui a présenté la clef d'un magnifique cabinet de velours brodé en or, avec des sculptures en bronze & en or moulu, que nous avons fait faire, & que j'avais fait placer dans la chambre à coucher. Ce cabinet renfermait, dans ses différents tiroirs, les présents de la corbeille… » (Papillon de La Ferté 2002, p. 184). Traditionnellement, la dauphine recevait à l'occasion de son mariage un coffre à bijoux en forme de cabinet destiné à recevoir non seulement les quelques joyaux que lui offrait le souverain, mais également un certain nombre de présents (bijoux, boîtes…) que la princesse

devait offrir à son entourage. En tant que premier gentilhomme de la Chambre, le duc d'Aumont avait été chargé de préparer ce meuble officiel et son exécution revint aux Menus-Plaisirs.

Pour la conception de ce cabinet évoquant ceux du XVIIe siècle, on avait fait appel au jeune architecte François-Joseph Bélanger, qui secondait depuis 1768 le dessinateur de la Chambre et du Cabinet du roi Charles Michel-Ange Challe.

L'ébénisterie en fut confiée à Maurice Bernard Ewald, dit Evalde. Le meuble reposait sur un piètement sculpté par Augustin Bocciardi (1727-1799), sculpteur des Menus Plaisirs depuis 1768, auteur également des groupes au sommet portant la couronne delphinale, l'ensemble étant doré par le peintre-doreur Louis René Boquet (1717-1814).

Le corps supérieur, divisé en trois parties, était entièrement recouvert de velours de Gênes rouge brodé d'or en relief des armes du dauphin et de la dauphine, sous le contrôle du marchand-mercier Claude Delaroue, et qui fut la part la plus coûteuse du meuble. Aux broderies d'or étaient mêlés des ornements de bronze ciselés par Gouthière, notamment la grande tête d'Apollon au centre, modelée par Houdon.

Le meuble, dont ce dessin « en grand » conserve le souvenir, fut placé dans l'alcôve de la chambre de la reine, jusqu'à son remplacement par le nouveau serre-bijoux commandé à Schwerdfeger en 1787. Il resta dans les magasins du Garde-meuble jusqu'à sa vente à la citoyenne Chauffour d'Orléans en 1793 (communication de Ch. Baulez). C'est ce meuble que l'on aperçoit sur la gouache de Gautier-Dagoty (MV 6278) et sur le grand portrait de la reine et de ses enfants par Mme Vigée Le Brun, commandé en 1785 et exposé au salon de 1787 (MV 4520).

B. R.

72

Martin Carlin

(Allemagne, principauté de Bade, vers 1730 – Paris, 1785)
Maître en 1766

Coffre à bijoux de Marie-Antoinette dauphine

Paris, 1770
Placage et marqueterie de bois de rose et sycomore, filets de buis et ébène ; porcelaine de Sèvres ; bronze doré ; velours de soie
H. 95 ; l. 56 ; pr. 36 cm
Marque peinte *W* couronné et au fer *GR* couronné
Sur la porcelaine : marques peintes *LL* entrelacés et lettre-date *R*, et des peintres Bertrand et Laroche

Provenance : Vendu en 1795 ; au XIXe siècle, coll. barons Alphonse de Rothschild, Edouard de Rothschild ; coll. Polo (vente 1991, lot 153) ; coll. Vernes ; acquis en 1997 avec la participation du Fonds du Patrimoine, du mécénat de Versailles, de la Versailles Foundation, d'ABN AMRO France par l'intermédiaire des Amis de Versailles et d'un donateur anonyme.
Bibliographie : Pradère 1989, p. 356 ; Darr, Dell *et al.* 1996, p. 58 ; Baulez 1997 ; Meyer 2002, n° 55, p. 218-221 ; Kisluk-Grosheide 2006, p. 162-164 ; Waltisperger 2007, n° 66, p. 125.

Versailles, musée national des châteaux de Versailles et de Trianon. Inv. V 5807.

Parmi les nombreux présents que la jeune archiduchesse reçut à l'occasion de son mariage en 1770 dut figurer ce coffre à bijoux qui porte les marques de son Garde-meuble de dauphine.
Conçu comme une table munie d'un tiroir contenant une écritoire et surmontée d'une cassette, le modèle appartenait au marchand-mercier Simon Philippe Poirier, qui avait, à la manufacture de Sèvres, l'exclusivité des treize plaques de porcelaine le couvrant à l'exception du revers, dont il confiait le délicat montage à l'ébéniste Carlin. Il fut le meuble féminin à la mode alors ; Mme Du Barry prit livraison d'un exemplaire le 13 décembre 1770 et la comtesse de Provence dut en recevoir un à l'occasion de son mariage l'année suivante, ainsi probablement que la comtesse d'Artois.
Le coffre figura-t-il dans le boudoir octogonal dit « cabinet de la méridienne », situé derrière la chambre de la souveraine, comme le laisse penser une mention de Mme Campan dans ses mémoires, citant, à propos de la dramatique affaire du Collier en 1785, « le petit secrétaire de porcelaine de Sèvres, qui est auprès de la cheminée de son boudoir » (Campan 1822, II, p. 9) ?
Marie-Antoinette y était très attachée et elle demanda qu'il lui soit apporté aux Tuileries après le retour de la famille royale à Paris, le 6 octobre 1789. **B. R.**

73

Johann Wilhelm Damman

(Schweinfurt, Bavière, 1717 – Augsbourg, 1784)
Exécuté par Wilhelm Michael Rauner

Présentoir aux armes du dauphin de France et de Marie-Antoinette, archiduchesse d'Autriche

Augsbourg, vers 1769-1770
Vermeil
H. 8; l. 34; pr. 26 cm
Inscription sur le piédouche: *Fait par Guillaume Michel Rauner à Augsbourg*
Poinçons: *T* surmonté de la pomme de pin pour Augsbourg en 1769-1771 (Seling 1994, n° 255); *IWD* pour Johann Wilhelm Damman, marque rectangulaire, angles arrondis (Seling 1994, n° 2387); marque Rauner

Provenance: Coll. de Marie-Antoinette; vente Florence, palais de San Donato, 15 mars 1880, n° 1309; coll. Baron Nathaniel de Rothschild; coll. Niel; don du comte et de la comtesse Niel en 1955.
Bibliographie: Jallut 1955a, n° 666, p. 209; Hans 2002, n° 79, p. 231; Hans 2005, n° 54, p. 150-151.

Versailles, musée national des châteaux de Versailles et de Trianon. Inv. V 3570.

Ce plateau, appelé « salve », était utilisé pour présenter des gants ou certains petits objets à Marie-Antoinette.

Le décor gravé et ciselé figure la scène allégorique du mariage du dauphin de France avec l'archiduchesse d'Autriche.

L'Hymen préside au mariage. Il tient deux flambeaux dont la flamme réunie marque l'union qui doit régner entre les époux. Deux amours flanquant le couple présentent les armoiries: l'écu de France écartelé avec les dauphins et les armes d'Autriche de gueule à la faste d'argent.

Cette pièce d'orfèvrerie a été commandée à l'occasion du mariage de l'héritier de la couronne de France avec Marie-Antoinette à l'orfèvre augsbourgeois Johann Wilhelm Damman, qui peut être considéré comme l'un des plus grands orfèvres augsbourgeois spécialisés dans le domaine des arts de la table. En compagnie d'Emmanuel Gottlieb Oernster, il a exécuté pour les princes von Thurn und Taxis des terrines rocailles d'une très grande virtuosité. C'est l'orfèvre Wilhelm Michael Rauner, associé à Damman, qui signe cette salve à la brillante composition allégorique.

P.-X. H.

74
Pendule

Ivoire, bronze doré
Paris, vers 1770

Provenance : Vente Lapeyrière, 14 mars 1825, n° 102 ; coll. comtesse Osten-Sacken ; achetée par le musée en 1916.
Bibliographie : *Les Œuvres d'art en Russie* 1902, n° 1, t. II, p. 35, n° 141 ; Zeck 1990 (1991), p. 145-148.

Saint-Pétersbourg, musée de l'Ermitage.
Inv. ZI (E)-10191.

Il faut vraisemblablement reconnaître dans cette pendule en ivoire, qui ne porte pas de nom d'horloger au cadran, l'exemplaire que Louis XV avait lui-même tourné et offert en 1770 à la jeune dauphine, inventorié par l'horloger Robin en 1793 sous le numéro 10 de l'Etat de l'horlogerie de la ci-devant Reine : « une Pendule en ÿvoire découpé d'une forme quarrée, ornée de deux colonnes et couronné par une cassollette, ladite pendule garni de bronze doré, mouvement à sonnerie sans nom./. idem [Versailles]. *ouvrage de Louis 15* ».
Ces précieuses pendules, où l'ivoire remplace le bronze doré et le marbre, furent prisées par Louis XV et ses filles, qui s'adonnaient à l'art de tourner, aidés des conseils experts de Jeanne Madeleine Maubois, « tourneuse du roi ». A la tête du Garde-meuble, Fontanieu, féru de travaux artistiques et d'arts mécaniques – il avait lui-même tourné une pendule pour le roi en 1768 –, devait favoriser ce passe-temps auprès de Mesdames et de leur père. Madame Adélaïde possédait une pendule de même modèle, au mouvement de Lépine « à quantièmes et à jours de la semaine », qui pourrait être celle offerte au château de Versailles en 1955.
Louis XV avait-il voulu par ce cadeau plus personnel marquer toute l'affection qu'il portait à sa belle-fille et l'introduire dans l'intimité de la famille royale ? Marie-Antoinette la conserva précieusement et l'associa peut-être à d'autres ouvrages d'ivoire, notamment de somptueux vases tournés plus de quinze ans plus tard (voir cat. 127). **B. R.**

75
Jean-Baptiste de Saint-Jean
(Villers-en-Arthies, 1732 – Paris, après 1789)
Maître horloger en 1760

Tableau animé

Paris, 1771
Huile sur tôle, laiton, verre, cadre en bois sculpté et doré
Sur la platine, inscription gravée : *EXECUTE PAR MOY DE SAINT-JEAN HORLOGER PARIS 1771* ;
peinture signée : *CONPOZE PAR O…ZIE 1771*
H. 59 ; l. 58 ; pr. 6 cm

Provenance : Coll. de Marie-Antoinette ;
coll. de l'Académie des sciences (?) ; entré au Conservatoire national des arts et métiers avant 1814.
Bibliographie : Chapuis et Gélis 1928, p. 323 ; cat. exp. Paris 1954, n° 163, pl. 11 ; Jallut 1955a, n° 686 ; cat. exp. Paris 1989, p. 249, n° 92 ; Augarde 1996, p. 396.

Paris, musée des Arts et Métiers. Inv. 1.407-1.

Ce tableau mécanique, dont le cadre porte les armes de Marie-Antoinette dauphine, devait rappeler à la jeune princesse les « tableaux mouvants » du père Sébastien Truchet, exécutés en 1729, qu'elle avait dû admirer au Cabinet impérial et royal de physique de Vienne.
Au sein d'une assemblée élégante réunie devant la terrasse d'un château, un jeune couple joue au jeu de grâce – sorte de volant –, alors qu'à l'arrière-plan, sur une allée que surplombe un moulin à vent, défilent voitures et militaires. Le mécanisme, somme toute assez simple – il ne comporte qu'un seul « chemin mobile » –, fut exécuté par Jean-Baptiste de Saint-Jean, reçu maître horloger le 11 septembre 1760, qui devait par ailleurs livrer à Charles de Lorraine, oncle de l'archiduchesse, une pendule à automates représentant un jardin anglais animé de statues de porcelaine et d'un moulin à vent.
Il est probable que le tableau fut finalement déposé par la reine à l'Académie des sciences, comme elle allait le faire de la joueuse de tympanon, fameux androïde exécuté par Pierre Kintzing et David Rœntgen acheté à la fin de l'année 1784 et donné à l'Académie au mois de mars suivant.
Après le retour de la famille royale à Paris, le 19 décembre 1789, le dauphin et Madame Royale visitèrent le cabinet de l'Académie des sciences, et le conservateur Sage nota que « les dix petits tableaux mouvants, qui y restent avaient fixé leur attention, et qu'il avait pris sur lui d'en offrir un à Monsieur le Dauphin et un autre à Madame » : l'un d'eux fut-il celui-ci ? **B. R.**

76

Jean-Michel Moreau,
dit Moreau le Jeune

(Paris, 1741 – *id.*, 1814)

Marie-Antoinette consolant une pauvre paysanne dont le mari a été blessé par un cerf

Crayon, plume et encre noire, rehauts de lavis brun et de bistre sur papier brun
H. 12,3 ; l. 19,5 cm
Signé et daté en bas à gauche : *J. M. moreau le jeune 1773.*

Provenance : Coll. Albert de Saxe-Teschen.
Bibliographie : Jallut 1955b, p. 18, repr. p. 19.

Vienne, Graphische Sammlung Albertina. Inv. 12395.

Lors d'une chasse en forêt de Fontainebleau, le 16 octobre 1773, le vigneron Pierre Grimpier fut blessé dans son jardin par un cerf que l'on tentait de forcer. L'homme gisait à terre et paraissait mort. Son épouse invoquait le ciel et poussait des cris de désespoir. À la demande de Louis XV, on fit quérir un chirurgien. Dès que le souverain eut repris la chasse, la dauphine abandonna sa voiture pour rejoindre la pauvre femme afin de lui assurer que son mari n'était pas mort et la rassurer. Elle lui donna aussi sa bourse. Cet exemple d'humanité donné par Madame la dauphine fut aussitôt connu. Il fit l'objet d'une estampe. Moreau le Jeune s'appliqua à en donner le dessin préparatoire et François Godefroy (1743-1819) le grava en contrepartie (*fig. 76 a*). Dédiée à Sa Majesté Marie-Thérèse, impératrice douairière, reine apostolique de Hongrie et de Bohême et présentée à Madame la dauphine, la planche contribua à faire de Marie-Antoinette une princesse adorée par ses sujets. **X. S.**

Fig. 76 a
François Godefroy, d'après Moreau le Jeune
Marie-Antoinette consolant une pauvre paysanne dont le mari a été blessé par un cerf
Burin
Versailles, musée national des châteaux de Versailles et de Trianon. Inv. Grav. 932.

Reine de France

Xavier Salmon

Nommée le 13 juillet 1786 l'une des deux Premières femmes de chambre de Marie-Antoinette, Jeanne Louise Henriette Campan nous a laissé dans ses mémoires maints éléments permettant aisément de comprendre la dimension astreignante de l'étiquette qui présidait à la vie de la souveraine[1].

L'anecdote relatée au sujet de la manière de se vêtir est ainsi particulièrement célèbre[2] :

« L'habillement de la princesse était un chef-d'œuvre d'étiquette ; tout y était réglé. La dame d'honneur et la dame d'atours, toutes deux si elles s'y trouvaient ensemble, aidées de la première femme et de deux femmes ordinaires, faisaient le service principal ; mais il y avait entre elles des distinctions[3]. La dame d'atours passait le jupon, présentait la robe. La dame d'honneur versait l'eau pour laver les mains et passait la chemise. Lorsqu'une princesse de la famille royale se trouvait à l'habillement, la dame d'honneur lui cédait cette dernière fonction, mais ne la cédait pas directement aux princesses du sang ; dans ce cas, la dame d'honneur remettait la chemise à la première femme qui la présentait à la princesse du sang. Chacune de ces dames observait scrupuleusement ces usages comme tenant à des droits. Un jour d'hiver, il arriva que la reine, déjà toute déshabillée, était au moment de passer sa chemise ; je la tenais toute dépliée ; la dame d'honneur entre, se hâte d'ôter ses gants et prend la chemise. On gratte à la porte, on ouvre : c'est madame la duchesse d'Orléans ; ses gants sont ôtés, elle s'avance pour prendre la chemise, mais la dame d'honneur ne doit pas la lui présenter ; elle me la rend, je la donne à la princesse ; on gratte de nouveau : c'est Madame, comtesse de Provence ; la duchesse d'Orléans lui présente la chemise. La reine tenait ses bras croisés sur sa poitrine et paraissait avoir froid. Madame voit son attitude pénible, se contente de jeter son mouchoir, garde ses gants, et, en passant la chemise, décoiffe la reine qui se met à rire pour déguiser son impatience, mais après avoir dit plusieurs fois entre ses dents : *C'est odieux ! Quelle importunité !* »

Même si Mme Campan a peut-être pris un peu de liberté avec la réalité, on peut aisément comprendre combien Marie-Antoinette devait abhorrer ces pratiques de cour. Avec l'assurance conférée par le pouvoir, elle chercha rapidement à s'en affranchir et prit à cet effet plusieurs dispositions dont sa Première femme de chambre fait également mention.

La reine abolit ainsi le cérémonial qui voulait que seules les femmes en charge ayant prêté serment et vêtues en grand habit de cour puissent rester dans la chambre et servir conjointement avec la dame d'honneur et la dame d'atours. Lorsqu'elle était coiffée, Marie-Antoinette saluait les dames qui étaient dans sa chambre et, suivie de ses seules femmes de chambre, passait dans le cabinet intérieur où attendait Mlle Bertin, célèbre ouvrière en mode, qui n'avait pas les honneurs de la chambre.

 Double page précédente : détail du cat. 99.

C'est là que lui étaient présentées les nouvelles parures. La reine avait également recours au coiffeur parisien le plus en vogue. Elle contrevenait en cela à l'usage qui interdisait à tout subalterne pourvu d'une charge d'exercer son talent pour le public. Craignant que le goût du coiffeur ne se perdît en cessant de pratiquer son état, Marie-Antoinette lui avait, bien au contraire, demandé de continuer à servir plusieurs dames de la cour et de Paris.

L'une des obligations les plus désagréables de l'étiquette de Versailles était pour la souveraine de déjeuner, on disait alors dîner, tous les jours en public. Tant qu'elle fut dauphine, Marie-Antoinette se plia à cette astreinte. « Le dauphin dînait avec elle, et chaque ménage de la famille avait tous les jours son dîner public. Les huissiers laissaient entrer tous les gens proprement mis », écrit Mme Campan. Elle ajoutait aussi que la plus ancienne règle voulait qu'aux yeux du public les reines de France ne parussent environnées que de femmes. Même aux heures des repas, et bien que le souverain mangeât publiquement avec son épouse, il était ainsi lui-même servi par des femmes pour tous les objets qui lui étaient directement présentés à table. Longtemps, ce service fut assuré par des filles d'honneur, puis il revint ensuite à d'autres personnes. La dame d'honneur, à genoux pour sa commodité, sur un pliant très bas, une serviette posée sur le bras, et quatre femmes en grand habit présentaient alors les assiettes au roi et à la reine. La dame d'honneur leur servait également à boire. Avec son accession au trône, Marie-Antoinette non seulement diminua considérablement le nombre de repas publics, mais elle supprima aussi cette présence exclusivement féminine. A Versailles, elle se dégagea également de la nécessité d'être suivie par deux de ses femmes en habit de cour, aux heures de la journée où les dames n'étaient plus auprès d'elle. Elle leur substitua un seul valet de chambre et deux valets de pied.

Toutes ces mesures parurent inadmissibles aux yeux de la « vieille cour ». A en croire Mme Campan, elles répondaient au désir de Marie-Antoinette d'imposer plus de simplicité dans les usages, ainsi qu'elle l'avait jadis connu à Vienne.

1. Campan 1823, I, p. 97-104.
2. *Ibid.*, I, p. 97-98.
3. L'éditeur de Mme Campan précisait en 1823 : « La distinction entre le service d'honneur et le service ordinaire peut s'établir aisément. *J'ai le droit de faire* dit avec arrogance le service d'honneur. *C'est à vous à faire, c'est à vous à suivre*, répond avec humeur le service ordinaire. Entre ces prétentions ridicules et contradictoires de gens qui ont le droit d'agir et qui n'agissent point, et de gens qui devraient agir et qui ne veulent pas, il pourrait arriver que les princes fussent fort mal servis. »

77
Joseph Siffred Duplessis
(Carpentras, 1725 – Versailles, 1802)
Louis XVI

Huile sur toile
H. 80; l. 62 cm

Provenance: Il s'agit soit du portrait exposé au Salon de 1775, soit de l'une de ses nombreuses répliques commandées par la direction des Bâtiments du roi; l'œuvre est mentionnée dans l'inventaire général du musée du Louvre en 1852, avant d'être déposée au château de Versailles.
Bibliographie: Engerand 1900, p. 175-184; Belleudy 1913, p. 60, 326-327; Salmon 2002, p. 226-227, repr. p. 137; Chabaud 2003, p. 50-59, repr. pl. XII; Salmon 2005a, p. 98, n° 21, repr.

Versailles, musée national des châteaux de Versailles et de Trianon. Inv. MV 3966.

Duplessis reçut en 1774 la commande d'un portrait en pied de Louis XVI vêtu du costume du sacre. L'œuvre devait couronner sa carrière. Aussi apporta-t-il un soin tout particulier à son exécution. Alors même qu'il travaillait à l'effigie monumentale, le peintre peignit aussi un portrait en buste de son royal modèle. Sur les deux œuvres, le visage du souverain devait être identique, Louis XVI n'ayant accepté de poser que très peu de temps. Au Salon de 1775, le maître put exposer le portrait en buste. La toile connut un immense succès, louée tant pour la vérité de sa couleur, la fermeté de sa touche, la finesse de ses détails *(Mercure de France)*, que pour l'air de majesté et le regard noble et tendre qui faisaient lire sur le front royal les vertus du cœur (Nodille de Rosny). Aussitôt, Duplessis fut invité à livrer des copies de son œuvre. Avec l'aide de son atelier, il en produisit de 1776 à 1783 un très grand nombre. La toile de Versailles compte parmi les plus belles versions du portrait. Peut-être faut-il y reconnaître l'exemplaire du Salon ? X. S.

78

Jean-Michel Moreau, dit Moreau le Jeune

(Paris, 1741 – *id.*, 1814)

Le roi Louis XVI prête serment entre les mains de l'archevêque de Reims lors de la cérémonie du sacre, le 11 juin 1775

Plume et encre grise, rehauts de lavis brun sur tracé à la pierre noire sur papier crème
H. 37,3 ; l. 49,7 cm
Signé et daté à la plume et encre noire en bas à droite : *J. M. Moreau Le jeune 1775*
Cachet de la coll. Georges Dormeuil (L. 1146a) en bas à droite
Collé en plein sur un montage ancien avec deux cartouches indiquant, en haut : *J.M. Moreau le Jeune 1775. / Décoration du Sacre de Louis seize* ; en bas : *Dans la basilique de Reims le Roy Louis XVI prête entre les mains / de l'Archevêque « Le Serment du Royaume »*

Provenance : Vente Saint et Félix Seheult, architecte du département de la Loire-Inférieure et petit-neveu par alliance de Jacques André Portail, Nantes, 15-19 novembre 1858, lot 67 ; acquis par les frères Edmond et Jules de Goncourt après le 19 novembre 1858 pour la somme de 320 francs (carnet des Goncourt conservé à l'Institut néerlandais à Paris, p. 34 et 94, n° 5). Vente Goncourt, Paris, 16 février 1897, lot 195, repr. ; acquis à cette occasion pour 9 000 francs par Marius Paulme pour Georges Dormeuil ; de 1897 à 1937, coll. Georges Dormeuil, Paris (cat. manuscrit de la collection par M. Paulme, n° 77) ; vente, Paris, hôtel des ventes, 37, faubourg Saint-Honoré, 24 janvier 1981, lot 68, repr. ; acquis à cette occasion par l'Etat avec l'aide de la Société des amis de Versailles pour le château de Versailles, entré au musée le 31 mars 1981.
Bibliographie : Salmon 2001, p. 88-89, n° 39, repr.

Versailles, musée national des châteaux de Versailles et de Trianon. Inv. MV 8537 ; inv. dessins 889.

Comme chacun des grands événements de la Couronne, la cérémonie du sacre de Louis XVI organisée en la cathédrale de Reims le 11 juin 1775 fit l'objet d'une estampe. A la demande du maréchal duc de Duras, premier gentilhomme de la Chambre du roi, Moreau le Jeune en traça le dessin préparatoire. L'artiste soumit la feuille le 9 avril 1776. A cette occasion, le souverain demanda quelques légers changements dans la composition. La gravure fut achevée par Moreau avec l'aide de Beaublé à la fin de l'année 1779. Le 24 décembre, Louis XVI en reçut le premier exemplaire et témoigna alors au maître sa satisfaction tant par rapport au mérite de l'exécution qu'à celui de l'exactitude. Afin d'accroître le succès de son œuvre, Moreau le Jeune s'attacha à la présenter au Salon de 1781 avec son dessin préparatoire.

Conservé à Versailles depuis 1981 après avoir appartenu aux frères Goncourt et à Georges Dormeuil, ce dessin traduit avec minutie tout l'apparat de la cérémonie. Moreau a choisi de représenter l'instant au cours duquel Louis XVI prête serment sur le livre sacré que lui présente l'archevêque de Reims, Charles Antoine de La Roche-Aymon. L'artiste prit le plus grand soin non seulement à respecter la disposition de chacun des participants, mais aussi à décrire la cathédrale enrichie des loges créées par Girault et Boquet sous la direction de Papillon de La Ferté, l'intendant contrôleur général de l'Argenterie, Menus-Plaisirs et Affaires de la chambre du roi.

X. S.

79

Manufacture royale de Sèvres

D'après Louis Simon Boizot
(Paris, 1743 – *id.*, 1809)

L'Autel royal

Vers 1775
Biscuit de porcelaine tendre
H. 42 cm
Inscription : *AU BONHEUR PUBLIC*

Provenance : Présent à Trianon dans l'inventaire de 1894 (T 521 c).
Bibliographie : Jallut 1955a, n° 142 ; Billon 2001, n° 60, p. 204-205 ; Salmon 2005b, p. 78-81.

Versailles, musée national des châteaux de Versailles et de Trianon. Inv. MV 7783.

Ce groupe allégorique commémorant l'accession au trône de Louis XVI et Marie-Antoinette a été modelé par Boizot à la fin de 1774, en anticipation de la cérémonie du couronnement qui devait se dérouler le 13 juin 1775. La manufacture entendait prouver, quelques années après la réalisation du surtout du mariage – la base du groupe en rappelle l'entablement –, qu'elle restait par ses prouesses au service de la glorification des grands événements de la monarchie qui la soutenait, mêlant habilement portraits royaux et symboles allégoriques.

Le roi et la reine, ceints de la couronne royale et parés du manteau fleurdelisé, ne sont pas représentés vêtus en costume du sacre mais à la franque, suivant un mouvement d'exaltation de l'Antiquité nationale, que manifestait alors dans l'iconographie royale le *Louis XV porté sur le pavois* par Jean-Baptiste II Lemoyne, projeté pour la ville de Rouen et dont le modèle, fondu en 1772, figurait dans les collections de Mme Du Barry.

Peut-être en raison de son caractère politique, ce groupe ne rencontra pas le succès escompté auprès de la clientèle de la manufacture, habituée à des productions plus aimables. Neuf exemplaires furent mis en fabrication, mais seuls deux furent vendus, achetés par le roi au cours de 1775, au prix de 480 livres (Archives Manufacture nationale de Sèvres, Vy 6, f° 115 v°). Un troisième avait semble-t-il été offert à la souveraine en février de la même année (Archives MNS, Vy 5, f° 146). **B. R.**

AU
BONHEUR
PUBLIC

Donner un héritier au royaume

Xavier Salmon

Une dauphine destinée à devenir reine de France se devait absolument, pour le royaume, de donner naissance à un héritier de la Couronne.

Marie-Antoinette s'apprêtait à quitter l'enfance et l'on s'interrogeait déjà sur la nature des relations qu'elle entretenait avec le dauphin et sur sa capacité à mettre au monde un enfant.

Le 20 août 1770, Mercy-Argenteau s'en ouvrait à Marie-Thérèse[1] : « Depuis la dernière indisposition de M. le dauphin, il n'a plus couché [...] dans l'appartement de Mme la dauphine. Il n'y a cependant en cela aucune cause inquiétante, ni d'autre raison, si ce n'est que la nature, tardive chez M. le dauphin, n'agit point sur lui, probablement parce que son physique a été affaibli par la prompte croissance qu'il a prise tout-à-coup ; d'ailleurs sa constitution n'annonce rien qui s'oppose à acquérir une santé bonne et robuste, pourvu qu'il se ménage dans les exercices trop violents qui pourraient lui devenir funestes. Ce prince trouve Mme l'archiduchesse charmante ; il se plaît avec elle, et lui marque une complaisance et une douceur que l'on ne croyait pas dans son caractère. Mme la dauphine le gouverne dans toutes les petites choses, sans qu'il y oppose la moindre contradiction ; ainsi il ne s'agirait que d'un peu de patience pour que l'ordre s'établit en tout ; mais, comme dans ce pays-ci l'on veut presser tout avant le temps, le roi et Mesdames tiennent des propos qui ne servent qu'à agiter Mme la dauphine et à lui donner des inquiétudes. »

Dès lors, le dauphin et la dauphine furent étroitement surveillés, chacun espérant une future grossesse. On s'inquiéta de la dangereuse pratique du cheval[2]. On s'interrogea sur l'intimité des deux jeunes époux. Le 6 juin 1771, Marie-Thérèse s'accordait à penser que, pour « échauffer » le dauphin, tout remède serait inefficace et qu'il valait mieux attendre[3]. Le 16 novembre suivant, Mercy relatait que Louis XV avait dit en plaisantant en présence de sa famille qu'il n'espérait de succession que celle que lui donnerait le comte d'Artois. Le dauphin avait alors lancé à Madame Victoire : « Mon père a peu d'opinion de moi, mais il sera bientôt désabusé[4]. »

Le 23 janvier 1772, si Mercy avait bien noté combien le dauphin manifestait plus de complaisance et de douceur à l'égard de sa jeune épouse, il soulignait aussi que les circonstances essentielles à leur mariage restaient encore suspendues[5]. En juin, rien ne laissait à désirer sur la parfaite union des deux époux, mais sans que l'on puisse pour autant annoncer une heureuse nouvelle. Sur ce sujet, la conduite de Marie-Antoinette était prudente et sage. Elle ne manifestait ni impatience ni humeur et ne permettait plus qu'on lui parle d'un objet qui n'admettait ni commentaire ni conseil[6]. Le 31 décembre, Marie-Thérèse appelait à la patience. Elle écrivait à Mercy[7] : « Je conviens que l'embarras du dauphin de se mettre en règle est déplacé ; mais vouloir l'en corriger par des remontrances réitérées, ce ne sera peut-être qu'augmenter son embarras ; il faut en attendre le denoûment [*sic*] avec patience. »

Le 3 janvier 1774, elle enchérissait[8] : « La froideur du dauphin, jeune époux de vingt ans, vis-à-vis d'une jolie femme m'est inconcevable. Malgré toutes les assertions de la faculté, mes soupçons augmentent sur la constitution corporelle de ce prince, et je ne compte presque plus que sur l'entremise de l'empereur [Joseph II prévoyait alors un voyage en France], qui, à son arrivée à Versailles, trouvera peut-être le moyen d'engager cet indolent mari à s'acquitter mieux de son devoir. » Avec le temps, il devint de plus en plus difficile de maîtriser la rumeur et le sujet fit l'objet de caricatures *(fig. 9)*.

La mort de Louis XV, le 10 mai 1774, ne fit qu'aggraver la situation. Louis XVI et Marie-Antoinette montaient tous deux sur le trône, mais sans héritier. Le 13 octobre, l'impératrice s'inquiétait de la rumeur qui déclarait que le roi avait subi une opération dont on espérait tout[9]. Le 17 décembre, Marie-Antoinette

1. Arneth et Geffroy, 1874, I, p. 44.
2. *Ibid.*, I, p. 104.
3. *Ibid.*, I, p. 168.
4. *Ibid.*, I, p. 245.
5. *Ibid.*, I, p. 266.
6. *Ibid.*, I, p. 311.
7. *Ibid.*, I, p. 391.
8. *Ibid.*, II, p. 88.
9. *Ibid.*, II, p. 247.

Fig. 9
Charles Germain de Saint-Aubin
Elle croyait avoir épousé un homme, et ce n'était qu'une bûche
Livre des caricatures tant bonnes que mauvaises, 1740-1778.
Waddesdon Manor,
The Rothschild Collection.

annonçait à sa mère la grossesse de la comtesse d'Artois et elle précisait à cette occasion[10] : « J'avoue à ma chère maman que je suis fâchée qu'elle devienne mère avant moi, mais je ne m'en crois pas moins obligée à avoir pour elle plus d'attention que personne. Le roi a eu il y a huit jours une grande conversation avec mon médecin ; je suis fort contente de ses dispositions et j'ai bonne espérance de suivre bientôt l'exemple de ma sœur. » En avril 1775, décision était prise d'aménager un corridor permettant une communication facile entre l'appartement du roi et celui de son épouse, et dont l'usage serait exclusivement réservé aux souverains[11]. Le 6 août, la comtesse d'Artois donnait naissance à un garçon. Marie-Antoinette écrivait le 12 à sa mère[12] : « il est inutile de dire à ma chère maman combien j'ai souffert de voir un héritier qui n'est pas de moi ».

Le 31, Marie-Thérèse interrogeait à nouveau Mercy au sujet de l'opération à faire au roi[13]. A la nouvelle d'une seconde grossesse de la comtesse d'Artois, l'ambassadeur faisait part, le 17 décembre, de ses craintes[14] : « Sacrée Majesté, la grossesse presque certaine de Mme la comtesse d'Artois ne donne que trop de sujets à des réflexions désagréables, et je suis dans une vraie inquiétude sur les effets qu'elle pourrait produire à la longue dans l'âme de la reine. Quelque brillante que soit dans ce moment sa position, elle ne peut acquérir de consistance solide que quand cette auguste princesse aura donné un héritier à l'Etat. Jusqu'à cette époque si désirable les avantages mêmes dont la reine jouit entraînent certains inconvénients ; son influence, son pouvoir inquiètent quelquefois une nation pétulante et légère, qui craint d'être gouvernée par une princesse à laquelle il manque la qualité de mère pour être regardée comme Française. » Mais les mois passaient sans qu'il soit enfin possible d'annoncer une future naissance. Marie-Antoinette en avait pris son parti et se contentait d'indiquer à sa mère qu'elle espérait encore[15]. Tout au plus avait-elle adopté un petit paysan âgé de trois ans, enfant vif et fort gai qui demeurait dans les appartements et n'était ni turbulent ni incommode[16]. Marie Antoinette s'abandonnait alors aux divertissements et Marie-Thérèse s'en inquiétait toujours davantage, et ce d'autant plus que le roi n'y était pas convié. Le voyage que fit Joseph II à Versailles en juin 1777 fut alors du plus grand effet, car il permit à Marie-Antoinette de faire part à son frère aîné des conjonctures relatives à l'intimité matrimoniale. Ainsi informé, l'empereur incita Marie-Antoinette à se rapprocher du roi et permit à Louis XVI de lui faire part de son « état de mariage[17] ». Le roi avait alors confié son chagrin de ne point avoir d'enfant et il était entré dans les détails les plus circonstanciés sur son état physique, demandant même quelques conseils[18]. Le 10 septembre 1777, Marie-Antoinette annonçait à sa mère qu'elle avait eu l'espérance d'être grosse, qu'elle s'était évanouie, mais qu'elle avait grande confiance qu'elle revienne bientôt[19]. Deux jours après, Mercy adressait son rapport à l'impératrice[20] : « D'après ce que la reine a daigné me dire, elle a saisi l'occasion du départ d'un courrier français pour mander à V. M. des faits très-intéressants et relatifs à son état de mariage. Le secret que le roi avait exigé à cet égard m'a privé dix jours de toute notion sur pareil objet [...]. Au reste cet événement, qui est maintenant très-constaté et certain, va donner à la position de la reine une forme nouvelle de laquelle il y a tout à se promettre. L'espoir plus que vraisemblable d'une prochaine grossesse présente à mon zèle la perspective du changement favorable qui doit en résulter dans les idées morales et dans le système de vie de la reine. » Les conseils de Joseph II avaient donc été suivis d'effets et chacun se prenait à nouveau à espérer. Le 22 décembre, toujours sous la plume de Mercy, on pouvait lire[21] : « Je vois maintenant la reine fortement occupée du désir et de l'espoir d'une grossesse ; la persuasion d'une possibilité certaine fixe davantage ses idées, et je tâche de profiter de cette heureuse conjoncture pour faire voir qu'enfin le moment est arrivé ou la reine doit indispensablement réformer son système moral d'une manière convenable à sa position physique, en se livrant aux réflexions que comporte l'état d'une grande princesse, reine et mère de famille, et en ne s'occupant des frivolités qu'autant qu'elles doivent servir à une dissipation modérée et raisonnable. » Le 20 avril 1778, l'espoir d'une grossesse semblait cette fois-ci se confirmer. En mai, elle était enfin annoncée et le choix du frère de l'abbé de Vermond comme accoucheur avait été fait. Le 20 décembre, à onze heures et demie, Marie-Antoinette mettait au monde son premier enfant[22]. Les douleurs avaient commencé à minuit et demi. Elles avaient d'abord été peu considérables et avec de longs intervalles. Vers huit heures du matin, la reine avait perdu les eaux. La violence qu'elle s'était faite pour ne pas se plaindre lui avait causé un léger mouvement convulsif et le médecin avait alors préféré la saigner. Le nouveau-né était grand et fort, mais il s'agissait d'une fille, Marie-Thérèse Charlotte. Le peuple manifesta aussitôt son attachement à la souveraine, mais aussi son regret de ne pouvoir fêter un dauphin. Dès janvier 1779, Marie-Antoinette manifestait donc le désir d'une nouvelle grossesse afin de donner au roi et à la France l'héritier tant attendu. Le 17 mars, le fidèle Mercy indiquait à Marie-Thérèse que les choses prenaient une tournure convenable du côté de l'intimité conjugale[23]. Mais, en juillet, les espérances de grossesse se trouvaient déçues. Le 16 octobre, l'ambassadeur d'Autriche faisait à nouveau état de l'intimité très suivie dans laquelle vivait le couple royal[24]. Tout espoir n'était donc pas perdu. Le 15 juillet 1780, Marie-Thérèse s'impatientait[25]. « C'est l'effet de ses dissipations qu'elle s'occupe trop peu de l'intérêt qu'elle aurait de donner à la France un dauphin », écrivait-elle à Mercy. Le 29 novembre 1780, Marie-Thérèse s'éteignait à Vienne sans avoir reçu l'heureuse nouvelle qu'elle attendait avec tant d'impatience. Début 1781, la seconde grossesse de Marie-Antoinette était enfin annoncée. Le 22 octobre, la reine donnait le jour à Louis Joseph Xavier François, ce dauphin si longtemps espéré par la nation. En 1785 venait au monde le duc de Normandie, Louis Charles. La France n'avait plus rien à craindre.

10. *Ibid.*, II, p. 268.
11. *Ibid.*, II, p. 323.
12. *Ibid.*, II, p. 366.
13. *Ibid.*, II, p. 373.
14. *Ibid.*, II, p. 409.
15. *Ibid.*, II, p. 507.
16. *Ibid.*, II, p. 477-478. On consultera également les *Mémoires* de Mme Campan, 1823, I, p. 117-119.
17. Arneth et Geffroy, 1874, III, p. 69.
18. *Ibid.*, III, p. 80.
19. *Ibid.*, III, p. 112.
20. *Ibid.*, III, p. 113.
21. *Ibid.*, III, p. 148.
22. *Ibid.*, III, p. 277.
23. *Ibid.*, III, p. 301.
24. *Ibid.*, III, p. 360.
25. *Ibid.*, III, p. 451.

80

Gabriel de Saint-Aubin

(Paris, 1724 – *id.*, 1780)

Catalogue de tableaux et dessins originaux…

qui composent le cabinet de Feu Charles Natoire (vente, les 14 décembre 1778 et jours suivants) et supplément de plusieurs tableaux originaux, belles porcelaines de la Chine, du Japon, de Saxe, etc, Appartenant à Sophie Arnould (vente, les 30 et 31 décembre), Paris, Chariot, sans date in 8°, 46 et 14 pages.

Provenance : L'ouvrage est passé à l'encan lors de la vente Morel de Vindé en 1822 et a été adjugé 15 francs à de Bure, avec quatre autres catalogues et les « Couplets pour le mariage du Dauphin ».
Bibliographie : Dacier 1931, II, p. 195-196, n° 1057.

Paris, Bibliothèque nationale de France, département des Estampes et de la Photographie. Inv. Rés. Yd 128-8°.

Saint-Aubin aimait à couvrir les marges des catalogues de vente de petits croquis conservant le souvenir des œuvres qui passaient à l'encan. Le catalogue de la collection Natoire et le supplément de la vente de la cantatrice Sophie Arnould qui y a été adjoint en constituent un merveilleux exemple. Presque toutes les pages sont enrichies de dessins, des prix d'adjudication et des noms de certains des acquéreurs.
Au recto de la page de garde à la fin du volume, l'artiste a tracé un grand dessin au crayon figurant la chambre de la reine à Versailles, lors de la naissance de Madame Royale, le 19 décembre 1778. Saint-Aubin n'avait pas assisté à l'événement, mais il en donne une version intimiste. Afin de lui manifester sa joie, Louis XVI s'élance vers Marie-Antoinette couchée dans le grand lit d'apparat. A droite de la composition, l'enfant est tenue par sa nourrice, près de la porte ouvrant sur le salon des Nobles, où quelques silhouettes semblent attendre d'être invitées à entrer. La chambre est presque vide. Bien que l'artiste n'ait pas cherché à donner une description du lieu, on notera qu'il prit soin de figurer la balustrade avec une exèdre au devant du lit.
Jamais appelé à travailler pour la famille royale, Saint-Aubin n'en fut pas moins courtisan. A l'occasion du mariage du futur Louis XVI avec Marie-Antoinette, il dessina un grand portrait de chacun des jeunes époux, pensant peut-être à les faire graver. Conservée au château de Versailles (inv. MV 9046 ; Salmon 2004, p. 21-22, repr.), l'image du dauphin s'inspirait sans doute d'une estampe. Celle de la dauphine, aujourd'hui au Nationalmuseum de Stockholm, avait certainement été tracée d'après l'estampe de Croisey. En 1776, le dessinateur avait aussi célébré la naissance du duc d'Angoulême, survenue le 6 août 1775. A cet effet, il avait dessiné un portrait du comte d'Artois présentant le nouveau-né (château de Versailles, inv. MV 8956 ; Salmon 1999, p. 41, n° 31, repr.). Attaché à laisser une image de chacun des événements de son temps, Saint-Aubin n'avait jamais négligé ceux qui avaient marqué la vie de la famille royale.

X. S.

81
Attribué à Pierre Louis
Moreau-Desproux
(Paris, 1727 – *id.*, 1793)

Projet de feu d'artifice sur le Pont Neuf et sur le terre-plein de l'Ile de la Cité prévu afin de célébrer à Paris la naissance d'un dauphin en 1778

Aquarelle et gouache sur plusieurs feuilles de papier
H. 51,8 ; l. 126,5 cm

Bibliographie : Gruber 1972, p. 104-106, 197, repr. fig. 64, pl. XLIV.

Paris, Archives nationales. Inv. AEII 1803b (anciennement K 1017, n° 97).

A l'annonce de la première grossesse de Marie-Antoinette, le 20 avril 1778, chacun se mit à espérer la naissance d'un dauphin. Afin de célébrer l'heureux événement, la ville de Paris avait imaginé des fêtes grandioses. Le 19 décembre, la reine mit au monde une fille, Marie-Thérèse Charlotte, qui reçut le titre de « Madame Royale ». Le projet d'architecture éphémère et de feu d'artifice, qui avait probablement été conçu par Moreau-Desproux, l'architecte responsable de toutes les cérémonies de la ville de Paris de 1763 à 1787, fut alors abandonné. Il prévoyait d'édifier sur le terre-plein du Pont-Neuf, face à la place Dauphine, une lourde tour ronde inspirée du château Saint-Ange à Rome, et à chacune des extrémités du pont deux hautes tours quadrangulaires à l'aspect de phares. De ces trois édifices, et de bateaux disposés sur la Seine, devaient être tirés les feux d'artifice.
Finalement, Louis XVI et Marie-Antoinette se contentèrent seulement de faire une entrée solennelle dans Paris afin d'aller remercier Dieu à Notre-Dame et à Sainte-Geneviève. X. S.

82

Augustin Pajou

(Paris, 1730 – *id.*, 1809)

Vénus sous les traits de Marie-Antoinette présentant son premier fils, le dauphin Louis, né en 1781

Plâtre pâtiné façon terre cuite sur un socle en marbre de Rance et bleu turquin
H. 45, diam. 25 cm

Provenance : Don du comte et de la comtesse Niel au château de Versailles en 1958 ; entré le 3 avril 1958.
Bibliographie : Stein 1912, p. 101-106, 348-350 ; Hoog 1993, p. 263, n° 1200, repr. ; Scherf 1997, p. 217-218, n° 88 ; Salmon 2005b, p. 99-101, repr.

Versailles, musée national des châteaux de Versailles et de Trianon. Inv. MV 8108.

Afin de célébrer la naissance du dauphin, le comte d'Angiviller commanda à Pajou le modèle d'un petit groupe qui devait être édité par la manufacture royale de porcelaine de Sèvres. Le sculpteur livra l'œuvre le 24 décembre 1781. S'il avait figuré « Vénus sortant de l'onde portée par des dauphins et portant l'Amour dans ses bras », Pajou s'était aussi attaché à caractériser les traits de la déesse afin que l'on puisse aisément y reconnaître Marie-Antoinette. Cela ne fut pas du goût de la souveraine qui jugea indécent de paraître dévêtue. Le 20 janvier 1782, Regnier, le directeur de la manufacture de Sèvres, recevait ordre de changer la physionomie de la tête de Vénus en faisant en sorte qu'elle ne ressemble pas à la reine, et de supprimer les fleurs de lis qui couvraient la draperie. Avant de faire ces modifications deux exemplaires de la figure devaient être livrés à D'Angiviller. Le 3 février, Pajou avait demandé à ce que la tête de sa Vénus soit moulée en terre glaise et conservée en « état de mollesse » afin qu'il puisse la retravailler. Il avait également indiqué que la suppression des fleurs de lis ne poserait aucun problème car elle serait faite par les repareurs sur chacun des groupes édités. Le maître réalisa très certainement le travail demandé et le modèle put ensuite être commercialisé. Les exemplaires vendus par la manufacture furent acquis, pour trois d'entre eux, par Louis XVI en 1782, un autre par le comte d'Artois le 16 août 1782, et un cinquième en janvier 1783 par Mme de Civrac pour Madame Victoire, l'une des tantes du roi. Curieusement aucune de ces éditions modifiées n'est aujourd'hui connue, et il semble que les deux tirages offrant encore les traits de Marie-Antoinette demandés par D'Angiviller aient été utilisés comme modèles des nombreuses versions tardives conservées.

X. S.

83
François Guillaume Ménageot
(Londres, 1744 – Paris, 1818)
Allégorie à la naissance du dauphin Louis Joseph Xavier François, le 22 octobre 1781

Huile sur toile
H. 98; l. 130 cm
Signé et daté en bas à droite: *F. Ménageot 1783*

Provenance: Legs de Victor Charles Ernest Grouvelle au musée du Louvre, le 14 mai 1895 (inv. R.F. 918); déposé en 1938 au château de Versailles.
Bibliographie: Willk-Brocard 1978, p. 67; Salmon 2002, p. 229, n° 72, repr. p. 147; Leribault 2003, p. 229; Salmon 2005a, p. 101, n° 23, repr.

Versailles, musée national des châteaux de Versailles et de Trianon. Inv. MV 6766.

La naissance du dauphin Louis Joseph Xavier François, le 22 octobre 1781, fut particulièrement célébrée et donna lieu à une abondante iconographie. Parmi les œuvres les plus ambitieuses, on comptait assurément la composition de Ménageot destinée à prendre place dans la grande salle de l'hôtel de ville de Paris. La commande en avait été passée par le corps de la ville peut-être dès fin 1781, plus sûrement courant 1782. Le 7 novembre 1782, le peintre soumettait par marché notarié un premier dessin de la composition (Archives nationales). Puis il était invité à présenter une esquisse peinte, celle aujourd'hui conservée au musée Carnavalet à Paris. Ce n'est qu'ensuite qu'il peignit la toile monumentale (2,03 × 4,14 m) exposée au Salon de 1783. Détruite pendant la Révolution, l'œuvre avait heureusement fait l'objet d'une réduction autographe qui permet, avec ses études préparatoires, d'en connaître très précisément l'aspect. Sur le mode allégorique et dans la tradition des grands portraits collectifs commandés pour l'Hôtel de Ville, le maître célèbre la naissance et les commanditaires. Ainsi que le révèle l'explication donnée dans le livret du Salon de 1783, « La France tient entre ses bras Monseigneur le Dauphin nouvellement né; la Sagesse le précède, et la Santé le soutient. A sa suite sont la Justice, la Paix et l'Abondance. Sur un perron qui occupe le premier plan du tableau, le corps de Ville vient recevoir Monseigneur le Dauphin, et remercie le ciel du présent qu'il vient de faire à la France. Du côté opposé le peuple en foule exprime, par son empressement, la joie et la félicité publique. Dans le fond du tableau est la pyramide de l'immortalité, ornée des portraits du roi et de la reine. On aperçoit au haut de ce monument, la Victoire qui y grave l'époque de la naissance du Prince, ce qui fait allusion à la prise de Yorck Town, dont la nouvelle [était] arrivée le même jour de l'accouchement de la reine. »

X. S.

84

Jean-Michel Moreau,
dit Moreau le Jeune

(Paris, 1741 – *id.*, 1814)

Le Festin royal donné par la Ville de Paris le 21 janvier 1782 à l'occasion de la naissance du dauphin

Burin et eau-forte
H. 46,2 ; l. 36,6 cm (au trait carré)
H. 70,8 ; l. 50,4 cm (pour la feuille)
La lettre indique : *LE FESTIN ROYAL. / Fêtes données au Roi et à la Reine, par la Ville de Paris / Le 21. Janvier 1782. à l'occasion de la Naissance de Monseigneur le Dauphin.*
Sous le trait carré, à gauche : *Inventé par P. L. Moreau Ch*er*. de l'Ordre du Roi, Architecte de / Sa Majesté, Maitre général des Bâtimens de la Ville en 1782* ; à droite : *Dessiné d'après Nature et gravé par J. M. Moreau le j*e*. dessin*r*. et grav*r*. du Cabi. du Roi, de son / acad. R.*le *de Peint. et Sculpt. et de celle des Scien. et Arts de Rouen, C*er*. auli. de sa M*té*. le Roi de Prusse &c.*

Provenance : Fonds ancien.
Bibliographie : Gruber 1972, p. 125-127, 200-201, repr. fig. 76, pl. LII.

Versailles, musée national des châteaux de Versailles et de Trianon. Inv. grav. 1448.

85

Le Bal masqué donné par la Ville de Paris le 23 janvier 1782 à l'occasion de la naissance du dauphin

Burin et eau-forte
H. 46,1 ; l. 36,7 cm (au trait carré)
H. 70,4 ; l. 51 cm (pour la feuille)
La lettre indique : *LE BAL MASQUÉ / Fêtes données au Roi et à la Reine, par la Ville de Paris / Le 23. Janvier 1782 à l'occasion de la Naissance de Monseigneur le Dauphin.*
Sous le trait carré, à gauche : *Inventé par P. L. Moreau Ch.*er *de L'Ordre du Roi, architecte de sa Majesté / M.*tre *général des Batimens de la Ville en 1782* ; à droite : *Dessiné d'après nature et gravé par J. M. Moreau le j.*e *dessin*r*. Et grav*r*. du Cab. Du Roi, de son / acad. R*le*. de Peint. et Sculp. et de celle des Scien. et Arts de Rouen, C.*er*. de sa M.*té *le Roi de Prusse &c.*

Provenance : Fonds ancien.
Bibliographie : Gruber 1972, p. 119, 201, repr. fig. 79, pl. LIV.

Versailles, musée national des châteaux de Versailles et de Trianon. Inv. grav. 1449.

La grande salle provisoire élevée perpendiculairement à l'Hôtel de Ville, place de Grève, accueillit le festin royal le 21 janvier 1782. Magnifiquement agencé, le lieu fut ainsi décrit par son concepteur, l'architecte Moreau-Desproux (Arch. nat., K 1017, n° 292, cité par Gruber 1972, p. 120) : « Cette Pièce à quarante huit pieds de large sur cent-trente-deux pieds de long, & vingt-huit pieds de hauteur

[41,77×15,55×9,07 m]; elle servira pour le dîner de Leurs Majestés. Leurs Loges & celles de la Cour, pour voir le Feu d'Artifice sont au-devant. Elle est décorée par trente colonnes peintes en marbre de Sicile, portées sur des piédestaux, couronnées de leurs corniches, surmontées d'archivoltes formant des arcades; une Galerie en tribune fournit des loges dans tout le pourtour. Les fonds des timpans au-dessus des colonnes sont en lapis, chargés d'emblêmes & ornemens d'or. Toute cette architecture est surmontée d'une corniche & attique en voussure, ornée de tableaux, de chiffres dorés, et de guirlandes de fleurs portées par des aigles, & attachées à des rosaces & ornemens. Dans les deux extrémités seront placés des Musiciens, qui, pendant le dîner, exécuteront des symphonies & morceaux choisis & agréables.

« Les Arcades seront décorées avec des étoffes de soie cramoisi, à double festons enrichis de franges & glands d'or, tombant en plis & chutes aux deux côtés des colonnes. Les traverses de la corniche qui serviront d'appui aux Tribunes, supporteront un lustre de Cristal suspendu avec une double guirlande de fleurs au milieu de chaque Arcade. Cette salle sera éclairée par des girandoles de cristal, placées sur chaque colonne de l'intérieur, vingt-deux lustres suspendus au plafond, & vingt-quatre dans les Arcades, avec quatre torchères dans les extrémités. »

L'architecte ajoutait ensuite au sujet de la table du festin (*ibid.*, p. 125): « La Table de Leurs Majestés [...] sera de soixante-dix-huit couverts, chargée d'un dormant aussi magnifique [...]. La Table sera environnée d'une balustrade, & le Public pourra entrer et circuler autour sans s'arrêter... »

Après le festin, les salles furent modifiées afin d'accueillir le bal masqué donné le 23 janvier. Moreau-Desproux précisait à ce sujet (*ibid.*, p. 127): « La nuit & le temps qui s'écoulera jusqu'au soir du second jour seront employés à débarrasser les Tables, changer les meubles, placer des buffets & des orchestres dans différentes Salles, renouveller les bougies, & préparer un magnifique Bal pour la nuit qui suivra, & où les personnes masquées qui présenteront des Billets distribués par MM. les Gouverneur, Prévôt des Marchands & Echevins, seront reçues & occuperont toutes les pièces de l'Hôtel-de-Ville ornées, éclairées, bordées de gradins, sièges, loges et orchestres convenables pour une Fête de ce genre; on trouvera des Buffets abondamment servis, des rafraîchissements & des endroits où les personnes fatiguées & celles qui voudront sortir, trouveront à se reposer, & attendront commodément leurs voitures. »

D'une précision extrême, les deux estampes de Moreau le Jeune témoignent parfaitement du faste qui marqua les festivités. X. S.

86

Attribué à Pierre Louis Moreau-Desproux

(Paris, 1727 – *id.*, 1793)

Projet d'architectures éphémères pour le feu d'artifice tiré le 21 janvier 1782 devant l'Hôtel de Ville de Paris afin de célébrer la naissance du dauphin

Plume, encre noire et rehauts de gouache sur papier crème

H. 38; l. 58,5 cm

Annoté au bas du dessin: *Vue du feu d'artifice donné dans la place devant l'hôtel de Ville de Paris, pour la réception du Roy et de la Reine le 21 janvier 1782 / A l'occasion de la naissance de Monseigneur le Dauphin / ces fêtes ont été données sous les ordres de Mgr. Amelot secrétaire d'Etat par la Ville de Paris / sur les dessins de M.P.L. Moreau Ch^er de St Michel Arch^e de la Ville*

Bibliographie: Gruber 1972, p. 115-121, 199, repr. fig. 70, pl. XLIX.

Paris, musée Carnavalet. Inv. IED 6155.

Face à la grande salle provisoire du festin royal avait été dressé, côté Seine, le corps du feu d'artifice. Ainsi que le précise très certainement Moreau-Desproux, concepteur du décor, dans la description conservée aux Archives nationales (K 1017, n° 292; citée par Gruber 1972, p. 118-119), cet édifice avait été construit sur un parapet gagné sur la rivière. Non seulement il permettait ainsi d'agrandir la place de Grève, mais il assurait aussi plus de sécurité aux spectateurs. Le décor comprenait un temple de l'Hymen qui accueillait un autel où les offrandes de tous les Français brûlaient du feu le plus vif pour la prospérité de la famille royale et celle du dauphin. La France était représentée devant le portique du temple, recevant des mains de l'Hymen accompagné de la Paix et de l'Abondance l'enfant auguste et précieux qui venait de naître. Aux extrémités de la première terrasse, deux colonnes colossales d'ordre dorique étaient surmontées d'un groupe de dauphins portant un globe aux armes de France sommé d'une couronne. Ces colonnes et toutes les parties du temple avaient été garnies d'un artifice varié et ingénieux qui fut tiré au début de la nuit. La famille royale et la foule purent alors admirer les fusées, les pièces nobles et figurées, accompagnées d'emblèmes, de jets en nappes, en cascades, tournants et fixes, qui formèrent un feu soutenu et accompagné de serpenteaux, de bombes, de pots à feu, de caisses et de pyramides, et s'achevèrent par une grande gloire à plusieurs reprises et par une girande ou bouquet composé de pots à feu et d'un grand nombre de fusées. X. S.

87

Jean-Baptiste Philibert Moitte

(Paris, 1754 – *id.*, 1808)

Feu d'artifice tiré place de Grève à Paris en l'honneur de Marie-Antoinette

Crayon et gouache sur papier crème
H. 47,4 ; l. 73,8 cm

Provenance : Coll. Albert de Saxe-Teschen.

Vienne, Graphische Sammlung Albertina. Inv. 15383.

Le dessin est présumé représenter un feu d'artifice tiré place de Grève à Paris en l'honneur de Marie-Antoinette pendant l'année 1785. Cette année-là, le 26 mai, après la naissance du duc de Normandie, la souveraine vint effectivement dans la capitale en grand cortège. Après avoir remercié Dieu à Notre-Dame et à Sainte-Geneviève et lui avoir demandé la fin de la sécheresse, la reine avait déjeuné aux Tuileries. L'après-midi, elle avait assisté avec Madame Elisabeth à une représentation de *Panurge* à l'Opéra, puis elle était allée souper au Temple chez le comte d'Artois. Sur le chemin du retour, place Louis-XV, « un bouquet en artifice » avait été donné en son honneur par le comte Aranda, depuis la terrasse de son hôtel. Les *Mémoires secrets* (t. XXIX, Londres, 1786, p. 46) soulignent que cela fut « peu de chose », le plus beau spectacle ayant été l'illumination de la colonnade de Gabriel ordonnée sous les auspices de Thierry de Ville-d'Avray, responsable du Garde-meuble de la Couronne.

Le dessin de Moitte ne peut représenter cette fête puisqu'il situe clairement l'action place de

Grève, à proximité de l'Hôtel de Ville illuminé. S'agit-il d'un projet de fête demandé par la ville de Paris en 1785 et finalement non réalisé ? Ou bien la feuille est-elle liée aux fêtes données en 1782 pour la naissance du dauphin ? L'absence de la salle provisoire élevée sur les plans de Moreau-Desproux perpendiculairement à l'Hôtel de Ville, comme les différences offertes par le corps du feu d'artifice construit en partie sur la Seine, ne nous permettent pas de répondre avec assurance. X. S.

88

Anonyme français, vers 1782

La Famille royale réunie autour du dauphin Louis Joseph Xavier François en 1782

Huile sur toile
H. 95 ; l. 128 cm

Provenance : Coll. de Madeleine Anne-Marie Le Clerc de Juigné, descendante de Claude Charlotte Thiroux de Chammeville, marquise de Juigné, dame du palais de la reine Marie-Antoinette, puis de son fils Boni de Castellane ; coll. de la comtesse Diane de Castellane, petite-fille de Boni de Castellane ; sa vente, Monaco, Sotheby's, 9 décembre 1995, lot 162, repr. (comme attribué à Brun de Versoix) ; acquis à cette occasion en faveur du château de Versailles avec le soutien de la Société des amis du château de Versailles.
Bibliographie : Bossard 2001, p. 20-22, repr. ; Bossard 2007, p. 99-100, n° 5, repr. (avec bibl. détaillée).

Versailles, musée national des châteaux de Versailles et de Trianon. Inv. MV 8949.

L'image est rare. On possède effectivement très peu de portraits collectifs de la famille royale. Elle n'est cependant pas un *unicum* car, à l'exemple du portrait réunissant Louis XIV et ses héritiers avec Mme de Ventadour, gouvernante des enfants de France (école française, vers 1715, Londres, The Wallace Collection, inv. P 122), elle s'inscrit parmi quelques rares compositions dynastiques qui se plaisent à souligner la pérennité du pouvoir royal.

Roland Bossard s'est soigneusement attaché à reconnaître chacun des personnages. Assis sur un canapé, Louis XVI et Marie-Antoinette se penchent sur le dauphin, né le 21 octobre 1781. A ses pieds, sa jeune sœur Madame Royale lui présente le portrait du dauphin Louis, leur grand-père. Derrière Louis XVI se tiennent le comte et la comtesse de Provence. Derrière la reine, la comtesse d'Artois se baisse pour voir l'enfant. A proximité, son époux semble laisser la place à Madame Elisabeth. Plus à l'écart, à gauche, se tiennent les enfants du comte et de la comtesse d'Artois. Il s'agit du duc d'Angoulême, né en 1775, du duc de Berry, né en 1778, et de Mlle d'Artois, née en 1776. Enfin, dans l'embrasure de chacune des portes, à gauche, Mesdames tantes, Adélaïde, Victoire et Sophie, forment un groupe féminin, tandis qu'à droite le groupe des princes du sang réunit le duc d'Orléans Louis-Philippe et son fils le duc de Chartres, futur Philippe-Egalité, le prince de Condé et le duc de Penthièvre, qui ont chacun signé l'acte de naissance du dauphin. Toute la famille royale est donc réunie autour de l'héritier tant espéré de la Couronne. Probablement peinte au début de l'année 1782, peu avant le décès de Madame Sophie survenu le 3 mars, l'œuvre est assurément à vocation politique, tout en constituant un précieux moment de vie de cour. L'auteur en est malheureusement anonyme. Tour à tour attribué à Mme Vigée Le Brun, puis à Brun de Versoix, le tableau ne peut être de leur main. Faut-il y reconnaître la manière de Jean-Baptiste André Gautier-Dagoty ? L'idée est séduisante, mais pas totalement convaincante. Aussi la toile demeure-t-elle en quête d'un auteur. X. S.

89

Coffre pour la layette du dauphin

1781
Bâti en hêtre (?), couvert en taffetas de soie peint
H. 48; L. 69; pr. 40 cm

Provenance : Donné en 1860 par Napoléon III au musée des Souverains.
Bibliographie : Barbet de Jouy 1866, p. 185, n° 142; Nolhac 1896, p. 97-98; cat. exp. Versailles, 1927, n° 176; Jallut 1955a, n° 586, pl. XXV; cat. exp. Tokyo 1970, n° 120.

Versailles, musée national des châteaux de Versailles et de Trianon. Inv. V 6171.

Ce coffre passe pour être un présent de la ville de Paris, offert à l'occasion de la naissance du dauphin, le 22 octobre 1781. Il aurait été destiné à contenir sa layette. L'ensemble du décor, peint sur soie, évoque la naissance du prince. Sur le centre du couvercle, le nouveau-né est présenté par les Grâces à la France, assise auprès d'un autel chargé de cœurs. Les armes du jeune prince sont portées par le Temps, alors que de la trompette de la Renommée sort une banderole proclamant *Le Désir de la France*. L'aigle impériale, portée sur un autre écu entouré de fleurs de lis, est couverte de bouquets par des génies. Minerve et Neptune encadrent la scène, dans les airs et sur les flots. Sur le devant du couvercle, des amours enlacent de guirlandes de fleurs les chiffres de Louis XVI et de Marie-Antoinette. Le reste du décor est consacré à la représentation de scènes de réjouissances villageoises encadrées de groupes d'amours partout répandus. L'intérieur est garni de guirlandes de fleurs artificielles.

De tels coffres étaient traditionnellement offerts à l'occasion des naissances et mariages marquant la vie de la famille royale, et l'on peut en rapprocher la mention, à l'occasion de la naissance de la princesse Sophie, le 9 juillet 1786, d'un paiement au sieur Marquant, secrétaire de la Chambre du roi, pour remboursement d'« une corbeille gainée en taffetas blanc, gaze et fleurs, destinées à contenir les dragées présentées à la Reine au cour du baptême de cette princesse » (information communiquée par Ch. Baulez). Traditionnellement, tout ce qui avait trait aux événements touchant la famille royale était en effet pris en charge par l'administration des Menus-Plaisirs.

B. R.

90

Elisabeth Louise Vigée Le Brun
(Paris, 1755 – *id.*, 1842)

Marie Thérèse Charlotte de France (1778-1851), dite « Madame Royale », et son frère le dauphin, Louis Joseph Xavier François (1781-1789)

Huile sur toile
H. 1,32 ; l. 0,94 m
Signé et daté en bas à droite : *L. Le Brun f. 1784*

Provenance : Commandé par Marie-Antoinette, mère des deux enfants ; exposé au Salon en 1785 (n° 85) ; mentionné dans les magasins du musée du Louvre à partir de 1818 ; envoi du musée du Louvre au château de Versailles en septembre 1899.
Bibliographie : Vigée Le Brun 1835-1837, p. 332 ; Nolhac 1908, p. 43, 69 ; Baillio 1982, p. 49-51, n° 13, repr. ; Salmon 2002, p. 229, n° 73, repr. p. 149 ; Salmon 2005a, p. 102, n° 24, repr.

Versailles, musée national des châteaux de Versailles et de Trianon. Inv. MV 3907.

Mme Vigée Le Brun réutilise pour cette œuvre peinte en 1784 la formule du double portrait d'enfants dans un paysage si chère à François-Hubert Drouais au cours des années 1760. La gravure qu'en donna Maurice Blot en 1786 avait d'ailleurs été conçue comme pendant de celle exécutée en 1763 d'après le portrait de Drouais figurant *Le Comte d'Artois et Madame Clotilde* (château de Versailles). Mme Vigée Le Brun s'est très nettement inspirée du tableau de son prédécesseur en adoptant une composition identique. Vêtus de costumes de cour et arborant, pour le dauphin, la croix et le cordon bleu de l'ordre du Saint-Esprit, les enfants royaux s'inscrivent au premier plan et offrent le même geste de tendresse, l'aînée posant sa main gauche sur l'épaule de son frère.

A l'arrière-plan, le paysage est fermé à droite par un lourd tronc d'arbre et s'ouvre à gauche sur une perspective d'allée de treillage. Si les accessoires sont différents, ils relèvent cependant dans les deux tableaux d'une même volonté d'intégration des jeunes enfants à un environnement naturel, s'opposant à l'atmosphère factice de la cour que peuvent encore symboliser les trop riches vêtements. Pour atténuer le sentiment de « représentation » et placer les modèles dans le monde ludique de l'enfance, Drouais avait glissé dans la main du comte d'Artois une poignée d'herbe qui permettait de faire avancer le bouc portant sa sœur. Mme Vigée Le Brun place quant à elle un nid et ses oisillons au centre de sa composition. De plus, le refus d'une pose strictement frontale des modèles permet d'introduire cette note de sensibilité qui connut tant de succès. Madame Royale baisse les yeux avec affection sur son frère qui seul nous regarde.

Au Salon de 1785, le double portrait fut bien accueilli et sous la plume du critique Soulavie on put lire : « La tête de Madame, fille du Roi, est pleine de grâce ; Mme Le Brun y a épuisé son savoir dans l'art des belles physionomies où elle excelle. »

Ainsi qu'elle le mentionne dans la liste de ses œuvres, la portraitiste exécuta en 1789 une réplique de son tableau (anciennement collection Roberto Polo). Tout comme la première version dont on ne sait malheureusement où elle fut exposée dans les appartements de la reine à Versailles ou au Trianon, l'œuvre confirmait le succès de l'artiste auprès des membres de la famille royale. X. S.

La reine et son image

Xavier Salmon

Cinq mois après le décès de Louis XV, Marie-Antoinette confessait à sa mère[1] : « C'est bien à moi de me désoler de n'avoir pu encore trouver un peintre qui attrape ma ressemblance ; si j'en trouvais un, je lui donnerais tout le temps qu'il voudrait, et quand même il ne pourrait en faire qu'une mauvaise copie, j'aurais un grand plaisir de la consacrer à ma chère Maman. »

Le 16 novembre suivant, elle ajoutait[2] : « Les peintres me tuent et désespèrent ; j'ai retardé le courrier pour laisser finir mon portrait ; on vient de me l'apporter : il est si peu ressemblant que je ne puis l'envoyer. J'espère en avoir un bon pour le mois prochain. »

Loin d'abandonner l'idée de satisfaire Marie-Thérèse, Marie-Antoinette cherchait toujours le peintre qui serait en mesure de la peindre avec ressemblance tout en soulignant sa condition de souveraine.

De manière quelque peu surprenante, mais qui témoignait peut-être d'une certaine volonté d'autonomie dans les choix qui la concernaient directement, la reine ne fit pas appel à un artiste de l'Académie pour peindre cette image officielle. L'échec de Duplessis, puis celui, beaucoup plus relatif, de Drouais, expliquaient sans doute une telle décision. Le fait que le portrait paraissait devoir être payé sur la cassette personnelle de la souveraine avait aussi peut-être justifié le recours à un artiste moins onéreux plutôt qu'à un maître au talent reconnu par ses pairs. Dépourvue d'une solide culture picturale, Marie-Antoinette ne fut pas toujours en mesure d'estimer les capacités des peintres sollicités. Souvent, elle s'appuya sur le jugement des autres en exposant les œuvres commanditées dans les lieux publics. Présentée au palais des Tuileries, la toile peinte en 1774 par le chevalier de Lorges qui la dépeignait en Diane au retour de la chasse fut jugée indigne. Exposée dans la galerie des Glaces à Versailles, l'effigie peinte en 1775 par Jean-Baptiste André Gautier-Dagoty « d'après nature conformément aux ordres reçus » (cat. 93) ne suscita pas meilleur accueil. L'artiste s'était pourtant appliqué à respecter les règles qui régissaient le grand portrait de cour depuis la fin du XVIIe siècle, exacerbant même tout l'apparat de la fonction. Mais, piètre portraitiste, son pinceau avait transformé le modèle en une jolie poupée sans âme. Loin de se décourager, Marie-Antoinette persista dans son désir de trouver enfin le maître qui lui donnerait toute satisfaction. Elle était en cela encouragée par sa mère.

Le 16 juin 1777, la reine annonçait à sa mère[3] : « Je me suis mise à la discrétion du peintre, pour autant qu'il voudra, et dans l'attitude qu'il voudra. » Quelques jours après, le 29, Marie-Thérèse lui donnait quelques consignes[4] : « Je voudrais avoir votre figure et habillement de cour, si le visage même ne sera pas si ressemblant. Pour ne vous trop incommoder, il me suffit que j'aie la figure et le maintien, que je ne connais pas et dont tout le monde est si content. Ayant perdu ma chère fille bien petite et enfant, ce désir de la connaître comme elle s'est formée doit excuser mon importunité, venant d'un fond de tendresse maternelle bien vive. »

En février 1779, le grand portrait officiel arriva enfin à Vienne. Il avait été peint par Elisabeth Louise Vigée Le Brun, jeune artiste que son mariage, le 11 janvier 1776, avec le marchand de tableaux Jean-Baptiste Le Brun avait propulsée au-devant de la scène artistique parisienne. D'une physionomie agréable, la portraitiste avait été remarquée par la reine, peut-être à l'occasion de la livraison du portrait du comte de Provence. Les deux femmes avaient le même âge. Mme Vigée Le Brun donna aussitôt toute satisfaction. Du bout de son pinceau, elle sut respecter toutes les conventions du portrait officiel, mais elle réussit aussi à ne rien perdre de la ressemblance tout en adoucissant les traits Habsbourg du visage. Le 1er avril 1779, Marie-Thérèse faisait enfin part de son contentement[5] : « Votre grand portrait fait mes délices ! Ligne a trouvé de la ressemblance ; mais il

1. Lettre du 18 octobre 1774 ; Arneth et Geffroy 1874, II, p. 248.
2. *Ibid.*, II, p. 254.
3. *Ibid.*, III, p. 85.
4. *Ibid.*, III, p. 87.
5. *Ibid.*, III, p. 303.

me suffit qu'il représente votre figure, de laquelle je suis bien contente. »

Marie-Antoinette avait enfin trouvé sa portraitiste. Une estime réciproque mêlée d'admiration présida à leur relation. Le peintre multiplia les portraits, toujours à la plus grande satisfaction de son royal modèle.

Dans le domaine du portrait sculpté, la reine avait été satisfaite dès les premières années de son règne car les œuvres livrées s'étaient généralement imposées par leurs qualités. Agréé le 23 novembre 1771 à l'Académie royale de peinture et de sculpture, Louis Simon Boizot avait été nommé directeur des ateliers de sculpture de la manufacture royale de porcelaine de Sèvres en 1773. Cette nouvelle fonction l'avait conduit à donner fin 1774 le modèle du buste de Marie-Antoinette destiné à être édité en biscuit par Sèvres. Cette première œuvre rendait hommage à la beauté de la jeune reine et à son port altier. Elle connut aussitôt un immense succès et valut à Boizot plusieurs autres commandes. Au Salon de 1775, le sculpteur exposa le buste de la reine avec les attributs de Diane (perdu). La critique en loua la noblesse et la vivacité. La ressemblance ne donnant lieu à aucun commentaire, elle fut sans doute jugée parfaite. En revanche, le nouveau buste présenté par Boizot au Salon de 1781 ne connut pas le même succès (cat. 98). Commandée à l'instigation de Vergennes pour le département des Affaires étrangères à Versailles, l'œuvre se voulait emblématique du portrait royal avec son manteau et son diadème fleurdelisés, sa robe de cour avec manches en « petits bonshommes » de dentelles tuyautées, et sa haute coiffure agencée avec raffinement. Tout juste avait-on trouvé le buste « mesquin de forme », les yeux traités sans esprit et le visage dur et dédaigneux. En 1783, la mauvaise impression laissée par l'œuvre de Boizot s'effaçait lors de l'exposition du portrait sculpté par Félix Lecomte. Tout aussi officielle, l'image présentait une souveraine plus humaine au visage teinté de douceur (cat. 99).

Marquées du sceau de la fonction royale, toutes ces effigies peintes et sculptées de la souveraine obéissaient à des règles et faisaient usage des mêmes accessoires. Au-delà de l'enveloppe charnelle plus ou moins flattée, elles révélaient assez peu de la femme et de ses désirs.

A l'image officielle destinée à être vue du plus grand nombre, Marie-Antoinette décida d'adjoindre une image plus intime destinée à son cercle d'amis et à ses proches. Pour ce faire, elle passa commande à plusieurs petits maîtres de petites toiles, de pastels et de miniatures qui la décrivaient dans des actions moins sacralisées. Elle suivait en cela un goût qui avait été développé non seulement par sa mère Marie-Thérèse, mais aussi par nombre des familles royales et princières d'Europe. Payées sur les cassettes personnelles des commanditaires, ces œuvres ornaient généralement leurs intérieurs ou ceux de leurs proches, soulignant le plus souvent les affinités électives. Elles n'appelaient pas à de grandes considérations esthétiques de la part des amateurs puisque, appartenant à la sphère privée, elles n'étaient généralement pas diffusées par l'estampe. Sur ces images de Krantzinger, Brun de Versoix ou Charles Leclercq, pour ne citer que quelques noms, Marie-Antoinette s'imposait en chasseur, en cavalière, chevauchant parfois comme un homme, ou en mère de famille. Elle gagnait en humanité ce qu'elle perdait en royauté.

91

Nicolas Joseph Voyez, dit Voyez l'Aîné

(Abbeville, 1742 – Paris, 1806)
D'après Nicolas IV de Larmessin
(Paris, 1684 – *id.*, 1753)

Marie-Antoinette, reine de France

Burin et eau-forte
H. 46; l. 35 cm
La lettre indique en bas: *Marie Antoinette. Jos. Jeanne d'Autriche / Reine de France et de Navarre. Née à Vienne le 2 Nov. 1755. / Tiré du Cabinet du Roy d'après le Buste et Modele de Mr. Boizot. A Paris chez Crepy rue St. Jacques à St. Pierre près la rue de la parcheminerie.*

Provenance: Fonds de la famille de Sophie Piper, sœur d'Axel von Fersen.

Linköping, Ostergotlandslansmuseum, château de Löfstad. Inv. ÖLM 1993.

Voyez l'Aîné s'est ici contenté, en novembre 1774, de reprendre la planche que Nicolas IV de Larmessin avait gravée peu avant juin 1727 d'après le portrait de la reine Marie Leszczyńska peint par Jean-Baptiste Van Loo (1684-1745) à la même époque. Il réutilise l'ensemble de la composition, avec le cadre palatial, la console au pied orné d'un dragon ailé, et le somptueux grand habit parsemé de fleurs de lis en fil d'or brodé, et se contente de changer le visage du modèle, substituant à celui de l'épouse de Louis XV celui de Marie-Antoinette. Ainsi que le précise la lettre de la gravure, « le buste et modèle de Monsieur Boizot » a servi de source d'inspiration. Il s'agissait du buste édité en biscuit en deux grandeurs par la manufacture royale de porcelaine de Sèvres dont Louis-Simon Boizot avait donné le modèle à la fin de l'année 1774, soit peu de temps après l'accession de Marie-Antoinette au trône (château de Versailles, inv. MV 7784).

X. S.

92

Attribué à Louis-Simon Boizot

(Paris, 1743 – *id.*, 1809)

Profil de Marie-Antoinette

Marbre
H. 53,5; l. 40; pr. 7 cm
Au verso, inscription gravée: *Marie-Antoinette / josephe-jeanne d'autriche. / Reine de france / 1774.*

Provenance: Anc. coll.; inventorié en magasin au château de Versailles en 1824, 1840 et 1846; inscrit sur les inventaires entre décembre 1938 et décembre 1940; déposé au département des Objets d'art du musée du Louvre en 1974; retour au château de Versailles en 1974.
Bibliographie: Nolhac 1909, p. 132-134, repr.; Stein 1912, repr. p. 106, repr. p. 107; Scherf 2001, p. 87, 240, repr. p. 242; Vandalle 2002, p. 227, n° 68, repr. p. 140; Hoog 2003, p. 262, n° 1194, repr.; Salmon 2005a, p. 76, n° 7, repr.

Versailles, musée national des châteaux de Versailles et de Trianon. Inv. MV 6306.

Longtemps attribué à Augustin Pajou, le profil a récemment été donné à Louis-Simon Boizot. Le sculpteur fut appelé à plusieurs reprises à livrer des effigies de la souveraine, fournissant en particulier les modèles des bustes en biscuit à partir de 1773, date à laquelle il fut nommé directeur de l'atelier de sculpture de la manufacture royale de Sèvres. Ses œuvres se caractérisent généralement par leur réalisme. Daté de 1774, le médaillon ne cherche en rien à tromper la nature. Le profil ne dissimule ni la lèvre inférieure un peu épaisse, appelée lèvre Habsbourg par les contemporains, ni la légère saillie de l'œil exophtalmique, ni le cou portant haut la tête. La jeune reine apparaît dans toute sa réalité physique, mais parée à la dernière mode, la coiffure en « tapé » dégageant son front, relevant ses cheveux et les crêpant de façon à former une auréole autour du visage tout en les laissant lisses à l'arrière de la tête. Comble du raffinement, quelques boucles s'échappent du fragile agencement et tombent délicatement sur le cou, suivant une manière qui connut beaucoup de succès auprès des dames de la bonne société et qui n'était pas proscrite à la cour.

X. S.

93
Jean-Baptiste André Gautier-Dagoty
(Paris, 1740 – *id.*, 1786)

Marie-Antoinette en grand habit de cour

Huile sur toile
H. 1,60 ; l. 1,28 cm

Provenance : Commandé par la reine et présenté dans la galerie des Glaces à Versailles le 27 juillet 1775 ; offert par Marie-Antoinette au prince Georg Adam von Starhemberg en 1777 ; coll. Starhemberg ; don au château de Versailles par le commandant Paul-Louis Weiller en 1954.
Bibliographie : Salmon 1993, p. 98-101, 202-203, repr.

Versailles, musée national des châteaux de Versailles et de Trianon. Inv. MV 8061.

Appartenant à une importante famille de graveurs, Jean-Baptiste André Gautier-Dagoty était le fils de Jacques Gautier. On le surnomma « Gautier Fils », puis, après la naissance de ses frères, « Gautier l'Aîné » ou « Gautier Major ». Chevalier de l'ordre de Saint-Jean-de-Latran, il fut également appelé « le chevalier Dagoty ». Il reçut sa commande la plus importante en 1775 lorsqu'il dut livrer un portrait de Marie-Antoinette. Achevée en juillet 1775, l'œuvre avait été peinte « d'après nature conformément aux ordres reçus ». Elle fut immédiatement présentée à la cour dans la galerie des Glaces à Versailles. Bien que d'un caractère officiel marqué, avec sa profusion de fleurs de lis et la présence du profil sculpté de Louis XVI tenu à l'arrière-plan par Minerve, l'image déplut. Mme Campan s'en faisait encore l'écho au moment d'écrire ses mémoires. Elle indiquait en effet : « Les plus misérables artistes étaient admis à l'honneur de la peindre ; on exposa dans la galerie de Versailles un tableau en pied représentant Marie Antoinette dans toute sa pompe royale. Ce tableau destiné à la cour de Vienne et peint par un homme qui ne mérite pas d'être nommé révolta tous les gens de goût. » Sensible aux reproches suscités par son portrait, la reine décida finalement de ne pas l'envoyer à sa mère Marie-Thérèse, ainsi que cela avait été prévu, mais le conserva et l'offrit en 1777 au prince Starhemberg. **X. S.**

94
Elisabeth Louise Vigée Le Brun
(Paris, 1755 – *id.*, 1842)

Marie-Antoinette en grand habit de cour

Huile sur toile
H. 2,73 ; l. 1,935 m
Signé ou annoté en bas à droite : *M^de LE BRUN : f. a. 22 an*

Provenance : Peint en 1778 pour l'impératrice Marie-Thérèse et envoyé à Vienne en février 1779, le portrait est demeuré dans les collections nationales autrichiennes ; après avoir été agrandi, il a été remis à son format originel en 1972 (une bande de 36 cm a été supprimée en hauteur, une autre de 7 cm en largeur).
Bibliographie : Heinz et Schütz 1982, p. 178-179, n° 152, repr. fig. 261 (avec bibl. détaillée) ; Salmon 2005b, p. 64, 72, 75.

Vienne, Kunsthistorisches Museum, en dépôt à la galerie des portraits au château d'Ambras à Innsbruck.
Inv. 2772.

Fin juin 1777, Marie-Thérèse espérait toujours deux grands portraits de sa fille. Elle lui précisait dans une lettre datée du 29 : « Pardonnez-moi mon importunité pour votre portrait en grand. Mercy reçoit aujourd'hui les mesures pour cela ; le premier sera pour mon cabinet, pour y être avec celui du Roi, mais ce grand sera pour une salle où toute la famille est en grand, et cette charmante Reine ne devrait pas s'y trouver ? Sa mère seule devrait en être privée de cette chère fille ? Je voudrais avoir votre figure et habillement de cour, si le visage même ne sera pas si ressemblant. Pour ne vous trop incommoder, il me suffit que j'aie la figure et le maintien, que je ne connais pas et dont tout le monde est si content. Ayant perdu ma chère fille bien petite et enfant, ce désir de la connaître comme elle s'est formé doit excuser mon importunité, venant d'un fond de tendresse maternelle bien vive. » Au mois de

février 1779, l'une des deux œuvres était enfin envoyée à Vienne. Elle y arrivait « bien endommagée », ainsi que l'impératrice le précisait le 28 à Mercy-Argenteau, mais elle donnait entière satisfaction. Le 1er avril, Marie-Thérèse l'exprimait en ces termes à Marie-Antoinette : « Votre grand portrait fait mes délices ! Ligne a trouvé de la ressemblance ; mais il suffit qu'il représente votre figure, de laquelle je suis bien contente. » Mme Vigée Le Brun, l'artiste qui avait enfin donné satisfaction à la reine de France, était une jeune femme dont le talent et la beauté suscitaient un vif engouement à Paris. En 1776, elle avait été invitée à peindre plusieurs portraits du comte de Provence et, à la même époque, elle avait compté au nombre des artistes chargés par les Bâtiments, au sein de l'atelier du Cabinet du Roi, de copier certaines des effigies royales. A cette occasion, elle s'était probablement fait remarquer et commande lui avait été passée. Son image officielle de Marie-Antoinette respectait une iconographie parfaitement établie. Vêtue d'une superbe robe de cour à paniers en satin blanc et d'une traîne fleurdelisée, la souveraine paraissait dans un décor palatial où l'artiste avait pris soin de figurer le buste de Louis XVI placé sur un haut piédestal sculpté de la figure de la Justice, et de disposer sur la table à proximité la couronne royale, symbole de sa fonction. Mme Vigée Le Brun s'était aussi appliquée à magnifier son modèle, lui conférant cette noblesse et cette grâce que chacun s'attachait à lui reconnaître, et soulignant l'éclat de son teint. Sans rien perdre de la ressemblance, elle avait aussi réussi à adoucir les traits du visage. L'œuvre scellait un destin. Désormais, Elisabeth Louise Vigée Le Brun s'imposerait en portraitiste attitrée de la souveraine. **X. S.**

95

Joseph Fernande

(Bruges, 1751 – *id.*, 1799)

Buste de Marie-Antoinette reine de France

1779
Marbre
H. 80 ; l. 51 ; pr. 38 cm
Signé : *Fernande fec.*

Bibliographie : Vollmer [n. d.], XI, p. 406-407 ; Tietze 1908, p. 130 ; cat. exp. Vienne 1980, p. 190.

Vienne, Bundesmobilienverwaltung, Schloss Schönbrunn. Inv. MD 040236.

Originaire de Bruges, le sculpteur Joseph Fernande étudia à Paris, avant de poursuivre sa formation à Rome en 1771 grâce à une aide financière accordée par Marie-Thérèse. Après son retour dans son pays natal, il devint sculpteur à la cour du gouverneur des Pays-Bas Charles Alexandre de Lorraine, beau-frère de Marie-Thérèse. En 1779, il exécuta à Paris le buste en marbre de Marie-Antoinette, reine de France, puis l'emporta lui-même à Vienne ; il se trouve depuis au château de Schönbrunn.

Il s'agit ici d'un portrait d'apparat, qui présente en même temps des traits réalistes et individualisés. Figurées de face, les épaules, sur lesquelles retombent les boucles de la chevelure, sont presque entièrement dégagées. Sur le châle élégamment drapé, attaché sur l'épaule par une agrafe, sont parsemées des petites fleurs de lis.

Dans la petite galerie du château de Schönbrunn, le buste reçut pour pendant le portrait de la reine de Naples Marie-Caroline, exécuté par le sculpteur belge Charles François Van de Pouke. **E. I.**

96

Louis Auguste Brun, dit Brun de Versoix

(Rolle, pays de Vaud, 1758 – Paris, 1815)

Marie-Antoinette à cheval

Huile sur toile
H. 60 ; l. 66 cm

Provenance : Coll. des descendants du peintre, Charles Louis Auguste Brun-Odier, puis Armand Brun ; don de ce dernier au musée national du château de Versailles en 1912 par l'intermédiaire de la Société des amis de Versailles ; entré le 1er juin 1912.
Bibliographie : Herdt et La Rochefoucauld 1986, p. 99, nº 10, repr. p. 38, fig. 11 (avec bibl. détaillée) ; Salmon 2005a, p. 85-86, nº 12, repr.

Versailles, musée national des châteaux de Versailles et de Trianon. Inv. MV 5718.

Les petits maîtres sollicités à titre privé par Marie-Antoinette se révèlent souvent d'un très grand intérêt, car nombre de leurs œuvres livrent une image plus intimiste de la souveraine, inconcevable dans le cadre d'une commande officielle. Tel est le cas de Brun de Versoix et de ses deux toiles aujourd'hui conservées à Versailles décrivant la reine à cheval. Originaire du pays de Vaud, en Suisse, l'artiste s'était formé auprès de son oncle Antoine Brun, peintre paysagiste, de Pierre Louis de La Rive et de Jens Juel. Après un séjour à la cour de Turin en 1780, il était arrivé à Paris l'année suivante, sans doute avec quelque recommandation auprès des comtesses de Provence et d'Artois, les filles de Victor-Amédée III. Très vite, Brun sut obtenir une position enviée. Accueilli dans l'atelier du Premier peintre Jean-Baptiste Marie Pierre et protégé par le duc de Luynes en son château de Dampierre, l'artiste travailla pour Marie-Antoinette et pour son cercle d'amis, la comtesse Jules de Polignac, la comtesse de Polastron, la princesse de Lamballe et la duchesse de Guiche, devenant même, semble-t-il, sur décision de Louis XVI prise en 1786, directeur spécial de la reine et de Madame Elisabeth dans leurs travaux de peinture. De 1783 date un beau dessin rehaussé de lavis décrivant la reine à cheval (collection particulière). Des mêmes années sont aussi probablement les deux tableaux de Versailles. D'un métier soigné d'esprit nordique tout à fait caractéristique de la manière de Brun de Versoix, ces œuvres célèbrent la souveraine dans une de ses activités de prédilection, l'équitation. Dès son arrivée à la cour de France, Marie-Antoinette avait aimé à

monter ses chevaux anglais. Sa mère, Marie-Thérèse, s'en était inquiétée et lui avait demandé de renoncer à un tel exercice. Les prières avaient été vaines. En mai-juin 1774, le duc de Croÿ relatait comment la reine, charmante et fort aise de l'être, faisait des promenades à cheval dans le bois de Boulogne avec la princesse de Lamballe, remplie de grâce comme elle. Tout Paris y accourait afin de voir comment elle menait supérieurement sa monture (1907, III, p. 118, 125). Les deux œuvres de Brun de Versoix en témoignent et démontrent que la souveraine chevauchait en amazone comme à califourchon, à la manière masculine, position fort inconvenante pour une reine et que le caractère privé du tableau pouvait seul expliquer. X. S.

97
Louis Auguste Brun,
dit Brun de Versoix
Marie-Antoinette à cheval

Huile sur toile
H. 99,5 ; l. 80 cm

Provenance : Coll. Guy de La Rochefoucauld, Paris ; sa vente, Paris, 24 mars 1955, lot 16, repr. ; acquis à cette occasion par la baronne Elie de Rothschild ; don en 2006 au château de Versailles par Mme Elisabeth de Rothschild et ses enfants en souvenir de la baronne Elie de Rothschild.
Bibliographie : Herdt et La Rochefoucauld 1986, p. 99-100, n° 12 ; Salmon 2005a, p. 85, repr. p. 86, fig. 2.

Versailles, musée national des châteaux de Versailles et de Trianon. Inv. MV 9082.

98

98
Louis-Simon Boizot
(Paris, 1743 – *id.*, 1809)
Marie-Antoinette

Marbre
H. 90,5 ; l. 53,6 ; pr. 36 cm

Provenance : Commandé par le secrétaire d'Etat aux Affaires étrangères, le comte de Vergennes, et livré en 1781 ; exposé au Salon la même année (nº 205), puis déposé au ministère des Affaires étrangères à Versailles où il est cité au moins jusqu'en 1787 ; l'historique de l'œuvre est ensuite inconnue, jusqu'à sa réapparition dans la collection d'Alphonse de Rotschild ; par descendance à Edouard et Guy de Rothschild ; vente, Monaco, Sotheby's, 1er juillet 1995, lot 289 ; acquis à cette occasion en faveur du musée du Louvre.
Bibliographie : Picquenard 1996, p. 92-100, repr. ; Picquenard 2001, p. 93-95, nº 14, repr. ; Salmon 2005b, p. 80, 82-84, repr. ; Scherf 2006, p. 70-72, nº 4, repr.

Paris, musée du Louvre, département des Sculptures. Inv. R.F. 4515.

99
Félix Lecomte
(Paris, 1737 – *id.*, 1817)
Marie-Antoinette

Marbre
H. 86 (H. du piédouche : 14) ; l. 50 ; pr. 28 cm
Signé et daté au dos : *LeComte 1783*

Provenance : Sculpté en 1783 et présenté la même année au Salon (nº 238) ; coll. de l'abbé de Vermont, lecteur de la reine ; échangé par l'abbé Leblond fin 1792 ou début 1793 avec le Comité d'instruction publique contre des cartes et des plans ; mis en dépôt à cette même date aux Petits-Augustins (nº 368) ; placé au Louvre en 1818 ; envoyé au château de Fontainebleau le 14 octobre 1828 ; entré au château de Versailles avant 1837.
Bibliographie : Hoog 1993, p. 262, nº 1195, repr. ; Salmon 2005b, p. 85-86, repr.

Versailles, musée national des châteaux de Versailles et de Trianon. Inv. MV 2123.

Tout comme les peintres, les sculpteurs s'appliquèrent à fixer les traits de la souveraine. Louis-Simon Boizot semble avoir été celui qui donna le plus satisfaction puisqu'il fut, de tous, le plus sollicité. Après les modèles du buste de la reine et du groupe de l'Autel royal, livrés en 1774 et édités en biscuit par la manufacture de Sèvres, le maître exposa au Salon de 1775 un nouveau portrait de Marie-Antoinette avec les attributs de Diane (hors livret). L'œuvre fut louée pour son élégance et sa noblesse. En 1781, le maître livrait encore un portrait. A la demande du ministère des Affaires étrangères, il avait sculpté un buste figurant cette fois la souveraine, parée non pas des attributs de la mythologie classique, mais des accessoires de la mode de l'époque. Sous son ciseau, le marbre s'était creusé de perles et de pierreries, de diadème et de fleurs. Image officielle, la reine paraissait avec l'habit de convention, manteau fleurdelisé et doublé d'hermine, les manches en dentelles tuyautées appelées « petits bonshommes », le buste souligné d'une

modestie de dentelles, la perruque enrichie d'un voile et d'une natte. Véritable tour de force, le buste ne connut cependant pas le succès de celui montré au Salon de 1775. La plupart des critiques n'en firent pas mention. Diderot se contenta de louer quelques détails tout en soulignant combien le morceau pouvait être « mesquin de forme » et les yeux faits sans esprit. Le visage avait aussi paru trop dédaigneux.
Deux années après, au Salon de 1783, Félix Lecomte releva à son tour le défi. L'image se voulait tout aussi officielle. Le buste était ceint du manteau royal fleurdelisé, la modestie de dentelles dissimulait le galbe des seins, la haute perruque était enrichie de fleurs maintenues par un ruban, et l'artiste avait suspendu autour du cou de la souveraine un grand médaillon présentant le profil de Louis XVI. Mêmes accessoires, donc, mais pour un résultat différent. Chez Lecomte, toute la morgue de Boizot s'était effacée pour une plus grande douceur. Les *Mémoires secrets* n'avaient pas dissimulé leur plaisir (Fort 1999, p. 275) : « Le sculpteur semble avoir réservé tout l'art, toute la précision, tout le moelleux de son ciseau pour le buste de la Reine, représentée dans son habillement d'apparat. Il est en marbre, et Sa Majesté porte le portrait du Roi en médaillon. On ne peut réunir sur une physionomie, à un plus haut degré, la grâce et la noblesse. Ce buste est bien supérieur à cet égard au double portrait que Mme Lebrun a successivement offert au public de l'auguste souveraine ; et comme c'est ce qui caractérise principalement son air de tête, la ressemblance en est plus parfaite. Cette même grâce, cette même noblesse brillent dans sa coiffure, dont les détails sont d'une délicatesse précieuse. On distingue jusqu'aux racines des cheveux : le reste de l'ajustement est traité avec autant de goût et de vérité. » Lecomte triomphait de Boizot comme de Mme Vigée Le Brun. Pouvait-il espérer plus bel hommage ? X. S.

99

100

Joseph Boze

(Martigues, 1745 – Paris, 1826)

Marie-Antoinette

Huile sur toile
H. 73,5 ; l. 59,5 cm
Signé en bas à gauche : *Boze*

Provenance : En 1955, la toile est citée dans la collection Mame ; elle semble y demeurer jusqu'en 1967 ; vente, Versailles, palais des Congrès, 12 novembre 1967, lot 106 (étude Blache) ; vente, Londres, Sotheby's, 18 avril 2000, lot. 95, repr., où l'œuvre est acquise par l'actuel propriétaire.
Bibliographie : Heraeus 2003, p. 24-25, repr. p. 25, fig. 2 ; Fabre 2004, p. 78-79, n° 21, repr. (avec bibl. détaillée).

Collection de M. Kristen Van Riel.

Joseph Boze compte au nombre de ces maîtres qui s'attachèrent à peindre des portraits de la souveraine sans obtenir une séance de pose du modèle, et qui ne donnèrent pas satisfaction. Peinte en décembre 1784 à la demande de Louis XVI et payée 2 400 livres, sa première effigie de Marie-Antoinette s'inscrivait dans un format ovale et décrivait la reine jusqu'à mi-jambes. Dans ses *Mémoires secrets et universels des malheurs et de la mort de la reine de France* (1838, p. 210), Lafont d'Aussonne révélait que l'œuvre ne fut pas du goût de la reine. Exposée durant seulement vingt-quatre heures dans le salon de la Paix à Versailles, elle fut aussitôt transportée au Garde-meuble. Le portraitiste s'était certainement inspiré de portraits déjà existants, mais sans parvenir à donner satisfaction. Loin de se décourager, début 1785, Boze s'appliqua à peindre au pastel une nouvelle effigie de la souveraine. Le résultat ne fut pas jugé plus heureux, Montucla, le commis des Bâtiments du roi, soulignant combien l'artiste paraissait aussi fort en ressemblance qu'il était faible et peut-être mauvais quant à l'art (Arch. nat., O^1 1918^1).
On peut aujourd'hui, à notre sens, aisément juger du bien-fondé de ce jugement grâce au portrait peint à l'huile de l'ancienne collection Mame. Nous sommes en effet enclin à penser que cette œuvre conserve le souvenir du pastel de 1785. Souvent, Boze s'appliqua à livrer une ou plusieurs versions peintes au pastel et une ou plusieurs versions exécutées à l'huile de ses por-

100

Provenance: Peint en 1785 pour le ministère des Affaires étrangères; offert la même année par Louis XVI au comte Marie Gabriel Auguste de Choiseul-Gouffier (1752-1817); confisqué en 1794 et envoyé au dépôt national de Beaune; plus tard restitué au comte de Choiseul-Gouffier; légué par lui à la comtesse Hélène de Choiseul-Gouffier, née de Bauffremont; après sa mort, acquis par son neveu, le prince Théodore de Bauffremont; en 1915, acquis par Wildenstein, New York; vers 1926, acquis par Edward J. Berwind, New York; Wildenstein, New York; Charles E. Dunlap, New York, vers 1951 et jusqu'en 1962; coll. Roberto Polo, Paris; sa vente, Paris, théâtre des Champs-Elysées, 30 mai 1988, lot 19, repr.; acquis à cette occasion par son actuel propriétaire.
Bibliographie: Baillio 1982, p. 61-64, n° 19, repr. (avec bibl. détaillée).

Collection particulière.

L'image est contemporaine des portraits de Marie-Antoinette en gaulle et de Marie-Antoinette tenant une rose montrés au Salon de 1783 (cat. 228 et 229). Dans la liste de ses tableaux et portraits exécutés avant de quitter la France en 1789, Elisabeth Louise Vigée Le Brun indiquait effectivement qu'elle avait peint en cette même année 1783 quatre exemplaires d'une effigie de la reine en robe de velours, plus quatre autres copies de cette composition. Pour ce nouveau portrait, l'artiste n'avait semble-t-il pas obtenu de nouvelle séance de pose et s'était contentée de reproduire le visage des deux portraits du Salon de 1783, mais en adoucissant encore les traits de la reine. Décrivant une souveraine belle, élégante et cultivée, l'œuvre s'imposa comme le modèle officiel diffusé par le ministère des Affaires étrangères. Superbe, l'exemplaire ici exposé fut offert au comte de Choiseul-Gouffier, ambassadeur de France à Constantinople. Il est cité en août 1785 parmi les nouveaux effets entrés au dépôt des Affaires étrangères, avec une valeur estimée à 1 000 livres (registre des Présents du roi, cité par Baillio 1982, p. 63-64), et, dès le mois de septembre, il est à nouveau mentionné comme ayant été envoyé à Constantinople. Il est fort possible que le portrait ait été signé par Mme Vigée Le Brun *a posteriori*, ce qui expliquerait que la date de 1778 soit erronée. Le 26 mai 1837, l'artiste remerciait effectivement le prince Théodore de Bauffremont de lui avoir montré le tableau (cité *ibid.*). A sa demande, peut-être avait-elle à cette occasion apposé sur la toile signature et date. X. S.

traits des membres de la famille royale. L'effigie Mame fut aussi en son temps une image demandée puisqu'elle inspira à Boze des miniatures avec ou sans variante (Fabre 2004, p. 82-83, fig. 20 et 21). Elle fit aussi l'objet d'une estampe gravée au burin et à l'eau-forte en 1814 par Simon Charles Miger (*ibid.*, p. 80-81, n° 22, repr.). La reine y paraît sans flatterie, le menton assez lourd et le nez légèrement busqué, soit sans les charmes qui, dans les mêmes années, assuraient tant de succès aux œuvres de Mme Vigée Le Brun. L'image s'inspirait peut-être du portrait de la reine peint par Wilhelm Böttner (Ziegenhain, 1752 – Cassel, 1805) lors de son second séjour à Paris en 1784 (Cassel, Staatlichen Museen, inv. 1875. Nr 1280 [GK 897]). Exécutée sans avoir obtenu une séance de pose du modèle, l'effigie du portraitiste allemand présente la souveraine dans une attitude identique à celle utilisée par Boze, les cheveux également piqués des mêmes trois plumes et du même voile de gaze, mais le visage plus flatté. X. S.

101
Elisabeth Louise Vigée Le Brun
(Paris, 1755 – *id.*, 1842)
Marie-Antoinette au livre

Huile sur toile
H. 93,3; l. 74,8 cm
Signé et daté de manière erronée en bas à droite: *L E Vigée Le Brun 1778*
Au verso, inscription de la main du prince Théodore de Bauffremont indiquant: *Ce Portrait de la Reine / est de Mme Le Brun je / l'ai fait rentoiler ayant / un trou que je crois / être un coup de Baionette / dans la première Révolution / de 1789 il est signé par elle / dans le bas avec la / pointe d'un canif comme / elle le fesoit toujours. la Reine / est peinte en 1778* [sic] *lorsque / ma chere et bien aimée femme / et moi nous rachetâmes ce portrait / de la succession de ma Tante Mme / la Comtesse de Choiseul je le / fis voir a Mme Le Brun / qui m'écrivit la lettre ci-jointe. / ce portrait est dans le Salon de ma chère Laurence. / Paris 6 Octobre 1836 / p^ce^ Théodore de Bauffremont.*

Créer des intérieurs raffinés plus que collectionner

Pierre-Xavier Hans

Que ce soit dans son grand appartement et ses cabinets de Versailles ou dans son appartement au château de Saint-Cloud, Marie-Antoinette s'est toujours entourée d'objets d'art.

Pour magnifier sa chambre à Versailles, elle emprunta huit vases en pierre dure aux collections de la Couronne[1], installant sur la cheminée la spectaculaire nef en lapis à la monture en argent doré et or émaillé à tête de requin et figure de Neptune[2] (cat. 118), après quoi elle constitua une garniture en flanquant la nef de deux aiguières en agate jaune à anse en or émaillé surmontée d'une figure féminine[3]. Sur la console de la chambre trônait la nef d'or de Louis XIV[4], accostée de deux grands vases de jade vert[5] (cat. 119). En outre, l'inventaire de 1788 mentionne également dans la chambre quatre bronzes de la Couronne : *Le Rémouleur*, *L'Enlèvement de Déjanire par le centaure Nessus*, un *Cheval* et un *Taureau*[6].

Au-delà du caractère ostentatoire de cette présentation, Marie-Antoinette, du fait peut-être de son éducation, paraissait réellement sensible au pouvoir des œuvres d'art. Convaincue que la magnificence de la reine de France dans sa chambre de parade passait par la présentation d'objets précieux, elle puisa largement dans les collections de Louis XIV.

Tout aussi précieux que les objets étaient les décors dont la reine aimait à s'entourer. Avec le cabinet de la Méridienne situé à l'arrière de sa chambre à Versailles, l'architecte Richard Mique réalisa pour elle une pièce d'exception *(fig. 10)*. Les travaux débutèrent en février 1781 pour s'achever en septembre de la même année. A la petitesse de la pièce, le plus intime des cabinets de la reine, répondent l'élégance et le luxe du décor. Les lambris à décor d'arabesque sont l'œuvre des frères Rousseau, Jules Hugues et Jean Siméon, et ont pour motif des dauphins posés sur des branches de lis, la pièce étant dédiée à la naissance de l'héritier du royaume. L'ornement sculpté des lambris se prolonge sur les panneaux vitrés des deux portes par des bordures de branches de roses – thème de l'amour conjugal – ponctuées de motifs, constituant l'élément le plus extraordinaire de la décoration du boudoir[7] *(fig. 11)*. Si le modèle de ces bronzes revient aux frères Rousseau, c'est à Pierre Gouthière qu'il faut attribuer la fine ciselure et les éléments de serrurerie portant le chiffre de la reine[8]. Tout est perfection, jusqu'au moindre détail. Un premier mobilier doré avait été livré en mai 1781, comportant une ottomane, une bergère et son bout de pied, quatre fauteuils, un tabouret et un écran, recouverts d'une grenadière bleue. La reine, insatisfaite, commanda aussitôt un nouveau meuble très luxueux que Capin livra le 16 octobre 1782, « un meuble de satin blanc brodé en ruban de soie unie[9] ». C'est vers 1784 qu'un troisième meuble fut commandé à Jacob.

 Double page précédente : détail du cat. 108.

Fig. 10
Le cabinet de la Méridienne à Versailles

Fig. 11
Détail des bordures de bronze sur un panneau vitré

1. Alcouffe 1999.
2. *Ibid.*, p. 6, fig. 1 p. 7.
3. *Ibid.*, p. 6, fig. 2 p. 8.
4. Castelluccio 2002, p. 180, fig. 152 p. 111.
5. Alcouffe 1999, p. 8, fig. 3-4.
6. Cat. exp. Paris 1999, n°s 14, 10, 278, 279 ; Arch. nat., O^1 3463, inventaire de Versailles 1788. Egalement dans la pièce des Nobles de novembre 1785 à octobre 1786, les deux groupes en bronze de Michel Anguier dits « chenets de l'Algarde », actuellement conservés à la Wallace Collection à Londres ; cat. exp. Paris 1999, n°s 297 et 298.
7. Jallut 1964, p. 315-316.
8. Baulez 1986, p. 570-571.
9. Jallut 1964, p. 319 ; Verlet 1985, p. 587.

Dans ce très beau cadre étaient disposés des objets d'art appartenant principalement à la souveraine. L'Etat des pièces que Lignereux[10] emporta de l'appartement de la reine à Versailles le 10 octobre 1789 décrit ainsi sur la cheminée une exceptionnelle combinaison de sept pièces[11]. Au centre se dressait la coupe de jaspe rouge et blanc montée par Pierre Gouthière, acquise en 1782 par la reine à la vente du duc d'Aumont[12]. On pouvait particulièrement admirer la paire d'aiguières en porcelaine de Chine montées en bronze (cat. 143) et un vase de sardoine[13]. En septembre 1781, Riesener avait fourni une console de marqueterie aux bronzes somptueux simulant des draperies et passementeries, un travail aussi précieux que la broderie du satin blanc[14]. En 1781 également, le bronzier Claude Jean Pitoin avait livré deux paires de bras de lumière à deux branches composés d'un thyrse autour duquel s'enroule une branche de vigne, avec deux cornes d'abondance attachées par un nœud de ruban[15]. Ces bronzes, atteignant la perfection de la joaillerie et reflétant l'exigence de beauté et de luxe qui était celle de la reine, achevaient de transformer ce qui était somme toute un intérieur en une œuvre d'art totale.

A sa mort, survenue en novembre 1780, l'impératrice Marie-Thérèse légua à sa fille un ensemble de cinquante boîtes en laque que Marie-Antoinette décida de présenter dans son grand cabinet intérieur, principale pièce de son appartement privé[16]. Cette collection conduisit la reine à créer par étapes successives son intérieur d'art le plus exceptionnel. Lorsque le legs parvint à Versailles, en mai 1781, le grand cabinet intérieur possédait un meuble de lampas broché, fond satin avec médaillons appliqués en soie, décor en arabesques, à la palette très colorée[17] (cat. 168). Dès juillet 1781, Riesener livrait deux encoignures de laque à tablettes[18]. Quatre mois plus tard, en novembre, l'ébéniste livrait une châsse en laque et bronze doré, vitrine destinée à présenter l'impressionnante collection de boîtes en laque de la reine[19]. Le même mois, la Savonnerie livrait un tapis fond blanc à décor d'arabesques et de guirlandes de fleurs avec un parasol chinois dans les angles[20]. Enfin, très logiquement, Riesener, en février 1783, se voyait commander un secrétaire, une commode et une encoignure de vieux laque, qui furent livrés à Versailles le 30 août de la même année[21] (voir *fig. 23 et 24*). Les meubles en laque constituaient à l'époque le summum pour un ébéniste et l'époustouflante exécution des bronzes les métamorphosait en objets d'art. Le 2 novembre 1784, le marchand-mercier Daguerre livrait l'exceptionnelle table à écrire en laque, bronze doré et acier exécutée par Weisweiler[22], autre meuble extraordinaire (cat. 141).

Enfin, Marie-Antoinette décida de lambrisser l'intégralité de son grand cabinet intérieur, futur cabinet doré *(fig. 12)*. Fin 1783, les frères Rousseau sculptèrent un décor antiquisant avec pour motif principal deux sphinges flanquant une Athénienne brûle-parfum *(fig. 13)*. Marie-Antoinette avait choisi un cadre en accord avec les laques par la subtilité du relief, du modelé et de la matière dorée. Douée d'un goût très sûr et versatile, la reine allait par la suite modifier cette harmonie. Dès 1788, l'encoignure en laque était à Paris, tandis que la commode et le secrétaire rejoignaient le château de Saint-Cloud en avril[23], et l'on avait substitué un mobilier d'acajou à la riche ornementation de bronze doré[24].

Les inventaires révolutionnaires révèlent l'existence de plus de cent quarante objets appartenant à la reine, tant en cristal de roche, bois pétrifié ou pierre dure qu'en porcelaine et laque[25]. La collection de laques a dicté l'agencement et le décor intérieur du grand cabinet intérieur de la reine. Celle-ci prit soin d'associer des objets de matières différentes et, par ailleurs, distingua plusieurs objets montés en or, très certainement créés à son intention. Au centre de la cheminée se trouvait la vasque de jade vert qualifiée de « tombeau » dans les inventaires, avec monture à coqs et amours, sur un socle octogonal composé de plaques de jaspe sanguin[26] (cat. 121). Ce tombeau de jaspe fleuri était flanqué de coupes d'agate orientale et de deux girandoles « avec trois figures de porcelaine de Japon[27] ».

Sur la première des quatre tables au plateau de bois pétrifié étaient présentées des pièces de porcelaine de Chine bleue. Sur la table située à gauche se trouvait le coffret en agate à protomés de lion, créé pour Marie-Antoinette en 1786-1787[28]. Il côtoyait les deux impressionnantes boîtes zoomorphes de la

Fig. 12
Le cabinet doré à Versailles

Fig. 13
Détail du décor mural du cabinet doré : l'athénienne flanquée de deux sphinges.

collection de laques de la reine : le coq (cat. 137) et le petit chien[29]. La troisième table rassemblait de très belles boîtes en laque montées, dont celle à monture à la chinoise[30]. La quatrième table offrait des cristaux de roche et des cornalines. Sur la cage aux laques se trouvait la cassolette, coupe couverte en agate montée en or en 1784-1785[31]. Les autres laques étaient exposés sur neuf tablettes disposées en gradins dans la vitrine.

L'appartement de Marie-Antoinette au château de Saint-Cloud, tel que la reine le découvrit au printemps 1788, est celui qui illustre le mieux le degré de raffinement atteint. Mique et Thierry de Ville-d'Avray, commissaire général des Meubles de la Couronne, s'y étaient surpassés. Les meubles, confiés aux plus grands artistes, présentaient une splendide harmonie avec le décor des pièces. De plus, plusieurs œuvres, parmi les plus réussies et les plus emblématiques du goût de la reine, avaient été envoyées à Saint-Cloud en provenance d'autres résidences[32]. Dans la chambre au décor textile de pékin fond blanc peint à petites figures chinoises et vues champêtres très colorées se dressait le somptueux mobilier d'apparat de bois doré exécuté par Sené (cat. 152), à discours ornemental antique de frise de palmettes, pieds en carquois pour les sièges, sphinges ailées ornant le lit et l'écran de chemi-

10. Lignereux, collaborateur de Daguerre, le célèbre marchand-mercier, à qui avait été confiée la mission de mettre en sécurité les objets d'art privés de la reine.
11. Baulez 2001b, p. 38 ; *L'Intermédiaire* 1908, col. 884.
12. Alcouffe 1999, p. 10 ; Baulez 2001b, p. 38, fig. 12 ; Wallace Collection, Londres, inv. F 292.
13. Alcouffe 1999 ; Baulez 2001b.
14. Verlet 1990, n° 22, p. 94-95.
15. Fondeur Feloix, modèle par Claude Jean Pitoin, J. P. Getty Museum, inv. 99.DF.20.
16. Kopplin 2001, p. 45.
17. Le 20 décembre 1779, Capin livrait le meuble, les soieries exécutées à Lyon par Jean Charton d'après des dessins de l'architecte Gondoin.
18. Wolvesperges 2000, p. 354 ; Baulez 2001b, p. 31.
19. *Ibid.*
20. *Ibid.*
21. Baulez 2001b, p. 32 ; Wolvesperges 2000, p. 354 ; commode et secrétaire conservés à New York, The Metropolitan Museum of Art, inv. 20-155.12 et 20-155.11 ; Verlet 1963, n° 28, p. 158-160.
22. Paris, musée du Louvre, inv. OA 5509 ; Alcouffe *et al.* 1993, n° 97.
23. Baulez 2001b, p. 34.
24. *Ibid.*
25. Tuetey 1916, p. 286-319 ; *L'Intermédiaire* 1908 ; Ephrussi 1879.
26. Monture, ateliers de Rémond pour Daguerre : Baulez 2001b, p. 36, Alcouffe 1999, p. 11.
27. *L'Intermédiaire* 1908, col. 881 ; Baulez 2001b, p. 37.
28. Alcouffe 1999, p. 13 ; Baulez 2001b ; monté en or par les bijoutiers Drais et Ouizille en 1786-1787.
29. Kopplin 2001, n°s 56-57.
30. Baulez 2001b.
31. Alcouffe 1999, p. 12.
32. Austin Montenay 2005, p. 95, 97-98.

Fig. 14 et 15
Photographies par A. Schneider de la chambre de Napoléon III à Saint-Cloud avant 1870, ancienne chambre de Marie-Antoinette.

née[33] *(fig. 14 et 15)*. Une exceptionnelle commode d'acajou à la très riche ornementation de bronze doré prenait place dans la pièce, ainsi que deux tables à dessus de bois pétrifié, montées en bronze doré[34]. Les pieds en gaine enrichis d'une figure de femme drapée dans le style égyptien répondaient au décor de la cheminée en marbre blanc, avec ses chambranles ornés de femmes en gaine.

Dans le cabinet de toilette, le mobilier livré en 1788 comprenait une sultane – lit de repos –, une bergère, un tabouret de pied à éperon, un écran et quatre fauteuils (cat. 156). Le lit de repos et la bergère possèdent des consoles d'accotoir en cariatides égyptiennes[35]. Marie-Antoinette avait brodé le basin des Indes fond blanc de petits bouquets de couverture. Dans ce même souci de sélectionner le meilleur était retenue la très belle table mécanique de Riesener à panneau à mosaïque, livrée en 1781 pour le grand cabinet intérieur à Versailles[36] *(fig. 16 et 17)*. L'excellence du travail apparaît également dans les bras de lumière exécutés par Pierre François Feuchère, bras à trois branches en arabesque aux colombes et à l'amour[37] (cat. 160).

Dans le cabinet intérieur prenait place un meuble de « damas bleu de ciel » rebrodé en point de chaînette. On y retrouvait la commode et le secrétaire en armoire en laque du Japon aux bronzes d'une extrême richesse, certainement plus à leur aise dans cette pièce à quatre croisées, et également sur fond de boiseries à arabesques blanc et or. Avec ces deux meubles dialoguait la table à écrire de Weisweiler, livrée en 1784 à Versailles[38]. Il en allait de même du « guéridon de forme ronde, le dessus en nacre de perles rapportées[39] ». Avec les fenêtres drapées d'écharpes à retroussis bordées de glands, torsades et jasmins du même damas bleu de ciel brodé au point de chaînette, et les rideaux confectionnés en gros de Tours bleu[40], les étoffes complétaient la très grande élégance de cette décoration. L'utilisation de superbes décors textiles était une constante chez la reine, dont Pierre Verlet a souligné le goût « tapissier » à Versailles comme à Trianon[41].

Marie-Antoinette se plaisait dans ces intérieurs associant meubles et objets d'art d'un même luxe. Le récolement du château de Saint-Cloud établi en ventôse an II révèle la présence dans un placard du cabinet de la reine d'une dizaine d'objets d'art[42]. L'Extrême-Orient y était bien représenté, avec des porcelaines céladon du Japon et de Chine. On découvrait également une coupe en jade sur un socle en

Fig. 16 et 17
Table mécanique exécutée par Riesener en 1781, vue fermée et ouverte. New York, The Metropolitan Museum of Art. Inv. 49.7.117.

jaspe rouge dont seul subsiste le socle[43] (cat. 125), très certainement exécutée pour la reine, ainsi qu'une paire de cuves antiques en porphyre vert[44].

Enfin, le placard renfermait deux garnitures de trois vases en porcelaine de Sèvres acquises par la reine pour Versailles puis envoyées à Saint-Cloud. La première se composait de vases en forme d'œuf à décor de scènes chinoises sur fond blanc, achetée en 1776 et à Saint-Cloud en 1785[45] (cat. 145), la seconde de vases à fond rose œil-de-perdrix avec les trois Grâces et Vénus dans les réserves, le décor propre à Sèvres imitant les bijoux et les perles[46] *(fig. 18)*.

En dehors de ses grandes résidences officielles, Marie-Antoinette ordonna en 1786 le remeublement de son château de Trianon, qu'elle entreprit par les deux pièces réservées à son usage personnel. Pour le cabinet des Glaces mouvantes, Jean Siméon et Jules Hugues Rousseau exécutèrent en 1787, sous la direction de Mique, un décor arabesque à fond bleu et sculpture en blanc, toujours dans le même style gracieux et somme toute conservateur de Mique qu'appréciait tant la reine *(fig. 19)*. C'est probablement sur les dessins de l'ornemaniste Dugourc, dessinateur du Garde-meuble de la Couronne en 1784, que le Garde-meuble de la reine commanda le nouveau mobilier du boudoir au menuisier Georges Jacob, de même que la conception du splendide meuble du boudoir de pou de soie bleu, tout entier recouvert de broderies et de dentelles en soie blanche. Des broderies et des franges en

33. *Ibid.*, p. 102 ; Meyer 2002, n° 6, p. 41-45.
34. Inventaire de Saint-Cloud, an II, f° 136-2 n° 2126, f° 137 n° 2137, archives du musée du Louvre, ms 37.
35. Lit de repos et bergère, New York, The Metropolitan Museum of Art, inv. 41.205.1 et 41.205.2 ; Verlet 1994, n° 39, p. 244-251.
36. New York, The Metropolitan Museum of Art, inv. 49.7.117 ; Verlet 1994, n° 19, p. 166-169.
37. Mabille 1999, n° 85, p. 166.
38. Voir note 25 ; Inventaire Saint-Cloud, ventôse an II, f° 142 n° 2177 ; Verlet 1945, n° 13, p. 30-31, pl. XVI.
39. Inventaire de Saint-Cloud, an II, f° 142-2 n° 2178 ; Wolvesperges 2000, p. 357.
40. Inv. Saint-Cloud, an II, f° 141 n° 2170.
41. Verlet 1985, p. 597.
42. Baulez 1978, p. 370 ; archives du musée du Louvre, ms 37.
43. Alcouffe 1999, p. 13-14.
44. Baulez 1978, p. 371 ; Alcouffe 1999, n° 132, p. 263 ; inv. Saint-Cloud an II, f° 129, n° 2039.
45. Baulez 1985, n° 92, p. 164 ; Anciens et Nouveaux. Choix d'œuvres acquises par l'État de 1981 à 1985 ; inv. Saint-Cloud, an II, n° 2041 ; Versailles, inv. V 5225.
46. Eriksen et Bellaigue 1987, n° 148, p. 339-340 ; conservée à la Huntington Library, San Marino ; inv. Saint-Cloud, an II, n° 2040.

Fig. 18
Garniture de trois vases de Sèvres à fond rose et scènes mythologiques. San Marino (Californie), Huntington Library.

Fig. 19
Le cabinet des « Glaces mouvantes » : ces glaces peuvent être remontées pour masquer les fenêtres, ou coulisser au niveau inférieur.

Fig. 20
La chambre de Marie-Antoinette à Trianon.

perles et soie accompagnaient les rideaux des fenêtres comme des glaces, consacrant le luxe de drapés qui enthousiasmait tant Marie-Antoinette[47].

C'est encore à Dugourc que l'on doit très certainement l'extraordinaire intérieur de la chambre de la reine *(fig. 20)*. En 1787, Marie-Antoinette commanda un nouveau mobilier dans le genre pittoresque pour prolonger vers l'intérieur les jardins de Trianon. Un décor de vannerie court sur le mobilier de Jacob sculpté de lierre, de jasmin, de muguet et d'épis de blé. Desfarges de Lyon broda en laine la couverture en basin de coton, probablement sur des dessins de Dugourc. Les bronzes d'ameublement qu'exécuta Thomire en 1788 reprennent le motif du treillage comme l'exceptionnelle ébénisterie que livra Schwerdfeger.

Le caractère spectaculaire de cet intérieur résultait de son unité, de sa parfaite adéquation avec les lieux et de sa conception autour de la double idée du pittoresque et de la nature, le tout traité pour un château de campagne. A Trianon, tout restait dans le registre de la décoration, une décoration d'une qualité remarquable exprimant le raffinement du goût de la commanditaire, la reine de France.

47. Baulez 1977, p. 26 ; Dugourc avait utilisé cette technique dans ses imitations de mousselines brodées ou autres en papier peint ou encore dans ses soieries tissées à Lyon.

102

Anonyme, d'après Pompeo Batoni
(Lucques, 1708 – Rome, 1787)

L'Archiduchesse Marie-Amélie et l'archiduc Ferdinand de Parme avec leurs enfants

1776
Gouache sur parchemin
H. 29 ; l. 34 cm (cadre : H. 40 ; l. 45 cm)

Bibliographie : Barta 2001, p. 102 *sq.*

Vienne, Bundesmobilienverwaltung-Hofmobiliendepot Möbel Museum, Inv. MD 038326.

De nombreuses lettres de Marie-Thérèse à ses enfants révèlent qu'elle se faisait régulièrement envoyer des portraits récents de ses descendants dispersés aux quatre coins de l'Europe. Dans ces portraits d'enfants, c'était le « maintien » qui prévalait à ses yeux sur la fidélité des traits. La gouache présentée ici est l'une des sept miniatures accrochées dans l'appartement de la souveraine à la Hofburg. Toutes exécutées entre 1773 et 1776, elles représentent les familles de tous ses enfants mariés en Italie. Elles ont en commun leur format relativement réduit et l'évocation intimiste de la vie privée à la cour, avec les enfants accompagnés de leurs jouets. On observe une nette retenue quant aux signes distinctifs d'une famille régnante. Les aspirations politiques de Marie-Amélie, mariée à Ferdinand de Parme, n'étaient pas conformes à la politique de sa mère ; elle était par ailleurs très malheureuse en ménage. Marie-Thérèse refusa catégoriquement d'accéder à son désir de revenir à la cour impériale. De même, elle interdit à ses frères et sœurs d'entretenir toute correspondance avec Marie-Amélie. I. B.

103

Anonyme, d'après Johann Zoffany
(Francfort, 1733 – Strand-on-the-Green, 1810)

Le Grand-duc Léopold de Toscane avec sa famille

Après 1776
Gouache sur métal
H. 34 ; l. 40 cm (cadre : H. 54 ; l. 57 cm)

Bibliographie : Barta 2001, p. 102 *sq*.

Vienne, Bundesmobilienverwaltung-Hofmobiliendepot Möbel Museum. Inv. MD 038334.

Cette gouache fait elle aussi partie des portraits familiaux accrochés dans l'appartement de l'impératrice à la Hofburg. Ce portrait du grand-duc Léopold, qui régnait sur la Toscane, est une copie de la peinture monumentale de Johann Zoffany commandée par Marie-Thérèse en 1776. Dans le tableau, les personnages étaient représentés en costumes historicisants ; dans la miniature, en revanche, le grand-duc porte l'uniforme de son régiment, avec l'ordre de la Toison d'or et l'ordre de Marie-Thérèse, tandis que ses enfants sont vêtus à la mode en vigueur autour de 1780. L'arrière-plan montre un détail du jardin du palais Pitti, à Florence. Les deux fils aînés de Léopold – François (futur empereur d'Autriche) et Ferdinand – sont spécialement mis en valeur à droite de l'image. Marie-Thérèse exigeait de ses enfants une nombreuse descendance, thème récurrent de ses lettres. Elle craignait que la famille des Habsbourg-Lorraine ne s'éteignît à l'instar de la maison de Habsbourg avec son père l'empereur Charles VI. Léopold et Marie-Louise donnèrent naissance à dix-huit enfants.

La gouache est entourée d'un très beau cadre à décor floral en marqueterie de pierres dures. Comme son père François Etienne de Lorraine, Léopold encouragea les ateliers de lapidaires florentins. A l'époque de Marie-Thérèse, un salon de la Hofburg fut décoré d'une série de tableaux en pierres dures exécutés à Florence. **I. B.**

104

Charles Leclercq

(Bruxelles, 1753 – *id.*, 1821)

La Comtesse d'Artois et ses enfants

Huile sur toile
H. 47 ; l. 39 cm

Provenance : Peut-être s'agit-il du tableau de la vente Oger de Bréard, amie de sir Richard Wallace, organisée à Paris du 17 au 22 mai 1886 (lot 72, huile sur toile, 45 × 38 cm, adjugé 1 380 francs) ; vente, Monaco, Sotheby's, 2-3 décembre 1988, lot 664 (comme de Jean-Baptiste Gautier-Dagoty), repr. ; acquis à cette occasion pour le château de Versailles.
Bibliographie : Salmon 2003, p. 185-186, repr.

Versailles, musée national des châteaux de Versailles et de Trianon. Inv. MV 8572.

Appartenant à une famille de peintres, Leclercq embrassa la même carrière. Une pension allouée par Charles Alexandre de Lorraine, gouverneur général des Pays-Bas autrichiens, lui permit de compléter sa formation, en premier lieu à Paris, où il est cité en 1777 et où il peignit un portrait de Madame Elisabeth dont il fit hommage à son protecteur. Fin 1777, le jeune maître était à Rome. En 1781, sur le chemin du retour, il séjourna à Turin, où il fut appelé à travailler pour la cour. En 1783, et de 1787 à 1790, Leclercq exerça à nouveau ses talents à Paris. Après 1790, il regagna Bruxelles, où il résida jusqu'à son décès. A Paris comme à Turin, il connut le succès en peignant des petits portraits décrivant dans un métier porcelainé certains des membres des familles régnantes. De petites dimensions,

ces œuvres figuraient les modèles en pied dans de précieux intérieurs néoclassiques inventés par l'artiste. Payées sur les cassettes personnelles et par conséquent difficiles à documenter, elles répondaient parfaitement au goût des commanditaires, qui aimèrent à les échanger où à les offrir à ceux et celles qu'ils désiraient honorer ou remercier.
Caractéristiques de la manière précieuse de Leclercq, les portraits de Marie-Antoinette et de la comtesse d'Artois accompagnées de leurs enfants firent chacun l'objet d'au moins deux versions. Les identités des enfants et leurs âges permettent de dater les œuvres de 1783. Respectivement nés à la fin de 1778 et en octobre 1781, Madame Royale et le premier dauphin accompagnent leur mère Marie-Antoinette. Née en 1776 et décédée en 1783, Mademoiselle d'Artois est encore représentée en compagnie de ses frères, Louis Antoine, né en 1775, et Charles Ferdinand, né en 1778. X. S.

105

Charles Leclercq

(Bruxelles, 1753 – *id.*, 1821)

Marie-Antoinette et ses enfants

Huile sur toile
H. 46 ; l. 38 cm

Provenance : Très certainement offert par la comtesse de Provence au marquis Raymond Pierre de Béranger (1733-1806), comte du Gua, brigadier des armées du roi en 1776, commandant du régiment d'Ile-de-France, chevalier d'honneur de Madame la dauphine et de Madame la comtesse de Provence, époux en 1755 de Marie-Françoise Camille de Sassenage (1738 – 1812-1813), fille de Charles François, marquis de Sassenage, comte de Montellier, lieutenant général en Dauphiné, chevalier des ordres du roi, chevalier d'honneur de Madame la dauphine ; l'œuvre est ensuite demeurée dans leur descendance.
Bibliographie : Salmon 2003, p. 183-184, repr.

Sassenage, château de Sassenage, Conseil international de la langue française.

106

Lié Louis Périn-Salbreux
(Reims, 1753 – Paris, 1817)

Portrait de Madame Sophie, dit « La Petite Reine »

Huile sur toile
H. 64,5, l. 54 cm

Provenance : Acquis de la galerie Wildenstein en février 1923.
Bibliographie : Jallut 1955b, p. 29, repr. p. 30, fig. 14.

Reims, musée des Beaux-Arts. Inv. 923.3.

Depuis longtemps, on s'est attaché à reconnaître Marie-Antoinette sur la toile de Reims et l'œuvre est passée à la postérité sous le titre de *La Petite Reine*. Il n'est pas un ouvrage, pas un article, pas une exposition où le portrait n'ait pas été considéré comme une image de la souveraine. En 1955, Marguerite Jallut avançait qu'il avait été peint en 1778 lorsque Périn-Salbreux était venu à Paris, et que ce maître s'était probablement inspiré d'une œuvre légèrement antérieure puisque la bibliothèque où paraissait le modèle était celle qui, en 1777, avait laissé place au billard de la reine, au second étage du château de Versailles. Or, aujourd'hui, une conclusion s'impose. *La Petite Reine* de Reims ne représente pas Marie-Antoinette. Plusieurs indices nous conduisent à le penser. En premier lieu, les collègues du musée de Reims nous ont confirmé que la dame avait les yeux de couleur marron-vert. Ce qui, bien évidemment, interdit d'y reconnaître la reine, qui avait les yeux bleus. D'autre part, Christian Baulez a souligné que la pièce représentée n'était pas la bibliothèque de la reine au second étage à Versailles, mais celle créée pour Madame Sophie, fille de Louis XV et tante de Louis XVI, au rez-de-chaussee du corps central. La pièce ouvrait sur la cour de marbre et se trouvait juste sous la chambre d'apparat de

Louis XIV. Appelée « bibliothèque de stuc », elle fut occupée par Madame Sophie jusqu'à sa mort en 1782, et elle est documentée par de nombreux plans et projets pour son décor et son pavement conservés aux Archives nationales à Paris. Cet indice nous semble déterminant et permet, à notre sens, d'identifier enfin la « petite reine » comme étant Madame Sophie. En 1776, Périn-Salbreux avait été appelé à peindre Madame Adélaïde dans son intérieur (*fig. 106 a*). L'artiste avait également introduit dans cette composition un portrait de Madame Victoire. Dans les mêmes années, il représentait aussi, suivant un parti identique, la comtesse d'Artois ou Madame Elisabeth (Paris, musée Cognacq-Jay, inv. J 110, B. 103). Bien que de dimensions très légèrement supérieures, le tableau de Reims leur est certainement exactement contemporain. Madame Cinquième, ainsi que l'on avait surnommé Madame Sophie, y paraît avec ses yeux marron dans sa quarante-deuxième année. Comme de nombreuses dames de condition de cet âge, elle porte le bonnet des dames mûres et une palatine de dentelles qui dissimule sa gorge. Le visage encore jeune et fort peu caractérisé, vêtue d'une robe d'une grande élégance et installée dans un intérieur raffiné, Madame Sophie pouvait très légitiment être confondue avec la reine. Justice lui est aujourd'hui rendue. **X. S.**

Fig. 106 a
Lié Louis Périn-Salbreux
Madame Adélaïde écrivant à son bureau
Versailles, musée national des châteaux de Versailles et de Trianon. Inv. MV 9085.

107

Anne Vallayer-Coster
(Paris, 1744 – *id.*, 1818)

Vestale couronnée de roses et tenant une corbeille de fleurs

Huile sur toile
H. 40; l. 31,5 cm
Signé et daté à droite: *Mlle Vallayer / 1779*

Provenance: Vente, Paris, galerie Georges Petit, 21 avril 1921, lot 22, repr. (adjugé 44 000 francs); coll. Victor Bessereau en 1926, où il était considéré comme un portrait de Madame Elisabeth; vente, Paris, hôtel Drouot, Mes Ader, Picard, Tajan, 16 juin 1987, lot 69, repr.; acquis à cette occasion par son actuel propriétaire.
Bibliographie: Roland Michel 1970, p. 211-212, n° 320, repr.; Kahng et Roland Michel 2003, p. 19, 212, n° 56, repr.

Collection particulière.

Au Salon de 1779, Mme Vallayer-Coster exposa sous le numéro 102 une *Vestale couronnée de roses et tenant une corbeille de fleurs*. Le livret précisait alors que le petit tableau, de forme ovale, appartenait à la reine. L'œuvre de l'artiste comprend effectivement plusieurs toiles décrivant une vestale. Deux d'entre elles sont signées et datées de 1779 et peuvent, l'une comme l'autre, avoir été le tableau en possession de Marie-Antoinette.
La première (Kahng et Roland Michel 2003, p. 211, n° 53, repr.) est une réduction en buste d'une composition plus ambitieuse datée de 1778 figurant une vestale presque en pied, avec à ses côtés un autel portant un buste sculpté de Vesta où l'on s'est attaché à reconnaître Marie-Antoinette (*ibid.*, p. 211, n° 50, repr.). Si l'on accorde quelque crédit à une étiquette ancienne collée sur son châssis, cette réduction aurait appartenu à M. Accoyer, chevalier de la Légion d'honneur, gentilhomme servant auprès de Monsieur, frère du roi. Lors de la récente rétrospective dévolue à Vallayer-Coster, cette œuvre avait été présentée comme celle exposée au Salon de 1779 ayant appartenu à la reine.
La seconde vestale, celle ici exposée, offre des dimensions tout à fait similaires à la première et présente un modèle féminin presque identique, mais en contrepartie. Sa provenance ancienne nous échappe, mais n'exclut pas pour autant qu'il ne puisse s'agir du tableau royal.
De petites dimensions et d'un métier porcelainé, les deux vestales répondent parfaitement au goût de Marie Antoinette pour la peinture. Aussi Mme Vallayer-Coster n'avait-elle pas hésité à lui faire hommage de l'une de ses compositions. Pour l'artiste, il s'agissait de manifester sa reconnaissance à la souveraine après que celle-ci lui eut apporté sa protection et permis ainsi d'obtenir en avril 1779 un logement au Louvre. **X. S.**

108

Jean Henri Riesener

(Gladbeck, près d'Essen, 1734 – Paris, 1806)

Maître en 1768

Commode de la chambre de Marie-Antoinette à Marly, en 1782

Placage de satiné, amarante, sycomore ; bronzes dorés
Marques : estampille de Riesener ; *N° 3151*
(numéro du journal du Garde-meuble de la Couronne) ;
M 84 (inventaire de Marly)
H. 90 ; l. 135,6 ; pr. 56,5 cm

Provenance : Livrée pour la reine à Marly le 28 mars 1782 ; déposée au Garde-meuble à Paris en 1793 ; placée au ministère de la Guerre durant tout le XIXe siècle ; envoyée au musée du Louvre en 1895 ; affectée à Versailles en 1957.
Bibliographie : Verlet 1945, n° 10 ; Jallut 1955a, n° 718 ; Verlet 1956, p. 127, pl. XVIII ; Verlet 1990, n° 24 ; Castelluccio 1996, p. 140-141.

Versailles, musée national des châteaux de Versailles et de Trianon. Inv. V 3759.

Cette commode à cinq panneaux marquetés de mosaïque à fleurs fut livrée le 28 mars 1782 par Jean Henri Riesener, l'ébéniste officiel du Garde-meuble de la Couronne pour la chambre de la reine au château de Marly. Durant l'hiver 1780-1781, l'entresolement de la chambre, une pièce d'angle à quatre fenêtres, occasionna la refonte totale du décor et nécessita la commande d'un nouveau mobilier (Castelluccio 1996, p. 134). La menuiserie revint à François Foliot, les bois sculptés certainement à Toussaint Foliot, avec un décor de fleurs et rubans, et des bois simplement peints en blanc. Claude François Capin livra le meuble de basin peint, le 15 avril 1782 (*ibid.*, p. 138). Cette commode fut portée simultanément avec une seconde (Louvre) installée dans le cabinet intérieur de la reine, en fait le cabinet attenant. Pourtant, cette dernière commode rejoignit la première dans la chambre de la reine dès 1783 pour y rester jusqu'à la Révolution. Les deux commodes présentent quelques différences qui sembleraient indiquer qu'elles n'avaient pas, à l'origine, vocation à fonctionner en pendants.

On admire la splendide marqueterie ombrée de Riesener, caractéristique de la manière du grand ébéniste, réalisant une sorte de treillage, les losanges ponctués d'un soleil et reliés ici par des cercles. Pourtant, c'est bien au niveau du travail spectaculaire des bronzes que l'on doit reconnaître une commande spécifique pour la reine. Ceux-ci, d'une très grande finesse, à la ciselure époustouflante, relèvent davantage de l'orfèvrerie que des bronzes d'ameublement. La dorure des bronzes, exécutée par François Rémond, revint à 2 600 livres pour les deux commodes (Verlet 1990, p. 98).

Marie-Antoinette appréciait énormément ces meubles aux riches marqueteries à décor géométrique et aux bronzes extraordinairement ciselés livrés par Riesener, son ébéniste favori, essentiellement au début des années 1780 et principalement pour le Petit Trianon ou pour Marly.

P.-X. H.

109

Jean Henri Riesener

Table console livrée pour le boudoir de Marie-Antoinette à Versailles

1781

Bâti en chêne, placage de satiné et de bois de rose, houx ; bronze ciselé et doré ; marbre griotte d'Italie

Estampille : *J.H.RIESENER* ; numéro peint à l'encre : *N° 3099.*

H. 86, l. 111, pr. 24 cm

Provenance : A Saint-Cloud en 1785 ; coll. Earl of Jersey ; vente Julia, countess of Jersey, Paris, 29 juillet 1896 ; coll. baronne Paul de Becker-Remy, Paris ; Rosenberg & Stiebel, New York ; coll. Mrs. Deane Johnson, Bel Air ; vente Sotheby Parke Bernet, New York, 9 décembre 1972, n° 98 ; Antique Porcelain Co., New York ; British Railway Fund, Londres (exposée au Victoria and Albert Museum) ; vente Sotheby's, Londres, 24 novembre 1988, n° 29.

Bibliographie : Cat. exp. New York 1955, n° 82 ; Ronfort et Augarde 1989, p. 238, n° 63, repr. p. 161 ; Verlet 1990, p. 94-95, n° 22.

Londres, collection particulière.

Le 24 septembre 1781, Riesener livrait sous le numéro 3099 une « table de marqueterie de 24 pouces de large, 10 p° de profondeur et 34 pouces de haut, à deux tablettes de marbre griotte d'Italie les ornements de bronze ciselé et doré d'or moulu, et composés de chapiteaux, cadres, moulures, chutes, guirlandes, feuilles de persil, festons, draperies avec leurs cordons et glands ». La mention qui suit, « pour servir dans le cabinet intérieur de la Reine au château de Versailles », ne doit pas prêter à confusion : la pièce ainsi désignée n'est pas alors celle qui portera cette dénomination quelque temps plus tard, c'est-à-dire le grand cabinet de la reine, mais le boudoir situé derrière l'alcôve de la grande chambre, plus connu sous le nom de Méridienne. Cette petite pièce octogonale avait été réaménagée en 1781 sur les dessins de Richard Mique, dans l'attente de la naissance espérée d'un dauphin.

Gondoin, auteur probable du dessin, a su exprimer le goût tapissier de la reine : l'extraordinaire décor de bronze doré, imitant lambrequins, draperies et passementerie étroitement mêlés aux fleurs, que l'on retrouve sur les plus belles créations de Riesener pour la reine, devait répondre aux réalisations du tapissier Capin en encadrement de fenêtre.

Le 11 juillet 1785, la console fut finalement envoyée à Saint-Cloud dans les petits appartements de Marie-Antoinette, marque de l'attrait de la reine pour la nouvelle demeure vers laquelle les meubles les plus luxueux allaient désormais converger. C'est dans cette demeure qu'elle fut inventoriée en mars 1789 (information fournie par Ch. Baulez ; Archives nationales, O¹ 3429, f° 1125). En revanche, elle ne figure plus dans les récolements effectués par la suite à l'époque révolutionnaire ; avait-elle été emportée aux Tuileries, où la reine tentait, dans les années difficiles, de rassembler les meubles de ses résidences favorites qu'elle ne reverrait plus ? **B. R.**

110

Georges Jacob
(Cheny, 1739 – Paris, 1814)
Maître en 1765

Fauteuil à la reine du boudoir de Marie-Antoinette à Versailles (d'une paire)

Vers 1785
Hêtre sculpté et doré
H. 95 ; l. 67 cm
Estampillé : *G. JACOB*
Etiquette manuscrite : *Boudoir de la Reine à Versailles*
Chiffre *3* au crayon à l'intérieur de la ceinture

Provenance : Acquisition, 1980.
Bibliographie : Nolhac 1926 ; Baulez 1980, n° 69, p. 89-90 ; Meyer 2002, n° 69, p. 262-265.

Versailles, musée national des châteaux de Versailles et Trianon. Inv. V 5183.

Ce fauteuil porte l'étiquette *Boudoir de la Reine à Versailles*, désignant le cabinet de la Méridienne, pièce située à l'arrière de la grande chambre de la reine. Ce fauteuil rigoureux dans ses lignes générales offre un décor d'une grande richesse, avec le ruban tournant à la ceinture, et d'une non moins grande originalité, avec les petits chiens aux accotoirs et au sommet du dossier un cartouche flanqué de cornes d'abondance terminées en têtes d'aigle et de coq. Le modèle avait été mis au point dès 1780 par Jacques Gondoin, dessinateur du Garde-meuble de la Couronne pour les sièges du pavillon du Belvédère au Petit Trianon. La maquette en cire du fauteuil montre les différentes propositions, ainsi les pieds en carquois, les torches d'hymen entourées de lierre formant les montants du dossier. Le Garde-meuble de la reine reprendra toutes ces formules à succès, combinées différemment selon les résidences de la reine à Versailles, aux Tuileries, à Fontainebleau et à Compiègne. A Fontainebleau, pour le boudoir de la reine en 1786, les petits chiens des accotoirs se transforment en sphinges égyptiennes qui à leur tour deviennent des dauphins. L'utilisation de ces différents motifs interchangeables permit au Garde-meuble privé de la reine de développer un style « Marie-Antoinette », à la fois reflet du goût de Marie-Antoinette et de l'excellence de son menuisier préféré, le tout avec un grand classicisme et une élégance qui n'exclut pas le pittoresque.

Du même meuble, le musée des Arts décoratifs de Berlin exposait autrefois trois fauteuils, une chaise, un écran et la couverture d'un canapé. Vers 1784 fut probablement commandé à Georges Jacob un troisième meuble pour la Méridienne. Le meuble d'été du boudoir était couvert de « pékin violet brodé » et fut vendu le 10 octobre 1793. L'ensemble de Berlin avait bien conservé sa couverture d'origine, une soierie lilas brodée de fleurs, rinceaux et perles, médaillons à sujets chinois. Les deux fauteuils de Versailles sont recouverts depuis 1981 de grenadine bleue semblable au décor textile du premier meuble du boudoir à partir de mai 1781. **P.-X. H.**

111

Attribué à Jean Henri Riesener
(Gladbeck, près d'Essen, 1734 – Paris, 1806)
Maître en 1768

Coffre de campagne

Vers 1785
Marqueterie et bronze doré, chêne, acajou, amarante, sycomore, ébène
H. 58 ; l. 52 ; pr. 35 cm

Provenance : Coll. de Marie-Antoinette ; coll. du baron de Turgy et descendance ; vente, Paris, palais Galliera, Mes Ader, Couturier, Picard, 29 mars 1966 ; coll. Jean Rossignol ; sa vente, Artcurial, Paris, hôtel Dassault, 13 décembre 2005, nº 138 ; acquis en 2005.
Bibliographie : Baulez 2007.

Versailles, musée national des châteaux de Versailles et de Trianon. Inv. V 6102.

Cet exceptionnel coffre de campagne montre dans des encadrements en amarante un décor géométrique de marqueterie à treillis de losanges et une riche décoration de bronze ciselé et doré. Il renferme un compartiment mobile en acajou, ce qui permet de le fixer solidement au moyen de deux vis en acier. Le traitement marqueté est identique à celui du mobilier commandé par le Garde-meuble privé de la reine pour l'appartement aménagé au château des Tuileries pour la souveraine en 1784. Ces meubles sont marquetés d'une mosaïque de losanges de bois teint appelé à l'époque « bois satiné gris argenté », qui est un bois de sycomore teint, d'aspect gris argenté à l'origine, créant une riche matière et donnant à ces meubles un aspect très clair. Les losanges sont cernés d'un triple filet de bois teint, formule luxueuse que l'on retrouve précisément sur le coffre de campagne. La date de livraison du mobilier des Tuileries, fin 1784, permet de dater ce petit meuble vers 1785 et, pourquoi pas, de proposer une livraison pour la reine aux Tuileries. L'attribution d'un meuble à la reine n'aura probablement jamais été aussi bien documentée. Christian Baulez et Patrick Leperlier ont reconstitué la filiation directe avec Marie-Antoinette. Le 1er avril 1812, Pierre Charles Bonnefoy du Plan, ancien chef du Garde-meuble privé de la reine et son concierge à Trianon, léguait à sa belle-fille son « petit coffre en marqueterie fait par Riesener, ayant un double fond secret ; [...] il me vient de la Reine de France, qui en faisait sa caisse de campagne ». Finalement, Bonnefoy du Plan revint sur ses intentions et, le 19 décembre 1818, rappelait qu'il avait eu l'honneur d'offrir le coffre à la duchesse d'Angoulême. Cette dernière l'offrit à son tour au baron de Turgy, à son service jusqu'en 1823. Louis François de Turgy avait servi Louis XVI aux Tuileries, puis devait être présent au Temple.

Dans ses différentes résidences, Marie-Antoinette devait disposer de coffres de sûreté. Le présent coffre à la très grande qualité d'exécution, comme l'esthétique de Riesener si spécifique, montrent la capacité du grand ébéniste à s'adapter à tous les programmes pour satisfaire la reine.

P.-X. H.

Le boudoir de la reine au château de Fontainebleau

Yves Carlier

Le boudoir de Marie-Antoinette à Fontainebleau est, à juste titre, considéré comme l'aboutissement du raffinement en matière de décoration intérieure à la fin de l'Ancien Régime. Qualité de la sculpture et de la peinture ou de la ciselure, préciosité et originalité des matériaux décorant aussi bien le sol et les murs que les meubles, harmonie intime entre le décor fixe et le décor mobilier, tout concourt à faire de cette pièce un écrin précieux pour lequel peintres, doreurs, sculpteurs, ébénistes, menuisiers ou bronziers donnèrent ce que l'artisanat français faisait de mieux à la veille de la Révolution.

A la différence de ce qu'elle connaissait à Versailles, Marie-Antoinette ne pouvait bénéficier à Fontainebleau que de deux pièces privées : le cabinet de retraite, de plain-pied avec son appartement, et un second cabinet en entresol. A son arrivée à Fontainebleau en 1770, elle put découvrir son appartement dont les décors étaient aussi solennels que démodés, datant du règne d'Anne d'Autriche pour une grande partie et du milieu du XVIIIe siècle pour les plus récents. La mise au goût du jour des appartements de la reine ayant souvent été repoussée, Marie-Antoinette dut se contenter en 1777 du renouvellement de son cabinet d'entresol. C'est à l'occasion de travaux de grande ampleur décidés en 1785 qu'elle put obtenir la modernisation du décor de deux pièces de son appartement : le grand cabinet ou salon des jeux et le cabinet de retraite ou boudoir. L'architecte désigné pour mener à bien les travaux était Pierre Rousseau, nommé inspecteur du château de Fontainebleau en 1784 et gendre de Nicolas Marie Potain, contrôleur du même château. Pierre Rousseau, auteur du récent et remarqué hôtel de Salm sur les rives de la Seine (actuel palais de la Légion d'honneur), fit travailler à Fontainebleau plusieurs équipes avec lesquelles il avait mené à bien d'autres chantiers. La décoration du boudoir de la reine est l'œuvre de Jean Simon Berthélemy (plafond peint), Michel Hubert Bourgeois et Jacques Louis François Touzé (peinture et dorure des boiseries), Philippe Laurent Roland (beau-frère de Rousseau, sculpture des figures placées en dessus de porte), Joseph Laplace (sculpture des boiseries). Enfin, Claude Jean Pitoin est l'auteur des bronzes dorés et Jacques François Dropsy façonna le marbre de la cheminée.

Le boudoir de Marie-Antoinette ouvre par deux fenêtres sur le jardin de la reine (actuel jardin de Diane) entre lesquelles est disposé un grand trumeau cintré. Le milieu des autres murs comprend aussi un miroir inscrit dans un trumeau cintré. De part et d'autre de chacun d'entre eux sont des panneaux peints puis des portes avec dessus-de-porte, celles du mur face aux fenêtres étant inscrites dans un pan coupé. La cheminée est au centre du mur contigu à la chambre du roi (actuelle salle du trône). La grande originalité du décor mural du boudoir de Fontainebleau tient au fond argent des boiseries (traité à l'or blanc en réalité) sur lesquelles se détachent des ornements polychromes mêlant motifs à l'antique ou compositions florales au naturel. A la différence de la plupart des autres décors exécutés pour Marie-Antoinette, les ornements sont peints et non sculptés, ce qui autorisa une plus grande liberté d'action aux auteurs. La date de création du boudoir de Fontainebleau en fait l'un des derniers exemples de cette mode, avant que l'inspiration antique ne domine et ne fasse pratiquement disparaître les motifs floraux du répertoire ornemental. A cette originalité répondait le mobilier dont les pièces majeures – le secrétaire à cylindre et la table en auge – étaient couvertes de nacre découpée en losanges compris dans un treillage de laiton et rehaussés de bronzes dorés et argentés, tandis que les bois des sièges étaient eux aussi traités à l'or blanc et à l'or jaune, le tout faisant écho aux tons argent et or des boiseries.

116, détail

112

Jean Henri Riesener

(Gladbeck, près d'Essen, 1734 – Paris, 1806)
Maître en 1768
(non estampillé)

Secrétaire à cylindre

Nacre, bronze doré et bronze argenté, laiton, placage de satiné, buis et ébène ; intérieur en acajou, satiné, buis, ébène et cuir
H. 1,10 ; l. 1,205 ; pr. 0,65 m

Provenance : Boudoir de Marie-Antoinette au château de Fontainebleau (en 1786 ?) ; envoyé au Garde-meuble national à Paris le 23 nivôse an IV (14 janvier 1796) ; cédé le 24 thermidor an IV (11 août 1796) au citoyen Van Recum en dédommagement de ses créances ; coll. des ducs de Sutherland (Londres) avant 1834 ; coll. Alfred de Rothschild (Grande-Bretagne) vers 1882-1883 ; coll. Edulji F. Dinshaw (New York) ; coll. Boisrouvray (France) ; achat du Fonds de sauvegarde de Versailles en 1956 ; dépôt du musée national du château de Versailles au château de Fontainebleau en 1961.
Bibliographie : Verlet 1961 ; Carlier 2006a, p. 40-44 ; Carlier 2006b.

Fontainebleau, musée national du château de Fontainebleau. Inv. V 3582.

113

Jean Henri Riesener

(non estampillé)

Table en auge

Nacre, bronze doré et bronze argenté, laiton
H. 77 ; l. 67 ; pr. 41 cm

Provenance : Boudoir de Marie-Antoinette au château de Fontainebleau (en 1786 ?) ; envoyé au Garde-meuble national à Paris le 23 nivôse an IV (14 janvier 1796) ; cédé le 24 thermidor an IV (11 août 1796) au citoyen Van Recum en dédommagement de ses créances ; coll. Coty (Paris) ; sa vente, Paris, galerie Charpentier, 30 novembre – 1er décembre 1937, lot 90 ; coll. Philip Sassoon (Grande-Bretagne) ; coll. Edulji F. Dinshaw (New York) ; don sous réserve d'usufruit Edulji F. Dinshaw au département des Objets d'art du musée du Louvre, 1949 ; dépôt du musée du Louvre au château de Fontainebleau en 1961.
Bibliographie : Verlet 1949 ; Verlet 1961 ; Carlier 2006a, p. 40-44 ; Carlier 2006b.

Fontainebleau, musée national du château de Fontainebleau. Inv. OA 9467.

La décoration utilisant de la nacre découpée en losanges enserrés dans un réseau de laiton ainsi que l'emploi de bronzes dorés se détachant sur des plaques en bronze argenté font de ces deux meubles des objets uniques dans le mobilier français. Le choix de ces matériaux était la réponse chromatique au décor des murs, composé de panneaux dont les fonds étaient traités couleur argent sur lesquels se détachaient des ornements polychromes, le tout compris dans des encadrements dorés à l'or jaune. Dans le cas du boudoir de Fontainebleau, la recherche d'harmonie a été poussée plus loin que le simple accord chromatique, car de nombreux ornements présents dans la pièce se retrouvent sur les meubles, et plus particulièrement sur le secrétaire à cylindre : celui-ci repose sur quatre pieds en forme de carquois avec flèches reprenant le motif des colonnes de la cheminée ; les angles du meuble sont ornés d'un motif de perles enserrées dans un ruban tournant comme le sont les encadrements des panneaux argentés ; la moulure de raies-de-cœur qui encadre les tiroirs ou le cylindre a son pendant en encadrement des panneaux peints ; la frise de raies-de-cœur refendues autour du cylindre est identique à celle sculptée sur la cimaise d'appui du lambris. Un dernier détail montre la volonté d'intégrer parfaitement les meubles dans la pièce pour laquelle ils ont été créés, puisque à la moulure en saillie de la ceinture du secrétaire correspond une encoche dans le trumeau face à la cheminée déterminant alors la place du meuble.
Si ces meubles ont été décorés de manière à s'intégrer dans le boudoir, ils répondent aussi au goût de Marie-Antoinette. En effet, le secrétaire reprend la forme de celui livré par Riesener en décembre 1784 pour l'appartement de la reine

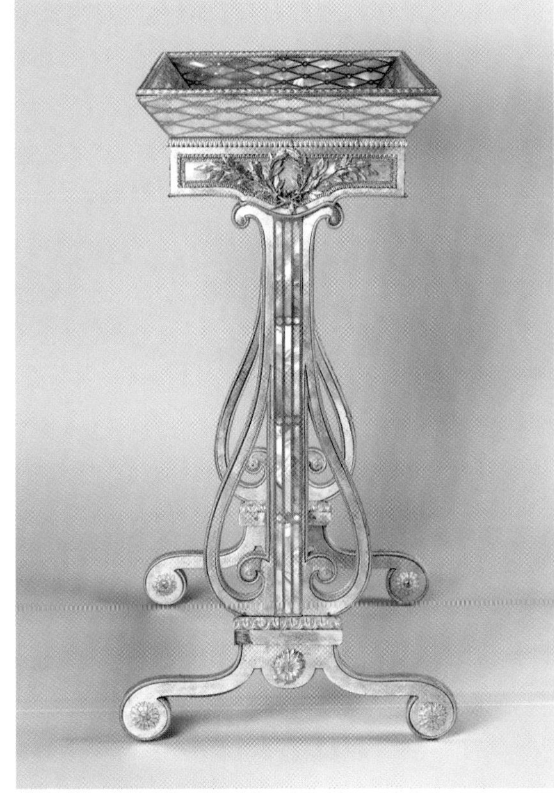

aux Tuileries: on y retrouve la même structure tant du corps inférieur que du corps du cylindre, une décoration de surface composée de losanges juxtaposés (en bois pour l'un et en nacre pour l'autre), ainsi que certains des bronzes tels les bas-reliefs de la façade et des côtés, les moulures de raies-de-cœur, ou bien la galerie ajourée. La disparition des papiers du Garde-meuble privé de Marie-Antoinette ne nous permet pas de savoir quand furent livrés ces meubles. Nous avons supposé que Marie-Antoinette les connut lors de son dernier séjour à Fontainebleau en automne 1786, mais nous n'en avons aucune preuve. De même, nous ne savons qui eut l'idée de les couvrir de nacre. On sait qu'en 1784 Marie-Antoinette chargea le marchand Dominique Daguerre de monter un plateau de nacre sur un guéridon probablement destiné à ses cabinets de Versailles et qu'elle fit ensuite envoyer à Saint-Cloud. L'idée de recouvrir des meubles de petites dimensions comme des cabinets existait dans des ateliers des pays germaniques, et le guéridon de 1784 pourrait très bien être le montage d'un plateau d'origine germanique apporté en France par Marie-Antoinette ou légué par sa mère. Mais il y a un monde entre le montage d'un plateau en nacre et la création de meubles entièrement plaqués de cette matière, et nous nous perdons en conjectures pour découvrir qui fut à l'origine d'une telle initiative qui devait plaire à Marie-Antoinette, du moins selon ce que nous déduisons de son goût en matière d'ameublement et de décoration. **Y. C.**

114

Georges Jacob

(Cheny, 1739 – Paris, 1814)
Maître en 1765 (non estampillé)

Fauteuil

Bois doré (anciennement à deux tons d'or)
H. 94; l. 69; pr. 64 cm

Provenance: Boudoir de Marie-Antoinette au château de Fontainebleau (en 1786?); envoyé au Garde-meuble national à Paris le 23 nivôse an IV (14 janvier 1796); envoyé au palais du Luxembourg le 16 floréal an V (5 mai 1797); château de Saint-Cloud (dès le Consulat?); château de Saint-Cloud, salon de l'appartement du premier maître d'hôtel; envoyé au Garde-meuble impérial à Paris vers 1810; Paris, hôtel de Marigny, salon du comte de La Suze sous la Restauration; renvoyé au Garde-meuble royal le 23 février 1824; vente des Domaines en 1826; coll. L. Lévy (Paris), sa vente, Paris, galerie George Petit, 18-19 juin 1917, lot 172; acquis à cette vente par Calouste Gulbenkian; coll. Calouste Gulbenkian à Paris puis à Lisbonne.
Bibliographie: Verlet 1961; Carlier 2006a, p. 42-47.
Exposition: Versailles 2000-2001, n° 24, p. 83-85.

Lisbonne, musée Calouste Gulbenkian. Inv. 38.

114

115

Georges Jacob

Bout de pied

Bois doré à deux tons
H. 27; l. 47; pr. 36 cm

Provenance: Boudoir de Marie-Antoinette au château de Fontainebleau (en 1786?); envoyé au Garde-meuble national à Paris le 23 nivôse an IV (14 janvier 1796); vente, Paris, galerie Charpentier, 4 décembre 1954, lot 59; vente, Paris, palais d'Orsay, 15 juin 1979, lot 73; acquis à cette vente par le château de Fontainebleau.
Bibliographie: Carlier 2006a, p. 42-47.
Exposition: Paris 1980-1981, n° 70, p. 90.

Fontainebleau, musée national du château de Fontainebleau. Inv. F 3368 C.

Avec l'écran conservé au Metropolitan Museum de New York estampillé de Georges Jacob, le fauteuil et le tabouret de pied sont les trois seuls meubles de menuiserie du boudoir de Fontainebleau identifiés de nos jours. L'ensemble complet comprenait un canapé, deux bergères, quatre fauteuils, deux chaises, un tabouret de pied, un écran, plus une grande bergère confortable et deux voyeuses, ces dernières probablement en acajou. A l'origine et en harmonie avec les tonalités de la pièce, les bois des meubles étaient dorés à l'or jaune et à l'or blanc. Ils étaient couverts d'une étoffe fond blanc rehaussée de broderies représentant des « fleurs nuées et coloriées au passé », et l'on imagine, lorsqu'on connaît l'harmonie entre le mobilier et le décor fixe, que les fleurs brodées devaient répondre à celles peintes sur les boiseries. Enfin, on retrouve des ornements présents dans le décor fixe et sur le secrétaire à cylindre: le motif de perles et ruban autour de la ceinture ou les pieds en forme de carquois. Les sièges possèdent des motifs supplémentaires tels l'arc et la couronne de fleurs disposés au sommet du dossier qui répondent à ceux du linteau de la cheminée, ou bien la guirlande de lierre qui grimpe le long du dossier qui reprend celle peinte sur les boiseries ou celle en bronze doré des montants d'espagnolette des fenêtres.
Comme pour le mobilier plaqué en nacre, le choix de Marie-Antoinette et de Bonnefoy du Plan, responsable de son Garde-meuble privé, se porta sur des modèles connus et appréciés par la reine. Le prototype avait été mis au point en 1780 par l'architecte Jacques Gondoin pour les sièges exécutés par les Foliot destinés au pavillon du Belvédère dans le jardin de Trianon. Sur la maquette en cire encore existante (château de Versailles) se retrouvent des pieds en carquois, des montants de dossier en forme de torche avec guirlande, une traverse supérieure de dossier en forme d'arc avec couronne de fleurs, et un ruban tournant autour de la ceinture. Georges Jacob

reprit donc à son compte ces éléments tout en les adaptant à son art (et au goût de la reine). Avec de menues variantes, il réalisa pour les cabinets intérieurs de la reine à Versailles ou aux Tuileries des sièges obéissant aux mêmes critères ornementaux, reflétant par là quel pouvait être le goût de Marie-Antoinette. Y. C.

116

Michel Hubert Bourgeois
(? – Paris, 1791)
Jacques Louis François Touzé
(? – Paris, 1806) (peinture et dorure)
et Joseph Laplace
(? – ?) (sculpture)

Paire de portes du boudoir de Marie-Antoinette à Fontainebleau

Bois sculpté, doré et peint
H. 2,19 ; l. 0,91 m

Fontainebleau, musée national du château de Fontainebleau.

Ces deux portes, démontées du boudoir de la reine pour des raisons de circulation et de conservation, sont celles qui prenaient place à proximité des fenêtres. Les fonds des panneaux sont traités à l'or blanc compris dans des encadrements dorés à l'or jaune. Les autres parties sont peintes à l'imitation du bois, acajou probablement. Le registre inférieur correspondant au bas lambris est orné d'un vase en vannerie duquel émerge un bouquet de fleurs peintes au naturel dans lequel dominent les roses. Ce vase est accompagné de rinceaux dorés et de palmettes à l'antique aux angles. Le tout est contenu dans un cadre sculpté de raies-de-cœur et d'une moulure de perles et ruban. Au registre médian est peinte une frise de rinceaux avec des roses. Le registre supérieur comprend le même cadre et les mêmes angles que le registre inférieur. Le centre est peint d'un vase à l'antique contenant un bouquet de fleurs au naturel accompagné de rinceaux dorés. Au-dessus sont figurées sur une porte une dryade dansant au son de castagnettes accompagnée d'un jeune satyre également dansant, le tout placé sous le masque d'un Bacchus juvénile, et sur l'autre porte une femme dansant au son d'un tambour de basque et faisant danser un putto avec carquois de flèches à ses pieds (l'Amour ?), le tout placé sous un masque d'Apollon.

L'iconographie des portes – et de l'ensemble des panneaux du boudoir – ne semble pas obéir à un programme bien défini. Par exemple, il n'y a manifestement pas de relation directe entre les Muses disposées en dessus de porte et les scènes peintes sur les portes. Les figures illustrent manifestement une vision plaisante et gracieuse de l'Antiquité et des plaisirs de la musique ou de la danse, ce qui devait plaire à la souveraine. En complément, les fleurs répandues à profusion sur l'ensemble de la pièce reflètent tout aussi bien la mode pour cet ornement que le goût de Marie-Antoinette pour la botanique. Y. C.

115

117

Atelier Desfarges, Lyon

Couverture du dossier de canapé du boudoir de Marie-Antoinette à Compiègne

Pou de soie violet à cartouche de satin blanc brodé
1787
Desfarges à Lyon sous la direction de Bonnefoy du Plan
Canapé : H. 0,88 ; L. 2,04 m

Bibliographie : Baulez 2006, p. 44.

Saint-Pétersbourg, musée de l'Ermitage.
Inv. T 15250, T 15253 et T 15254.

Cette garniture en pou de soie montre une scène de chasse à courre et provient d'un meuble que Christian Baulez a mis en relation avec Compiègne grâce à un extrait de la comptabilité de Bonnefoy du Plan, pour le second semestre de 1787. On y trouve mention de 20 000 livres à « Desfarges et Compagnie, fabricants à Lyon, pour acompte des mémoires non réglés du meuble de la chambre à coucher de Trianon » et de celui « fond violet pour Compiègne ». Cet acompte concernait « un meuble fond violet à cartel de satin blanc, représentant des tableaux de chasse faits soigneusement, dont ils [Desfarges et Cie] ont fourni le satin, le fond du meuble violet brodé en camaïeu vert, blanc et jaune ». Ce meuble consiste en « un canapé, quatre fauteuils, deux chaises, un écran, un tabouret de pied à trois dossiers ».
La couverture du canapé du musée de l'Ermitage fait incontestablement partie de ce meuble, dont le prix, 9 626 livres, fut réglé à 8 350 livres. Son emplacement n'est pas mentionné, mais le nombre de portières et de rideaux implique une pièce à trois fenêtres et trois portes, qui ne peut être que le boudoir d'angle de Marie-Antoinette. On le retrouve à Versailles, lors des ventes révolutionnaires, sous le lot 2482, le 2 octobre 1793, monté sur des bois dorés probablement de Georges Jacob. L'ensemble sera adjugé pour 29 203 livres au citoyen Rocheux pour le citoyen Jean Henri Eberts, un négociant d'origine strasbourgeoise qui se livrait à des exportations vers les cours de l'Europe du Nord. La preuve de l'exportation du mobilier de Compiègne vers Hambourg n'a pas été retrouvée, cependant le tabouret de pied a été signalé en Allemagne, avant la Seconde Guerre mondiale. **P.-X. H.**

118-119
Gemmes de la Couronne

118
Nef en lapis

Milan (?), seconde moitié du XVIe siècle
Monture en argent doré et or émaillé, Paris, vers 1670
H. 41,5; l. 37,5; pr. 18,5 cm

Provenance: Coll. de Louis XIV, acquise avant 1673.
Bibliographie: Alcouffe 2001, n° 210.

Paris, musée du Louvre, département des Objets d'art.
Inv. MR 262.

119
Coupe couverte en jade

Milan, fin du XVIe – début du XVIIe siècle
Jade (néphrite), argent doré, or émaillé, rubis et perles
H. 22,2; l. 32,8; pr. 20,8 cm

Provenance: Coll. de Louis XIV, acquise entre 1681 et 1684.
Bibliographie: Alcouffe 2001, n° 147.

Paris, musée du Louvre, département des Objets d'art.
Inv. MR 188.

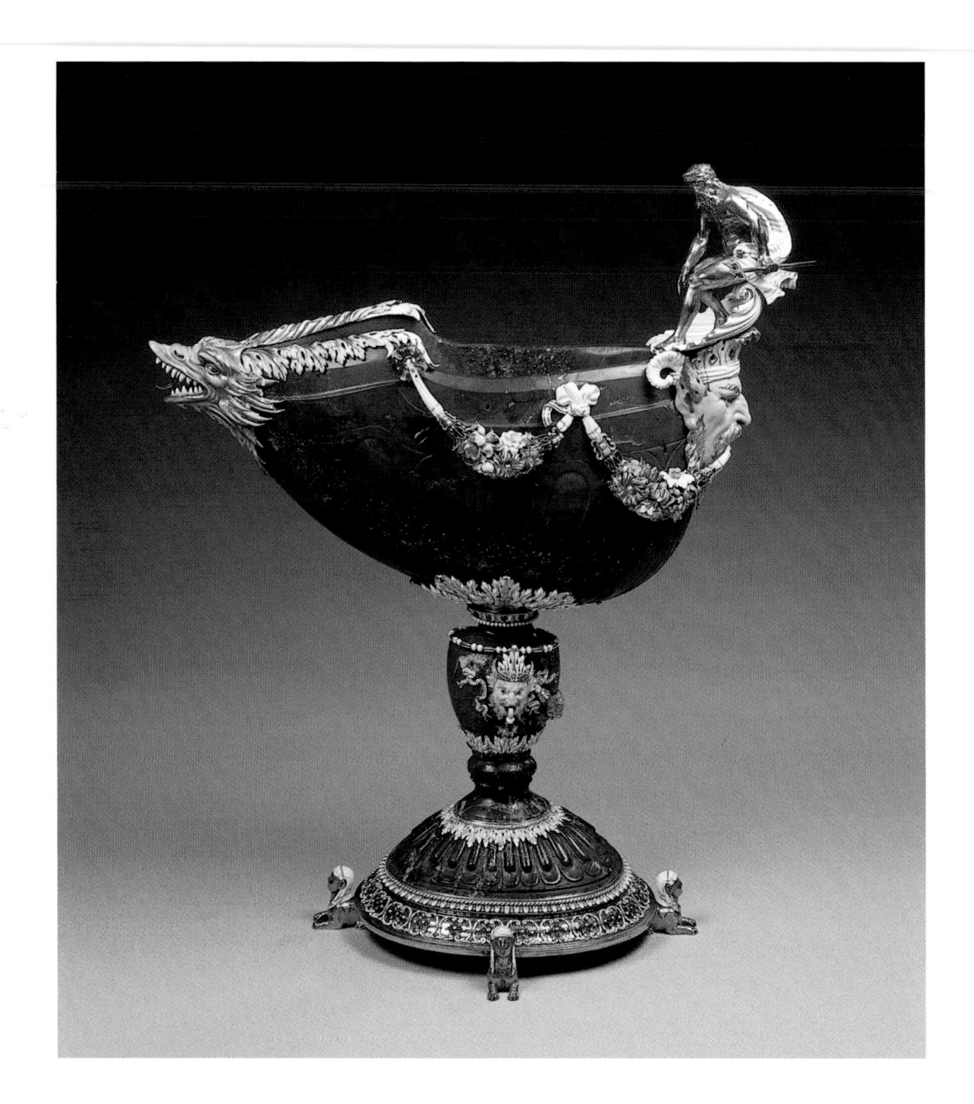

Le Garde-meuble de la Couronne s'installe dès 1774 dans l'hôtel est de la place Louis-XV (actuel ministère de la Marine). A partir de l'année 1778, semble-t-il, les trois salles où sont regroupées les collections les plus prestigieuses – les bijoux, les grands meubles et les armes – sont ouvertes certains jours au public. La présentation des joyaux, des gemmes et des pièces d'orfèvrerie historiques, sur des tablettes superposées protégées par des portes vitrées, installées dans des armoires à grands vantaux sculptés, reste proche de celles des Schatzkammer des XVIe et XVIIe siècles (Alcouffe 2001, p. 18-20).

Si Marie-Antoinette est venue visiter ce musée du Garde-meuble, elle y aura ainsi découvert les collections que Louis XIV a rassemblées dans le même esprit que ses ancêtres Habsbourg. Elle y aura reconnu les mêmes objets rares et précieux que ceux conservés au trésor impérial de Vienne. L'inventaire de la Kunstkammer dressé en 1750 décrit pareillement cinq armoires contenant des gemmes. Et un guide anonyme publié en 1771 indique bien l'intérêt porté à ces « raretés », qui étaient accessibles aux visiteurs de la Hofburg (précisions données par le Dr Franz Kirchweger).

Que Marie-Antoinette manifeste un certain attachement à ces objets de collection ne doit donc pas surprendre. Ce qui est nouveau, en revanche, c'est l'usage qu'elle en fait: ces objets de la Kunstkammer, sortis des armoires du trésor pour être placés sur une cheminée ou une console, deviennent alors des objets d'apparat. Un usage qu'elle n'avait pas connu à Vienne, car il ne semble pas que sa mère l'impératrice Marie-Thérèse ait jamais prélevé de tels objets pour orner ses appartements.

Après une longue éclipse, quelques gemmes de Louis XIV sont ainsi remises à l'honneur à Versailles. On est loin cependant de l'esprit des cabinets de curiosités du roi et du Grand dauphin ! L'exemple donné par Marie-Antoinette sera suivi : durant le XIXe siècle, les gemmes de la Couronne serviront pareillement à orner les appartements des souveraines aux Tuileries, à Saint-Cloud, à Trianon et à Compiègne.

Cinq gemmes parmi les plus riches figurent dans la grande chambre de la reine en 1788 : sur la console, les deux vases en jade milanais accompagnant l'objet royal par excellence qu'était la nef d'or de Louis XIV devaient former une garniture magnifique. Cependant, la nef de lapis et les deux fines aiguières d'agate, placées sur la cheminée, ne paraissent guère à l'échelle du grand appartement. Aucune de ces garnitures ne subsiste au complet aujourd'hui : la grande nef d'or a disparu dans les fontes révolutionnaires, l'une des aiguières d'agate a malheureusement été volée aux Tuileries en 1830 ; l'autre aiguière et l'un des vases de jade ont perdu une partie de leur monture.

La présence de deux coupes en sardoine sur la cheminée d'une pièce plus intime comme la Méridienne est sans doute la marque d'un goût plus personnel de la reine qui s'affirme dans les années 1780, un goût singulièrement annonciateur des tendances éclectiques du XIXe siècle. L'état dressé par Lignereux en 1789, dénombrant les objets réunis dans ses cabinets privés, révèle un mélange d'ancien et de neuf, associant divers styles et matériaux précieux ou exotiques : le cristal de roche, l'agate, le jaspe, le jade, le spath fluor, le bois pétrifié, l'albâtre, le porphyre, le granit, l'ivoire, la stéatite, les micro-mosaïques y côtoient les laques et les porcelaines extrême-orientales (Baulez 2001b, p. 36-41). **M. B.**

120

Gemmes de la collection privée de la reine : cristaux de roche

120 a

Aiguière

Monture en or
Paris, 1738-1744
H. 21,2 ; l. 14 ; diam. 10,5 cm
Paris, musée du Louvre, département des Objets d'art.
Inv. OA 6616.

120 b

Bassin

Monture : Jean Ecosse, reçu maître à Paris en 1705
Paris, 1731-1732
H. 6 ; l. 24,3 ; pr. 19,5 cm

Provenance : (?) Acquis par Marie Antoinette à la vente de la duchesse de Mazarin en 1784.
Bibliographie : Alcouffe 1999, p. 9 ; Baulez 2001b, p. 37.

Paris, musée du Louvre, département des Objets d'art.
Inv. OA 6617.

Les cristaux taillés à facettes et montés en or sont des objets relevant du commerce de luxe des marchands-merciers parisiens, particulièrement en vogue dans les années 1720-1730, mais recherchés par les amateurs les plus raffinés jusqu'à la fin du siècle. Marie-Antoinette en acquiert six : les plus beaux, l'élégante aiguière et son bassin – antérieurs d'une quarantaine d'années –, paraissent avoir été rachetés par la reine à la vente de la duchesse de Mazarin en 1784. Mme de Pompadour et Mme Du Barry avaient chacune auparavant possédé un pot à eau et sa cuvette en cristal garni d'or qui pourraient correspondre à ceux conservés à la Wallace Collection ou à l'aiguière des anciennes collections Helft et David-Weill (Alcouffe 1999, p. 10). C'est à Philippe François Julliot que la reine achète plus modestement en 1785 un gobelet couvert et un petit plateau octogonal retaillé dans un cristal ancien (Bimbenet-Privat 2001, p. 79). Un menu coffret de laque aventurine (perdu), mentionné dans l'état de 1789, renfermait aussi un petit nécessaire de cristal.
Parmi les rares objets heureusement préservés, deux tasses en cristal, présentant la même taille à facettes, se distinguent par leur monture toute nouvelle, à anses formées de serpents entrelacés et support à pattes de félins, en bronze doré finement ciselé, que l'on pourrait attribuer à François Rémond. **M. B.**

121-126

Gemmes de la collection privée de la reine : pierres dures de couleur montées en bronze doré

121

Vasque

Jade, jaspe, bronze doré
H. 21,5 ; l. 22 ; pr. 9 cm

Provenance : Coll. de Marie Antoinette avant 1789.
Bibliographie : Alcouffe 1999, p. 11 ; Alcouffe 2004, n° 130.

Paris, musée du Louvre, département des Objets d'art.
Inv. OA 15.

122

Petite coupe

Jaspe, bronze doré
H. 12,8 ; l. 8 ; pr. 6,5 cm

Provenance : Coll. de Marie Antoinette avant 1789 ; vendue sous le Directoire ; don Daniel Pasgrimaud, 1988.
Bibliographie : Alcouffe 1999, p. 10 ; Alcouffe 2004, n° 131.

Paris, musée du Louvre, département des Objets d'art.
Inv. OA 11172.

123

Le goût à la grecque qui marque les années 1770, au moment de l'arrivée de Marie-Antoinette en France, a remis à l'honneur les vases en porphyre, albâtre et marbres rares, délaissés depuis le Grand Siècle. Les collections personnelles de la reine reflètent partiellement cet engouement. Car sa préférence va aux pierres plus fines, plus précieuses, incorporant parfois dans leurs compositions certaines gemmes plus anciennes.
Là encore, la reine n'hésite pas à racheter des objets créés pour de grands amateurs de son temps, tels que la magnifique coupe en jaspe rouge et blanc montée en cassolette par Pierre Gouthière, acquise à la vente du duc d'Aumont en 1782 (aujourd'hui à la Wallace Collection, à Londres). De dimensions plus modestes, une vasque rectangulaire en jade sombre sur un socle de jaspe sanguin et une petite coupe ovale de même jaspe – identifiée par Daniel Pasgrimaud – témoignent d'un raffinement extrême. Les montures pleines de fantaisie composées de petits amours, de coqs, de sphinges, ainsi que de feuillages, de motifs de vannerie, de chaînettes ont dû être commandées par Dominique Daguerre et exécutées par François Rémond, d'après des projets de François-Joseph Bélanger ou de son beau-frère Jean Démosthène Dugourc. Une paire de petites cuves à l'antique en porphyre vert, autrefois sur des contre-socles en marbre noir, est d'un goût plus sévère qui surprend chez la reine.
On a perdu la trace de trois autres pièces en pierres dures mentionnées dans l'état de 1789: deux coupes couvertes en agate à supports de griffons, qui ont figuré à Saint-Cloud sous le Second Empire, et un vase en sardoine posé sur un socle de jaspe, enrichi d'un camée, passé dans les collections de l'impératrice Joséphine (Alcouffe 1999, p. 15, notes 27-28). **M. B.**

123
Cassolette

Monture:
Charles Ouizille (Breuillet, Essonne, 1744 – ?, 1830)
Miniatures:
Jacques Joseph de Gault (?, vers 1738 – ?, après 1812)
Paris, 1784-1785
Agate, jaspe, or, miniatures sous verre
H. 27,5; l. 12; pr. 9,2 cm

Provenance: Coll. de Marie Antoinette en 1785; vendue sous le Directoire; acquise en 1982.
Bibliographie: Alcouffe 1999, p. 12.

Paris, musée du Louvre, département des Objets d'art. Inv. OA 10907.

124

124
Coffret

Monture: Charles Ouizille
(Breuillet, Essonne, 1744 – ?, 1830)
et Pierre François Drais (?, 1726 – ?, 1788)
Paris, 1786-1787
Agate, jaspe, marbre et or
H. 23,5; l. 28; pr. 22,5 cm

Provenance: Coll. de Marie Antoinette en 1787.
Bibliographie: Alcouffe 1999, p. 12.

Paris, musée du Louvre, département des Objets d'art.
Inv. OA 5343.

125
Socle de vase

Monture: Charles Ouizille
(Breuillet, Essonne, 1744 – ?, 1830)
et Pierre François Drais (?, 1726 – ?, 1788)
Jade, jaspe, marbre, or, vernis aventurine
H. 25,5; l. 21,5 cm

Provenance: Coll. de Marie-Antoinette avant 1789.
Bibliographie: Alcouffe 1999, p. 13.

Paris, musée du Louvre, département des Objets d'art.
Inv. OA 5328.

Les objets les plus spectaculaires appartenant en propre à la reine étaient ceux qui associaient dans une riche polychromie l'agate, le jade, le jaspe, le marbre et l'or ciselé et amati. Ces derniers chefs-d'œuvre des années 1784-1788 semblent tous dus à Charles Ouizille et Pierre François Drais, bijoutiers du roi.

Cet ensemble extraordinaire n'est que partiellement conservé. La cassolette, vendue par le Directoire, a miraculeusement survécu et pu être rachetée par le Louvre en 1982. Dans sa forme et son décor, elle reste l'une des plus parfaites créations de l'orfèvrerie néoclassique. La tasse et la coupelle qui sert de couvercle, en agate translucide, sont rehaussées d'une délicate monture d'or ciselé: bordures de feuilles, fleurs et fruits, frise de postes, anses et consoles en feuilles d'acanthe, pieds de biche; quatre médaillons peints en miniature par De Gault d'après des intailles antiques du Cabinet du roi sont insérées dans les faces en jaspe sombre du socle; seul manque de nos jours le contre-socle en jaspe vert et jaune de Sicile (Alcouffe 1985, n° 39). A peine plus tardif, le coffret est d'une conception plus audacieuse: les faces d'agate herborisée sont encadrées de plaquettes en jaspe décorées de palmettes, l'intérieur est doublé de vernis aventurine, huit protomés de lion se dressent sur le socle en jaspe rouge fixé sur un contre-socle en marbre vert antique. Bien qu'il ait perdu son couvercle, cet objet « antiquisant » reste celui qui permet le mieux d'évoquer les goûts de la reine à la veille de la Révolution.

Il faut en revanche s'aider d'un dessin retrouvé au Cooper Hewitt Museum de New York pour restituer la composition initiale d'une étonnante coupe en jade sculpté dont il ne reste hélas que la base et le riche piédestal : un pilier de jaspe rouge agrémenté de figures féminines en bas reliefs, de têtes de dauphins, de guirlandes d'algues, et supporté par des griffons. La coupe perdue était vraisemblablement un remploi d'une pièce pragoise du début du XVIIe siècle, à laquelle l'orfèvre avait ajouté une anse formée d'une sirène tenant des serpents (Alcouffe 1999, p. 13).

Cet ensemble exceptionnel comportait encore trois autres pièces qui ont disparu : une écritoire composée d'un petit vase couvert et d'une paire de cassolettes en cornaline, sur un socle de jaspe rouge, et deux coupes méplates en agate reposant sur des socles en jaspe, qui étaient vraisemblablement aussi dues au talent de Ouizille et Drais.

M. B.

125

126

Deux plateaux de table

Bois pétrifié
L. 70 ; l. 42 cm

Provenance : Coll. de Marie Antoinette avant 1789.
Bibliographie : Baulez 2001b, p. 37.

Paris, musée du Louvre, département des Objets d'art. Inv. OA 5271.

Marie-Antoinette possédait plusieurs objets de bois pétrifié de diverses nuances qu'elle avait fait placer dans ses appartements privés à Versailles, Saint-Cloud et Marly : des dessus de table, des vases montés en bronze doré et des coffrets sertis d'or de couleur (Tuetey 1916, p. 302-303). C'étaient pour la plupart des présents reçus de sa famille ou hérités de sa mère l'impératrice Marie-Thérèse.

Quatre plateaux identiques montés en acier et bronze doré figuraient dans le cabinet doré à Versailles. Leurs piètements ont disparu au cours du XIXe siècle, après que ces meubles eurent servi à Saint-Cloud et aux Tuileries. Seuls les plateaux subsistent aujourd'hui au Louvre.

M. B.

126

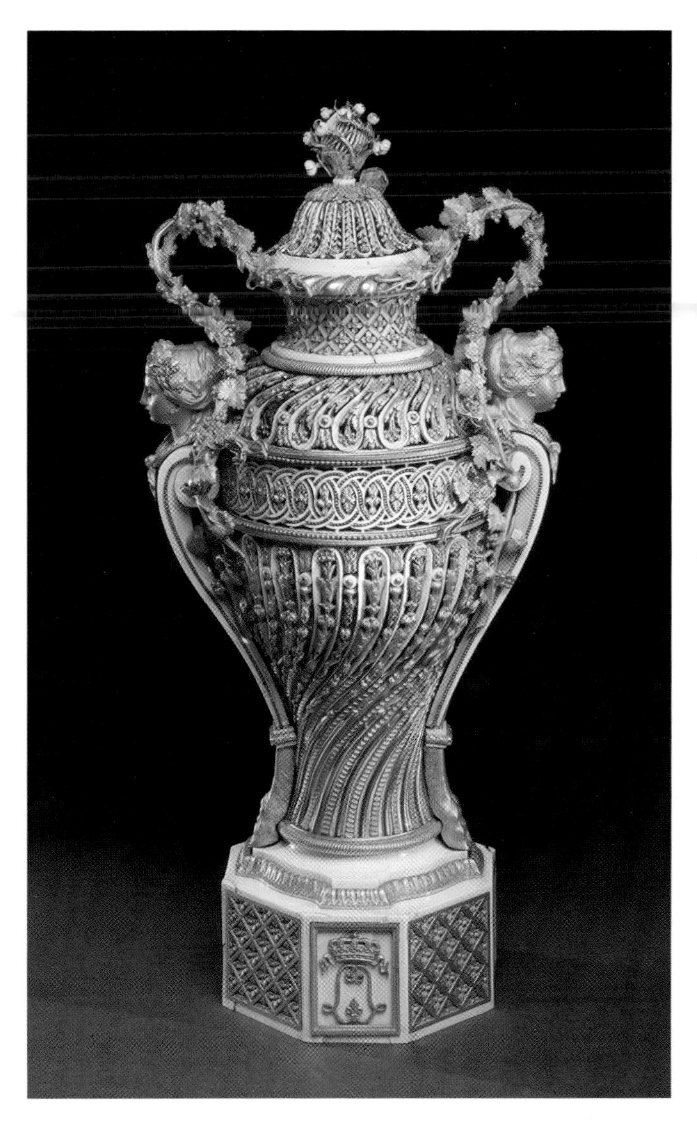

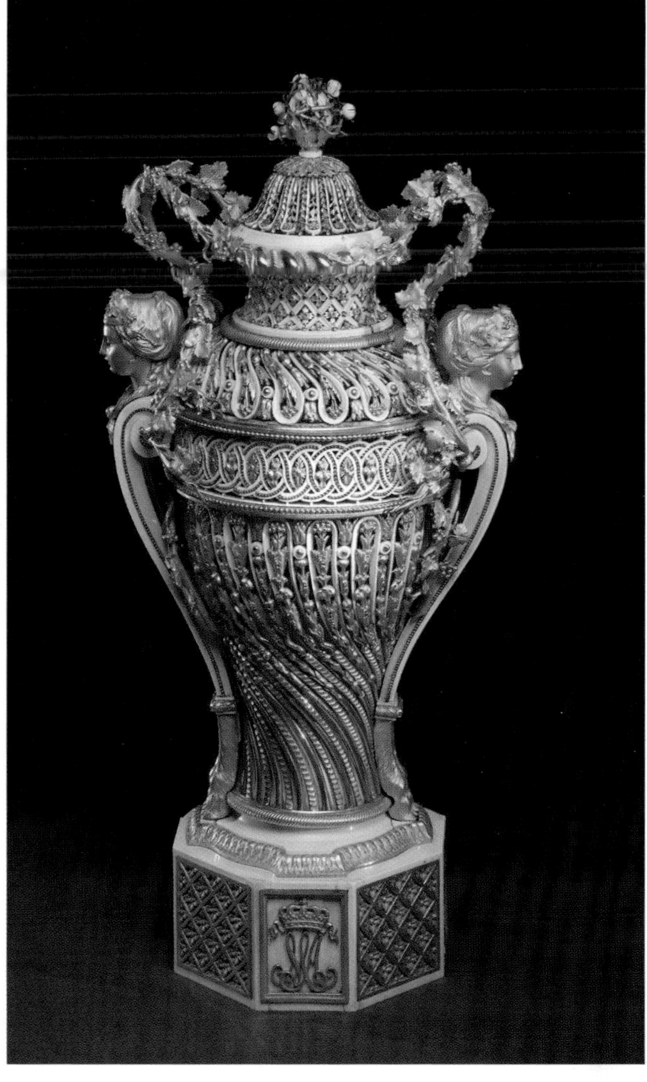

127

Paire de vases en ivoire

Ivoire tourné par François Voisin, dit Voisin fils
Bronze attribué à Pierre Philippe Thomire
(Paris, 1751 – *id.*, 1843)
Paris, vers 1786
Ivoire, bronze doré
H. 42 cm

Provenance : Vendue en l'an II au citoyen Fabre (?) ; vente Chéronnet, Paris, 30 novembre – 4 décembre 1840 (n° 330) ; coll. princes Galitzine, Saint-Pétersbourg ; achetée par le musée en 1886.
Bibliographie : Robiquet 1912, p. 176-177, pl. XXIII ; Birioukova et Smirnov 1974, p. 192, n° 112 ; Baulez 1978, p. 366 ; Ottomeyer et Pröschel 1986, I, p. 224 ; Zeck 1990 (1991), p. 145-148.

Saint-Pétersbourg, musée de l'Ermitage.
Inv. E-4805, E-4806.

Ces vases passaient, au XIXe siècle, pour provenir du Petit Trianon (Zeck 1991) ; il est plus probable qu'ils furent exposés dans le château de Versailles, où une vingtaine de vases d'ivoire figuraient à la veille de la Révolution, la plupart répartis dans les cabinets intérieurs du roi, non loin de la pièce du tour de Louis XVI. Marie-Antoinette devait admirer ces précieux ouvrages rehaussés de bronze doré ciselés comme de l'orfèvrerie, mais elle ne semble pas s'être adonnée au tournage de l'ivoire, contrairement à la plupart des membres de la famille royale que l'éducation manuelle des enfants de France initiait traditionnellement à cet art. Ainsi, le dauphin, futur Louis XVI, et ses frères avaient été formés dans l'atelier de Michel Voisin (1729-1786), maître de tour du roi. Si Marie-Antoinette posséda une pendule en ivoire, cadeau de Louis XV (cat. 74), aucun vase d'ivoire ne figurait parmi ses collections, confiées à la garde de Lignereux le 10 octobre 1789. Peut-on pour autant en conclure qu'elle n'eut jamais ce type de vases d'une esthétique si féminine ?

C'est à François Voisin, fils de Michel, que doit revenir la création de ces précieux vases, entièrement repercés à jour, car le modèle apparaît sur l'une des planches composant le « Nouveau cahier de vases, composés par Voisin Fils, Maître de Tour du Roi » publié à Paris (Zeck 1991, fig. 3), mais sans la base aux chiffres royaux, probablement modifiée tardivement en mémoire des souverains. Une paire de vases, identiques mais dont les canaux ne sont pas torsadés (New York, The Metropolitan Museum of Art, legs George Blumenthal, 1941), présente un piètement conforme à l'estampe. Des paiements sur la cassette personnelle du roi en 1787 pourraient correspondre au règlement de ces vases à Voisin fils, et au bronzier Thomire pour l'exceptionnelle monture, vraisemblablement ajustée grâce à l'intervention de l'orfèvre Massé. **B. R.**

128 a, b

Manufacture royale de porcelaine de Sèvres

Paire de vases à oreilles

Marque de Jacques Pierre aîné (actif de 1759 à 1776), marque incisée : *Mg* orné de la lettre-date *v* pour 1774 (n° 1941/118)
Porcelaine, pâte dure

Düsseldorf, Hetjens Museum. Inv. 19941/118, 1941/118a.

Ces vases font partie d'un tout petit groupe de porcelaines de Sèvres décorées de portraits polychromes, ce qui n'est pas un motif typique de la manufacture. Quelques autres vases, tous de la même forme, ont été exécutés à peu près au même moment. En 1773, Louis XV achète pour la somme de 600 livres (Savill 1988, I, p. 146, note 18n) un vase à oreilles orné des portraits de Madame et Madame Elisabeth. En 1775, on enregistre l'achat de « 2 vases à oreilles – portrait » par Louis XVI, pour la somme de 600 livres chacun, un prix élevé étant donné la petite taille des vases, mais justifié par le décor coûteux (MNS, Vy 6, f° 115 v°, « Ventes fait au Roy pendant l'année 1775 »). Bien que les modèles ne soient pas identifiés, il est possible que cette mention fasse référence à ces vases, étant donné qu'il n'y a pas d'autre vente d'objets similaires correspondant à cette période (l'achat d'un portrait de la reine est noté dans les dépenses pour l'année 1775 ; il s'agit probablement d'un paiement différé pour un achat effectué en 1774 ; MSN, série F, « Recettes et dépenses »). La même année, le roi achète, pour 480 livres, un vase avec un portrait de sa sœur, Madame Clotilde (probablement le vase vendu à Paris, vente du 29 au 31 mai 1905, lot 87 ; la date mentionnée est 1777 – et peut être erronée ; mes remerciements à John Whitehead pour cette référence). Les trois objets sont probablement le fruit d'une commande commémorative, marquant dans un cas l'accession du roi au trône, et dans l'autre le mariage de la princesse. En 1777, un cadeau fait à Joseph II, frère de Marie-Antoinette, comprend deux vases avec le portrait de la reine ; l'un est probablement destiné à Joseph II, et l'autre à sa mère (MNS, Vy 6, f° 207 v°). Ils ont été évalués à 600 livres chacun également. L'année suivante, un autre « vase à oreilles » orné d'un portrait de Madame Elisabeth est mentionné dans les rapports des peintres (MNS, Vj 1, f° 227).

Malgré l'absence de marque de peintre, les vases sont probablement le fruit du travail d'un ou des deux frères Pithou, à qui sont confiées pratiquement toutes les commandes de portraits passées dans les années 1770 et 1780 (Savill 1988, III, p. 1060-1062). Nicolas Pierre le Jeune travaille en 1774 sur quatre tasses et soucoupes portant les

portraits du roi et de la reine (MNS, F 16), une petite plaque avec le portrait du roi, et des tasses avec les visages de Joseph II et Marie-Antoinette en 1777 (MNS, Vj 1, f° 231). Toujours en 1777, Pierre Nicolas l'Aîné exécute le portrait de la reine sur l'un des vases offerts à Joseph II, ainsi que sur une tasse (MNS, Vj 1, f° 227); il est également fait mention d'un vase avec le portrait de Madame Elisabeth en 1778. Exceptionnellement, il exécute également le portrait de Marie-Antoinette « en mignature sur ivoire », ce qui témoigne de ses talents de peintre (*ibid.*, 1777).
Les somptueuses dorures sur les vases sont le travail de Jacques Pierre l'Aîné, que l'on mentionne dans les registres d'heures supplémentaires de 1774 (MNS, F 16: Pierre aîné, « pour doré le vase portrait de la Reine, 9 livres ») dorant le vase orné du portrait de Marie-Antoinette. Les fleurs peintes peuvent être de Philippe Parpette, l'un des principaux peintres de fleurs de la manufacture, qui a peint les « fleurs et fruits » du vase au portrait de Madame Clotilde (*ibid.*: Parpette, 7 août 1774, « 1 vase à oreilles, portrait de Princesse de Piemont, fleurs et fruits, 48 livres »). L'une de ses spécialités sont les natures mortes, les compositions de fleurs et de fruits dans un vase ou un panier, comme c'est le cas pour le dos de ces vases. La richesse des guirlandes de fleurs entourant les portraits réside particulièrement dans la diversité des fleurs représentées, parmi lesquelles on trouve exceptionnellement des lis, une fleur qui n'apparaît pas dans les décors floraux de la manufacture de Sèvres (les lis apparaissent aussi sur des pièces commémorant la naissance du dauphin en 1781). Leur présence, uniquement sur le vase de Louis XVI, est une référence précise au monarque et à l'épanouissement souhaité de la monarchie.
Bien qu'il y ait des divergences quant à la date exacte de l'invention du décor d'émaux à Sèvres (consistant en l'application d'émaux translucides ou opaques sur feuilles d'or fixées sur le vernis), la majorité des pièces exécutées au moyen de cette technique date du début des années 1780. Il n'y a, à ce jour, aucune preuve de production en 1774-1775. Il est donc fort probable que l'ornement de ces vases ait été ajouté ultérieurement, peut-être même dans les années 1780, période à laquelle on rehausse parfois des pièces anciennes (communication orale de sir Geoffrey de Bellaigue). **S. S.**

129

Calendrier de la cour, tiré des éphémérides pour l'année bissextile mil sept cent quatre-vingt-quatre... imprimé pour la famille royale et la Maison de Sa Majesté

Paris, chez la veuve Hérissant, 1784
[N. p.], in-24
H. 11; l. 5,8 cm
Emboîtage: maroquin rouge, plats ornés d'une dentelle et des armes de Marie-Antoinette; le fer est répertorié par Olivier, Hermal et Rothon sous le n° 11 petit modèle, habituellement utilisé pour les *Almanachs de Versailles* aux armes de la reine; dos orné de soleils; tranches ornées d'une spirale; garniture de tabis bleu.
Reliure: maroquin ivoire encadré d'un double filet d'or; gardes de tabis bleu; le dos, à cinq nerfs, est orné de compartiments de maroquin vert et rouge; les plats présentent un encadrement de maroquin vert à décor de dentelle, enchâssant une plaque de mica sous laquelle sont représentées les armes de la reine sur fond de papier gaufré grenat et dans un large décor argenté; la finesse extraordinaire de la composition et la multiplicité des matières découpées et superposées s'apparentent à l'art du tabletier et rappellent la façon de Compigné.

Collection particulière.

Le *Calendrier de la cour* parut pour la première fois en 1701 chez Jacques Collombat. L'imprimeur Jean Thomas Hérissant en reprit le privilège vers 1740. Sa veuve Marie-Nicole Estienne en poursuivit l'édition jusqu'en 1792. En 1793, il devint *Calendrier de la République française*, puis, à partir de 1804, *Calendrier de la cour impériale*. La publication fut assurée jusqu'en 1830 par les successeurs de Marie-Nicole Hérissant. De prix modeste, ce type d'ouvrage éphémère était souvent offert en cadeau d'étrennes. La reliure qu'on lui donnait, riche et très inventive, en compensait en quelque sorte le caractère ordinaire en le transformant en objet de luxe.
Un exemplaire de 1775 est passé en vente à Paris en 2006. Aux armes du comte d'Artois, sa reliure offrait de grandes similitudes avec celle présentée ici: maroquin crème mosaïqué de maroquin vert avec armes peintes sous mica. **R. M.**

Un regard vers l'Orient

Selma Schwartz

A son arrivée en France, la jeune Marie-Antoinette venait d'un pays situé aux confins orientaux de l'Europe, où flottait encore le parfum de la présence ottomane. Elle était née dans une famille fascinée par l'exotisme de l'Orient, fascination qui s'exprimait à travers des œuvres d'imagination et des collections d'objets précieux. A plusieurs reprises, entre 1743 et 1745, Jean Etienne Liotard avait peint sa mère portant différents costumes turcs[1], à l'époque même où se donnait à la cour une « *Entrée in orientalischer Tracht*[2] » *(fig. 21)*. Marie-Thérèse se passionnait aussi pour les objets d'Extrême-Orient, en particulier les laques : « Rien au monde, tous les diamants ne me sont rien, mais ce qui vient des Indes, surtout le laque et même la tapisserie sont les seules choses qui me font plaisir », écrivait-elle en 1743[3]. Près de la moitié de ses biens, inventoriés au moment de sa mort, sont qualifiés d'« *indianisch* » ou de « laque des Indes[4] ». Autour de 1746, elle se fit construire à Schönbrunn deux cabinets « chinois » dans lesquels les boiseries rococo blanc et or étaient décorées à la fois de panneaux de laque et de porcelaine orientale. Une pièce ornée de miniatures indo-persanes, appelée « *Millionzimmer* », fut aussi aménagée en 1762, et, après la mort de François Ier de Lorraine en 1765, Marie-Thérèse remania son bureau : elle y installa des panneaux de laque de très belle qualité qui provenaient de paravents fabriqués par la manufacture impériale de Pékin, ce qui en fit une pièce où le laque prédominait sur tout autre matériau. Enfin, ultime geste révélateur, les legs qu'elle fit au moment de sa mort portèrent presque exclusivement sur des laques[5]. Dans ce contexte, la fascination pour l'Orient que manifesta la jeune archiduchesse autrichienne n'a rien pour surprendre.

Fig. 21
Jean Etienne Liotard
Marie-Thérèse en costume turc
1743-1745
Genève, musée d'Art et d'Histoire. Inv. AD 40.

Le plus ancien témoignage de ce goût est le boudoir turc, créé pour elle à Fontainebleau en 1777. D'après les documents qui nous sont parvenus, la reine, tout comme le comte d'Artois[6], possédait déjà une salle turque à Versailles[7], qui était décorée dans « ce genre Etranger », selon le qualificatif donné au nouveau style. Les constructions relevaient des Bâtiments du roi, mais l'aménagement des pièces était ordonné par le Garde-meuble de la reine et il ne subsiste aucun document sur l'aspect du mobilier[8]. On sait que ce boudoir comportait une alcôve garnie de miroirs avec un « lit à la turque » et un mécanisme qui permettait de masquer la fenêtre par un miroir coulissant dessiné par Mercklein, préfiguration de celui du Petit Trianon[9].

Dans les années 1770, les « turqueries » ne pouvaient guère être encore qualifiées d'exotiques – c'est-à-dire susciter l'intérêt par l'attrait de l'inconnu. Une traduction des *Mille et Une Nuits* parue en 1704 avait d'abord éveillé l'intérêt populaire, avivé ensuite par des gravures qui représentaient la vie à la cour ottomane et par des ambassades en provenance de Turquie et de Perse au cours de la première moitié du XVIIIe siècle. Ecrivains et peintres avaient puisé à ces sources pour imaginer des scènes de la vie ottomane de fantaisie, notamment au sein du sérail, et en 1752 Mme de Pompadour faisait peindre son célèbre portrait en sultane[10]. Il semble pourtant que, sans moteur direct apparent, l'engouement pour les sujets turcs ait connu un renouveau à Paris dans les années 1770. En 1772, Amédée Van Loo recevait la commande d'un

Fig. 22
Vue d'angle du boudoir turc de Marie-Antoinette à Fontainebleau.

ensemble de cartons de tapisserie (conçu en 1754 mais jamais entrepris) intitulé *Le Costume turc*, qui décrivait des scènes de la vie quotidienne de la sultane (voir cat. 147)[11]. Ces cartons furent exposés au Salon de 1775 que la reine visita en septembre[12]. A l'exception des plaques inspirées du *Costume turc*, les turqueries n'apparurent sur la porcelaine de Sèvres qu'entre 1770 et 1779. Les années 1770 virent aussi la reprise et la création de pièces de théâtre dont le titre et le cadre étaient exotiques. Ainsi, un nombre significatif d'œuvres, données au cours du séjour de la cour à Fontainebleau en 1776 et 1777, appartiennent à ce type et portent sur des thèmes turcs : *Achmet et Almazine*, *Mustapha et Zéangir*, *Soliman II ou Les Trois Sultanes*, *Zémire et Azor*, *Fatmé* et *Le Marchand de Smyrne*[13]. La première de *Mustapha et Zéangir* de Nicolas de Chamfort (œuvre inspirée d'une pièce à succès de 1705), qui eut lieu à Fontainebleau le 1er novembre 1776, plut particulièrement à Marie-Antoinette : « la reine a été si satisfaite de la tragédie de monsieur de Champfort, que sa majesté lui a fait donner 1200 livres de pension sur sa cassette[14] ». Elle

1. En outre dans une eau-forte les têtes de Marie-Thérèse et de sa fille aînée, toutes deux en costume turc, ont été insérées dans une composition, exécutée auparavant par Liotard à Constantinople. Koschatzky 1980, p. 316. Le père de Marie-Antoinette a également été peint en costume turc par Liotard.
2. Cat. exp. Vienne 1980, p. 110.
3. Witt-Dörring 1980, p. 353.
4. Yonan 2004, p. 659.
5. Witt-Dörring 1980, p. 353.
6. Baulez 1987.
7. « Nous avons l'honneur de vous representer que nous avons deja fait pour la Reine et pour M.gr le Comte d'Artois aux chateau de Versailles des cabinets turcs don't ils ont paru contents » (lettre des frères Rousseau, 4 mai 1777, Arch. nat., O^1 1435).
8. Bonnefoy du Plan, garde-meuble ordinaire de la reine, demanda les plans du boudoir turc en avril 1777 afin de pouvoir commander le mobilier. Il continua de participer au projet, transmettant les souhaits de la reine quant aux modifications à apporter à l'aménagement (Arch. nat., O^1 1435).
9. Arch. nat., O^1 1435, lettre du 21 mai 1777.
10. Pape 1989 ; Boppe 1905, n° 577, p. 43-55, et n° 579, p. 220-230 ; Stein 1994.
11. Stein 1996.
12. Seznec et Adhémar 1957, vol. IV, p. 234.
13. Arch. nat., O^1 3047-3053.
14. Bachaumont *et al.* 1783-1789, vol. 9, 1784, p. 248 (4 novembre 1776). En fait, il semble que cette somme ait été offerte par le roi.

Fig. 23
Jean Henri Riesener
Secrétaire en armoire
New York, The Metropolitan Museum of Art. Inv. 20.155.11.

possédait aussi un exemplaire des *Mémoires turcs*, ouvrage satirique paru en 1743 au lendemain de l'ambassade turque, qui fut réédité en 1776[15].

En dépit de son succès au Salon, les critiques condamnèrent unanimement *Le Costume turc*, affirmant pour la plupart que les œuvres ne montraient que des Françaises déguisées en Turques. L'auteur du *Coup d'œil sur le Sallon de 1775* résume bien l'opinion générale : « Il faut donc que les François sortent de chez eux, pour peindre des sujets étrangers, ou bien qu'ils se confinent dans les sujets nationaux[16]. »

L'aménagement du boudoir turc à Fontainebleau reflète ce même manque de vraisemblance au profit de l'imagination. Les estampes qui décrivaient la vie ottomane montraient surtout des costumes, non des architectures ni des intérieurs, si bien que les modèles faisaient défaut. Ainsi, les murs du boudoir turc de Marie-Antoinette ressemblent davantage aux décors de style arabesque des frères Rousseau : des motifs manifestement empruntés à la Rome antique s'y combinent avec un vocabulaire ornemental composé de symboles immédiatement identifiables comme turcs – turbans, croissants, cimeterres croisés, colliers de perles et bijoux *(fig. 22)*. Les têtes de nègres, de sexe indéterminé, peintes sur les panneaux du bas, représentent soit des femmes esclaves dans le sérail, soit des eunuques. Ce motif apparaît aussi sur les poignées d'instruments de cheminée[17]. Autre symbole authentiquement turc moins évident : la queue flottante d'un cheval attachée à un bâton, qui renvoie à la charge de fonctionnaire à la cour[18].

Fig. 24
Jean Henri Riesener
Commode
New York, The Metropolitan Museum of Art. Inv. 20.155.12.

Alors que l'Empire ottoman était abordé sur le mode de la gaieté et de la théâtralité, l'Extrême-Orient était véritablement révéré et, très prisées, ses productions faisaient l'objet de collections. Contrairement au boudoir turc, Marie-Antoinette n'a jamais créé d'intérieur spécifiquement « chinois », mais elle devint une grande collectionneuse, notamment de laques.

Il est impossible de déterminer avec certitude à quel moment elle commença cette collection, mais le premier objet pourrait être une boîte en laque que sa mère lui envoya à l'occasion de la naissance de Madame Royale[19]. Au printemps de 1781, Marie-Antoinette recevait aussi un groupe de cinquante boîtes en laque que sa mère lui avait léguées dans son testament[20]. Peu après leur réception, elle commandait à l'ébéniste Jean Henri Riesener une vitrine en laque et bronze doré munie d'étagères pour les exposer dans son cabinet intérieur[21]. Le fait qu'elle n'ait pas acheté un laque extrêmement original (inventorié dans sa collection en 1789) lors de sa mise en vente en 1777 mais quelque temps après sa vente ultérieure en 1781 laisse penser qu'elle ne commença sa collection qu'après la réception du cadeau de Marie-Thérèse[22].

En 1783, la reine commanda un ensemble de meubles exceptionnel : un secrétaire, une commode *(fig. 23 et 24)* et une encoignure, exécutés au moyen de panneaux de laques japonais, et décorés d'extraordinaires

15. Claude Godard d'Aucour, *Mémoires turcs, par un auteur turc de toutes les académies mahométanes, licencié en droit turc et maître-en-arts de l'université de Constantinople*, Bibliothèque nationale de France, RES-Y2-1763-5.
16. Stein 1996, p. 433.
17. Arch. nat., O[1] 398 : « pelle, pincette, et tenaille, de fer doré et à bouton de bronze représentant des bustes de Négres le tout de bronze doré or moulu ».
18. « Le sultan donne pour marque d'honneur à chacun de ces beglerbegs trois enseignes que les Turcs appellent *tug* ; ce sont des bâtons au haut desquels il y a une queue de cheval attachée, & un bouton d'or par-dessus » (*Encyclopédie*, vol. 15, 1765, p. 756, article « Turquie »).
19. Kopplin 2001, p. 45.
20. *Ibid.*
21. Baulez 2001b, p. 31.
22. *L'Intermédiaire* 1908, col. 881 (« un petit donjon [en laque] avec un petit vase dans le plateau ») ; vente Julliot, 20 novembre – 11 décembre 1777, n° 639, vendu ultérieurement, en provenance de la collection de la duchesse de Mazarin, décembre 1781, n° 200.

montures en bronze doré représentant des fleurs très réalistes et son chiffre[23]. A ce mobilier s'ajouta, en décembre 1784, une table à écrire composée aussi de panneaux de laque japonais (cat. 141). La décoration de la pièce fut remaniée en 1784 : les tentures de soie cédèrent la place à des boiseries sculptées blanc et or qui donnèrent alors à la pièce son nom de cabinet doré[24]. Mais, en dépit de la prédominance absolue du laque, l'intention n'était pas de créer une chinoiserie. Les boiseries sont essentiellement néoclassiques, à la mode du jour ; seules les dorures font référence aux laques. Le mobilier en laque n'est d'ailleurs resté installé qu'un certain temps avant d'être séparé de la collection des objets en laque. Après une période de transition, il a été expédié à Saint-Cloud en 1788 pour entrer dans le cabinet intérieur de la reine, à l'exception de l'encoignure. Là encore, il n'était pas question de créer un intérieur « chinois ». Si les murs de la chambre à coucher étaient tapissés de « pékin fond blanc, peint à figures chinoises », le cabinet intérieur était garni de « damas bleu ciel, bordé en chainettes » et les bronzes se composaient d'éléments néoclassiques : lyres, satyres, pampres de vigne et béliers[25]. Un guéridon rond, fourni par Daguerre en 1784[26], s'est ajouté à ce groupe à Saint-Cloud en 1788. Il semble que le dessus en ait été un précieux laque namban (car il était incrusté de nacre)[27]. Ce laque devait être d'une qualité exceptionnelle car la petite table, dont le dessus était protégé par un verre, fut estimée 2 400 livres en 1790[28].

Fig. 25
Boîte à encens dans un kiosque miniature avec monture en vermeil
Paris, musée du Louvre.

On ignore quels objets Marie-Antoinette avait disposés dans cette pièce au mobilier en laque, car les seuls inventaires qui répertorient ses possessions les mentionnent dans des armoires, où elles étaient rangées quand la famille royale s'absentait. Aucun laque ne figure dans l'inventaire de Saint-Cloud et, par conséquent, à moins que les laques et autres pièces orientales n'aient été emportées de Versailles à Saint-Cloud quand la famille s'y rendait, il semblerait que cette pièce en ait été dépourvue.

La prédilection de Marie-Antoinette pour le mobilier en laque est attestée par de nouveaux meubles commandés pour Saint-Cloud auxquels il fut finalement renoncé[29]. Mais, globalement, la reine ne possédait que quelques meubles et n'était pas la seule à apprécier le mobilier en laque. Mesdames acquirent également des pièces significatives, ainsi que Louis XVI, pour qui furent exécutés deux commodes pour sa chambre à coucher à Saint-Cloud[30] et un secrétaire pour Versailles, fabriqué à partir du même cabinet de laque japonais que la table de Marie-Antoinette[31].

Les laques constituèrent les deux tiers de la collection de la reine inventoriée à Versailles, le reste étant constitué d'objets en pierres dures et en bois pétrifié montés, de porcelaine orientale et de cristal de roche. Les mêmes catégories se retrouvent à Saint-Cloud, en moindres quantités, mais aucun laque ni aucun objet de bois pétrifié n'y a été enregistré. L'inventaire de 1789 montre que Marie-Antoinette avait quasiment doublé la collection de laques que lui avait léguée sa mère. A eux seuls, ses achats font d'elle l'un des plus grands collectionneurs de laques de Paris à la fin du XVIIIe siècle et, si l'on y ajoute ceux de sa mère, sa collection est peut-être la plus importante après celle de son oncle, Charles, duc de Lorraine. On peut identifier certains de ces objets et d'autres similaires aux siens dans les ventes des collectionneurs les plus célèbres de l'époque. Elle achetait souvent très cher des pièces rares, dont la provenance était intéressante ou bien d'une très haute qualité d'exécution.

La paire de bouteilles laquées, avec des montures en bronze doré, figurant initialement dans la collection de Mme de Pompadour et qui provenait de la collection de Randon de Boisset, a été décrite comme « précieuses, & peut-être unique, par la richesse, la

perfection de leur travail & l'élégance de leur forme[32] ». Le pavillon laqué avec des montures de vermeil, mentionné plus haut, a fait l'objet de la plus haute enchère à la vente Julliot : il atteignit trois fois le prix du second lot le plus cher *(fig. 25)*. On peut identifier aussi une charmante boîte laquée avec une figurine allongée sur le couvercle à la vente de la collection Blondel d'Azincourt en 1783, qui vint en second après le laque à l'enchère la plus élevée[33] *(fig. 26)*.

Bien qu'en moindre nombre, les porcelaines orientales étaient également collectionnées pour leur rareté. A Saint-Cloud, Marie-Antoinette possédait une paire de « taureaux de porcelaine d'ancien Saladin [*sic*] surmonté de deux magots ancien truité[34] ». Ces figurines apparaissent rarement dans les catalogues de ventes. On en rencontre une paire dans la vente Gaignat en 1768[35], et un seul de ces personnages atteignit 1 000 livres à la vente du duc d'Aumont en 1782[36].

Les montures en bronze doré augmentaient sensiblement la valeur des objets, surtout pour ce qui concerne les porcelaines. Des enchères extraordinaires furent atteintes à la vente du duc d'Aumont pour des objets richement montés, principalement par Gouthière. Une paire de vases en céladon, que Louis XVI avait achetés, furent le lot le plus cher, à 7 501 livres[37]. Marie-Antoinette paya 4 320 livres une paire d'urnes de couleur bleu lapis, également avec des montures de Gouthière[38]. Mais, en dépit de leur taille et de la rareté de leur teinte, la paire d'aiguières aubergine (cat. 143) ne dépassa pas les 1 802 livres. Les montures étaient restées les mêmes qu'à la vente Gaignat de 1768, décrites comme « simple & sage », et ne correspondaient plus au goût qui prévalait alors.

Fig. 26
Boite en forme de jeu de go avec poignée figurant un petit Chinois
Versailles, musée national des châteaux de Versailles et de Trianon.

23. Baulez 2001b, p. 32-33 ; Rieder 2002, p. 83-96 ; Kisluk-Grosheide 2006b, p. 198-201.
24. Didier 2005.
25. Arch. nat., O^1 3431.
26. Je remercie Christian Baulez de m'avoir signalé la facture de Daguerre et indiqué que le laque du dessus ne paraissait pas avoir été fourni par lui. Il pourrait provenir de la réserve du Garde-meuble ou avoir été acheté séparément par Marie-Antoinette.
27. « Une autre Table en guéridon de forme ronde à bascule, le dessus plaqué en nacre de perle rapporté recouvert d'une glace Blanche : le tout incrusté dans un fond de cuive doré or bruni, orné au pourtour d'une Balustrade à jour à entrelacs et fleurons cizelés de 2 p.ces 1/2 de large sur son pied à colonne cannelée [...] la ditte table de 24 p.ces de diamètre sur 28 p.ces 3/4 de haut » (Arch. nat., O^1 3431).
28. Arch. nat., O^1 3430. Tout le mobilier en laque a été réservé pour le Muséum dans une liste rédigée le 22 prairial an II (Arch. nat., O^2 489).
29. Arch. nat., O^1 3580 et O^1 3646.
30. Arch. nat., O^1 3646.
31. Impey et Whitehead 1990.
32. Kopplin 2001, p. 56-57.
33. Vente Blondel d'Azincourt, 10-27 février 1783, n° 397.
34. Arch. nat., O^2 489.
35. Vente Gaignat, 22-23 décembre 1768, n° 114.
36. Vente du duc d'Aumont, 12 décembre 1782, n° 120.
37. Vente du duc d'Aumont, 1782, n° 110.
38. Vente du duc d'Aumont, 1782, n° 163.

130 à 140

Laques du Japon

Japon, fin du XVIIe – premier tiers du XVIIIe siècle

La reine Marie-Antoinette a eu une véritable prédilection pour les laques japonais qu'elle tenait de sa mère l'impératrice Marie-Thérèse d'Autriche. Celle-ci mourut en novembre 1780, lui léguant un ensemble de cinquante boîtes en laque (Kopplin 2001, p. 45). Le legs arriva à Versailles en mai 1781 et la reine commanda aussitôt à Jean Henri Riesener, pour son grand cabinet, deux encoignures à étagères et une grande vitrine en laque et bronze doré qui fut livrée fin 1781 (Baulez 2001b, p. 31). Marie-Antoinette devait compléter sa collection par différents achats effectués par l'intermédiaire de marchands-merciers, en premier lieu Dominique Daguerre, qui lui apportèrent de très belles pièces, certaines avec monture en bronze doré.

En 1783, la reine, recherchant l'accord parfait entre le décor intérieur et ses collections, fit transformer son grand cabinet intérieur. Au décor textile livré en 1779 succéda un splendide lambris sculpté et doré. Après les journées d'octobre 1789, le marchand-mercier Daguerre se vit immédiatement confier la mission de mettre en sécurité les objets d'art de la reine. La collection fut inventoriée le 10 octobre 1789 avant d'être transférée à Paris. Elle fut à nouveau examinée en décembre 1793, puis la Commission des arts décida, le 15 mars 1794, le transfert des objets au Museum central des arts (Louvre) (Tuetey 1916, p. 288, 290). De nos jours, la collection de laques de Marie-Antoinette compte soixante et onze pièces, dont quatorze constituées d'une paire. Le musée du château de Versailles conserve depuis 1965 la partie la plus importante de la collection, le musée du Louvre, cinq laques montés en bronze doré, et le musée Guimet, à Paris, les autres pièces de la collection.

L'inventaire du 10 octobre 1789 s'avère précieux car il révèle la manière dont la reine avait disposé ses laques dans le cabinet doré. Sur quatre tables au plateau de bois pétrifié étaient présentés les objets les plus spectaculaires. Sur l'une de ces tables figuraient deux superbes boîtes zoomorphes, l'une en forme de petit chien et l'autre en forme de coq (cat. 137). Sur une autre table se dressait un petit kiosque (Louvre) composé de deux coupelles reliées par une monture, accueillant un vase et flanqué de deux aiguières (Louvre). Au premier plan étaient exposées « trois boîtes carrées », dont l'écritoire avec monture en bronze doré représentant sur le couvercle la poétesse Ono no Komachi (cat. 140). Enfin, dans la vitrine, sur neuf tablettes en gradins étaient présentés tous les autres laques.

Ces laques ont essentiellement été fabriqués dans le premier tiers du XVIIIe siècle dans des ateliers de Kyoto et de Nagasaki. Il est très difficile de savoir s'ils étaient destinés à l'aristocratie européenne comme chinoise ou bien destinés au marché japonais. Ils se caractérisaient en effet par le même soin dans l'exécution, l'adoption des mêmes formes et le recours aux mêmes motifs s'ils visaient l'exportation ou bien la clientèle japonaise de seigneurs et riches marchands (Oka 2002, p. 199).

Les laques exerçaient une fascination universelle. L'empereur de Chine comme la reine de France conservaient leur collection de laques japonais dans leurs appartements privés. Le National Palace Museum de Taipei à Taïwan possède la collection de l'empereur de Chine, véritablement équivalente à celle de Marie-Antoinette.

La collection de Marie-Antoinette illustre magnifiquement le goût du XVIIIe siècle pour les laques, la sensibilité de la reine et, à travers le legs, son attachement à sa famille.

Les boîtes en laque – en bois, certaines en papier mâché – adoptent des formes étonnamment variées, carrées, rectangulaires, polygonales, en tambour, en éventail ouvert. D'autres, en ronde bosse, figurent des animaux (cat. 137) ou encore un fruit, pêche (cat. 132), symbole de longue vie, calebasse ou melon. Certaines pièces n'appartiennent pas à des « familles », ainsi des boîtes en forme d'arc (cat. 133), de hotte (cat. 136), de panier, d'instrument de musique, de bourse. Elles sont généralement garnies de petites boîtes au décor assorti et de plateaux. On retrouve couramment des plantes comme décor : des chrysanthèmes, des clématites, des iris et des œillets, des feuilles de lierre ou de vigne, et le thème très insistant, à valeur symbolique, des fleurs de prunier ou de cerisier. Certaines boîtes présentent un décor d'éventails sur fond de plantes (cat. 134), des disques constitués de chrysanthèmes, des motifs géométriques (cat. 130), des rouleaux de brocart (cat. 133). Une boîte simule un panier, rendu par un motif d'osier tressé avec au centre, de manière très savoureuse, un écureuil (cat. 131).

Certaines pièces se distinguent par un véritable spectacle miniature, un décor montrant un paysage côtier, un décor de dragon enroulé sur lui-même ou de phénix et de paulownias ou bien des scènes pouvant également renvoyer à des thèmes poétiques et littéraires du répertoire classique japonais (cat. 140). Le couvercle d'une boîte hexagonale représente deux dames d'honneur de la cour impériale durant l'époque de Heian se promenant dans un jardin, tandis que le plateau montre des petits Chinois jouant (cat. 135). Ces boîtes sont revêtues d'un fond en laque noir ou en or, dont la surface dorée est travaillée pour inscrire le dessin et le modelé du décor. La technique, au subtil relief, comprend parfois des incrustations d'argent ou de nacre (Kopplin 2001, p. 47). Pour les boîtes en forme d'éventail, un rivet d'argent simule le pivot des baguettes de l'éventail.

Le jeu de la lumière sur la surface or, la variété du traitement de l'or animent ces œuvres d'art d'une grande poésie qui traduisent tout le raffinement de l'art japonais des laques. **P.-X. H.**

130
Anonyme
Boîte rectangulaire
à décor d'armoiries

Laque du Japon
H. 2,2 ; l. 7,7 ; pr. 10,1 cm

Provenance : Coll. de Marie-Antoinette, Versailles, cabinet doré : « Dedans la cage [aux laques] Sixième tablette » (inv. du 10 octobre 1789).
Bibliographie : Ephrussi 1879, p. 404 ; *L'Intermédiaire* 1908, col. 882 ; Tuetey 1916, p. 312 ; Nagashima 1999, p. 34, fig. 19, n° 37 ; Kopplin 2001, n° 9, p. 78-79 ; Hans 2005, n° 62, p. 168.

Versailles, musée national des châteaux de Versailles et de Trianon. Inv. MR 380-8.

131
Anonyme
Boîte en forme de panier hexagonal

Boîte garnie d'un plateau et de sept petites boîtes rondes
Laque du Japon
H. 6,5 ; l. 9,9 ; pr. 9,4 cm (boîte)
H. 0,6 ; l. 9,3 ; pr. 8,6 cm (plateau)
H. 3,5 ; l. 3 cm (petites boîtes)

Provenance : Coll. de Marie-Antoinette, Versailles, cabinet doré : « Dedans la cage [aux laques] Septième tablette » (inv. du 10 octobre 1789).
Bibliographie : Ephrussi 1879, p. 403 ; *L'Intermédiaire* 1908, col. 882 ; Tuetey 1916, p. 310 ; Nagashima 1999, n° 65, p. 39, fig. 43 ; Kopplin 2001, n° 47, p. 166-169 ; Hans 2002, n° 112.

Versailles, musée national des châteaux de Versailles et de Trianon. Inv. MR 380-57.

132
Anonyme

Boîte en forme de pêche

Boîte garnie d'un plateau
Laque du Japon
H. 5,9 ; l. 13 ; pr. 10,4 cm (boîte)
H. 0,7 ; l. 7,8 ; pr. 8,9 cm (plateau)

Provenance : Coll. de Marie-Antoinette, Versailles, cabinet doré : « Dedans la cage [aux laques] Cinquième tablette » (inv. du 10 octobre 1789).
Bibliographie : Ephrussi 1879, p. 402 ; *L'Intermédiaire* 1908, col. 882 ; Tuetey 1916, p. 309 ; Nagashima 1999, n° 67, p. 42, fig. 45 ; Kopplin 2001, n° 41, p. 154-155.

Versailles, musée national des châteaux de Versailles et de Trianon. Inv. MR 380-61.

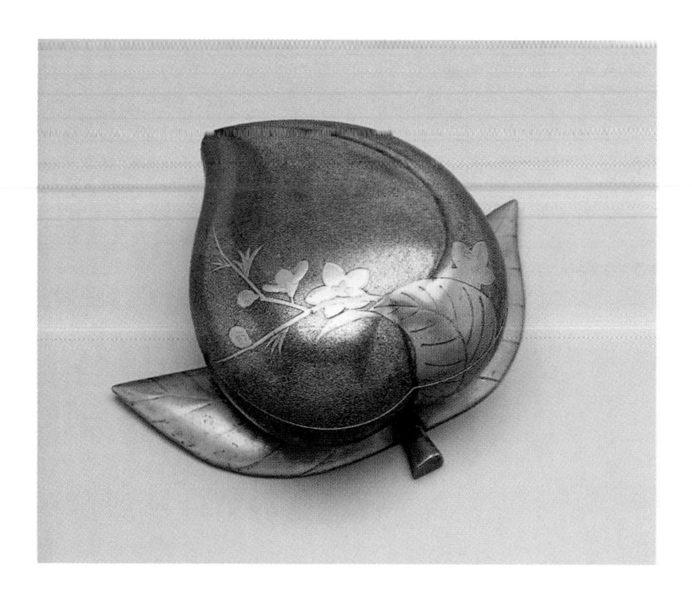

133
Anonyme

Boîte en forme d'arc

Boîte à deux étages
Laque du Japon
H. 6,7 ; l. 16 ; pr. 6,7 cm

Provenance : Coll. de Marie-Antoinette, Versailles, cabinet doré : « Dedans la cage [aux laques] Cinquième tablette » (inv. du 10 octobre 1789).
Bibliographie : Ephrussi 1879, p. 402 ; *L'Intermédiaire* 1908, col. 882 ; Tuetey 1916, p. 308-309 ; Nagashima 1999, n° 69, p. 42, fig. 47 ; Kopplin 2001, n° 43, p. 158-159.

Versailles, musée national des châteaux de Versailles et de Trianon. Inv. MR 380-64.

134
Anonyme

Boîte rectangulaire à décor d'éventails

Boîte garnie d'un plateau
Laque du Japon
H. 10 ; l. 14,6 ; pr. 8,8 cm (boîte)
H. 1,5 ; l. 13,9 ; pr. 8,2 cm (plateau)

Provenance : Coll. de Marie-Antoinette, Versailles, cabinet doré : « Dedans la cage [aux laques] Sixième tablette » (inv. du 10 octobre 1789).
Bibliographie : Ephrussi 1879, p. 401 ; *L'Intermédiaire* 1908, col. 882 ; Tuetey 1916, p. 308 ; Nagashima 1999, n° 28, p. 34, fig. 14 ; Kopplin 2001, n° 18, p. 98-99

Paris, musée national des Arts asiatiques Guimet. Inv. MR 380-71.

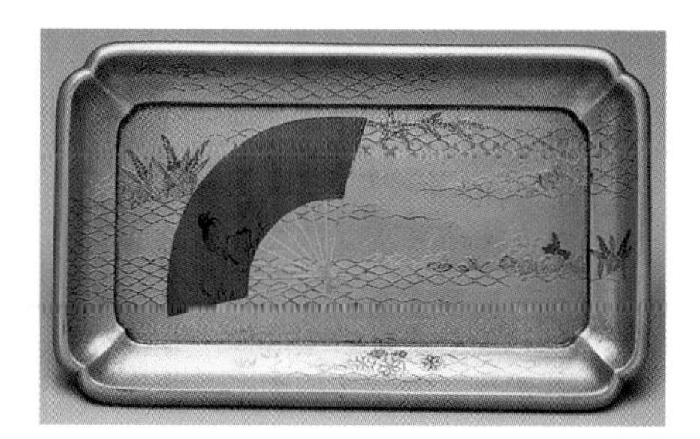

135
Anonyme
Boîte hexagonale à décor de paysage, habitation et figures

Boîte garnie d'un plateau
Laque du Japon
H. 8,5 ; l. 11,2 ; pr. 12,9 cm (boîte)
H. 1 ; l. 10,6 ; pr. 12,2 cm (plateau)
H. 3,5 ; l. 3 cm (petites boîtes)

Provenance : Coll. de Marie-Antoinette, Versailles, cabinet doré : « Dedans la cage [aux laques] Première tablette » (inv. du 10 octobre 1789).
Bibliographie : Ephrussi 1879, p. 401-402 ; *L'Intermédiaire* 1908, col. 881 ; Tuetey 1916, p. 308 ; Jallut 1955a, n° 552 ; Nagashima 1999, n° 29 ; Kopplin 2001, n° 22, p. 106-109.

Paris, musée national des Arts asiatiques Guimet. Inv. MR 380-72.

136
Anonyme
Boîte à encens en forme de hotte

Boîte à deux étages
Laque du Japon
H. 8,5 ; l. 5,3 ; pr. 9,2 cm

Provenance : Coll. de Marie-Antoinette, Versailles, cabinet doré, « Dedans la cage [aux laques] Sixième tablette » (inv. du 10 octobre 1789).
Bibliographie : Ephrussi 1879, p. 400 ; *L'Intermédiaire* 1908, col. 882 ; Tuetey 1916, p. 307 ; Nagashima 1999, n° 75, p. 43, fig. 51 ; Kopplin 2001, n° 46, p. 164-165.

Versailles, musée national des châteaux de Versailles et de Trianon. Inv. MR 380-83.

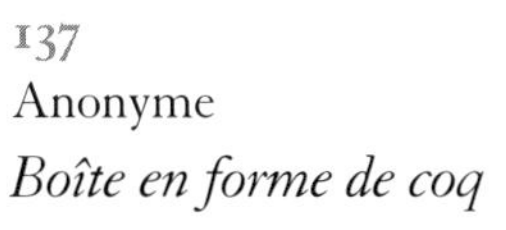

137
Anonyme
Boîte en forme de coq

Boîte à deux étages garnie d'un plateau
Laque du Japon
H. 12,8 ; l. 18,4 ; pr. 8,5 cm (boîte)
H. 0,8 ; l. 12,1 ; pr. 7,3 cm (plateau)

Provenance : Coll. de Marie-Antoinette, Versailles, cabinet doré : « Sur la table à gauche [de la cheminée] » (inv. du 10 octobre 1789).
Bibliographie : Ephrussi 1879, p. 399 ; *L'Intermédiaire* 1908, col. 881 ; Tuetey 1916, p. 305-306 ; Nagashima 1999, n° 79 ; Kopplin 2001, n° 56, p. 186-187.

Versailles, musée national des châteaux de Versailles et de Trianon. Inv. MR 380-91.

138

Boîte carrée

Boite garnie d'un plateau et de quatre petites boîtes carrées
Laque du Japon
H. 5; l. 9,9; pr. 9,3 cm (boîte)
H. 1; l. 9,3; pr. 8,8 cm (plateau)
H. 2,9; l. 4,5; pr. 4,2 cm (petites boîtes)

Provenance: Coll. de Marie-Antoinette, Versailles, cabinet doré: « Dedans la cage [aux laques] Huitième tablette » (inv. du 10 octobre 1789).
Bibliographie: Ephrussi 1879, p. 403; *L'Intermédiaire* 1908, col. 883; Tuetey 1916, p. 310; Nagashima 1999, n° 17; Kopplin 2001, n° 17, p. 96-97.

Paris, musée national des Arts asiatiques Guimet. Inv. MR 380-41.

139 a

Boîte en forme d'éventail

Laque du Japon
H. 4,2; l. 17; pr. 10,7 cm

Provenance: Coll. de Marie-Antoinette, Versailles, cabinet doré: « Dedans la cage [aux laques] Deuxième tablette » (inv. du 10 octobre 1789).
Bibliographie: Ephrussi 1879, p. 403; *L'Intermédiaire* 1908, col. 882; Tuetey 1916, p. 311; Nagashima 1999, n° 5; Kopplin 2001, n° 29, p. 128-129.

Paris, musée national des Arts asiatiques Guimet. Inv. MR 380-1.

139 b

Paire de boîtes en forme d'éventail

Boîtes garnies chacune d'un plateau et de quatre petites boîtes en forme d'éventail
Laque du Japon
H. 8,5; l. 25,5; pr. 17,8 cm (boîtes)
H. 1,2; l. 23; pr. 15,3 cm (plateaux)
H. 1,3; l. 10,5; pr. 6,6 cm (petites boîtes)

Provenance: Coll. de Marie-Antoinette, Versailles, cabinet doré: « Dedans la cage [aux laques] Sixième tablette » (inv. du 10 octobre 1789).
Bibliographie: Ephrussi 1879, p. 400; *L'Intermédiaire* 1908, col. 883; Tuetey 1916, p. 306; Nagashima 1999, n° 73, p. 42, fig. 49, et p. 50; Kopplin 2001, n° 32, p. 134-137; Hans 2002, n° 110.

Versailles, musée national des châteaux de Versailles et de Trianon. Inv. MR 380-79, MR 380-80.

138

139 a

139 b

139 b: l'une des boîtes ouverte

140

Anonyme, attribuée à François Rémond
(Paris, 1751 – *id.*, 1843)

Ecritoire avec monture en bronze doré

Laque du Japon, bronze doré
Paris, vers 1785 (monture)
H. 9,3; l. 23; pr. 25,5 cm (avec monture)

Provenance: Coll. de Marie-Antoinette à Versailles, cabinet doré: « Sur la table à gauche près de la porte » (inv. du 10 octobre 1789).
Bibliographie: Ephrussi 1879, p. 400, fig. p. 405; *L'Intermédiaire* 1908, col. 881; Tuetey 1916, p. 307; Watson 1963, p. 111, fig. 4; Nagashima 1999, n° 1; Kopplin 2001, n° 5, p. 68-71; Alcouffe *et al.* 2004, n° 129, p. 258-259.

Paris, musée du Louvre. Inv. MR 380-76.

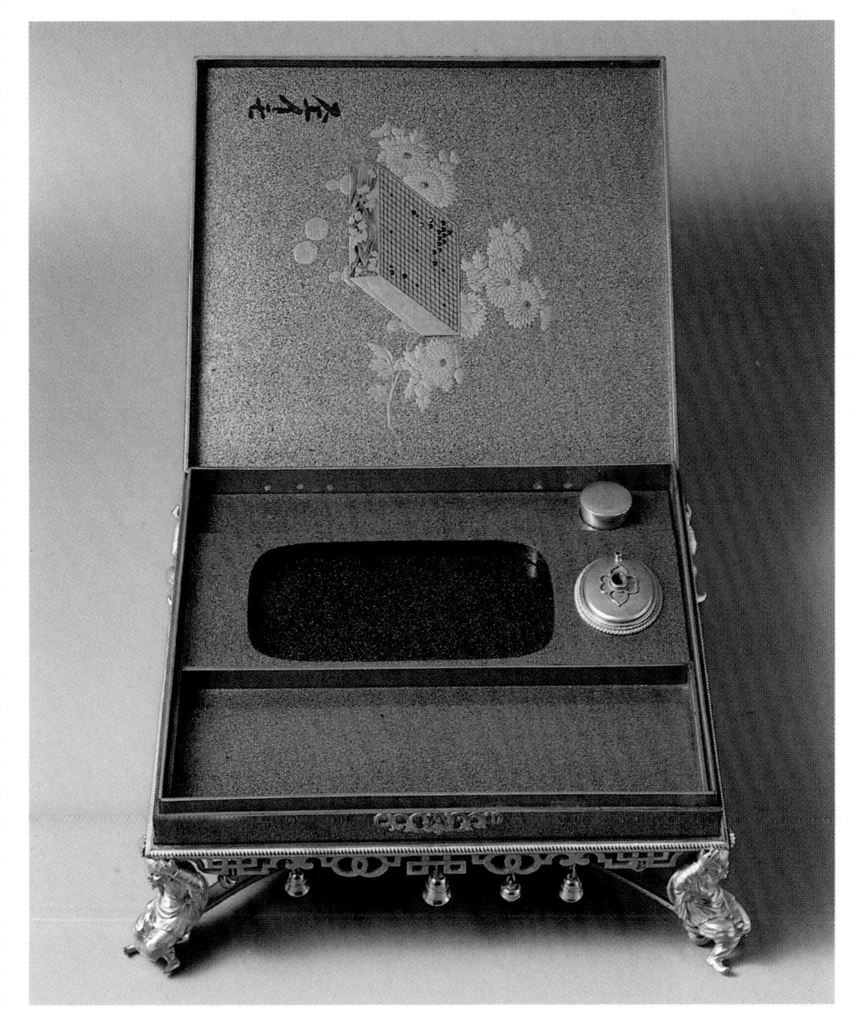

Nous savons, grâce à l'inventaire du 10 octobre 1789, que cette écritoire en laque prenait place sur l'une des quatre tables au plateau de bois pétrifié du cabinet doré de la reine (*L'Intermédiaire* 1908, p. 881). Son couvercle représente la célèbre poétesse de l'époque de Heian, Ono no Komachi (vers 833-857), en robe de cérémonie. On admire la richesse et la finesse des motifs de la robe traités en relief, se détachant sur un fond doré mat en poudre d'or ou de laque rouge pour les plis de la robe. Au registre supérieur du couvercle est retranscrit un poème. La particularité de cette boîte est d'être enrichie d'une monture de bronze doré à la chinoise: quatre Chinois moustachus très pittoresques forment les pieds, reliés par une ceinture ajourée à grecques et entrelacs retenant des boules et des clochettes. A partir de la mention figurant dans le livre-journal du célèbre bronzier à la date du 14 février 1785 – « M. Daguerre doit pour la garniture d'une boîte de laque à chinois, 240 » –, on attribue l'exécution de cette monture à François Rémond (Verlet 1987, p. 130; Baulez 2001b, p. 41 note 52), tout en sachant que la responsabilité de la fonte n'implique pas la paternité du modèle. Quoi qu'il en soit, la monture pourrait avoir été exécutée pour le compte du marchand-mercier Daguerre, qui aurait revendu la boîte à Marie-Antoinette.
Il existait à cette époque un goût extrême-oriental ou chinois dans les arts décoratifs, comme l'attestent par exemple les pékins peints de personnages et de paysages chinois, ou les lanternes à la chinoise. Marie-Antoinette possédait dans ses collections des porcelaines de Chine. On sait qu'en 1785 Rémond livrait à Bonnefoy du Plan six paires de bras à plateau à deux bobèches « à la chinoise » (Verlet 1987, fig. 97, p. 90). En outre, Marie-Antoinette possédait à Saint-Cloud une œuvre de même esprit: « un chinois tenant dans ses bras un chien » posé sur un socle à chaînons

et sonnettes en bronze doré (Saint-Cloud, inventaire ventôse an II, archives du Louvre, ms. 37, f° 129, n° 2036).
Mme Monika Kopplin retient comme provenance de cette boîte la collection du duc Charles de Lorraine (1712-1780), dispersée en mai 1781 (Kopplin 2001, p. 70). **P.-X. H.**

141

Adam Weisweiler

(Neuwied, Allemagne, 1746 – Paris, 1820)
Maître en 1778

Table à écrire

Paris, 1784
Placage d'ébène et de sycomore, laque du Japon, acier, bronze doré
H. 73,7 ; l. 81,2 ; pr. 45,2 cm
Estampillée *A. Weisweiler*

Provenance : Livrée pour Marie-Antoinette à Versailles en 1784 ; inventoriée à Saint-Cloud en 1789 ; coll. du prince de Beauvau ; vente Beauvau, Paris, hôtel Drouot, 21 avril 1865, n° 1 ; acquise par l'impératrice Eugénie, présentée aux Tuileries ; versement du Mobilier national, 1870.
Bibliographie : Verlet 1945, n° 13, p. 30-31, pl. XVI ; Lemonnier 1983, n° 128 ; Verlet 1987, p. 318-320 ; Impey et Whitehead 1990, p. 162 ; Alcouffe *et al.* 1993, I, n° 97 ; Wolvesperges 2000, p. 357 ; Baulez 2001b, p. 34, ill. p. 35.

Paris, musée du Louvre. Inv. OA 5509.

Cette exceptionnelle table à écrire offre un plateau constitué de trois panneaux de laque du Japon, la ceinture ornée de plaques d'acier poli. Mais c'est par sa garniture de bronzes que cette table se démarque avant tout. Les deux plaques en façade de la ceinture sont couvertes d'une frise à figure d'Apollon flanquée de deux sphinx ponctués par des rinceaux. Les gaines en bronze doré des pieds sont « enrichies d'une figure de femme terme ou cariatide, drapée dans le style égyptien, portant une corbeille », pour reprendre la description figurant à l'inventaire du château de Saint-Cloud dressé en 1789 (Verlet 1945, p. 30). Cette table est livrée par Dominique Daguerre, le plus célèbre marchand-mercier de Paris à l'époque, le 2 novembre 1784, jour de l'anniversaire de la reine, pour son grand cabinet intérieur ou cabinet doré à Versailles. Cette année-là, les frères Rousseau ont sculpté pour ce cabinet un décor antiquisant retenant pour motif principal deux sphinges flanquant une Athénienne brûle-parfum.
L'association de laque, bronze, acier avec l'ébénisterie très limitée révèle bien l'audacieuse création d'un marchand-mercier. On peut néanmoins admirer deux tiroirs marquetés de losanges de sycomore à la manière caractéristique de Weisweiler, tout comme les entretoises de la table formées par des entrelacs, véritable signature de l'ébéniste.
Le mémoire de Daguerre de 1784 signale que les ornements de bronze doré « sont modelés exprès » (Wolvesperges 2000, p. 357) et le livre-journal de François Rémond indique que, le 23 octobre 1784, le bronzier factura à Daguerre la dorure des frises de bronze sur acier de la ceinture (Baulez 1995, p. 85). En revanche, les gaines de bronze doré sortent d'un autre atelier, même si le modèle appartient à Daguerre, car d'autres meubles de ce marchand-mercier offrent de semblables gaines formées d'un buste de femme sans bras. Les bronzes de la table, de qualité remarquable, sont traditionnellement attribués à Gouthière, Rémond n'intervenant qu'à titre de doreur. Daguerre livre cette même année 1784 un second meuble en laque, également exécuté par Weisweiler, le grand secrétaire en cabinet pour la pièce d'angle du roi à Versailles dont les panneaux de laque pourraient appartenir à un même coffre de vieux laque du Japon (Wolvesperges 2000, p. 357 ; Baulez 2001b, p. 34-35). **P.-X. H.**

142

Paire de vases

Porcelaine chinoise (vers 1700) avec montures de bronze doré (vers 1780-1785)
H. 29,3 ; l. 16,8 ; pr. 9,8 cm
Paris, musée du Louvre. Inv. OA 5267.

Ces vases sont inventoriés en 1789 dans le cabinet doré des appartements privés de la reine à Versailles (avec une fontaine, la représentation d'une paire de perroquets et celle d'un chat, tous de la même couleur) (*L'Intermédiaire* 1908, col. 881), disposés sur une table en bois pétrifié, à droite de la cheminée (Baulez 2001b, p. 37). La porcelaine bleu céleste est particulièrement prisée par les collectionneurs du XVIIIe siècle : « recherchée sur-tout en fond uni, [cette porcelaine] est d'un effet flatteur dans un Cabinet par l'éclat de sa douce couleur et la belle variété qu'elle y procure » (vente duc d'Aumont, 12 décembre 1782, p. 88). Des paires de bouteilles similaires apparaissent dans certaines des collections les plus significatives (vente Jullienne, 30 mars – 22 mai 1767, lot 1419, vente Gaignat, 22-23 décembre 1768, lot 97, et vente Blondel de Gagny, 10 décembre 1776, lots 699 et 707 par exemple).

Une paire aux montures similaires appartenant à la collection du duc d'Aumont fut vendue en 1782 : « Deux Bouteilles fond uni, à six pans et long goulot, garnies de bord à rosettes, d'anses à rinceau contourné en console, et de pied à feuilles d'ornement de bronze doré ; hauteur, 10 pouces 6 lignes. Vendues pour 680 livres à la marquise de La Mure. » S. S.

143

Paire de pots à eau

Porcelaine (Chine, période Kangxi : 1662-1722), montures de bronze doré
Collection particulière.

Dans l'inventaire de la collection d'objets précieux de Marie-Antoinette, rédigé le 10 octobre 1789 après que la famille royale eut été forcée de quitter Versailles, les pots à eau apparaissent simplement comme « deux morceaux de porcelaine violette » dans le « boudoir » (cabinet de la Méridienne) de ses appartements privés (*L'Intermédiaire* 1908, col. 884).
Ces objets furent mis en sûreté par les marchands Daguerre et Lignereux, pour « les faire monter, d'autres réparer et y faire des étuis et coffres à l'effet de pouvoir les transporter avec sûreté », avec l'intention de les transférer à Saint-Cloud (Tuetey 1916, p. 295). Quatre ans plus tard, un inventaire plus détaillé fut rédigé par les représentants de la Commission des arts, afin de permettre le transfert des objets au gouvernement (« Deux vases oblongs d'égale grosseur, avec un bec en forme d'aiguière, d'ancienne porcelaine du Japon couleur violette, coupés dans le milieu par des cerceaux ornés en bronze doré d'or mat, avec des consoles à enroulement sur un des côtés où sont assis de petits satyres : lesdites consoles appuyées sur des têtes de singe ; au devant, une tête de bacchante et ornements analogues ; la plinthe aussi garnie de bronzes, avec quatre pieds en griffes de lion et ornements en arabesques. Le tout très bien exécuté. Hauteur totale, 21 pouces 1/2 » ; Ephrussi 1879, p. 398).
La couleur de fond est très rare (« très singuliers, [...] par la richesse et le velouté de la couleur ») ; rarement mentionnée dans les catalogues de vente des collections du XVIIIe siècle, il est probable que cette paire puisse être assimilée à une paire provenant de la collection de Louis Jean Gaignat vendue en 1768, achetée par le duc d'Aumont (vente Gaignat, 22-23 décembre 1768, lot 83), puis revendue en 1782, pour être achetée par Louis XVI (vente duc d'Aumont, 12 décembre 1782, lot 161). On ne sait si le roi les donna à Marie-Antoinette ou si, plus vraisemblablement, il les lui échangea contre une autre paire de vases qu'elle acheta à la même vente.
En 1782, les pots à eau ont toujours les montures « simple et sage » d'origine de la vente Gaignat. La paire est vendue 1 802 livres ; le bénéfice est considérablement plus réduit que pour les autres porcelaines montées par Pierre Gouthière dans un style plus moderne et plus élaboré, comme cette paire de vases en céladon achetée 7 501 livres par Louis XVI, ou une paire d'urnes couleur lapis achetée 4 320 livres par Marie-Antoinette (*ibid.*, lots 110 et 163). A la suite de la vente, les pots à eau furent remontés et représentaient désormais la synthèse du style arabesque raffiné des années 1785-1790, très apprécié par la reine (un vase monté en porcelaine de Chine de la même couleur, du musée J. Paul Getty, possède les mêmes montures sur le pied ; Bremer-David 1993, p. 157). La plupart des éléments de décor des pots à eau apparaissent notamment sur les bronzes dorés fournis pour son cabinet intérieur à Saint-Cloud en 1788. S. S.

144
Manufacture royale de porcelaine de Sèvres
Assiette

Vers 1777
Marques : *L* entrelacés dans la dorure et marque de doreur indistincte
Sèvres, musée national de Céramique. Inv. MNC 1788.

En 1777, au cours des ventes organisées traditionnellement par la manufacture de Sèvres en fin d'année, Marie-Antoinette acheta un service décrit comme « Service Japon », dont cette pièce pourrait être un exemple représentatif. Le service est particulièrement modeste, puisqu'il n'est constitué que de deux soupières, deux seaux à bouteilles, deux seaux ovales à liqueur, deux seaux crénelés, vingt-quatre compotiers de trois formes différentes, quatre saladiers, deux sucriers et trente-six assiettes pour une somme totale de 3 312 livres, chaque assiette valant 18 livres (archives de la Manufacture nationale de Sèvres, Vy 6, f° 248).
Le décor est principalement exécuté en bleu sous couverte, les détails en émail rouge et à la dorure. Cela explique le faible coût des assiettes, étant donné que le travail ne nécessita pas l'emploi des artistes de décor peint les mieux payés. Le décor est particulièrement insolite pour la manufacture de Sèvres, qui n'imite généralement pas la porcelaine orientale, lui préférant les chinoiseries européennes, bien que sa genèse (et celle de trois services similaires de 1778, 1779 et 1780) coïncide avec la période où la manufacture produisit de nombreuses pièces de style « chinois ».

Jusqu'à récemment, on pensait que ce service était le premier acheté par la reine pour son usage personnel, reflétant ainsi son intérêt pour les objets orientaux. Il s'agirait en fait d'un cadeau qu'elle destinait à sa mère, l'impératrice Marie-Thérèse, qui aimait tous les objets « des Indes » et décora plusieurs salles du château de Schönbrunn avec de la porcelaine orientale (bien qu'il y ait maintenant un grand nombre de pièces de service de table Imari dans la collection Hofsilber- und Tafelkammer de la Hofburg de Vienne, celles-ci proviennent presque exclusivement des biens de Charles, duc de Lorraine – frère de l'époux de Marie-Thérèse –, un collectionneur passionné de porcelaine orientale et de laque). Le 5 janvier 1778, Marie-Antoinette écrivit à sa mère qu'elle lui envoyait « une boîte porcelaine que j'ai jugée pouvoir servir à ma chère maman à ses petits dîners » (Arneth et Geffroy 1874, III, p. 153). Mercy-Argenteau, l'ambassadeur d'Autriche, écrivit alors à l'impératrice pour la rassurer sur cette dépense, qui n'avait rien d'extravagant : « Ce service est d'un goût particulier et n'a été taxé à la manufacture de Sève [*sic*] qu'à trois mille et six cents livres » (*ibid.*, p. 160 ; mes remerciements à Guillaume Séret pour cette référence). S. S.

145
Manufacture royale de porcelaine de Sèvres
Garniture composée de trois « vases œuf »

Porcelaine, pâte dure
Bronzes dorés, attribués à Jean Claude Thomas Duplessis
1775-1776
Marques sur les vases latéraux : lettre-date *x* pour 1775
Marques sur le vase central : lettre-date *y* pour 1776
et signature du peintre Louis François L'Ecot
(actif de 1763 à 1765 et de 1772 à 1802)

Versailles, musée national des châteaux de Versailles et de Trianon. Inv. V5225-1 à 3.

Au milieu des années 1770, la manufacture de Sèvres exécuta un style de décor de chinoiseries très nettement différent de celui produit dans les années 1760 (voir Préaud 1989). Il se dégage de l'ensemble une impression écrasante de blanc et or. En effet, les pièces sont généralement constituées d'un corps totalement blanc orné d'un somptueux décor de dorures. Un fil d'or délimite les contours des figures et autres éléments, tandis qu'il est appliqué avec épaisseur pour créer le traditionnel sol rocailleux de la scène représentée. Ces larges surfaces sont travaillées ou brunies pour produire d'étincelants effets de relief. Une palette limitée de couleurs est appliquée de manière à produire un effet délavé, parfois translucide. La palette de couleurs et la méthode d'application les rapprochent des émaux chinois destinés au XVIIIe siècle à l'exportation.

On ne sait ce qui est à l'origine de la création d'un tel type de décor à Sèvres. L'utilisation d'un cerne doré fait penser aux émaux cloisonnés chinois, cependant leur apparence opaque et leurs motifs sans rapport en font un modèle peu probable. Une autre source possible pourrait être les motifs cernés d'un fil d'or ou d'argent, peint ou brodé, que l'on retrouve sur les soies chinoises. Il semblerait qu'un effort ait été accompli pour donner à ces pièces un aspect plus authentiquement chinois, et ce malgré l'utilisation de modèles français par la plupart des artistes. Dans cette garniture, une scène est tirée du frontispice de la *Suite de figures chinoises* de François Boucher (Gruber 1992, p. 320), une autre est composée de figures tirées des *Etudes de différentes figures chinoises* de Jean Pillement, tandis qu'une troisième vient de son *Recueil de plusieurs jeux d'enfants chinois*. Une comparaison entre les sources françaises et les figures exécutées montre que les artistes de Sèvres ont accentué le caractère chinois des figures, leur donnant un aspect plus bidimensionnel, presque en aplat, tel un dessin. On les laisse également faire preuve d'imagination lors de la conception de motifs fantaisistes sur tissus. Les chinoiseries sont aussi appliquées au pied des vases, décorés de feuillage et des rochers caractéristiques du style oriental (cette garniture est l'une de trois de même forme au décor commun ; pour les autres, voir Christie's New York, 2 novembre 2000, lot 30).

Les pièces exécutées dans ce style sont coûteuses, mais s'avèrent populaires. Plusieurs membres de la famille royale en achètent : Louis XVI, Monsieur (qui acquiert en décembre 1775 le même type de garniture), Mesdames Adélaïde et Victoire, et Marie-Antoinette (Baulez 1991a, p. 72-73). L'achat de la reine est mentionné comme étant le dernier élément d'une liste d'achats effectués entre 1774 et 1776, ce qui peut signifier qu'ils aient été faits tardivement, en décembre 1776. En 1794, les vases sont inventoriés à Saint-Cloud, dans un cabinet contenant d'autres objets précieux provenant de la collection de la reine (*ibid.*, p. 72). La restauration et le réaménagement de Saint-Cloud selon les désirs de la reine ne s'achèvent qu'à la veille de la visite de la famille royale en 1788, date à laquelle les vases y furent probablement transférés. Supposer que ces vases blancs et or se trouvaient dans le cabinet intérieur de la reine, en complément de ses meubles en laque, ne relève pour l'instant que du domaine de l'hypothèse. S. S.

146

Manufacture royale de porcelaine de Sèvres

Garniture de trois vases : « vase Duplessis à bandeau » et « deux vases Duplessis à monter »

1779

Montures de bronze doré attribuées à Jean Claude Thomas Duplessis

Porcelaine, pâte dure

Marques sur le vase central : pour le peintre Charles Eloi Asselin (figures), Jean Armand Fallot (oiseaux), Henri Martin Prévost (doreur), lettres-dates *bb* pour 1779 (mes sincères remerciements à Sir Geoffrey de Bellaigue pour avoir partagé ses travaux avant la publication du catalogue de porcelaines de Sèvres dans la collection royale)

Marques sur les vases latéraux : pour Henri Martin Prévost (doreur), lettres-dates *bb* pour 1779 (voir cat. exp. Londres 1979-1980, p. 48-50, pour un compte rendu de la production de vases à Sèvres)

Londres, The Royal Collection.
Inv. RCIN 35549-1-2 et RCIN 36361.

En décembre 1779, aux ventes de fin d'année à Versailles, Marie-Antoinette achète cette garniture pour 2 400 livres (Verlet 1954, p. 205). Contrairement à Louis XVI, les registres montrent que la reine achète peu de garnitures de taille ou de prix élevés. Les plus grandes garnitures sont composées de seulement trois pièces, pour un prix ne dépassant pas 3 000 livres. (Les deux autres garnitures significatives sont tout d'abord celle de trois « vases œuf » ornés d'un décor de chinoiseries, achetée entre 1774 et 1776 (voir cat. 145), puis celle de trois vases à fond rose pointillé et décor d'émaux, de 1781 – actuellement dans la collection Huntington –, achetée par la reine en décembre 1781 pour 3 000 livres. Mes remerciements à Jeffrey Weaver pour la confirmation des marques. Les deux garnitures sont enregistrées comme faisant partie des biens de la reine à Saint-Cloud en 1784.) On ne sait où les vases étaient exposés, mais un inventaire des porcelaines de Marly effectué en septembre 1793 fait état de « Deux vases fond blanc de 19 pouces sur 8 pouces de face orné d'or moulu et bruny avec peintures chinoises et couvercles. Prisé la somme de trois cent soixante livres – 360 » (Castelluccio 1996, p. 420). Une liste rédigée le 19 messidor de l'an II (7 juillet 1794), alors que les vases sont toujours à Marly, les décrit ainsi : « Deux grands vases fond blanc en mosaïque avec sujets Chinois et Oiseaux garnis en bronze » *(ibid.)*. Bien qu'il existe une différence de hauteur d'environ 18 centimètres entre la description et les vases (auxquels il manque désormais leurs couvercles), leur décor inhabituel donne à penser que l'identification est correcte. Etant donné que le vase central de la garniture n'a rejoint les deux autres qu'en 2004 (The Royal Collection Trust Annual Report 2004-2005, p. 32), il n'est pas étonnant d'apprendre qu'il en était déjà dissocié en 1793.

Les vases sont décorés de scènes colorées à grande échelle, dans un style vaguement chinois, style pour lequel le peintre Asselin est connu. L'effet d'ensemble est celui d'un « Orient » exotique qui plaisait probablement à Marie-Antoinette. Les oiseaux dans des paysages de chinoiseries aux revers de ces vases rappellent une série de gravures (souvent rehaussées de couleurs aux teintes vives) publiées par Jean Pillement, où l'on voit des oiseaux dans des paysages de rochers et d'arbres typiquement chinois, avec des fleurs étranges et disproportionnées. Des motifs semblables apparaissent sur une paire de « vases jardin » achetée en 1780 par Louis XVI (*Revue du Louvre*, n° 3, 1998, p. 92 ; peinture de A. J. Chappuis), ainsi que sur un déjeuner de 1779-1780 (sur le marché londonien, 2007).

S. S.

147

Manufacture royale de porcelaine de Sèvres

Plaque « Le Déjeuner de la sultane »

1783
Porcelaine, pâte tendre
H. 40,5 ; l. 48,5 cm
Signé et daté du peintre Pierre Nicolas Pithou (actif de 1757 à 1790)

Sèvres, musée national de Céramique.
Inv. MNC 23.275.

Au début des années 1760 (Rochebrune 1988), la manufacture de Sèvres commence à exécuter des plaques de porcelaine peinte. Certaines sont insérées dans des meubles et d'autres, traditionnellement encadrées de bois ou de bronze doré, sont destinées à être accrochées au mur. Marie-Antoinette achète plusieurs plaques, désignées comme « tableaux », de petite taille à en juger par leur prix (archives de la Manufacture nationale de Sèvres [MNS], Vy 5, f° 134 v° – décembre 1777 : « 2 tableaux d'Asselin » à 156 livres chacun –, et Vy 6, f° 208 – ventes faites à la reine pendant le courant de l'année 1774-1775 et 1776 : « 2 Tableaux » à 480 livres chacun, f° 208 v° ; « 2 Tableaux en médaillon » à 144 livres chacun et « 2 Tableaux mignature » à 600 livres chacun ; les « tableaux en médaillon » sont probablement les plaques avec les portraits de Marie-Antoinette et Louis XVI en médaillon, exécutés au moment du couronnement en 1775, alors que les « tableaux en mignature » évoquent davantage des plaques copiées d'après tableau ou d'après gravure que des motifs décoratifs). La reine achète en janvier 1784, probablement aux ventes de fin d'année à Versailles, « 1 tableau le Déjeuner de la Sultane », pour 3 000 livres (MNS, Vy 9, f° 79). A la même époque, Louis XVI achète au même prix le pendant de cette plaque, « La toilette de la Sultane » (MNS, Vy 9, f° 76, date du 2 janvier 1784 ; voir Baulez 1978, n°s 5-6, p. 361-362 ; Louis XVI achète une troisième plaque de cette série en janvier 1787).
Les plaques sont peintes par deux des peintres les plus talentueux de la manufacture, les frères Pithou, d'après la série de cartons de tapisseries du *Costume turc* d'Amédée Van Loo, commandés par les Gobelins en 1772 (voir Stein 1996, pour un compte rendu de la commande). Les quatre cartons sont exposés au Salon de 1775, et le tissage commence en 1777. En 1783, le comte d'Angiviller, directeur général des Bâtiments du roi, et ministre dont dépendent les manufactures

de Sèvres et des Gobelins, demande aux Gobelins des peintures qui puissent être éventuellement utilisées comme modèle par les peintres sur porcelaine. Dans les années 1780, D'Angiviller insiste régulièrement auprès de la manufacture de Sèvres pour qu'elle se modernise. Ces grandes plaques conviennent alors à ses programmes de réforme et à son désir d'innover. Malgré les critiques dont les cartons de tapisseries font l'objet en 1775, ceux-ci rencontrent un grand succès populaire, et leurs thèmes restent à la mode. D'Angiviller choisit personnellement les peintures du *Costume turc*, repoussant toute autre proposition, très certainement parce que ce sujet correspond aux critères fixés dans une lettre antérieure : « garnis de femmes ou autres objets agréables » (Bellaigue 1980, p. 676). Seuls trois des cartons sont copiés, le quatrième étant utilisé par les Gobelins.

La plaque reproduit assez fidèlement la composition de Van Loo. Les bords extérieurs ont été réduits, éliminant ainsi quelques figures, les plantes ont été étendues et la cassolette fumante, symbole de tout ce qui est « turc », est davantage mise en valeur. La figure agenouillée sur la droite, à l'origine un homme noir enturbanné, est transformée en femme blanche.

Fin juillet 1783, la plaque du *Déjeuner* est prête à être cuite une première fois, avant deux autres cuissons pour « retouches » (Archives nationales, O[1] 2060, rapport d'activité à la manufacture – comprenant les étapes des plaques de *La Toilette* et de *Renaud et Armide* – daté du 26 juillet 1783). Pithou l'Aîné, qui est, à l'époque, payé à la pièce et non pas chaque mois, reçoit pour cette plaque la somme extraordinaire de 1 500 livres (*ibid.*, Comptes de l'année 1783, Travaux aux pièces, décembre, Pithou l'Aîné : « un tableau représentant le Déjeuner d'une Sultane d'après Amedée Vanloo – 1,500 livres »).

S. S.

148

Pierre Gouthière

(Bar-sur-Aube, 1732 – Paris, 1813)

Feux « aux chameaux »

Paris, 1777

Bronze doré, fer bleui

H. 32,5 ; l. 25,5 ; pr. 11 cm

Provenance : Boudoir turc de Marie-Antoinette à Fontainebleau ; cabinet de Lazare Carnot au Luxembourg en ventôse an IV ; bibliothèque de l'impératrice Joséphine aux Tuileries en 1807 ; pavillon de la Muette en 1808 ; puis château de Meudon jusqu'en 1874 ; versement du Mobilier national, 1901.

Bibliographie : Rey 1936, Ire partie, p. 193 ; Ottomeyer et Pröschel 1986, I, p. 262, fig. 4.8.7 ; Baulez 1986, p. 568 ; Baulez 1987 ; Verlet 1987, p. 207, fig. 238, p. 339 ; Samoyault 1999, p. 230 ; Alcouffe *et al.* 2004, n° 96, p. 190-191.

Paris, musée du Louvre. Inv. OA 5260.

Lors de l'aménagement d'un boudoir turc pour la reine à Fontainebleau, engagé dès 1777 par Richard Mique et les frères Rousseau, les bronzes de la cheminée, sculptée par Augustin Bocciardi, furent commandés à Pierre Gouthière, à qui revinrent également la réalisation des bronzes d'ameublement, lustre et bras de lumière tenus en main par des amours sculptés dans le lambris, ainsi que celle des chenets associés à pelle et pincettes à tête de nègre (Baulez 1987). Les figures de dromadaires des feux sont tout aussi originales et marquent la cheminée d'un peu plus d'exotisme, alors que la frise ajourée de la base reste dans le style arabesque le plus élégant, suivant une association alors habituelle. Les bases, à l'origine, étaient munies de quatre pieds en pomme de pin, un motif qui allait devenir l'un des favoris de la reine.

Ce cabinet orné de ces feux était la création alors la plus originale dans le goût turc, et l'émulation poussa le comte d'Artois à aménager un second cabinet turc à Versailles en 1781. Au sein de la famille royale, ce goût pour l'exotisme était avant tout partagé par la reine et son beau-frère et leurs réalisations sont proches. Ainsi, des dromadaires allaient figurer sur la pendule livrée par Rémond pour ce second cabinet du comte d'Artois (château de Versailles). **B. R.**

149

Jean-Baptiste André Furet

(Paris, vers 1720 – *id.*, 1807)
Maître horloger en 1746

François Louis Godon

(Hirson-en-Thiérache, vers 1740 – Bayonne, 1800)
Maître horloger en 1787

Pendule à la Négresse

Paris, vers 1784
Bronze patiné, doré et verni

Bibliographie : Verlet 1956a, n° 243 ; Verlet 1987, p. 119, fig. 152 ; Baulez 1990a ; Augarde 1996, p. 317-318 et p. 327-328 ; Guillemé Brulon 2003, p. 56-61.

Paris, collection particulière.

Le 4 juillet 1784, les curieux se pressaient rue Saint-Honoré chez l'horloger Furet pour voir trois pendules très originales dont la première représentait « une Négresse en buste dont la tête est supérieurement faite. Elle est historiée très élégamment et avec beaucoup de richesses et d'ornements. Elle a, suivant le costume, deux pendeloques d'or aux oreilles. En tirant l'une, l'heure se peint dans l'œil droit et les minutes dans l'œil gauche. En tirant l'autre pendeloque, il se forme une sonnerie en airs différents, qui se succèdent » (Bachaumont *et al.* 1783-1789, XXVI, 4 juillet 1784). Aussitôt, le directeur général du Garde-meuble de la Couronne, Thierry de Ville-d'Avray, faisait acquérir pour le service du roi, au prix de 4 000 livres, pris sur les dépenses extraordinaires, « du Sr Furet horloger, pour une pendule à carillon, représentant une tête noire » (Archives nationales, O[1] 3534, dossier 2). En fait, Thierry pensait surtout à son amusement personnel, car la pendule fut placée dans le salon de son appartement de fonction place Louis XV (l'actuel ministère de la Marine) : « Une pendule de Furet et Godeau (*sic*, pour Godon) à Paris, figure de Négresse » (*ibid.*, O[1] 3425, f°s 73 v° et 79). Il devait s'en amuser beaucoup car, au cours du premier semestre 1787, l'horloger Robert Robin fut chargé de déposer et reposer le « jeu de flute de la Négresse », pour le confier à un facteur d'orgue chargé de le réparer (*ibid.*, O[1] 3641, 1er dossier). La même opération dut avoir lieu quatre ans plus tard et, en juin 1791, Richard, mécanicien demeurant cloître Saint-Germain-l'Auxerrois, demanda 96 livres pour « avoir rétabli et livré au Sr Thierry une mécanique a jeu de flute adaptée dans le buste d'une Négresse » (*ibid.*, O[1] 3656, 4e dossier). Quoique satisfait, Thierry demanda alors à Richard d'y ajouter de nouveaux airs beaucoup plus étendus « qu'il indiqua » et même « a double partie, afin de donner à cette pièce tout l'agrément, l'intérêt et la perfection dont elle était susceptible » (*ibid.*, O[1] 3656, 4e dossier). Richard s'y engagea pour le prix de 500 livres et promit d'avoir fini ce travail pour la fin décembre. Thierry avait imposé cette date car il présenta la pendule dans les étrennes de la famille royale au 1er janvier 1792 (*ibid.*, O[1] 3656, 4e dossier). Le destinataire en aurait dû être Marie-Antoinette, ou le dauphin – on disait alors le « prince royal » –, mais la reine, « qui la vit et l'entendit, ne jugea pas à propos qu'un objet aussi précieux, fut entre les mains [de son fils] qui aurait pû le gâter ». La conserva-t-elle dans ses appartements ? La pendule est citée ensuite au Garde-meuble (*ibid.*, O[1] 3656, 3e dossier), d'où elle ressortit peu après pour être à nouveau réparée, sous la direction de Richard, par un horloger du nom de Volant, lequel ne put s'en acquitter, défendant alors la France à ses frontières ; c'est donc sa femme qui fut chargée de restituer la pendule le 1er décembre 1792, au « Garde Meuble National ». **C. B.**

Le goût de la reine

Bertrand Rondot

Lorsque la jeune archiduchesse arrive à Versailles, en 1770, le grand appartement de la reine, que l'on remet en état, date du temps de Marie-Thérèse, à l'exception de la chambre, refaite pour Marie Leszczyńska en 1735, comme certains des cabinets intérieurs. A Fontainebleau, les pièces les plus modernes qu'elle découvre datent des années 1740, le reste des années 1640[1], et Compiègne est en chantier[2]. Lorsque éclate la Révolution, moins de vingt ans plus tard, la réputation des appartements de la reine à Versailles a fait le tour de l'Europe, alors que d'autres résidences, Marly, les Tuileries et surtout Trianon et Saint-Cloud, ont été l'objet de tous ses soins et contiennent certains des ensembles décoratifs les plus extraordinaires réalisés en France. Des meubles d'un raffinement inconnu jusqu'alors ornent par dizaines ces appartements d'un néoclassicisme tempéré par la volonté d'une souveraine sensible à la mode.

Le goût de la jeune princesse avait trouvé dans l'univers de Versailles et des autres résidences royales un extraordinaire champ de découvertes contrastées. Le règne finissant de Louis XV est celui de l'abandon progressif de la rocaille au profit d'un néoclassicisme élégant, échappant à Versailles au dogmatisme du goût grec grâce à la mesure que le premier architecte Gabriel imprime à ses œuvres. Toutefois, les premiers meubles livrés à la dauphine par Joubert restent d'un style rocaille démodé[3], très éloigné des créations parisiennes les plus novatrices que recherchait alors Mme Du Barry[4]. L'inimitié entre les deux femmes prive la jeune princesse de la leçon de goût que la maîtresse du roi donne dans ses appartements, la laissant isolée face au conservatisme de l'administration royale et de la cour. Ainsi, la dauphine ne succombera pas aux charmes fragiles du mobilier à plaques de porcelaine dont Mme Du Barry emplit ses appartements. Est-ce un luxe trop tapageur qu'elle n'ose adopter, qui échappe par ailleurs totalement aux directives du Garde-meuble[5] ?

Il est vrai que les préoccupations de la princesse dans ces premières années sont tournées vers les spectacles – à Paris souvent – et la musique[6]. Faute d'un véritable cicérone, la dauphine est livrée à elle-même dans ces années de formation qui sont pourtant essentielles. Faut-il voir dans cette carence le manque d'intérêt que Marie-Antoinette portera à la peinture et aux arts majeurs en général ? Malgré les allégories qu'elle suscite, Marie-Antoinette ne remplira pas le rôle de « patronne des arts ». Ce que Mme Campan résumera dans ses mémoires d'un lapidaire « Marie-Antoinette s'occupa très peu de favoriser les lettres et les beaux-arts[7] », s'occupant essentiellement « dans son intérieur, de l'étude de la musique et de celle des rôles de comédie qu'elle avait à apprendre[8] », sans oublier la toilette et les jeux. Par ailleurs, elle ne partage pas les goûts peu frivoles de son royal époux. Marie-Antoinette le reconnaît : « mes goûts ne sont pas les mêmes que ceux du Roi qui n'a que ceux de la chasse et des ouvrages mécaniques. Vous conviendrez que j'aurais assez mauvaise grâce auprès d'une forge[9] ».

L'émulation naît dans le cercle de la famille royale, sous le regard inquisiteur de Mesdames tantes. Marie-Antoinette et ses belles sœurs, les comtesses de Provence et d'Artois, rivalisent d'élégance et cherchent à s'égaler en permanence, se copiant mutuellement. En 1774, le nouveau statut de Marie-Antoinette devenue reine modifia les relations entre les jeunes femmes et donna à ses commandes un luxe supplémentaire auquel les princesses ne pouvaient prétendre. Plus que ses belles-sœurs, c'est auprès du comte d'Artois que Marie-Antoinette trouva un être passionné comme elle, prompt à s'enthousiasmer. Bagatelle, le trop fameux pari imprudemment engagé par la reine et gagné par le comte d'Artois, vaut à Paris en 1777 l'un de ses plus jolis *casins* et marque le début d'une véritable frénésie de bâtir qui finira par toucher toute la famille royale.

La construction de Bagatelle est l'occasion de réunir les plus grands talents de l'époque – Bélanger et Dugourc, les frères Rousseau, Gouthière... – autour d'un projet totalement nouveau dans le genre arabesque. La reine saura en retenir la leçon. La même année, l'équipe sera en partie reprise à Fontainebleau pour le cabinet turc[10].

C'est aux alentours de cette année 1777 que la reine, comme le remarque Pierre Verlet, « semble prendre conscience de sa personnalité et de sa puissance[11] ».

Fig. 27
Vue du salon des Nobles de la reine à Versailles

L'architecte Heurtier, contrôleur du château de Versailles, avait présenté un premier projet de renouvellement du décor du salon des Nobles faisant une part importante aux lambris sculptés. Mais c'est finalement l'architecte de la reine, Mique, qui sera chargé des travaux, suivant un projet simplifié.

Les premières commandes de la reine marquèrent tout d'abord le domaine de Trianon. Paradoxalement, les travaux ne portèrent pas sur l'intérieur, où tout témoignait du précédent règne et de la favorite exécrée, car le « nouvel objet dont la reine est vivement occupée, c'est celui du jardin anglais qu'elle fait arranger à Trianon[12] », comme le note Mercy-Argenteau qui retiendra deux ans plus tard parmi les causes de dépenses reprochées à Marie-Antoinette que la reine « a fait faire un théâtre à Trianon; elle n'y a encore donné qu'un spectacle suivi d'un souper, mais cette fête a été très dispendieuse[13] ». Tenter de fuir la cour pour se réfugier au sein de sa « société », mais en usant pleinement des moyens de l'Etat pour assurer tout le luxe de cette vie qui se refuse à être publique: voilà le paradoxe que vécut Marie-Antoinette.

Ses travaux comme son goût ne peuvent se comprendre autrement.

En femme élégante, la reine souhaite de la nouveauté et de l'originalité, dans ses intérieurs comme dans ses toilettes, changeant les uns et les autres. D'Angiviller écrit, à propos des travaux du salon des Nobles *(fig. 27)*, en 1785, « que la décoration de cette pièce soit établie dans un genre différent et nouveau: la Reine le désire[14] », ce sur quoi Mique demande l'autorisation d'aller « chez sa Majesté pour lui demander

1. Carlier 2006, p. 8.
2. Cat. exp. Compiègne 2006-2007, p. 13.
3. Comme la table livrée par Joubert en septembre 1770 pour le cabinet intérieur de Madame Victoire à Fontainebleau, mais placée dans la chambre de la dauphine pour son premier voyage à Fontainebleau le mois suivant. Cf. Verlet 1945, notice 7, p. 16-18, Alcouffe *et al.* 1993, p. 268, n° 86.
4. Baulez 1992a.
5. Ce n'est que beaucoup plus tard, en 1790, que Marie-Antoinette achètera auprès de Daguerre un secrétaire à abattant en cabinet orné de plaques de porcelaine de Sèvres, qui doit correspondre avec le meuble aujourd'hui conservé au Metropolitan Museum of Art. Cf. Kisluk-Grosheide 2005, p. 84-85, fig. 38-39.
6. Lettre de Mercy-Argenteau à Marie-Thérèse, 17 novembre 1774, dans Arneth et Geffroy 1874, II, LXXIV, p. 256.
7. Campan 1822, I, p. 151.
8. *Ibid.*, I, p. 73. Voir Salmon 2005b et Chapman 2007.
9. Lettre au comte François de Rosenberg, 17 avril 1775, dans Arneth 1866, LXII, p. 144.
10. Baulez 1987.
11. Verlet 1987, p. 206.
12. Lettre de Mercy-Argenteau à Marie-Thérèse, 31 juillet 1774, dans Arneth et Geffroy 1874, II, LII, p. 209.
13. Lettre de Mercy-Argenteau à Marie-Thérèse, 17 septembre 1776, *ibid.*, II, XL, p. 493.
14. Lettre de D'Angiviller à Mique, 25 janvier 1785, Arch. nat., O[1] 1178, f° 21.

Fig. 28
Jean Henri Riesener
Table à écrire
« de marqueterie à mosaïques »
Vers 1783
Waddesdon Manor.

Cette table qui porte les marques du Garde-meuble de la reine et de Trianon est exemplaire du goût de Marie-Antoinette parfaitement compris et transcrit par Riesener au début des années 1780.

qu'elle serait son idée[15] ». Malheureusement, Marie-Antoinette n'a laissé aucun témoignage de ses choix. Mais il est certain que ses volontés étaient clairement exprimées. Une délicatesse dans le dessin, des proportions parfaites, une préciosité des matériaux et des techniques jusqu'alors inconnue, une féminité incontestable révèlent sa personnalité dans tout ce qu'elle ordonne. Quelques détails, parmi tant d'autres, le montrent.

La reine, que la passion des bijoux égare parfois, exige de les retrouver dans les décors créés pour elle. Des motifs propres à la joaillerie, en particulier les perles[16], figurent sur les meubles qu'elle commande : apparus sur les pieds des chaises créées pour le pavillon du Rocher à Trianon en 1781 (cat. 208), des festons de perles tenus par des rubans seront ensuite repris sur les sièges des résidences les plus chères à la souveraine. Dans son cabinet de la Méridienne à Versailles, aménagé cette année-là, des rangs de perles figurent sur la console livrée par les Rousseau, alors que les flambeaux livrés par Claude Jean Pitoin ont leurs « bobèches ornées de perles en forme de guirlandes[17] ». D'énormes perles s'insèrent à la ceinture des sièges commandés à Jacob, prises dans un ruban tournant orné lui-même de perles plus petites ; les mêmes joyaux figureront en 1786 sur un ensemble plus précieux encore, le mobilier de son boudoir de Fontainebleau, non seulement sur les sièges de Jacob, mais également sur les meubles de Riesener et les lambris. L'argenture substituée à la dorure y renforce l'aspect de bijoux de ces décorations. D'autres rangs de perles festonnent aux branches des bras livrés par Pierre François Feuchère pour le cabinet de toilette de Marie-Antoinette à Saint-Cloud en 1788, alors que, sur les mêmes bras fournis au roi, ils sont remplacés par de plus conventionnelles guirlandes de fleurs (voir cat. 160).

Ce motif sera repris sur les tentures de certains meubles destinés à la reine, sans qu'il lui soit réservé ; ainsi, malgré le caractère très officiel de leurs destinations, le brocart commandé à Pernon pour la chambre du roi à Compiègne en 1785 ou celui placé par Desfarges pour compléter celui du salon du Conseil à Versailles s'ornent de rangs de perles[18]. S'il est difficile d'attribuer la conception de ce motif à un artiste en particulier, la personnalité de Dugourc ne doit pas être étrangère à son développement, comme d'autres tout aussi précieux qu'il emploiera pour la reine, tel le « filet blanc brodé » ornant le pou de soie bleu et blanc destiné au nouveau boudoir de Trianon en 1788.

Fig. 29
Guillaume Benneman
Commode du salon des Jeux de la reine à Compiègne
réalisée sous la direction de Jean Hauré, 1786-1787
Compiègne, musée national du Château.

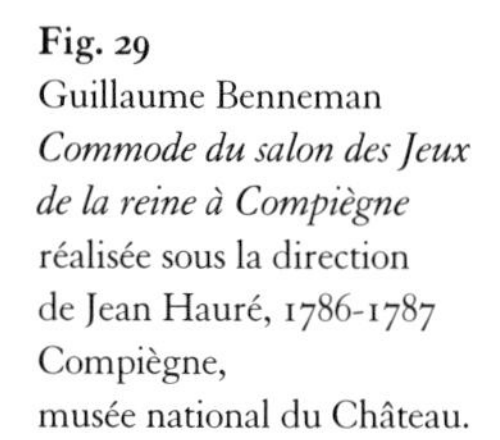

Cette commode et son pendant, reprenant un modèle acquis auprès du marchand Sauvage en 1786, furent adaptés par Benneman pour répondre au goût de la reine et à la richesse de son nouvel appartement. La plaque de porcelaine ornant à l'origine le panneau central fut remplacée par le chiffre de la reine en bronze doré, composé de guirlandes de fleurs, de branches de lis et de myrte au naturel.

Fig. 30
Vue du salon des Jeux
de la reine à Compiègne

Le taffetas fond blanc chiné « à arbres, berceaux et roses trémières », commandé à Pernon en 1785, fut également employé en 1787 pour le meuble de la pièce des Nobles de la reine à Saint-Cloud, marquant l'attachement de Marie-Antoinette pour ce motif floral spectaculaire « à dessein de bosquet ».

Les perles figurent également sur les services de porcelaine conçus pour la souveraine, sur celui « à perles et barbeaux » de 1781, qui mêle étrangement deux ornements emblématiques du goût de la reine, la sphère à l'orient mystérieux et la fleur des champs (cat. 164), tout comme sur celui « riche en couleurs et riche en or » de 1784 (cat. 165). Les pierres précieuses apparaissent même dans les commandes les plus spectaculaires, comme la lanterne du salon de compagnie de Trianon, livrée par Thomire, ornée de véritables bijoux en diamants d'imitation, étoiles et broches émaillées (cat. 157).

N'est-ce pas inconsciemment la perception de ce goût de la reine bien particulier qui transparaît pendant la Révolution lorsque les députés du tiers état, en visite à Trianon, cherchèrent une pièce « qui, selon eux, devait être partout ornée de diamans, avec des colonnes torses, mélangées de saphirs et de rubis[19] » ?

Pour Marie-Antoinette, le travail du bronze rejoint celui du joaillier. Le bronze est ciselé et surdoré d'or au point de paraître travail d'orfèvre. Gouthière puis Rémond et Thomire excellent à créer pour elle ces montures qui rivalisent avec le métal précieux, et finissent par tout imiter. Le goût « tapissier » de Marie-Antoinette se révèle non seulement dans les extraordinaires tentures que le tapissier Capin sait plier à tous ses caprices, mais également dans le mobilier d'ébénisterie, les motifs de draperie, lambrequins, rubans étroitement mêlés aux fleurs passant des textiles à la marqueterie et au bronze doré. La console livrée par Riesener pour le cabinet de la Méridienne en 1781 (cat. 109), comme la table à écrire livrée pour le Petit Trianon vers 1784 ou peu après, en sont les exemples les plus raffinés[20] *(fig. 28)*.

15. Lettre de Mique à D'Angiviller, 27 janvier 1785, Arch. nat., O[1] 1802.
16. Leur emploi n'est pas exclusif à la reine, et elles figurent notamment dans les décors de turquerie créés pour le comte d'Artois; voir Arrizoli-Clémentel 1988, p. 23.
17. Londres, Wallace Collection, cat. p. 1232-1236, n° 243.
18. Paris 2007, n° 11.
19. Campan 1822, II, p. 39. Ils devaient confondre avec un décor de théâtre orné de cailloux imitant les diamants, mais la naïveté d'une telle recherche dans le petit château est significative de l'image que la souveraine donnait alors de son goût.
20. Waddesdon Manor ; cf. Bellaigue 1974, p. 520-527, n° 106.

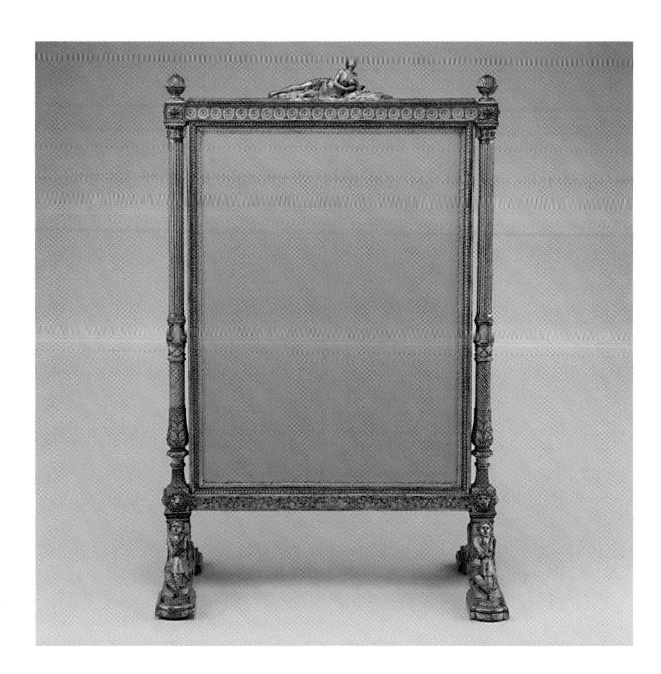

Fig. 31, 32, 33
Jean-Baptiste Claude Sené
Mobilier livré en 1788 pour le cabinet de toilette de Marie-Antoinette à Saint-Cloud : lit de repos, bergère, écran de cheminée
New York, The Metropolitan Museum of Art.

Les « cariatides en gaine » que décrivent le mémoire de Sené au montant des accotoirs sont traitées en figures égyptiennes, alors que sur l'écran de cheminée les figures sont vêtues à la grecque. Le raffinement prime sur l'unité d'inspiration.

Tous les détails, ornementaux ou naturalistes, sont rendus avec la plus grande perfection, notamment les fleurs. Le goût pour la nature que la reine partage avec les lecteurs de Rousseau, et qui se traduit notamment par la création du hameau de Trianon, ne l'amène pas à la simplicité recherchée par l'auteur de *L'Emile*. Au contraire, la nature est source de nouveaux raffinements, toujours plus coûteux. Les fleurs sont transcrites dans le bronze des commodes, des cheminées et des bras de lumière. La précision botanique des variétés représentées – roses, myosotis, lilas, lierre… – est autant d'occasions pour les sculpteurs, modeleurs et ciseleurs de pousser leur travail à l'extrême. Les créations de Riesener et des bronziers qui œuvrent pour lui s'en trouveront à jamais marquées. Les meubles à panneaux « de vieux laque » que l'ébéniste livre en 1783 pour le grand cabinet intérieur de la reine à Versailles, pièce privée, sont ornés de chutes de fleurs au foisonnement étonnant[21] (voir *fig. 23 et 24*). Trois ans plus tard, Hauré et Benneman en donnent une version plus officielle, aux commodes du salon des jeux à Compiègne, où les branches de lis au naturel s'insèrent dans une composition arabesque[22] *(fig. 29)*. Les fleurs ornent aussi les tentures commandées à Lyon auprès de Pernon ou de Desfarges, jusqu'à envahir complètement les parois, comme à Compiègne, dans ce même salon des jeux, tendu de taffetas chiné « dessin à arbres, berceaux et rose trémières[23] » *(fig. 30)*. L'intrusion de la nature dans les décors créés pour la reine culmine dans la chambre dite « du Treillage » au Petit Trianon…

Le goût de la reine évolue, les ameublements successifs de ses différentes résidences en témoignent, parfois à un rythme accéléré. Riesener avait été le principal interprète de l'épanouissement de la souveraine, maîtresse de ses intérieurs ; il en avait gardé la faveur après sa disgrâce au Garde-meuble royal en 1784, continuant à fournir les principaux meubles destinés à Trianon puis à Saint-Cloud. Toutefois, au milieu des années 1780, le « goût étrusque » qui s'impose dans les créations des architectes et ornemanistes parisiens ne laisse pas Marie-Antoinette indifférente. Il semble alors en contradiction avec les choix esthétiques de la souveraine, prônant un retour à l'antique beaucoup plus rigoureux, voire sévère, une simplification des formes arabesques. La nomination de Dugourc au Garde-meuble à l'époque où se produit ce changement amena la souveraine à apprécier la nouvelle esthétique et à en devenir l'une des thuriféraires.

Les grands placages d'acajou sont désormais privilégiés, au détriment des panneaux de marqueterie de fleurs. Ce nouveau goût apparaît dans les commandes officielles destinées à la reine, au salon des Nobles à Versailles, dont les commodes et encoignures sont livrées par Riesener, puis à Compiègne, où pour la chambre sont livrées par Hauré en 1787 « deux commodes en bois d'acajou » exécutées par Benneman, ornées de bronzes de Feuchère et Thomire « en arabesques avec sphinx, chiffre, moulures, rinceaux, lire, avec encadrement, figure de stil antique passé au verd antique comme produit par le temps[24] ». Le sort de Riesener était scellé et, même si la reine lui conserva son estime, elle se tourna désormais vers un autre ébéniste, plus apte à transcrire le nouveau goût, Ferdinand Schwerdfeger. C'est à ce dernier qu'elle

commande en 1787 son nouveau « coffre aux diamants » (cat. 227), meuble emblématique s'il en est, et qu'elle lui confie l'année suivante les ébénisteries de sa chambre du Treillage (cat. 205) et le mobilier commandé pour le cabinet doré à Versailles, destiné à remplacer celui de Riesener[25].

La reine voua une véritable passion, discrète mais constante, à l'égyptomanie naissante, qu'elle contribua à propager dans ses appartements[26]. Dès 1770, au plafond de sa grande chambre partiellement repris, des sphinges ailées sculptées par Antoine Rousseau vinrent tenir les armes de France et de Navarre. Après avoir acquis en 1782 les tables faites pour le duc d'Aumont en 1770, parmi les plus anciens exemples de gaine à l'égyptienne, Marie-Antoinette commande deux tables en bois pétrifié, « les gaines enrichies d'une figure de femme therme drappée dans le style égyptien portant une corbeille surmontée d'un chapiteau », finalement placées à Saint-Cloud dans sa chambre[27]. Treize ans plus tard, des sphinges sculptées par les frères Rousseau allaient orner les boiseries de son cabinet intérieur, ou les dessus-de-porte de son grand cabinet à Fontainebleau sculptés par Philippe Laurent Roland. Elles figurent également aux accotoirs des fauteuils de son boudoir dans la même résidence par Georges Jacob. Ces personnages ailés s'inscrivent encore dans la tradition des décors arabesques. Toutefois, une plus grande rigueur antique apparaît dans le dessin des feux de la chambre, exécutés en 1786, qui copient fidèlement un modèle de l'Antiquité tardive. Cette correction se retrouvera deux ans plus tard sur les supports d'accotoir en termes coiffés du némès des sièges exécutés par Sené pour le cabinet de toilette de la reine à Saint-Cloud[28] *(fig. 31, 32, 33)*.

On l'aura compris, par la variété de ses commandes, par les sommes énormes qui y furent investies, Marie-Antoinette s'inscrit manifestement parmi les grands ordonnateurs du goût au crépuscule de la monarchie[29].

21. New York, The Metropolitan Museum of Art, don Vanderbilt.
22. Cat. exp. Compiègne 2006-2007, p. 172-173, fig. 68, et p. 186-187, n° 33.
23. Cat. exp. Lyon 1988, n° 47, et cat. exp. Compiègne 2006-2007, n° 31, p. 180-181.
24. Verlet 1990, p. 26, et voir cat. exp. Compiègne 2006-2007.
25. Baulez 2001b, p. 35.
26. Sur l'égyptomanie, voir Humbert 1989 et cat. exp. Paris 1994.
27. Inventaire de Saint-Cloud, 1793.
28. Kisluk-Grosheide 2006b, p. 207-210 ; Meyer 1965. Autre exemple de décor égyptien : les deux tables consoles de 1787 par Trompette, sculpture de F. C. Buteux, dorure de L. Chatard, qui pourraient avoir été dessinées par Dugourc (Baulez 1990a, p. 26, fig. 36).
29. Je remercie Christian Baulez pour le généreux accès qu'il m'a donné à ses archives.

150
François Toussaint Foliot,
dit François II Foliot
(Paris, 1748 – *id.*, après 1808)
Maître menuisier en 1773
D'après Jacques Gondoin

Fauteuil à la reine

1779
Hêtre sculpté et doré
H. 99,1 ; L. 64,8 ; pr. 50,2 cm

Provenance : Fauteuil livré en 1779 pour le grand cabinet intérieur de Marie-Antoinette à Versailles ; anc. coll. Gouverneur Morris.
Bibliographie : Jallut 1955a, n° 732 ; Verlet 1963, n° 30, p. 162-168, ill. ; Verlet 1994, n° 30, p. 210-218 ; Baulez 2001b, p. 30, ill. p. 31 ; Kisluk-Grosheide 2005, fig. 26-27, p. 79.

Collection particulière.

Ce fauteuil fait partie du mobilier d'hiver commandé le 4 août 1779 pour le grand cabinet intérieur de la reine à Versailles et livré le 20 décembre suivant. C'est Jacques Gondoin, architecte et dessinateur du Garde-meuble de la Couronne, qui donna les dessins des bois et du somptueux satin broché fond blanc orné de médaillons tissé à Lyon chez Jean Charton (cat. 168). Les bois furent commandés à François Foliot, la sculpture demandée à la veuve de Pierre Edme Babel, et la veuve de Gaspard Marie Bardou exécuta la dorure des bois (Verlet 1994, p. 212). Le meuble de satin broché livré par le tapissier Claude François Capin, sous le numéro 4499 du journal du Garde-meuble de la Couronne, consistait en une tenture murale, une portière, une banquette, une bergère, un confident, six fauteuils à carreaux, un tabouret et un bout de pied, une chaise pour le roi, un paravent et un écran. La veuve Saporito fournit la riche passementerie (*ibid.*, p. 218).
On remarque l'ampleur du gabarit du fauteuil et la maîtrise des courbes, le très pur cintre du dossier, avec l'exceptionnelle continuité de la ceinture, le point de jonction des pieds et de la ceinture n'étant pas marqué par un dé. Se démarquent les consoles d'accotoir à la forme en corne d'abondance, selon une formule déjà adoptée par Nicolas Heurtaut. La corne d'abondance, motif de prédilection pour la reine, est reprise aux montants du dossier. On admire le remarquable travail de sculpture, le contraste entre les petites fleurs et les cannelures.
Les cornes d'abondance semblent déverser les petites fleurs. Gondoin, avec originalité et rigueur, avait réussi à exprimer la majesté royale. C'était le premier meuble d'importance livré à Marie-Antoinette reine, la souveraine ayant utilisé jusqu'alors des ensembles livrés pour elle dauphine.
Le mobilier du grand cabinet intérieur resta en place jusqu'en 1783, année où la reine décida de lambrisser intégralement la pièce. En 1787, la majeure partie du meuble fut réutilisée dans l'ancienne pièce du billard de la reine au second étage, devenu le salon de compagnie du petit appartement privé de la souveraine. Il y resta en place jusqu'à la Révolution et fut alors acquis par Gouverneur Morris, l'ambassadeur des Etats-Unis d'Amérique. Ce mobilier est actuellement dispersé. Le Metropolitan Museum de New York conserve l'un des fauteuils et le château de Versailles le tabouret de pied. **P.-X. H.**

151
Jean-Baptiste Claude Sené
(Paris, 1747 – *id.*, 1803)
Maître menuisier en 1769

Fauteuil du grand cabinet de la reine à Saint-Cloud

Paris, 1787
Noyer sculpté et doré
H. 91 ; L. 61 ; pr. 56 cm

Provenance : Versement du Mobilier national, 1948.
Bibliographie : Verlet 1945, n° 38 ; Pallot 1993, n° 57.

Paris, musée du Louvre. Inv. OA 9452.

Ce fauteuil, d'une forme nouvelle dite « en demie cabriolet », appartient à l'un des « meubles » les plus célèbres exécutés pour la nouvelle demeure de la reine à Saint-Cloud, lequel comprenait un canapé, deux bergères, deux fauteuils à la reine, quatre fauteuils en cabriolet, quatre chaises et un tabouret. Il fut exécuté sous la direction d'Hauré, par ordre du Garde-meuble du 4 octobre 1787. Des maquettes en cire furent

élaborées par le sculpteur-modeleur Martin. La menuiserie revint à Jean-Baptiste Claude Sené, les sculpteurs Alexandre Régnier, Matthieu Guérin et Nicolas François Valois se partageant la sculpture. C'est à ce dernier que revint celle des fauteuils et des chaises. La dorure fut posée par Chatard et le tapissier Capin fixa le damas bleu, livré par la fabrique Cartier de Lyon, rebrodé en chaînette de soie blanche.
Le décor de festons de perles était apparu sur les sièges du pavillon du Belvédère en 1781 et marque les créations les plus personnelles faites pour Marie-Antoinette. Hauré avait probablement repris, à la demande de la reine, certains motifs qui lui étaient chers. Il n'est pas exclu que Dugourc ait donné les dessins d'un tel ensemble, renouvelant certains motifs aimés : ainsi, les montants en torche de l'hymen, apparus en 1781, se transforment ici en colonnes à chapiteaux ioniques, et la frise de ceinture n'est plus mêlée de fleurs mais ornée d'une « frise antique », évocatrice des motifs de vannerie du mobilier de la chambre au Treillage livré la même année pour le Petit Trianon.
Ces sièges particulièrement élégants furent finalement associés à des meubles d'ébénisterie parmi les plus extraordinaires créés par Riesener pour la reine, la commode et le secrétaire à abattant à panneaux de laque du Japon, livrés pour le cabinet intérieur à Versailles en 1783 mais transportés à Saint-Cloud dès 1788 (New York, The Metropolitan Museum of Art). **B. R.**

152
Jean-Baptiste Claude Sené
(Paris, 1747 – *id.*, 1803)
Maître menuisier en 1769

Fauteuil à la reine du mobilier de la chambre de Marie-Antoinette à Saint-Cloud

1787
Noyer doré
H. 105 ; l. 63 ; pr. 60 cm

Provenance : Sous l'Empire, mobilier (à l'exception des pliants) attribué à Madame Laetitia, mère de Napoléon, à l'hôtel de Brienne, puis au ministère de la Guerre, également à l'hôtel de Brienne, en 1817 ; dépôt du Mobilier national en 1991.
Bibliographie : Verlet 1945, n° 37 ; Pallot 1993, n° 56, p. 158-161 ; Meyer 2002, n° 6, p. 41-45.

Versailles, musée national des châteaux de Versailles et de Trianon. Inv. GMT 30 0005-3.

Ce fauteuil appartient au dernier grand mobilier d'apparat livré pour la reine. Début 1785, Louis XVI racheta le château de Saint-Cloud pour Marie-Antoinette. Après les transformations opérées par Mique, le Garde-meuble royal meubla le château à neuf. Jean Hauré, sculpteur, entrepreneur des meubles de la Couronne, supervisa alors l'ameublement de la chambre à coucher de la reine ordonné en septembre 1787. L'ordre commandait six fauteuils dont deux à carreaux (trois conservés de nos jours au Louvre et les trois autres au château de Versailles), deux bergères, six pliants, un tabouret, un marchepied, un écran, un paravent et un lit à la polonaise. De nos jours subsistent, outre les fauteuils, les deux bergères, l'écran et le paravent, également conservés au château de Versailles. A partir de dessins émanant du Garde-meuble, des modèles en cire furent exécutés par Martin, puis le menuisier Jean-Baptiste Claude Sené travailla les bois avant de les remettre au sculpteur Alexandre Régnier (Meyer 2002, p. 41-43). Chatard dorait les bois d'« or bruni » tandis que le tapissier Claude François Capin installait le décor textile : un « pékin fond blanc peint a petites figures chinoises et vues champetres encadrées de bordures ». Les montants du dossier du fauteuil sont en colonne semi-détachée, cannelures torses et enroulement de feuilles de lierre au registre supérieur. Au sommet du dossier, un aigle impérial personnifie la reine de France. L'Antiquité s'affiche par les pieds en carquois, les fleurs de lotus stylisées de la ceinture de l'assise et la frise de palmettes qui court sur la traverse haute (Pallot 1993, p. 158-161). Le fauteuil de Marie-Antoinette présente un décor célébrant l'Orient antique, avec les sphinges ailées qui ornaient le lit ou qui se trouvent sur l'écran de cheminée (Meyer 2002, p. 45).
Tous ces ornements sont exceptionnellement riches en détails et sculptés avec une extrême finesse, ce qui permet un admirable jeu de la lumière sur le bois doré. Le goût pour l'Antiquité se conjugue avec les fleurs, ces roses d'inspiration naturaliste dédiées à la reine.
Les mêmes artisans livrèrent le mobilier de la chambre de Louis XVI à Saint-Cloud en 1787. Ces deux mobiliers, où le décor monarchique s'exprime le plus parfaitement, se répondent exactement, offrant un même dessin (Verlet 1945, n° 36, p. 100-104, pl. LI). Marie-Antoinette était indéniablement attirée par l'Orient égyptien.
Le fauteuil de Marie-Antoinette est une synthèse des plus belles formules adoptées tant au niveau du dessin que du décor pour le mobilier de la reine. Avec ces dernières commandes de l'Ancien Régime pour Saint-Cloud, on atteignait la plus haute expression de la majesté royale. **P.-X. H.**

153

Jean-Baptiste Claude Sené

(Paris, 1747 – *id.*, 1803)

Maître menuisier en 1769

Ecran de la chambre à coucher de Marie-Antoinette à Versailles

1787

Noyer sculpté et doré

H. 126,5 ; l. 77 ; pr : 40,3 cm

Marques : au fer (sur le châssis), *EL* ou *EN* très effacé surmonté de la couronne (marques de l'Elysée) ; à la peinture noire, *373*

Etiquette manuscrite ancienne collée sur le châssis : *Pour le service de la Reine à Versailles n*° *91* (disparue)

Provenance : Meuble d'été de la grande chambre de Marie-Antoinette à Versailles ; coll. nationales au XIXe siècle (Elysée) ; acquis en 1939.

Bibliographie : Verlet 1945, n° 34 ; Meyer 2002, n° 67 ; Hans 2007, n° 71, p. 127-128.

Versailles, musée national des châteaux de Versailles et de Trianon. Inv. V 1142.

En 1786 débuta la modernisation de la chambre de Marie-Antoinette. Une nouvelle cheminée en griotte, ornée de bronzes dorés ciselés par Forestier, fut installée. Le nouveau décor textile d'été, en gros de Tours blanc broché, dessin de fleurs nuées ruban et plumes de paon, fut commandé à Desfarges à Lyon. On se limita à la restauration des bois du mobilier d'été exécuté pour Marie-Antoinette dauphine en 1769 par Foliot, mais on renouvela l'écran, qui devait être en accord avec la cheminée. Le sculpteur Jean Hauré fut chargé par ordre du 27 mars 1787 d'exécuter la sculpture. Le menuisier Sené avait travaillé les bois. Martin avait exécuté le modèle en cire. La sculpture représente des « paquets de fleurs », un tore en feuille de chêne, des branches de roses, dans le bas une tête d'Apollon entre deux cornes d'abondance et des griffes de lion sous les patins, « le tout très léger ». Chatard exécuta la dorure de l'écran et le tapissier Capin installa sur l'écran une magnifique broderie sur gros de Naples blanc. Cet écran extrêmement gracieux porte une richissime sculpture montrant les fleurs de prédilection de la reine : des roses et des branches de myrte, emblème de l'amour, et des feuilles de chêne pour la majesté. Cet écran ne fut pas vendu à la Révolution et resta dans les collections nationales au XIXe siècle. Cependant Versailles dut s'en porter acquéreur en 1939.

P.-X. H.

154
Georges Jacob
(Cheny, 1739 – Paris, 1814)
Maître menuisier en 1765
Chaise de la laiterie de Rambouillet

Paris, 1787
Acajou sculpté
H. 95,2 ; l. 52,6 ; pr. 66 cm

Provenance : Livrée à Rambouillet en 1787 ; réservée pour le Muséum en 1793 ; signalée au Muséum du Louvre en 1794 et 1796 ; envoyée en 1810 au Petit Trianon (théâtre, puis maison du garde) ; vendue par les Domaines en 1889 ; coll. Greffulhe ; don sir Alfred Beit, 1951.
Bibliographie : Mauricheau-Beaupré 1934, p. 77-80 ; Jallut 1955a, n° 744 ; Watson 1963, p. 140-141, pl. 192 ; Meyer 2002, n° 59 ; Heitzmann 2007, p. 51.

Versailles, musée national des châteaux de Versailles et de Trianon. Inv. V 3225.

Au moment de l'acquisition du domaine de Rambouillet par Louis XVI auprès du duc de Penthièvre, le 29 novembre 1783, « la reine est allé [*sic*] voir le château qui est gothique et lui a fort déplu » (Bachaumont *et al.* 1783-1789, XXIV [1784]). Afin de contrecarrer cette première impression, le roi fit ériger dès 1785 une laiterie où Marie-Antoinette « pourrait venir se rafraîchir de frais laitages », comme elle le faisait au hameau de Trianon où Richard Mique avait aménagé un tel bâtiment en 1784.
Conçue comme un temple à l'éclairage zénithal par l'architecte Jean-Jacques Thévenin, la laiterie de Rambouillet renfermait un décor des plus originaux : un spectaculaire amoncellement de rochers imaginé par le peintre Hubert Robert et abritant une nymphe du sculpteur Pierre Julien fermait la salle centrale précédée d'un vestibule circulaire.
Le mobilier se devait d'être aussi inattendu et novateur. Georges Jacob livra en mars 1787 un ensemble de sièges – quatre fauteuils, dix chaises et six ployants – « de forme nouvelle genre étrusque en beau bois d'acajou massif », accompagné de cinq tables, d'après des dessins d'Hubert Robert. Le peintre et le menuisier rompaient délibérément avec tout ce qui avait été fait jusqu'alors pour le Garde-meuble. Il n'est pas certain que la reine ait été séduite par cet ensemble : la mâle simplicité des profils volontairement raidis, inspirés des sièges curules antiques, comme l'emploi de l'acajou massif et l'usage d'un répertoire décoratif de palmettes, palmes, rosaces et têtes de bouc, d'où a disparu tout élé ment floral naturaliste, étaient vraisemblablement trop éloignés de ses propres goûts. De fait, elle ne vit jamais cet ensemble en place, sa dernière visite à Rambouillet ayant été le 20 juin 1786, pour l'inauguration du bâtiment. B. R.

155

Georges Jacob

(Cheny, 1739 – Paris, 1814)

Maître en 1765

Fauteuil du mobilier de la chambre à coucher du petit appartement de Marie-Antoinette à Versailles

Vers 1788

Hêtre sculpté et peint

H. 96,3 ; l. 63,3 ; pr. 65,3 cm

Etiquette sur l'un des fauteuils (V 2253) :

Pour la Reine à Versailles, Chambre à coucher

Provenance : Livrés vers 1788 ; vendus en 1793 ; acquis en 1945 (vente, Paris, hôtel Drouot, Me Ader, 21 février).

Bibliographie : Jallut 1964, fig. 41, 42, p. 333 ; Meyer 1980, n° 68, p. 88-89 ; Baulez 1992, n° 3, p. 71 ; Meyer 2002, n° 73, p. 284-289 ; Hans 2005, n° 48, p. 138-139.

Versailles, musée national des châteaux de Versailles et de Trianon. Inv. V 2253.

Marie-Antoinette souhaitait un appartement de plain-pied à Versailles et se rapprocher de sa fille. La mort de Madame Sophie, en 1782, lui en offrit l'opportunité. Marie-Antoinette occupa les pièces situées au rez-de-chaussée sur la cour de Marbre (Jallut 1964, p. 331). Les travaux d'installation de l'appartement débutèrent en novembre 1783. Dans un premier temps, on réutilisa pour la chambre à coucher de la reine le mobilier ayant servi lors des naissances royales. En 1788, le Garde-meuble privé de la reine commanda un nouveau mobilier, mais la documentation fait défaut pour l'étudier précisément. Versailles conserve trois fauteuils, une bergère, deux chaises, un tabouret et un tabouret de pied, ainsi qu'un fauteuil de toilette pour un mobilier constitué à l'origine de deux bergères, quatre fauteuils, quatre chaises, deux tabourets, un paravent, un écran et une corbeille, le tout couvert de pou de soie bleu. Bonnefoy du Plan s'est adressé à Georges Jacob pour les meubles de menuiserie, tandis que Schwerdfeger devait fournir les meubles d'ébénisterie.

C'est dans le courant du second semestre de 1788 que Georges Jacob exécuta le meuble, qui se voulait à l'antique. On imagina alors un dossier curviligne assez idéal prolongeant des montants carrés cannelés. Des demi-colonnes cannelées prolongent les pieds intérieurs. Mais, avant tout, l'Antiquité s'affiche par le décor sculpté nouveau de frise de palmettes, dit « à l'étrusque ». Les bois étaient peints en mauve et gris selon une harmonie d'une grande modernité (Baulez 1992, p. 71). Un mémoire du fondeur Mellet fait état du lit en acajou (Jallut 1964, p. 346). Il s'agissait d'un « superbe lit à colonnes formant archivolte et coupole », ainsi que l'indique l'annonce des ventes révolutionnaires du 25 octobre 1793. Marie-Antoinette avait opté pour un mobilier « à l'étrusque ». Mais, si le lit était bien de ce style, le dessin des sièges était avant tout traditionnel, les pieds de style Louis XVI. De plus, les sièges étaient exécutés en hêtre peint et non en acajou. On restait très loin d'un mobilier archéologique.

P.-X. H.

156

Attribué à Jean-Baptiste Claude Sené

(Paris, 1747 – *id.*, 1803)

Fauteuil en cabriolet, au chiffre de Marie-Antoinette, probablement livré pour la reine au château de Saint-Cloud

Vers 1788

Noyer sculpté et redoré

H. 93,5 ; l. 63 ; pr. 64,3 cm

Provenance : Coll. des barons Maurice puis Edmond de Rothschild ; entré par dation en 1990.

Bibliographie : Verlet 1963, p. 183-186 ; Watson 1963, n° 169, p. 136 ; Baulez 1991 ; Verlet 1994, p. 244-251 ; Meyer 2002, n° 105, p. 294-295 ; Hans 2005, n° 51, p. 145.

Versailles, musée national des châteaux de Versailles et de Trianon. Inv. V 5357.

Les pieds antérieurs de ce fauteuil en cabriolet, au riche décor sculpté, se prolongent par des supports d'accotoirs à femmes en termes canéphores. Des corbeilles raccordent les accotoirs aux montants. Au sommet du dossier est sculpté le chiffre *MA* de la reine dans un médaillon enlacé dans deux branches de roses.

Il existe trois fauteuils identiques à celui-ci. Deux sont conservés depuis 1956 au Victoria and Albert Museum de Londres. Le troisième fauteuil, passé en vente (New York, Sotheby's, 25 avril 1998, lot 339), a, comme les deux précédents, conservé son rechampi blanc, celui de Versailles ayant été redoré en plein vers 1900.

Il est le seul des quatre à porter l'estampille de Jean-Baptiste Claude Sené, ainsi qu'une étiquette du peintre et doreur Chatard indiquant une livraison de ce mobilier pour la reine à Saint-Cloud.
Ces fauteuils font probablement partie du mobilier du cabinet de toilette de Marie-Antoinette à Saint-Cloud, aux bois exécutés par Sené, le sculpteur n'étant pas connu, livré en 1788 et comprenant principalement un lit de repos, une bergère, un écran et quatre fauteuils. La reine en avait brodé le basin des Indes fond blanc de petits bouquets (Verlet 1994, p. 245). Le Metropolitan Museum of Art de New York conserve trois pièces : le lit de repos, la bergère et l'écran. Pour ce qui est du décor, seuls divergent les supports d'accotoirs : en cariatides égyptiennes pour le lit de repos et la bergère et à visages féminins à l'antique pour les fauteuils en cabriolet.
Les bras de lumière livrés par Feuchère, à torche cannelée et amour, montrent que l'on recherchait un ensemble harmonieux et non la répétition d'un même décor.
Marie-Antoinette s'est passionnée pour l'Egypte ancienne, à la mode à l'époque, qui faisait partie du répertoire antique, et le Garde-meuble royal sut répondre exactement à ses souhaits lors de l'ameublement de son appartement en 1788.

P.-X. H.

157

Attribuée à Pierre Philippe Thomire
(Paris, 1751 – *id.*, 1843)

Lanterne du salon de compagnie du château de Trianon

Paris, vers 1785
Bronze ciselé doré partiellement verni, cristaux
H. 1,75 ; diam. 0,80 m

Provenance : Salon de compagnie du Petit Trianon, retirée en 1793 et rétablie en 1985.
Bibliographie : Annonces, affiches et avis divers 1793-1796, Bibliothèque nationale, Paris ; Williamson & Champeaux, 1882/II, pl. 65, p. 392 ; Havard 1887-1889, IV, pl. 16 ; Robiquet 1910, p. 213 ; Robiquet 1912, p. 72-73, 141-142, 164, pl. X ; Verlet 1987, p. 376-377, fig. 384 ; Ledoux-Lebard 1989, p. 120 ; Baulez 1990, p. 22, 34 ; Baulez 1996, p. 24.
Exposition : Versailles 1867, n° 1.

Versailles, musée national des châteaux de Versailles et de Trianon. Inv. T 462.

La lanterne est circulaire à quatre glaces dans une monture de bronze doré, partiellement vernie en bleu lapis, avec ornements de diamants faux. Les quatre montants de la cage revêtus de flèches et de houlettes relient les deux ceintures, décorées de trophées champêtres allégoriques aux quatre saisons. La ceinture supérieure est surmontée de quatre trophées de musique, celle du bas est censée reposer sur quatre têtes de zéphyrs. La cage est suspendue par quatre arcs à la corde détendue, reliés entre eux par un bandeau étoilé et réunis au sommet par un carquois à flèches. Le chandelier à douze branches en rinceaux arabesques est rattaché à une torche enflammée qu'entourent trois jeunes faunes musiciens, assis sur un coussin.
La vente de cette lanterne fut annoncée dès le 27 septembre 1793 dans les annonces et affiches des ventes du mobilier de Versailles, ordonnées par la Convention : « Une lanterne de salon de forme ronde, de la plus agréable composition, en bronze doré au mat, avec mélange de lapis, pierreries et perles. » Elle fut âprement disputée le 4 octobre suivant entre le tapissier versaillais Alexis Grincourt et l'ébéniste parisien Joseph Sintz, qui l'emporta finalement, à la douzième bougie, pour 13 900 livres. Sintz était en cheville avec le tapissier parisien Guillaume Marceaux, et tous deux exposèrent dès le 10 novembre leurs acquisitions versaillaises, dont la lanterne, dans les salons du traiteur Mauduit, boulevard Poissonnière, où l'on se chargeait de procurer les certificats d'exemption de droits de douane aux mandataires de l'étranger. Non vendue, elle regagna, 3 rue de la Michodière, les magasins de Sintz, qui en fit sa publicité à partir du 27 juillet 1794 jusqu'au 25 avril 1796 : « On y voit la

fameuse lanterne du petit Trianon. » Après une brève exposition en juin 1796 dans les salons de la « maison ci-devant Montmorency, au coin des rues Basse du Rempart et du Montblanc », elle retourna rue de la Michodière où sa trace se perd jusqu'au 9 juin 1811, quand elle fut proposée par le lanternier Lafond, 21 rue de Castiglione, et acquise pour 5 500 francs par l'administration du Mobilier impérial.

Elle fut replacée l'année suivante à Trianon, mais dans le salon rond du Pavillon français. Louis-Philippe la fit employer en 1836 dans l'escalier de la reine au château de Versailles et, en 1859, l'impératrice Eugénie la réclama pour l'utiliser dans le salon des Huissiers de ses appartements aux Tuileries. La lanterne revint à Trianon en 1867 à l'occasion de l'exposition que la souveraine y consacra au souvenir de Marie-Antoinette, à qui elle vouait une grande admiration. Mais elle y fut placée dans l'escalier du château, où elle resta jusqu'à ce que nous la fassions remettre en 1985 dans le salon de compagnie pour lequel elle avait été créée deux siècles plus tôt.

La vogue des lanternes s'était développée au cours du XVIIIe siècle, pour ne plus se limiter aux seuls escaliers et antichambres, où leur présence se justifiait par la cage de verre qui mettait les flammes à l'abri des courants d'air. Elle se généralisa bientôt pour la même raison dans les salons d'angle et les lanternes atteignirent alors un luxe encore jamais vu. Pour Louis XV à Trianon, où les pièces d'angle étaient nombreuses, les frères Delaroue livrèrent de nombreuses et belles lanternes, mais le salon de compagnie, qui était central, reçut un lustre de cristal. Marie-Antoinette les conserva jusqu'après 1784, mais ordonna alors cette très riche lanterne pour la substituer au lustre du salon de compagnie, bien qu'il ne fût pas une pièce d'angle.

Cette magnifique lanterne, l'une des plus belles de son temps, fut abondamment copiée après 1867 par les grands bronziers du XIXe siècle tels que Beurdeley, Marquis, Millet, mais son créateur resta longtemps inconnu. Considérée bien sûr au XIXe siècle comme une œuvre de Gouthière, alors gratifié systématiquement des plus beaux bronzes du temps de Louis XVI, elle fut en 1910 attribuée à Lafond, qui n'avait fait que la revendre en 1811. Plus sérieusement et parce qu'en 1785 Pierre Gouthière, failli et ruiné, n'était plus en état de réaliser un tel objet, et parce qu'elle ne figure pas dans les archives de François Rémond, il convient de la rendre à Pierre Philippe Thomire, qui se qualifiait lui même de « ciseleur-doreur du Roy et de la Reine » et était chargé par Pierre Charles Bonnefoy du Plan, le chef du Garde-meuble privé de Marie-Antoinette, personnage tout-puissant à partir de 1784, « des fournitures et ouvrages faits pour la Reine, dans ses appartements du Petit Trianon ». En amont du rôle du bronzier se situe celui d'un ornemaniste et l'intervention de Jean Démosthène Dugourc reste d'autant plus plausible que, dans son autobiographie, cet artiste se vante d'avoir dirigé « tous les bronzes précieux exécutés pendant dix ans pour le célèbre Gouthière [...] ainsi que ceux exécutés pour la Reine par différents artistes ».

On connaît un projet attribué à Dugourc, autrefois dans la collection Beurdeley et qui montre au niveau des arcs les quatre aiglons qui existaient à l'origine : retirés en 1815 et en 1870 par confusion avec les symboles napoléoniens, ils n'ont à ce jour pas été retrouvés mais sont très proches de ceux que l'on peut voir encore sur la pendule de la chambre à coucher de la reine à Trianon, également livrée par Thomire. La copie de la lanterne vendue avec la collection Beurdeley en octobre 1897 (lot 225 repr.) est la seule à posséder les quatre aiglons disparus. **C. B.**

158

158
Pierre Philippe Thomire
(Paris, 1751 – *id.*, 1843)

Paire de chenets de la chambre de la reine à Versailles

1786
Bronze doré
H. 48; l. 55; pr. 19 cm

Provenance: Coll. baron Élie de Rothschild; dation, 1975.
Bibliographie: Cat. exp. Paris 1955, n° 734; Meyer 1978, n° 24; cat. exp. Paris 1980-1981, n° 104; Ottomeyer et Pröschel 1986, p. 277; Verlet 1987, p. 214-215, fig. 241-242, p. 307-308; Humbert 1996, fig. 17; Baulez 2001a, p. 280.

Versailles, musée national des châteaux de Versailles et de Trianon. Inv. V 4838.

Parmi les nombreuses figures de sphinx qui envahirent discrètement les appartements de la reine, suivant une mode qu'elle contribua à installer, les plus « égyptisantes » furent celles placées sur les chenets de sa grande chambre au château de Versailles. Une nouvelle cheminée, au décor strictement ornemental, avait été installée en 1786. Un nouveau feu fut commandé au Garde-meuble et exécuté sous la direction d'Hauré. L'ordre, daté du 20 mai 1786, précise que le feu avait été prévu pour le salon des Nobles, mais il semble avoir été immédiatement placé dans la chambre voisine. La conception de ce feu rompait avec les représentations plus aimables mais archéologiquement moins correctes, utilisées jusqu'alors dans les décors arabesques. Boizot fut l'auteur de cette magistrale représentation, coiffée du némès et hiératiquement couchée: il fournit le modèle en terre des figures, transposé en plâtre par le mouleur Girard afin d'être fondu, comme le reste, vraisemblablement par Forestier, puis ciselé par Thomire. La maquette en bois et cire du socle avait été exécutée par le sculpteur Pigal. Thomire fournit toutefois le modèle de la tête placée dans la « frise de face à cornets d'abondance », cet élément répétitif ayant été confié à un bronzier moins célèbre, le ciseleur Boivin, alors que son confrère Coutelle avait donné « la frise en poste » des extrémités. La dorure du feu fut exécutée par Galle. Le modèle dut plaire car « un grand feu à sphynx semblable à celui de la chambre à coucher de la reine » fut commandé par ordre du 29 septembre suivant pour le salon des jeux du roi à Saint-Cloud (Archives nationales, O[1] 3289, f° 183 r°). **B. R.**

159
Attribué à François Rémond
(Paris, 1751 – *id.*, 1843)
Maître doreur en 1774

Girandoles aux têtes d'aigle

Paris, vers 1786
H. 82,5 cm
Bronze doré

Provenance: Livré pour la reine (?); conservé à la Révolution; à l'Elysée au début du XXe siècle; dépôt du Mobilier national par arrêté du 12 octobre 1978.
Bibliographie: Dumonthier [n. d.], I, pl. 1, n° 3; Verlet 1987, p. 355, fig. 371.

Versailles, musée national des châteaux de Versailles et de Trianon. Inv. 5149 (1-2) GML 9078 (1-2).

Dominique Daguerre livrait, suivant l'ordre du 28 octobre 1786, « une paire de girandoles à six lumières sur un trépied, à aigles et chaines en bronze doré au mat » pour un prix de 2 600 livres, et qui est proche de celle identifiée au palais de l'Elysée par Pierre Verlet. Ces candélabres étaient destinés au salon des Nobles de la reine qui venait de recevoir un nouveau mobilier de Riesener, dont ils devaient sommer les deux encoignures. Le raffinement de leurs enroulements arabesques, qui contrastait avec les meubles sobrement plaqués d'acajou flammé, était renforcé par la présence de chaînes et grelots tenus dans les becs des aigles et une frise de palmettes sur la bague médiane aujourd'hui disparus.

La première pensée pour ce modèle est un dessin provenant de l'atelier de Rémond (Ottomeyer et Pröschel 1986, I, p. 266, fig. 4.9.5), qui évoque les créations de l'orfèvrerie outre-Manche inspirée des frères Adam. Daguerre, qui avait dû le fournir, était en relation étroite avec la Grande-Bretagne, où il se rendit à plusieurs reprises, et fut l'un des propagateurs des modes anglaises en France. Toutefois, la transcription du dessin dans le bronze lui conféra un caractère beaucoup plus en rapport avec le style arabesque pratiqué à Paris.

Les termes décrivant les girandoles sont ambigus: dans la livraison de Daguerre, il est fait mention de six lumières, alors que dans l'inventaire du château, dressé en 1788, elles sont décrites comme « portant des consoles en ornemens arabesques qui se divisent en sept branches portant bougies et bassins » (Archives nationales, O[1] 3463), description reprise dans l'inventaire de 1792. Y avait-il à l'origine un ornement mobile groupe de fleurs ou de fruits – condamnant à volonté la bobèche terminant la tige centrale, qui permettait d'utiliser la girandole avec six ou sept bougies? **B. R.**

160

Pierre François Feuchère
(?, 1737 – Paris, 1823)
Maître doreur en 1763

Paire de bras de lumière du cabinet de toilette de Marie-Antoinette à Saint-Cloud

1788
Bronze doré
H. 72 ; l. 40 ; pr. 24 cm

Provenance : Versement du Mobilier national, 1901.
Bibliographie : Molinier [1902] ; Dreyfus 1922, n°s 343-344 ; Verlet 1987, p. 378-380, fig. 385-387 ; Austin Montenay 2005, p. 99.

Paris, musée du Louvre. Inv. OA 5256, OA 5257.

Trois modèles de bras de lumière très proches, à tige centrale en torche et « branches dorées au mat de forme arabesque », furent commandés par ordre du 29 septembre 1787 au ciseleur-doreur Feuchère, et exécutés sous la direction d'Hauré. Une paire correspondant au premier modèle, à deux lumières surmontées d'un « groupe de tourtereaux », était destinée au Garde-meuble et prit place dans la chambre de l'appartement de Thierry de Ville-d'Avray à Paris. Les deux autres modèles, comportant une troisième branche ornée d'un amour nu tenant un cœur à la main, étaient destinés aux souverains à Saint-Cloud. Pour les deux paires placées dans le cabinet intérieur du roi, on substitua au groupe de tourtereaux « un bouquet de fleurs et fruits de grenade ». Les oiseaux symbolisant l'hymen figurent en revanche sur les quatre exemplaires destinés au cabinet de toilette de la reine, mais la guirlande de fruits qui relie les enroulements arabesques y est remplacée par deux rangs de perles terminés par des glands imitant la passementerie. Ainsi, par ces subtiles différences de richesse et de motifs, le Garde-meuble avait su adapter au rang et aux goûts de chaque commanditaire un modèle commun apprécié pour son élégance et sa légèreté, et fournir à la reine pour sa résidence de Saint-Cloud une version plus féminine que rehausse l'exceptionnelle qualité de la ciselure et de la dorure.

B. R.

161

Pierre Philippe Thomire
(Paris, 1751 – *id.*, 1843)
Robert Robin
(Chauny, 1741 – Paris, 1799)

Pendule « Les Vestales portant sur un brancard l'autel du feu sacré » ou « Les Porteuses »

Bronze doré, bronze patiné, bronze verni, porcelaine dure, marbre bleu turquin, marbre brocatelle
H. 50,5 ; l. 65 ; pr. 18 cm

Provenance : Livrée pour la chambre de la reine à Saint-Cloud (?) ; Mobilier national (ministère de l'Intérieur), déposée en 1907.
Bibliographie : Verlet 1953, pl. 91 ; Gonzalez-Palacios 1976, p. 11, fig. 1 ; Verlet 1987, p. 326, fig. 360 ; Motsch 2002-2003, p. 66-67 ; Motsch , *in* Salmon 2006, p. 84.

Paris, musée des Arts décoratifs. Inv. MIN INT ss n° (2).

Cette pendule au sujet antique empreint d'une certaine mélancolie figure en 1793 dans l'inventaire des pendules de la reine, sous le numéro 43 : « – Une pendule composée d'un socle de marbre bleu de turquin orné de bas-relief de porcelaine sur lequel sont deux vestales qui porte le feu sacré au temple sur un brancard dans la drapperie duquel est un mouvement à sonnerie du nom de Robin. – St-Cloud. *a vendre aux étrangers.* »
La reine avait acheté cette pendule auprès de Dominique Daguerre qui en possédait le modèle relevé dans son inventaire après décès (15 frimaire an V ; Archives nationales, MC, XXXVI/633.
La composition générale est empruntée à un dessin d'Hubert Robert, copié d'un fragment antique admiré en Italie et gravé par l'abbé de Saint-Non dans son *Recueil de griffonis* publié à la fin du règne de Louis XV. Mais ce n'est que vers 1788 que Jean Démosthène Dugourc s'en inspira pour concevoir cette pendule, chef-d'œuvre du style « étrusque » qui s'impose alors. Un dessin signé de sa main, daté de 1790 (ancienne collection Tassinari et Chatel), en donne une version avec de légères variantes. Les figures furent vraisemblablement modelées par Louis-Simon Boizot, puis fondues et ciselées par Thomire. C'est ce dernier qui figure sur les registres de Sèvres pour l'achat de deux autels, huit plaques et huit petits bas-reliefs de porcelaine destinés à composer deux pendules.
Si l'on en croit l'inventaire de ses pendules, Marie-Antoinette ne possédait qu'un exemplaire de ce modèle ; toutefois, une autre pendule (Washington, Corcoran Gallery) porte une inscription *Thuilerie Boudoir reyne* et la signature *Thomire 1789*. La reine aurait-elle acquis cet exemplaire pendant son séjour aux Tuileries, privée de celui qu'elle admirait à Saint-Cloud ? Une autre pendule aurait appartenu à sa sœur, la duchesse de Saxe-Teschen (Augarde 1996, p. 241, n° 189). **B. R.**

162 à 165

Les services de porcelaine de Sèvres de Marie-Antoinette

Les quatre services de porcelaine de Sèvres achetés par la reine en 1781, 1782 et 1784 frappent par l'homogénéité de leur décor. Le blanc y prédomine, avec parfois un usage restreint de couleurs. Ils ont tous en commun l'utilisation d'un motif récurrent de fleurs simples : roses, barbeaux, pensées, ainsi que, pour trois d'entre eux, un motif de fils de perles. Ils témoignent clairement des goûts de la reine, puisque des documents démontrent qu'elle choisit au moins deux des motifs à partir d'une sélection d'échantillons d'assiettes fournies par la manufacture. Les décors, légers et aérés, sans couleur de fond dominante, ressemblent à ceux de la garniture des meubles exécutés par Jean-Baptiste Claude Sené pour le cabinet particulier de Marie-Antoinette au château de Saint-Cloud. Il s'agit d'un « bazin » blanc avec un motif simple de barbeaux et boutons de rose, brodé par la reine elle-même (Verlet 1994, p. 248; voir Kisluk-Grosheide 2006a, p. 41, pour le tissu original de l'écran de cheminée). Marie-Antoinette n'est pas à l'origine de ce style de décor à la manufacture de Sèvres, bien qu'il lui ait été associé par la suite, ce qui pourrait expliquer qu'il ait connu une telle vogue dans les années 1780. Au moment de ses premières commandes en 1781, la manufacture produisait depuis douze ans déjà des services sans couleur de fond, ornés d'un semis de fleurs individuelles (ainsi le modèle « roses et mosaïques » de 1769, le modèle « roses et feuillages » acheté par Louis XV et ajouté par Louis XVI en 1770, le modèle « roses et myrte » – ou « guirlandes de roses et barbeaux » – de 1777, et le modèle « roses et barbeaux » de 1780). Il se peut que la reine ait spécifiquement demandé le motif de rangs de perles. Peut-être peut-on alors considérer cela comme une version peinte du décor d'émaux en relief sur paillon d'or de la manufacture imitant les pierres précieuses, un genre que la reine appréciait tout particulièrement, et qui fut justement produit à cette époque-là.

L'originalité de deux des services de Marie-Antoinette réside dans les grands plats à servir de cinq formes et autant de tailles (cat. 163 et 165). Habituellement, les services de la manufacture de Sèvres ne proposaient pas de plats à servir pour les plats de résistance, pour lesquels les convives utilisaient généralement des plats en métal. L'ajout des plats semble refléter la volonté de la reine de posséder des services complets, à dîner et à dessert, intégralement en porcelaine, comme une alternative aux services en argent. Ceux-ci comprennent des plats ronds et ovales, de tailles allant de 60 centimètres pour le plus grand plat ovale à 30 centimètres pour le plus petit rond, se rapprochant au plus près des tailles utilisées en porcelaine (Archives nationales, K 506). L'idée de ces plats a pu venir de ceux exécutés pour le service bleu céleste livré à Louis XV en 1754 et 1755, qui se trouvaient au Petit Trianon à partir de 1778 (*ibid.*, K 506; liste des pièces « envoyées par le Roi et déposées dans les Offices du château du Petit Trianon »). En plus de ceux exécutés pour le service de Louis XV, il n'est fait mention qu'une seule fois de grands plats faisant partie d'un service de porcelaine avant ceux exécutés pour le service de la reine en 1781 (deux tailles de « plats à groseilles » – 39 et 45 centimètres – dans un service vendu à Nicolas Beaujon en juin 1765; il est probable qu'ils aient été décorés à partir de réserves; voir Peters 2005, II, p. 361). Hormis une exception au cours de la même année, aucun autre service ne possède de tels plats jusqu'en 1791, date après laquelle leur introduction devint plus fréquente (*ibid.*, IV, p. 939; les plats mentionnés dans la vente d'un service acheté par M. Verdier peuvent être du même type que celui exécuté pour Marie-Antoinette, mais cela reste incertain).

Bien que deux de ces services soient très complets et très diversifiés pour ce qui est de leur forme, ils ne semblent pas avoir été prévus pour un grand nombre d'invités, mais plutôt pour des dîners intimes, privés, dans le cercle familial ou d'amis proches. Les deux services devaient correspondre à un maximum de douze convives, à en juger par le nombre de pots à jus et tasses à glace, des pièces qui ne peuvent être utilisées que pour des portions individuelles. Tout cela est en accord avec la manière dont Marie-Antoinette menait sa vie privée, entourée d'une petite coterie d'amis. Les petits seaux à verre individuels, utilisés pour rafraîchir et rincer les verres, sont beaucoup moins fréquents dans les services de Sèvres que les grandes verrières ou seaux crénelés. Ils sont eux aussi l'expression des besoins particuliers de la reine. Ils étaient placés directement sur la table, afin de permettre aux convives de se servir eux-mêmes et de rincer leur verre sans avoir recours aux domestiques. Il était plus habituel d'avoir des verrières contenant un grand nombre de verres, posées sur un buffet et nécessitant la présence d'un domestique pour porter si nécessaire un verre à table.

Bien que la destination la plus évidente de l'un des services soit le Petit Trianon, il est malheureusement impossible de déterminer où ces services avaient été conçus pour être utilisés. Les inventaires de porcelaine sont très rares, et ceux rédigés pendant la Révolution en vue de ventes manquent de précision quant il s'agit de services à dîner. Etant donné que les services se ressemblent, la mention de pièces de porcelaine blanche décorées de fleurs, ou même de roses, peut correspondre à n'importe lequel d'entre eux, ainsi qu'aux services « roses et feuillages » et « guirlande de barbeaux » de Louis XVI (ainsi, dans l'inventaire effectué à Marly en novembre 1793, il est fait mention de deux cent quarante-sept assiettes en porcelaine de Sèvres, « à fleurs et dorées, de différentes sortes », qui doivent correspondre au regroupement de plusieurs services; archives départementales des Yvelines, 2 Q 73). Aucune des quantités enregistrées dans les inventaires connus ne correspond précisément aux services répertoriés dans les documents de vente.

Un autre élément pose question : pourquoi la reine a-t-elle attendu 1781 pour acheter son premier service, avant d'en commander trois en un an, et encore un autre, quelques années plus tard ? La réponse tient peut-être à la réorganisation, en 1780, de la Maison du roi et de ses finances par Louis XVI. Mais ce n'est là qu'une hypothèse.

S. S.

162

Manufacture royale de porcelaine de Sèvres

Service « double filet bleu, roses et barbeaux »

Porcelaine, pâte tendre

162 a

Assiette plate unie

1780
Marque de peintre : Jacques François Louis de Laroche (actif en 1758-1802)
Marque de doreur : membre de la famille Weydinger
H. 3 ; diam. 23,4 cm
Creil, musée Gallé-Juillet. Inv. 241.7.

162 b

Assiette plate unie

1787
Marque de peintre : Nicquet
H. 3 ; diam. 23,4 cm
Bibliographie : Molinas et Surugue 1994.
Creil, musée Gallé-Juillet. Inv. 241.14.

162 c

Tasse à glace

Marques peintes en bleu : *LL* entrelacés ; lettre-date *dd* pour 1781 ; marque de peintre : Geneviève Massy ; marque de doreur en or : Léopold Weydinger
H. 6,5 ; diam. 6 cm
Versailles, musée national des châteaux de Versailles et de Trianon. Inv. V 5883.

162 d

Tasse à glace

Marques peintes en bleu : *LL* entrelacés ; lettre-date *dd* pour 1781 ; marque de peintre : Pierre Massy (actif de 1779 à 1805)
H. 6,8 ; diam. 6 cm
Versailles, musée national des châteaux de Versailles et de Trianon. Inv. V 5918.

Bibliographie : Verlet 1976, n° 34, p. 66-67 ; Peters 2005, III, p. 625-626.

Ce service est le plus simple des quatre achetés par la reine, une simplicité qui se retrouve dans le coût modéré de chaque assiette : 21 livres pièce. C'est également le seul à ne pas posséder de motif de fil de perles. Bien qu'il illustre le goût de Marie-Antoinette pour les décors floraux simples, il est caractéristique d'un style en plein essor à cette époque à la manufacture. Un motif très similaire, de « roses et barbeaux », a déjà été fabriqué en 1780.
Les registres de ventes de Sèvres font mention d'un achat de Marie-Antoinette au cours des six premiers mois de 1781, mais sans plus de précision. La princesse de Lamballe, amie proche de Marie-Antoinette, qui fut surintendante de la maison de la reine, achète le 9 février 1781 un service avec exactement le même décor, et la même composition. Une note figurant dans les comptes de la manufacture pour l'année 1781, et précisant la somme restant à régler sur le compte de la reine, à la suite d'une livraison effectuée en février de la même année, donne éventuellement à penser que la reine a effectué son achat aux environs de cette date. Ainsi, il est donc difficile de déterminer avec exactitude à quel service une pièce spécifique appartenait à l'origine, à moins d'une provenance documentée. Les pièces plus tardives du service (1783, 1784 et 1787) proviennent de suppléments achetés par la princesse de Lamballe. Le seul groupe significatif de pièces ornées de ce décor dans une collection publique a été identifié en 1976 par Pierre Verlet, et se trouve au musée Gallé-Juillet à Creil. Il provient probablement des biens de la princesse de Lamballe. Versailles possède également deux tasses à glace dont la provenance n'a pu être déterminée.
Le service est constitué de cent dix pièces pour un coût total de 2 268 livres. A en juger par sa composition (quarante-huit assiettes, deux beurriers, quatorze compotiers de formes variées, deux sucriers, trente-six tasses à glace, six soucoupes à pied pour servir les tasses à glace, et deux plateaux avec trois pots à confitures chacun), il semblerait que le service soit exclusivement un service à dessert. Mais, contrairement à un service à dessert habituel, il ne possède pas de seaux à bouteille ou de seaux à verre. Curieusement, il n'y a pas non plus de seaux à glace. S. S.

163
Manufacture royale de porcelaine de Sèvres
Service « Cartels en perles, panneaux en roses et barbeaux »
1781

163 a à k
Provenance : Christie's Londres, 10 mai 1876, acheté soit par le baron Ferdinand de Rothschild soit par Alice de Rothschild, puis propriété de leurs descendants.
Bibliographie : Baulez 1995a, p. 81 ; Peters 2005, III, p. 627-628.

Waddesdon, The Rothschild Collection (Rothschild Family Trusts), Waddesdon Manor.

Le 21 avril 1781, selon les registres de ventes de Sèvres, Marie-Antoinette acheta un grand service de deux cent trente-trois pièces pour 14 505 livres, chaque assiette coûtant 33 livres. Ce service est intitulé dans les registres de ventes « service à cartels en perles, panneaux en roses et barbeaux », et correspond au motif n° 20 dans un album de motifs d'assiettes des archives de la manufacture, où la pièce est marquée par erreur 36 livres. Selon les registres de fournées des peintres, le service fut envoyé à l'atelier de brunissage le 25 avril, afin d'achever la dorure, ce qui donne à penser qu'il fut livré à la reine à une date postérieure à celle enregistrée pour la vente.

C'est un service complet, comprenant trente-huit formes différentes pour les plats de résistance et les desserts, représentant ainsi presque toutes les formes de vaisselle produites par la manufacture, ainsi que des grands plats à service inhabituels. Les pièces destinées aux plats de résistance comprennent les quatre soupières habituelles, deux pots à « oglio » et deux terrines, tous avec leur plateau, quinze assiettes à potage, douze salières de trois formes différentes, deux moutardiers, deux beurriers, deux plats à raves, douze pots à jus accompagnés de deux plateaux de service, et deux saucières avec leur plateau. Il y a quatre saladiers de deux tailles, deux bateaux pour citrons, et deux huiliers. Vingt-quatre plats de cinq tailles et formes différentes destinés à servir les rôtis et autres viandes, et douze coquetiers, forme peu fréquente, viennent compléter la première partie de ce service. Le service à dessert est constitué de seize compotiers de formes variées, deux sucriers, douze tasses à glace accompagnées de deux plateaux de service, ainsi que de quatre plateaux avec pots à confitures. Il y a, pour le service des boissons, six grands seaux à bouteilles, deux seaux à demi-bouteilles plus petits, deux seaux à liqueurs ovales, deux verrières et seize petits seaux pour les verres individuels. Les soixante-douze assiettes sont utilisées pour les deux parties du repas.

Il s'agit probablement du premier service commandé par la reine, et non pas acheté en stock. Selon une note figurant sur le registre des peintres, le peintre M. G. Commelin acheva, à une date indéterminée de janvier 1781, deux « assiettes d'échantillon » pour le service de la reine, afin qu'elle puisse choisir ; son choix étant fait, le travail commença dans les derniers jours du même mois. Au cours de la production, tous les registres faisaient référence au « service de la reine », ce qui sous-entend davantage une commande spécifique qu'une référence au type de décor utilisé dans la réalisation de pièces destinées à l'entrepôt. Vingt-six peintres, soit un tiers de l'atelier de peinture, tous peintres de fleurs à l'origine, ont travaillé sur ce service, y compris Edme François Bouillat et Jacques François Micaud, qui appartenaient au groupe des artistes les plus talentueux, gagnant un salaire mensuel maximum de 100 livres. Les différences, selon les pièces, de densité dans la composition du décor, et dans la profondeur des couleurs sont la preuve des différences de style et de capacités des différents peintres. Le peintre Louis François L'Ecot, qui était également doreur, fut chargé de peindre les rangs de perles et de dorer les cartels. Bien que la dorure ne couvre qu'une faible partie de la surface d'ensemble, la ciselure des étroits bandeaux est très finement exécutée et reprend des motifs néoclassiques.

Deux points font que ce service sort de l'ordinaire: les plats à servir, et le fait que certaines pièces soient en porcelaine dure. En l'absence de correspondance ou de registres adéquats, il est impossible de savoir si la production de ces plats est le fruit d'une idée de la manufacture, ou d'un ordre de la reine. Il s'agit certainement des premières pièces du genre à faire partie d'un service depuis 1765 et, même dans les années 1780, à une exception près, on ne les trouve que dans les services de la reine. Cependant, les registres de « l'atelier de tourneurs, mouleurs et répareurs » mentionnent la fabrication, à partir de janvier 1779, de « plateaux à raux » (ou rôt) de deux tailles, avec l'adjonction en 1780 de deux autres tailles, plus réduites. Les plats vont de 52,5 à 30 centimètres, et le plus grand avoisine en taille le grand plat à rôt du service de Louis XV, soit 60 centimètres. La cuisson de pièces de porcelaine tendre de si grande taille est souvent un échec, et les pertes sont grandes, ce qui explique probablement l'arrêt de la production. Pour le service de Marie-Antoinette, tous les plats et autres grandes pièces, comme les soupières et leur plateau, sont fabriqués en porcelaine dure. La quasi-totalité des pièces connues, à l'exception d'un saladier conservé à Versailles, et de deux assiettes dans des collections particulières, sont prêtées par la Rothschild Family Trust à Waddesdon Manor, Buckinghamshire. Les cent deux pièces de Waddesdon Manor ne représentent que seize des formes du service (plateau pour un pot à « oglio », terrine et son plateau, assiettes et assiettes à potage, salière simple, plat à raves, grand plat ovale en trois tailles, grand plat rond en deux tailles, seaux à verres et seaux à demi-bouteilles). Il ne reste aucune trace des autres formes, excepté le saladier de Versailles. La cohérence de l'ensemble de Waddesdon, et l'absence de pièces individuelles dans d'autres collections, donnent à penser que le reste du service a été, au cours de l'histoire, dissocié de l'ensemble de Waddesdon, et qu'il se trouve peut-être intact dans une collection particulière. S. S.

163 a

Grand plat ovale, première grandeur

Marque de peintre : Antoine Joseph Chappuis ;
marque de doreur : Etienne Henry Le Guay
Porcelaine, pâte dure
H. 5,5 ; l. 52,3 ; pr. 42,7 cm
Inv. 39.

Deux de ces plats à service, les plus grands des séries, font partie de ce service. Ils sont tous les deux conservés à Waddesdon Manor. Ils font partie des pièces les plus importantes du service, valant chacun 300 livres, à peine moins que les terrines et leur plateau, qui valaient 528 livres la paire. C'est ce que montre le salaire reçu par Chappuis pour chacun : 72 livres, soit presque l'équivalent de son salaire mensuel de 80 livres. Le modèle en plâtre est conservé dans les archives de la Manufacture nationale de Sèvres. S. S.

163 b

Grand plat ovale, deuxième grandeur

Peint par François Antoine Pfeiffer ; marque de doreur :
Etienne Henry Le Guay
Porcelaine, pâte dure
H. 4,4 ; l. 39,2 ; pr. 27 cm
Inv. 68.

Les deux grands plats de deuxième grandeur, qui faisaient partie du service à l'origine, sont conservés à Waddesdon Manor. Chacun valait 96 livres. Pfeiffer reçut 27 livres pour le décor de chaque plat. Le modèle en plâtre est conservé à la Manufacture nationale de Sèvres. S. S.

163 c

Grand plat ovale, troisième grandeur

Marque de peintre : Jean-François Henrion ;
absence de marque de doreur
Porcelaine, pâte dure
H. 3,8 ; l. 34,6 ; pr. 24,5 cm
Inv. 67.

Les deux plats à servir de troisième grandeur, soit la plus petite, faisaient partie du service à l'origine, et sont actuellement conservés à Waddesdon Manor. Henrion reçut 18 livres pour chacun, vendu 72 livres. Le modèle en plâtre est conservé à la Manufacture nationale de Sèvres. S. S.

163 d

Grand plat rond, deuxième grandeur

Marque de peintre : Jean-Baptiste Tandart ;
marque de doreur : Jean-Pierre Boulanger
Porcelaine, pâte dure
H. 4,2 ; diam. 31,7 cm
Inv. 45.

Les deux grands plats ronds à service faisaient partie du service à l'origine, et sont actuellement conservés à Waddesdon Manor. Chacun valait 84 livres, et le peintre Tandart reçut 30 livres par pièce. Aucun plat rond de première grandeur n'a été exécuté pour le service. S. S.

163 e

Grand plat rond, troisième grandeur

Marque de peintre : Louis Gabriel Chulot ;
marque de doreur : Henry François Vincent
Porcelaine, pâte dure
H. 4,2 ; l. 29,9 ; pr. 29,9 cm
Inv. 88.

Seize pièces de cette forme, valant chacune 72 livres, faisaient partie du service. Onze d'entre elles sont conservées à Waddesdon Manor. Les peintres reçurent 12 livres pour leur décor. La forme est très proche de celle du plateau pour les pots à jus, ce qui a donné lieu à quelques confusions dans les registres de fournées des peintres. Il ne fait aucun doute que les pièces de Waddesdon Manor sont des plats, et non pas des plateaux, étant donné que le peintre Denis Levé a été chargé du décor du plateau, et que sa marque n'apparaît sur aucune des pièces de Waddesdon Manor. S. S.

163 f

Plat à raves

Marque de peintre : Antoine Buteux ;
absence de marque de doreur
Porcelaine, pâte tendre
H. 3,9 ; l. 30 ; pr. 22 cm
Inv. 42.

Deux plats à raves, de 48 livres chacun, ont été vendus avec ce service. Les deux sont conservés à Waddesdon Manor. Buteux reçut 18 livres en paiement pour le décor de chaque pièce. Les plats à raves, les plus petits plats à servir, sont en porcelaine tendre. S. S.

163 g

Deux salières simples

Marque de peintre: Louis Thomas Bauquerre sur les deux salières; absence de marque de doreur
Porcelaine, pâte tendre
H. 3,9; l. 8,8; pr. 6,7 cm
Inv. 9, 10.

Six des salières simples, à compartiment unique, faisaient partie du service. Quatre exemplaires sont conservés à Waddesdon Manor. Chacune valait 21 livres, et Bauquerre reçut 3 livres par pièce. A l'origine, six salières supplémentaires (deux à triple compartiment et quatre à double compartiment) faisaient également partie du service. Leur localisation est actuellement inconnue. S. S.

163 h

Seau à demi-bouteille

Marque de peintre: Nicolas Bulidon;
marque de doreur: Henry François Vincent
Porcelaine, pâte tendre
H. 17,3; l. 23,5; pr. 18,7 cm
Inv. 36.

Deux seaux à demi-bouteilles pour le vin faisaient partie du service, tous deux conservés à Waddesdon Manor. Ils valaient chacun 144 livres; le peintre reçut 15 livres pour son travail. Le motif du bord de l'assiette s'adapte avec élégance à la forme, de telle sorte que le grand cartel, orné d'une rose entourée de perles, se trouve sur la face principale, tandis que le plus petit, orné d'une pensée, se trouve sous chaque poignée. S. S.

163 i

Deux seaux à verres

Marque de peintre: Denis Levé sur les deux pièces;
marque de doreur: Pierre Antoine Méreaud
sur les deux pièces
Porcelaine, pâte tendre
H. 10,8; l. 15,3; pr. 11,9 cm
Inv. 5, 6.

Le service possédait seize seaux à verres, dont six sont conservés à Waddesdon Manor. Chacun valait 54 livres, alors que les peintres reçurent 12 livres pour leur décor. Bien que le service comporte également deux seaux crénelés, de grands récipients pour rafraîchir et rincer une certaine quantité de verres, ces seaux individuels étaient destinés à être utilisés à table, sans faire appel aux domestiques. S. S.

163 j

Assiette unie

Marque de peintre: Nicquet; absence de marque de doreur
Porcelaine, pâte tendre
H. 2,6; diam. 24 cm
Inv. 75.

Sur les soixante-douze assiettes (utilisées pour les plats de résistance et les desserts), quarante-six sont conservées à Waddesdon Manor. Quand le service fut mis en vente chez Christie's en 1876, il comptait cinquante-trois assiettes. Chaque assiette valait 33 livres, et les peintres reçurent 12 livres pour leur décor. S. S.

163 k

Assiette à potage

Marque de peintre: Jacques François Micaud;
marque de doreur: Jean-Pierre Boulanger
Porcelaine, pâte tendre
H. 4,5; diam. 25 cm
Inv. 57.

Quinze assiettes à potage ont été vendues avec le service en 1781. Etant donné que le service était prévu pour douze personnes, les trois assiettes supplémentaires devaient servir en cas de casse. Onze exemplaires sont conservés à Waddesdon Manor. Chaque assiette valait 33 livres, comme une assiette normale, et les peintres reçurent 12 livres par pièce pour leur travail. S. S.

163 l

Saladier uni, première grandeur

Marque de peintre: *FB* pour François Marie Barrat;
marques en creux: *a30* et lettre-date *dd* pour 1781
Porcelaine
H. 8,1; diam. 25,7 cm

Provenance: Acquis lors d'une vente à l'hôtel Drouot, Paris, 17 juin 1994, lot 94, par MM. Dragesco et Cramoisan qui en firent don à Versailles la même année.

Versailles, musée national des châteaux de Versailles et de Trianon. Inv. V5743.

Quatre saladiers de deux tailles faisaient partie du service. Celui présenté ici est de la plus grande taille, et valait 132 livres. S. S.

163 l

164

Manufacture royale de porcelaine de Sèvres

Service « à perles et barbeaux »

1781
Porcelaine, pâte tendre

164 a à d

Provenance : Anc. coll. de Marie-Antoinette ; coll. Lord Revelstoke, vente Christie's Londres, 28 juin 1893, lot 373 ; coll. E. M. Hodkings, vente Paris, hôtel Drouot, 2 juin 1899, lot 11 ; Paris, Palais Galliéra, 29 novembre 1976, lot 113 ; Genève, Ader Picard Tajan, 14 mai 1977, lot 384.
Bibliographie : Baulez 1991a, p. 69-70 ; Ennés 1993, p. 292 ; Baulez 1998a, p. 92 ; Peters 2005, III, p. 645-646 ; Hans 2005, p. 152 ; Séret 2006, I, p. 92-93.

Collection particulière

Le troisième service acheté par la reine est consigné dans les registres de ventes de la manufacture du 2 janvier 1782 sous le nom « à perles et barbeaux ». Il s'agit également d'une commande spéciale de la reine. En effet, tous les rapports relatifs à la production du service font référence au « service de la Reine ». Il se compose de deux cent quatre-vingt-treize pièces pour un coût total de 12 420 livres, chacune des assiettes valant 30 livres. Dans ce cas précis, on ne retrouve qu'une seule des trois fleurs présentes sur les services de la reine, à savoir les barbeaux. Le fil de perles, également caractéristique, se détache plus nettement sur ce motif, probablement grâce à son fond vert tout particulier. Cette nouvelle couleur en vogue est référencée à la manufacture sous l'expression « merdoie ».
La reine passa sa commande en juillet 1781, trois mois seulement après la livraison de son service « à cartels en perles » ; une fois de plus, son choix se fit à partir d'un échantillon d'assiettes décorées en août par Michel Gabriel Commelin (Baulez 1988, p. 92). Pour une raison inconnue, le travail du service ne commença qu'à la fin du mois de novembre 1781, avec vingt-six peintres de fleurs employés à la décoration. Le travail fut achevé extrêmement rapidement. Malgré le grand nombre de pièces, la dernière cuisson au four eut lieu le 20 décembre. Le registre des peintres donne à penser que la majeure partie du service a dû être décorée à l'occasion d'heures supplémentaires. La chose est confirmée par une lettre figurant dans les archives de la manufacture, datée du 9 février 1782, et faisant état du coût élevé des heures supplémentaires de 1781 : « l'éxtrême promptitude avec laquelle la Reine a voulu avoir le service exécuté pour elle l'année dernière a exigé beaucoup de ce travail extraordinaire » (archives Manufacture nationale de Sèvres, H.2, L.3).
Le fait que le motif soit plus simple que celui du service « cartels en perles » explique également la rapidité avec laquelle le travail fut exécuté. La dorure est moins importante et les pièces sont moins minutieusement ouvragées, comme l'atteste la différence de 3 livres sur le prix de chaque assiette. Le fait que la différence de prix soit si réduite s'explique cependant par le fastidieux procédé de peinture des perles, auquel deux peintres travaillèrent (Michel Louis Chauvaux et Gremont). Pour des raisons techniques, les perles ne purent être peintes par-dessus les bandeaux verts. Il fallut gratter la couleur de fond afin de pouvoir les peindre.
Ce service est le plus grand de ceux commandés par Marie-Antoinette ; le nombre d'assiettes à potages, pots à jus, tasses à glace, seaux à verres et coquetiers donne à penser qu'il s'agit d'un service pour vingt-quatre personnes. Il comprend quatre-vingt-seize assiettes. Bien que le nombre de pièces soit plus important que dans d'autres services de la reine, celui-ci n'est pas aussi complet. Ainsi, il est curieux de constater que, bien qu'il comporte des assiettes à potage, il ne comprend aucune terrine. Il n'y a également aucun grand plat de service. Il est probable que ce service ait été destiné à des repas plus formels, moins intimes, avec de nombreux convives, où il convenait davantage d'utiliser de l'argent ou du vermeil avec la porcelaine. Cela est confirmé par l'importance du service à boissons, qui comprend des pièces que l'on ne trouve pas dans les autres services, notamment des seaux à topette et des seaux à liqueurs. Il s'agit également du seul service de Marie-Antoinette possédant des seaux à glace pour la crème glacée, et une jatte à punch.
A la fin du XIXe siècle, la moitié du service environ se trouvait dans la collection d'Edward Charles Baring, baron Revelstoke, à la tête de la banque familiale, et collectionneur d'arts décoratifs français. Les pièces furent achetées lors de sa vente par le fameux marchand et collectionneur Edwin Marriott Hodgkins, qui les revendit par la suite à Paris en 1899 (Séret 2006, I, p. 92-93). Il est fort probable que toutes les pièces connues aient fait partie de cet ensemble. S. S.

164 a

Deux compotiers coquille

Marque de peintre : Nicolas Bulidon ;
marque de doreur : Jacques Fontaine

164 b

Deux compotiers ovales

Marque de peintre : Michel Gabriel Commelin ;
marque de doreur : Jean-Pierre Boulanger

164 c

Deux compotiers ronds

Marque de peintre : Louis Thomas Bauquerre ;
marque de doreur : Pierre Jean-Baptiste Vandé

Seize compotiers font partie du service : quatre pour chacune des quatre formes standard de la manufacture de Sèvres. Chaque compotier valait 39 livres. Ce sont les pièces de base d'un service à dessert, utilisées pour les compotes, mais également pour les fruits et autres mets sucrés. S. S.

164 d

Quatre coquetiers

Vingt-quatre coquetiers, de 9 livres pièce, font partie du service ; douze sont intégrés dans chacun des grands services achetés par Marie-Antoinette. Il s'agit d'un élément inhabituel pour un service à dîner ; on en note moins de dix exemples entre 1752 et 1781, date de l'achat du service « à cartels de perles ». Les coquetiers semblent revenir au goût du jour au milieu des années 1770, quand la plupart des acheteurs font partie de la famille royale. Louis XVI en commande pour son fameux service « à mignatures ». Ils valent 30 livres, presque autant qu'une assiette de ce service, coût justifié par le décor peint. Sept exemplaires bleu céleste sont conservés à Waddesdon Manor ; il semblerait qu'ils aient été fabriqués dans les années 1770, en complément du service de Louis XV. S. S.

164 a

164 b

164 c

164 d

164 e
Assiette plate unie

Marques peintes en bleu : *LL* entrelacés ; lettre-date *dd* pour 1781 ; marque de peintre pour Cyprien Julien Hirel de Choisy (1770-1811) ; marque # en or pour le doreur Michel Barnabé Chauvaux (1752-1788) ; marques en creux *31a*
H. 2,5 ; diam. 23,9 cm

Provenance : Vente Le Tallec, Paris, hôtel George V, 9 novembre 1990, lot 797 ; don de M. Charles-Otto Zieseniss en 1991.
Bibliographie : Baulez 1991a ; Hans 2005, p. 152.

Versailles, musée national des châteaux de Versailles et de Trianon. Inv. V 5365.

164 f
Plateau pour les pots à jus

Marques peintes en bleu : *LL* entrelacés ; lettre-date *dd* pour 1781 ; marque de peintre *bq* pour Louis Thomas Bauquerre (1772-1795)
H. 4,7 ; diam. 29 cm

Provenance : Acquis en 1998 ; don de la Société des Amis de Versailles.
Bibliographie : Baulez 1998a ; Hans 2005, p. 152.

Versailles, musée national des châteaux de Versailles et de Trianon. Inv. V 5855.

164 g
Saladier uni, deuxième grandeur

Marques peintes en bleu : *LL* entrelacés ; lettre-date *dd* pour 1781 ; marque de peintre *L.B.* pour Jean Nicolas Lebel (1765-1793)
H. 8,2 ; diam. 23 cm

Provenance : Acquis en 1998 ; don de la Société des Amis de Versailles.
Bibliographie : Baulez 1998a ; Hans 2005, p. 152.

Versailles, musée national des châteaux de Versailles et de Trianon. Inv. V 5856.

165

Manufacture royale de porcelaine de Sèvres

Service « riche en couleurs et riche en or »

Porcelaine, pâte tendre et dure

Bibliographie : Baulez 1991a, p. 69-72 ; Guillemé Brulon 1993, p. 292 ; Baulez 1998, p. 78-79 ; Peters 2005, III, p. 721-724 ; Hans 2005, p. 154-155.

Versailles, musée national des châteaux de Versailles et de Trianon.

Voici le plus onéreux des services de Marie-Antoinette, si l'on se base sur le prix des assiettes (dans ce cas précis, il faut compter 36 livres pièce). Le prix est à la mesure de l'emploi plus important de l'or dans le motif. Il suit la même composition que celle du service « cartels en perles, panneaux en roses et barbeaux » de 1781, avec les mêmes quantités, à l'exception de deux saladiers de deuxième grandeur et de deux plats à raves supplémentaires.

La reine choisit une fois de plus le motif du service. Dans une lettre datée du 12 février 1784, le directeur de la manufacture de Sèvres rapporte : « La Reine m'ayant fait dire qu'elle verroit une Assiette d'Echantillon pendant son dîner, elle a choisi une assiette de 36 [livres] et m'a ordonné un service Entier avec les plats. » Comme à son habitude, la reine était pressée de recevoir son service ; Regnier poursuit : « Sa M. en est pressé, il y a 22 ouvriers qui y travaillent. » En réalité, ce sont vingt-huit peintres qui sont notés dans le registre comme y travaillant (Bellaigue 1986, p. 8). Le travail se poursuit jusqu'en mai, cependant, la plupart de ce qui a été produit est offert par Louis XVI en cadeau à Gustave III, roi de Suède, lors de sa visite en France en juin de la même année, à l'occasion de sa visite à la manufacture de Sèvres. Aucun des plats ou plats à raves ne fait partie du cadeau, ce qui confirme la préférence de la reine pour de telles formes. Pour le reste, d'autres pièces ont dû être exécutées, et la date possible de leur livraison, si l'on en croit les registres de ventes, serait le 16 août 1784. La provenance exacte des pièces de ces deux services est cependant confuse. Il en va de même pour celles provenant d'un complément du service du roi Gustave, livré en septembre de la même année. De plus, la comtesse d'Artois achète un service orné du même motif en juin 1789 (voir Sotheby's, New York, 18 mai 1996 pour une étude détaillée des attributions).

Le motif part d'éléments que l'on retrouve dans les précédents services de Marie-Antoinette. Ainsi, on retrouve les perles sur la bordure comme dans le « service à cartels », mais celles-ci n'entourent plus que des pensées, alors que, dans le service précédent, les roses dominent, reléguant les pensées dans les cartels mineurs. Une rangée de perles supplémentaire, sur fond bleu, orne le centre des assiettes, ainsi que la partie basse des pièces moulées. La bordure couleur vin est plus large, et agrémentée de feuilles de myrte. Là encore, il faut gratter le fond, comme il est précisé pour le peintre qui ajoute les baies. La dorure est beaucoup plus importante que précédemment, et comporte notamment deux rangées de perles dorées. L'effet d'ensemble ressemble à celui d'une étoffe précieuse et diffère des motifs légers et aérés des services précédents, ce qui explique le titre donné par la manufacture. La densité du motif et l'utilisation de la couleur rapprochent ce service des modèles courants à bordure pleine peinte que l'on trouve à la manufacture de Sèvres. S. S.

165 a

Verrière

Marques peintes en or : *LL* entrelacés sous une couronne (pâte dure) ; lettre-date *gg* pour 1784 ; trace d'une marque de peintre : *f* pour François Antoine Pfeiffer (1771-1800) ; marque de doreur : *HP* pour Henri Martin Prévost (1757-1797) ; pas de marque en creux
H. 13,5 ; l. 30,7 ; pr. 21,2 cm
Inv. V 5734/35.

165 b

Seau à liqueur ovale

Marques peintes en bleu : *LL* entrelacés sous une couronne (pâte dure) ; lettre-date *gg* pour 1784 ; marque de peintre : *fZ* pour Jean-Pierre Fumez (1777-1804) ; marque de doreur : 2000 en or pour Henry François Vincent (1753-1806) ; pas de marque en creux
H. 11,7 ; l. 31,5 ; pr. 15,7 cm
Inv. V 5734/34.

165 c

Plateau à trois pots pour les confitures

Marques peintes en bleu : *LL* entrelacés ; lettre date *gg* pour 1784 ; marque de peintre : *y* pour Edme François Bouillat père (1758-1810) ; marques en creux. Il manque les couvercles
H. 6,6 ; l. 20 ; pr. 16,8 cm
Inv. V 5734/22.

165 d

Bateau pour les citrons

Marques peintes en bleu : *LL* entrelacés ; pas de lettre-date ; marque de peintre : *ch* pour Etienne Jean Chabry (1764-1787) ; pas de marque en creux
H. 55,8 ; l. 28,9 ; pr. 11,6 cm
Inv. V 5734/16.

165 e

Plateau lobé de pots à jus

Marques peintes en bleu : *LL* entrelacés ; lettre-date *gg* pour 1784 ; marque de peintre : *cm* pour Michel Gabriel Commelin (1768-1802) ; marque de doreur : *GI* en or pour Etienne Gabriel Girard (1762-1805) ; marque en creux : *a30*
H. 4,7 ; diam. 28,5 cm
Inv. V 5734/2.
(non reproduit)

165 f

Beurrier couvert avec plateau adhérent

Marques peintes en bleu : *LL* entrelacés ; lettre-date *gg* pour 1784 ; marque de peintre : *X* pour Jacques François Micaud (1757-1810) ; marque de doreur : *LF* en or pour André Joseph La France (1776-1803 et 1813-1825) ; marque en creux : *3I*
H. 7,5 ; diam. 19,8 cm
Inv. V 5734/17.

165 g

Assiette plate unie

Marques peintes en bleu : *LL* entrelacés ; lettre-date *gg* pour 1784 ; marque de peintre : *nq* pour Nicquet (1764-1792) ; marque de doreur : *LF* en or pour André Joseph La France (1776-1803 et 1813-1825) ; marque en creux : *23*
H. 2,5 ; diam. 23,9 cm
Inv. V 5734/36.

165 b

165 g

166

Manufacture royale de porcelaine de Sèvres

Service de la laiterie de Rambouillet

Bibliographie : Schwartz 2007, p. 154-181.

La porcelaine de Sèvres fabriquée pour la laiterie de Marie-Antoinette à Rambouillet fait partie d'un *Gesamtkunstwerk* (ou œuvre d'art totale) d'architecture, la décoration d'intérieur et l'ameublement s'inspirant directement de l'Antiquité. Le projet fut monté à la fin de l'année 1785, deux ans après que Louis XVI eut acheté sa propriété au duc de Penthièvre pour en faire un domaine de chasse. Démodé, le château de Rambouillet ne plut pas à Marie-Antoinette. Bien qu'il y eût un jardin anglo-chinois créé pour la princesse de Lamballe, la propriété ne comprenait pas de laiterie. Il est possible que l'idée d'en créer une soit née du désir de rendre le domaine plus attrayant pour la reine, et de lui offrir un endroit où passer le temps, comme au hameau.

Le moteur du projet était le comte d'Angiviller, directeur général des Bâtiments du roi, également responsable de la manufacture de Sèvres. Dès sa prise de fonction, il eut à cœur de moderniser la manufacture, mais surtout d'en réformer le goût en mettant à l'honneur le style néoclassique qui trouve ses racines dans l'archéologie et que l'on connaît plus couramment sous le nom d'« étrusque ». En 1785, il acheta à Vivant Denon, au nom du roi, une collection de cinq cent vingt-cinq pièces de poterie classique. Destinées au futur Muséum du Louvre, elles furent déposées, en attendant, à la manufacture de Sèvres, dans l'espoir qu'elles y soient utilisées comme source d'inspiration. Contrairement à D'Angiviller, l'inspecteur de la manufacture ne trouva pas leur décor « charmant », mais il appréciait leurs formes « simples et élégantes, [qui] pourr[aie]nt être étudiées utilement pour la Manufacture ».

Hubert Robert, très au fait de l'architecture et des découvertes archéologiques concernant l'Antiquité, fut nommé par D'Angiviller responsable de l'intégralité du projet de la laiterie. Il semble qu'il ait agi en tant que conseiller auprès de la manufacture de Sèvres, bien que la conception des formes soit principalement l'œuvre de Louis Simon Boizot, chef de l'atelier de sculpture. Jean-Jacques Lagrenée, nommé en 1785 directeur artistique associé (« passionné pour les ouvrages anciens », selon sa nécrologie), est le principal responsable de la conception du décor.

Comme Robert, Lagrenée avait séjourné de nombreuses années en Italie. Ses peintures, exposées au Salon de 1785, sont décrites en ces termes : « dans le style de ceux que l'on a découvert sous les ruines d'Herculaneum ». Sa tâche à Sèvres était de « réformer le goût ». Sa volonté de s'éloigner radicalement du répertoire traditionnel de la manufacture se remarque dans l'un de ses premiers dessins : le décor d'une tasse « en peinture étrusque, [...] fond noir à figures rouge aurore, qui donne un air d'antiquité ». L'inspecteur de la manufacture estimait alors que « si cette Peinture etoit appliquée à des Pieces de forme antique, et sans or, elle seroit recherchée du Public ».

Tels sont les grands noms qui se trouvent derrière le modèle du service de Rambouillet, lequel n'est pourtant pas totalement d'apparence « étrusque ». Bien que sans dorure, le décor peint est polychrome, sur un fond blanc cerné de bandeaux de couleurs, dont la plupart sont de ces couleurs pâles très en vogue dans les années 1780. Seules quelques pièces possèdent des bandeaux d'un rouge orangé qualifié d'« étrusque ». L'organisation et la nature du décor, en frise tout autour de l'objet, chaque figure et chaque animal peint en aplat, sont probablement le résultat d'une influence antique, tout comme les motifs ornementaux figurant dans les bandeaux. Les animaux les plus courants sont ceux associés au lait (vaches, moutons, et chèvres) ; sur quelques-unes des plus grandes pièces, ils sont accompagnés de figures féminines en vêtements classiques.

L'objectif était d'achever pour le début de l'été 1787 le bâtiment de la laiterie, le dessin des meubles par Hubert Robert, leur exécution par Georges Jacob, et le service de porcelaine. La porcelaine n'était pas entièrement achevée à cette date, et une autre livraison fut effectuée en mai 1788. Le service comptait alors soixante-cinq pièces, du fait d'une réduction drastique du projet initial. Dans la mesure où le service a été fabriqué dans le plus grand secret, on ignore quand il fut présenté à Marie-Antoinette. Louis XVI note une visite de la reine à Rambouillet en juin 1787, mais rien de plus. Ce service est unique dans l'œuvre de Sèvres, bien que l'on ait continué de reproduire les formes des tasses et des soucoupes au cours de la Révolution, mais avec un décor différent, et que le vase de grande forme, copié directement d'après les exemples de l'Antiquité, fût encore fabriqué au début du XIXe siècle. On est cependant en droit de se demander comment un service de porcelaine au décor peint relativement naïf pouvait plaire à une reine qui prisait pardessus tout le raffinement exquis.

On ne connaît de nos jours que dix-sept pièces. Lors des ventes révolutionnaires de 1793, on décida de préserver le contenu de la laiterie, mais, à cette date, toutes les petites pièces de porcelaine avaient déjà disparu. Les pièces restantes furent envoyées au Musée spécial de Versailles ; néanmoins, d'autres pertes furent à déplorer au moment où Joséphine Bonaparte demanda, en août 1803, que l'on envoie les pièces à Malmaison. On perd leur trace après cette date, bien que trois des pièces conservées aujourd'hui (les deux grands seaux à lait et la « grande terrine basse ») aient fait partie de ce groupe. **S. S.**

166 a

Anonyme

« Note et Profile des pièces de la Laiterie du Roy à Rambouillet et de ce-quelles ont couté dans leur manipulation »

1787-1788
Papier
H. 67 ; l. 50,5 cm
Sèvres, archives de la Manufacture nationale de Sèvres.
Inv. R.2, d.4.

De fin 1786 à sa livraison finale en mai 1788, de nombreuses modifications ont été effectuées au cours de la production du service, tant dans les formes choisies que dans les quantités, donnant ainsi lieu à une série de listes confuses. Ce document semble être un rapport définitif des pièces livrées et de leur apparence. Les formes sont dessinées avec une grande précision, à l'échelle exacte, comme le prouvent les dimensions des objets préservés. Dans le cas des objets dont on a perdu la trace, c'est souvent le seul document que nous possédions pour connaître leur taille et leur apparence. Le décor est correctement repro-

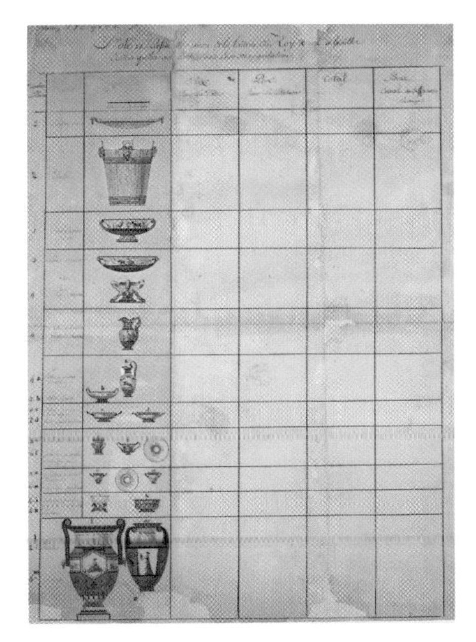

duit, bien que les pièces soient représentées avec une couleur de fond « étrusque », et alors que plus de la moitié des objets sont décorés de couleurs pâles. Le document n'a jamais été complété, et le coût de production n'y est pas mentionné. Une inscription au verso *(Profile des pièces : Laiterie Vases en differentes formes de pieces de Service par Mr Lagrenée jne)*, probablement ajoutée ultérieurement, mentionne de manière erronée Lagrenée comme unique auteur du service ; du fait de cette inscription, le service lui a été intégralement attribué. S. S.

166 b

Grande terrine basse

1787
Marque : *L* entrelacés autour de *kk*
Porcelaine, pâte dure
H. 17,5 ; l. 45 ; diam. 41,5 cm

Bibliographie : Jedding 1971.

Francfort, Museum für Kunsthandwerk. Inv. 9717.

Quatre spécimens de cette forme étaient prévus à l'origine, mais un seul exemplaire fait partie de la composition finale. Il s'agit de la pièce maîtresse de l'ensemble, posée sur la table centrale de la rotonde, entourée de six tasses et soucoupes. Une aquarelle de Lagrenée, avec un motif de chèvres et de joncs des marais, appartient à une planche de variantes de cette forme, variantes qui n'ont jamais été fabriquées, et donne ainsi à penser qu'il est l'auteur du décor. Le dessous de la terrine est recouvert de la couleur de fond référencée, dans les documents de la manufacture, sous l'appellation « grès », couleur dans laquelle au moins douze pièces ont été exécutées, mais dont un seul exemplaire est connu. La couleur chamois clair se rapproche de celle du corps des vases grecs sans décor. Plusieurs sources antiques se retrouvent dans divers éléments de la terrine. Le colombin situé entre la terrine et son pied est un motif caractéristique du service, et semble être considéré comme typiquement « étrusque » par la manufacture. Les motifs polychromes sur le pied, appelés « arabesques », sont caractéristiques des dessins de Lagrenée.

S. S.

166 c

Gobelet cornet

1787
Marque : *L* entrelacés autour de *kk* ; marque de peintre : Jean-Pierre Fumez
Porcelaine, pâte dure
H. 11 ; diam. 10 cm

Bibliographie : Citéra 1991, p. 57.

Sèvres, musée national de Céramique. Inv. 6795.

Parmi les quatre formes de gobelets, c'est la seule conçue sans soucoupe. Ce gobelet était prévu pour tenir à l'intérieur des jattes, ce qui explique le large bandeau décoré figurant dans sa partie inférieure. En revanche, les pièces fabriquées pour la vente dès la fin 1787 possèdent des soucoupes. Boizot est répertorié sur un dessin de la manufacture comme l'auteur du modèle. Il existe également une aquarelle de Lagrenée montrant le décor. Ce gobelet, le seul connu sur huit spécimens exécutés, est décoré de bandeaux de couleur « gris de lin », orné d'un motif en noir copié sur des poteries d'époque classique. S. S.

166 d

166 d

Gobelet à anses étrusques et soucoupe

1787
Marque : *L* entrelacés autour de *kk* sur les deux pièces
Porcelaine, pâte dure
Gobelet : H. 7,6 ; diam. 8 cm
Soucoupe : diam. 16,5 cm

Bibliographie : Citéra 1991, p. 57.

Sèvres, musée national de Céramique. Inv. 6796.

Il s'agit de l'un des nombreux types d'anses que la manufacture de Sèvres qualifie d'« étrusque », en référence à sa source antique. Les colombins caractéristiques sont présents sur le pied de la tasse et de la soucoupe. Les registres de la manufacture l'attribuent à Boizot, mais une autre aquarelle de Lagrenée montre une version probablement plus ancienne de la tasse, plus proche d'un *skyphos*, avec le décor définitif. Cela nous donne à penser que les deux artistes ont collaboré, Lagrenée suggérant une forme affinée ensuite par Boizot. Huit gobelets de cette forme ont été fabriqués, certains d'entre eux placés sur la table centrale. Trois spécimens sont à ce jour connus. Celui-ci est de couleur « jonquille », avec une « décoration étrusque » en noir. S. S.

166 e

166 e

Gobelet à anses étrusques et soucoupe

1787
Marque : *L* entrelacés autour de *kk* sur les deux pièces
Porcelaine, pâte dure
Gobelet : H. 7,7 cm
Soucoupe : diam. 16,7 cm
Collection Didier Cramoisan.

Autre spécimen de la même forme que le gobelet 166 d, orné cette fois de bandeaux décoratifs « verd anglais ». S. S.

166 f

Jatte téton (dit aussi « bol sein ») et pied

1787
Marque : *L* entrelacés autour de *kk* sur le pied des deux pièces ; marque de peintre : François Antoine Pfeiffer (pied)
Porcelaine, pâte tendre (jatte) et dure (pied)
Pied : H. 12,5 cm
Jatte : diam. 13,1 cm

Bibliographie : Citéra 1991, p. 57.

Sèvres, musée national de Céramique. Inv. 23.400.

Cette forme, la plus extraordinaire et la plus originale des formes de Rambouillet, est en fait une copie tirée directement de l'Antiquité : celle des *mastoï* grecs, récipients à boire de la forme d'un sein. Le support triangulaire à têtes de chèvre est une adaptation des autels de pierre classiques comme ceux publiés dans le *Recueil d'antiquités égyptiennes, étrusques, grecques et romaines* du comte de Caylus. Quatre « jattes tétons » furent fabriquées pour la laiterie. Contrairement aux autres pièces du service, les jattes sont toutes en porcelaine tendre, probablement parce que celle-ci permet un meilleur rendu, très vivant, de la couleur de la peau. Mais les difficultés de production n'ont pas permis que les jattes soient prêtes avant 1788. S. S.

Répondre aux désirs de la reine

Bertrand Rondot

« Quoique Dieu m'a fait naître dans le rang que j'occupe aujourd'hui, je ne puis m'empêcher d'admirer l'arrangement de la Providence, qui m'a choisie, moi la dernière de vos enfants, pour le plus beau royaume d'Europe[1]. »

Le plus beau royaume est aussi celui d'où sortent, fruit de la volonté royale, les plus belles créations de meubles et d'objets d'art dues aux talents des artistes et artisans travaillant dans la capitale et les provinces. Mené activement depuis le règne de Louis XIV, le développement d'une administration des arts dépendant de la maison du roi est au service de la gloire du monarque et du rayonnement du royaume. Habituée dans sa jeunesse à la grandeur compassée de la cour de Vienne et à la simplicité bourgeoise de la vie quotidienne de la famille impériale, Marie-Antoinette découvre en France une administration hiérarchisée et parfaitement rodée qu'elle va savoir mettre au service de sa propre magnificence.

Tout ce qui touche au cadre de vie de la reine dépend du secrétariat d'Etat de la Maison du roi, divisée en grands départements. Les palais et leur décor intérieur relèvent de l'administration des Bâtiments du roi, ayant à sa tête le directeur et ordonnateur général des Bâtiments du roi, Jardins, Arts, Académies et Manufactures, dont le titre rend bien l'étendue des tâches. A l'arrivée de la dauphine en 1770, ce poste de véritable « ministre de la Culture » est occupé par le marquis de Marigny (1727-1781). Il avait été nommé en 1751 à l'instigation de la marquise de Pompadour, sa sœur, et menait depuis une politique de renouveau et de prestige, secondé par le Premier architecte du roi, Ange Jacques Gabriel (1698-1782). Il sera remplacé en 1773 par Charles Claude de Flahaut de La Billarderie, comte d'Angiviller (1730-1809), jusqu'à la suppression de la charge en 1791. Plus que Marigny, c'est ce dernier qui eut à répondre aux demandes de la reine, lesquelles se firent de plus en plus pressantes et nombreuses au cours du règne. Courtisan habile mais avant tout grand serviteur de l'Etat, D'Angiviller essaya de s'y plier avec toute la célérité possible, mais il devait tenir compte des contraintes budgétaires d'un royaume au bord de la banqueroute. Afin de le contourner, Marie-Antoinette obtint qu'un poste d'intendant et contrôleur général des Bâtiments de la reine fût créé, attribué à son architecte Richard Mique (1728-1794). Le 21 mars 1775, ce dernier était également nommé Premier architecte du roi, à la suite de la démission de Gabriel[2]. La position de la reine en sortait grandement renforcée. Son implication dans la lutte sourde qui opposait les deux intendants et contrôleurs généraux conduisit à la victoire de Mique, à qui D'Angiviller dut écrire le 4 avril 1777, à propos de l'aménagement du jardin anglais de Trianon : « Sa Majesté m'a fait l'honneur de me dire qu'il est dans ses intentions que tout ce qui concerne l'établissement de son jardin soit traité et suivi par vous[3]. » Mais, finalement, la charge de Premier architecte fut supprimée, et dans chaque résidence un architecte fut chargé des projets et des travaux, limitant le rôle de Mique à Versailles et aux résidences privées de la reine, Trianon, reçu en 1774, puis Saint-Cloud, acquis en 1785.

Finalement, pour tout ce qui touche à la reine, D'Angiviller s'efface au profit de Mique « afin de ne pas retarder la jouissance de la Reine[4] ». Ainsi, en 1785, à l'occasion du renouvellement du salon des Nobles, l'architecte Jean-François Heurtier (1739-1822), chargé du projet par D'Angiviller, souhaite en être dessaisi au profit de Mique, « qui vraisemblablement réclamera cette besogne comme devant lui être attribuée toute entière... ainsi que cela est arrivé dans plusieurs occasions et notamment à la bibliothèque de la Reine[5] ».

L'ameublement des appartements incombe au Garde-meuble de la Couronne, administration définitivement mise en place par Louis XIV et qui relève essentiellement, pour son financement, de l'Argenterie et des Menus-Plaisirs sous la férule du Premier gentilhomme de la Chambre[6]. Le Garde-meuble de la Couronne est dirigé par un intendant, et la direction artistique confiée à un dessinateur. Pierre Elisabeth de Fontanieu (1731-1784), issu d'une véritable dynastie[7], occupe la charge d'intendant ; c'est un amateur passionné d'art et de techniques qui partage avec les membres de la famille royale le goût des ivoires tournés[8]. Des fournisseurs « ordinaires » sont chargés de pourvoir le Garde-meuble dans chaque domaine – mobilier d'ébénisterie, de menuiserie, meuble textile, dorure, bronzes et luminaires, orfèvrerie –, ce qui ne prive pas de faire appel à des fournisseurs extérieurs, notamment à des marchands-merciers. L'ébéniste ordinaire du roi était Gilles Joubert, qui occupait cette charge depuis 1751 ! Trop âgé pour pouvoir faire évoluer les créations du Garde-meuble, il fut finalement remplacé par Jean Henri Riesener en 1775. C'est auprès de ce dernier que Marie-Antoinette trouva le créateur capable de transcrire son goût, comme Claude Jean Pitoin qui en 1777 succéda à son père comme bronzier principal du Garde-meuble, et allait être supplanté par Pierre Philippe Thomine (1751-1843) en 1784.

L'année 1784 marque un tournant dans l'histoire du Garde-meuble. Fontanieu est remplacé comme commissaire général des Meubles de la Couronne (nouveau titre de l'intendant) par l'ancien valet de chambre du roi, Thierry de Ville-d'Avray[9]. Celui-ci réforme cette administration en profondeur, ayant pour but d'entreprendre de grandes campagnes de remeublement des appartements royaux dans les différentes résidences[10]. Afin d'assurer cette vaste tâche, Thierry confie au sculpteur et bronzier Jean Hauré (vers 1742 – 1816) la direction de l'exécution des meubles de la Couronne, sous forme d'une régie couvrant tous les besoins du Garde-meuble. A l'instigation de Thierry, une partie importante des personnels est remplacée. Jean Démosthène Dugourc (1749-1825) succède à Jacques Gondoin comme dessinateur, cependant que, dans un souci d'économie, Riesener, jugé trop dispendieux, est délaissé et remplacé par Guillaume Benneman. Il ne s'agit pas d'un changement de génération, mais d'une nouvelle orientation économique et artistique. Dugourc avait travaillé sous la conduite de son beau-frère Bélanger pour la duchesse de Mazarin, pour le comte d'Artois à Bagatelle, avant d'être nommé « dessinateur du Cabinet de Monsieur » dès 1780 puis intendant de ses bâtiments en 1784[11]. La présence de Dugourc au service du Garde-meuble et répondant également aux sollicitations du Garde-meuble privé de la reine donne au cours des années 1780 une originalité et une unité au mobilier royal.

Marie-Antoinette profita du départ de Fontanieu pour développer son propre Garde-meuble. Riesener exécutait alors pour elle les meubles les plus extraordinaires et elle souhaita poursuivre cette coopération privilégiée, mais c'est plus encore un souci d'indépen-

Fig. 34
Jules Hugues Rousseau
Projet pour le grand cabinet intérieur de la reine à Versailles, face du côté de la porte
Daté du 4 août 1783

La reine ayant rejeté le projet de boiseries peintes présenté par Jean Siméon Rousseau (voir cat. 170-173), c'est à partir de ce second projet, modifié, dont seul ce dessin est connu, que les boiseries du cabinet doré furent sculptées.
Publié dans Champeaux 1889-1890, II, pl. 142.

1. Lettre de Marie-Antoinette à Marie-Thérèse, 14 mai 1774.
2. Cette nomination le plaçait au rang des collaborateurs les plus directs de D'Angiviller. Comment se tenir sous les ordres du directeur général des Bâtiments, pour tout l'ensemble du service, et s'y soustraire pour le Trianon de la Reine ?
3. Nolhac 1927, p. 98.
4. Arch. nat., O[1] 1178, f° 39, lettre de D'Angiviller à Mique, 1er février 1785.
5. Arch. nat., O[1] 1802, lettre de Heurtier à D'Angiviller, 22 janvier 1785 (cotes communiquées par Ch. Baulez).
6. Le journal du Garde-meuble est mis en place en 1685. Sur le Garde-meuble royal, voir Verlet 1955, p. 9-41 ; Castelluccio 2004.
7. Moïse Augustin de Fontanieu (1662-1725), intendant et contrôleur général des Meubles de la Couronne (1711-1719), puis Gaspard Moïse Augustin (1694-1767), intendant et contrôleur général de 1719 à 1767, puis Pierre Elisabeth (1731-1784), intendant de 1767 à 1784.
8. Castellucio 2004, p. 171-179. En 1771, il offre à la dauphine une table ornée de cristaux colorés artificiels montés en bronze doré par Riesener (Paris, musée du Louvre ; cf. Alcouffe *et al.* 1993, p. 270, n° 88).
9. Castellucio 2004, p. 195-259.
10. Verlet 1990, p. 9-33.
11. Sur Dugourc, voir Baulez 1990a, p. 11-43.

Fig. 35
Jean Démosthène Dugourc
Projet de coffre aux diamants de Marie-Antoinette
1787
Lyon,
musée des Arts décoratifs.

Fig. 36
Anonyme (atelier de Jean Démosthène Dugourc ?)
Projet de coffre aux diamants de Marie-Antoinette, avec les figures de la Magnificence, la Noblesse, la Bénignité et la Libéralité, 1787
Paris, musée des Arts décoratifs

Le serre-bijoux réalisé (voir cat. 227) présente une combinaison de deux projets, retenant de celui maquetté la partie basse *(fig. 37)* et découlant de celui-ci pour la partie supérieure, où les quatre figures symbolisent finalement les Saisons.

dance qui poussa la reine. En effet, comme les autres membres de la famille royale, Marie-Antoinette disposait de son propre Garde-meuble, dont les prérogatives commençaient au-delà de la chambre à coucher de son appartement.

Elle lui donna à partir de ce moment une ampleur unique, aux attributions toujours plus larges, au détriment du Garde-meuble royal. Cette institution était restée jusque-là assez discrète, chargée principalement de meubler avec parcimonie les cabinets particuliers de la reine Marie Leszczyńska puis de la dauphine Marie-Josèphe de Saxe. Lorsque la jeune archiduchesse arrive en France, c'est Pierre Antoine Bonnefoy – il avait été nommé en 1735 ! – qui dirigeait le Garde-meuble de la dauphine, et son fils Pierre Charles Bonnefoy du Plan lui succéda seulement en 1783.

Cette indépendance du Garde-meuble de la reine apparaît manifeste lors de la livraison du mobilier du cabinet intérieur en 1783 ; un meuble d'été fut livré[12], qui ne fut pas enregistré sur le journal du Garde-meuble de la Couronne, mais porté sur celui de la reine[13]. Cette situation nouvelle prit de l'ampleur et des pans entiers de l'ameublement de la reine furent désormais gérés par son Garde-meuble, dont les réserves installées au couvent des Récollets, à proximité du Grand commun, furent finalement transférées au Petit Trianon en 1777[14], véritable centre névralgique dirigé par Bonnefoy du Plan, qui en était également le concierge.

Toutes les étapes de la création des meubles et même des décors sont soumises à la reine : des dessins préparatoires et à l'échelle aux maquettes réduites de cire, à celles en bois et en plâtre d'un détail de sculpture, voire d'un siège entier… Tout est jugé par Marie-Antoinette. Les ateliers du Garde-meuble, dont use également Bonnefoy du Plan, trouvent en la reine une commanditaire exigeante, et l'important personnel de sculpteurs, modeleurs, peintres et dessinateurs fut toujours à même de répondre à ses désirs changeants et à l'évolution de son goût, assurant des créations de la qualité la plus parfaite.

« La Reine a une bonne qualité, quant elle veut une chose elle ne la quitte point. Et en vient toujours à ses fins », affirmait la comtesse de Provence[15] ; les chefs-d'œuvre exécutés pour Marie-Antoinette sont là pour en témoigner.

12. Tenture murale en six pièces, deux paires de rideaux, une portière, une banquette pour la niche, un confident et quatre fauteuils à carreaux, un tabouret, un bout de pied et un paravent à huit feuilles ; voir Baulez 1990a.
13. Il aurait dû recevoir le numéro 4552, mais fut seulement marqué d'un 44 W.
14. Elles avaient été transférées en 1769 d'abord à Clagny, et ce site fut par la suite conservé.
15. Jacob Nicolas Moreau, *Mes souvenirs*, II, p. 98, dans Verlet 1990, p. 27.

Fig. 37
Maquette du coffre aux diamants de Marie-Antoinette, 1787
Baltimore, Walters Art Gallery.

167
Jacques Gondoin
(Saint-Ouen, 1737 – Versailles, 1818)
Projet du satin broché pour le cabinet de Marie-Antoinette à Versailles en 1779

Plume et aquarelle
H. 52,2 ; l. 23,6 cm
Inscription : *Dessein de la Tapisserie du Cabinet de la Reine…*

Provenance : Coll. A. Decour ; vente, Paris, hôtel Drouot, 10-11 avril 1929, n° 196 ; acquis en 1929 pour la Kunstbibliothek de Berlin.
Bibliographie : Berckenhagen 1970, p. 350-351 ; Baulez 2001b, p. 30.

Berlin, Kunstbibliothek. Inv. H. d. z. 5040.

168
Jean Charton
Reçu maître le 16 septembre 1733
D'après Jacques Gondoin
Lampas broché, fond satin avec médaillons appliqués par broderie en soie

1779
Soie, chenille soie
L. 1,70 ; l. 0,52 m

Provenance : Don Chaigneau, entré dans les collections du musée du château de Versailles en 1963.
Bibliographie : Jallut 1964, p. 305-306, fig. 24 p. 317 ; Arizzoli-Clémentel et Gastinel-Coural 1988, p. 56-57, n° 24, p. 116-117, repr. p. 41 ; Baulez 2001b, p. 29-41 ; Hans 2002, p. 230, n° 78 ; Hans 2005, p. 124-125, n° 41.

Versailles, musée national des châteaux de Versailles et de Trianon. Inv. V 3924.

168

La Kunstbibliothek de Berlin conserve le projet du satin broché destiné au cabinet intérieur de la reine à Versailles. Ce projet est attribuable à Jacques Gondoin, architecte et dessinateur du Garde-meuble de la Couronne, car nous savons que c'est ce même Gondoin qui donna le modèle de la soierie tissée à Lyon par Jean Charton en 1779 (Arizzoli-Clémentel et Gastinel-Coural 1988, p. 56). Ce lampas en satin des Indes broché et velouté, aux médaillons appliqués par broderie, possède un décor en arabesques composé de fins rinceaux d'acanthe que prolongent des rameaux de fleurs et qu'agrémentent des guirlandes de roses et de lilas distribuées avec beaucoup d'art dans les intervalles. Charton décrit des « guirlandes de fleurs, grappes de roses, de lilas et autres fleurs sur un double fond de satin des Indes [...] en toutes sortes de nuances ». Les rinceaux formant la trame du décor sont délicatement reliés par des rubans noués retenant les médaillons montrant chapeaux de paille, nids, cages, tambours et flûtes de Pan, cornemuses et carquois, des sujets de fantaisie dans le meilleur goût Louis XVI.
Le meuble comprenait la tenture murale de six pièces encadrées d'une grande bordure assortie, une portière, les sièges, le paravent, l'écran et deux paires de rideaux de satin blanc encadrées d'une bordure de satin broché. Jean Charton, fournisseur attitré du Garde-meuble de la Couronne, livra les étoffes pour Versailles durant plus de quarante ans, de 1741 à 1783 (Arizzoli-Clémentel et Gastinel-Coural 1988, p. 55). A partir de 1770, ses soieries furent exécutées d'après des dessins de Gondoin. La grande beauté de cette soierie résulte de la multitude des tons, mais aussi du contraste des matières avec un très beau velouté. On admire le relief du broché, qui est une véritable ciselure textile. C'est pour le billard de la reine, situé dans les cabinets du deuxième étage, que la soierie a été retissée.

P.-X. H.

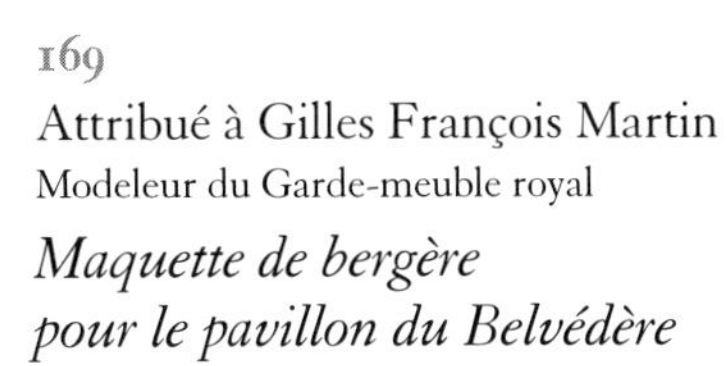

169

Attribué à Gilles François Martin

Modeleur du Garde-meuble royal

Maquette de bergère pour le pavillon du Belvédère

Paris, vers 1780
Bois et cire teintée, carton et papier
H. 14 ; l. 9 ; pr. 9 cm

Provenance : Coll. du Garde-meuble ; vente le 23 septembre 1797 ; coll. Hector Lefuel ; dation en 2007.
Bibliographie : Lefuel 1923, pl. X ; Pallot 1987, p. 41 ; Baulez 1991, fig. 3-4, p. 78 ; Hans 2005, p. 130, fig. 1.

Versailles, musée national des châteaux de Versailles et de Trianon. Inv. V 6159.

Cette maquette au 1/7 marque l'une des étapes de la complexe élaboration d'un des mobiliers les plus originaux commandés pour la reine en 1780, le mobilier du pavillon du Rocher ou Belvédère à Trianon.
Après que le « dessin général pour présenter à la Reine » eut été accepté, Jacques Gondoin fit exécuter dans les ateliers du Garde-meuble « le modèle en petit du fauteuil et de la chaise ». Cette maquette du fauteuil – il s'agit en fait d'une bergère – présente des alternatives dans le dessin des accotoirs et de leur joue, celui des pieds et le traitement de la ceinture. Certaines propositions ne furent finalement pas suivies : ainsi, aux accotoirs au support en sirène ou terminé par une tête de lion furent finalement préférées de plus classiques crosses et la proposition de pieds arrière en patte de caprin ne fut pas plus retenue, ni l'arc enlacé de fleurs au dossier ; en revanche, les montants du dossier des sièges exécutés figureront bien les torches enflammées de l'hymen, motif qui apparaît ici pour la première fois et qui sera repris pour d'autres commandes de la reine.
Ce modèle permet également d'apprécier la part essentielle du travail du tapissier et du passementier dans l'aspect général des sièges de cette commande, marqué par des draperies « formant les dossiers » et des « parties de draperies formant les soubassements » enrichies de franges et de glands. Si la proposition en façade fait totalement disparaître la ceinture sous l'étoffe, ce n'est pas le parti qui sera finalement adopté, privilégiant, comme sur le côté droit, une ceinture en bois sculpté ajouré de « branches de myrte qui tournent autour d'un jonc ». C'est là que le sculpteur allait finalement donner toute sa mesure.
Le modèle devait, comme bien d'autres, « rester chez Mr de Fontanieu », protégé par une cage en verre. Il fut finalement adjugé le 23 septembre 1797 avec d'autres maquettes de l'ancien Garde-meuble.

B. R.

170, 171, 172

Jean-Siméon Rousseau,
dit Rousseau de La Rottière
(Versailles, 1747 – Paris, 1820)

Trois projets pour le grand cabinet intérieur de la reine à Versailles

1783
Plume et encre noire, lavis vert, jaune, rouge, bleu et brun, pierre noire
H. 48,2 ; l. 63,5 et 65,5 cm
Inscriptions : *Versailles / Cabinet particulier de la Reine / face du cote de la porte / ce 30. May 1783* (cat. 170), *Versailles Cabinet de la Reine du côté de la niche. ce 30 May. 1783.* (cat. 171) et *Versailles / Cabinet particulier de la Reine, face de la cheminée / ce 30 May. 1783* (cat. 172)

Provenance : Coll. Joseph Michel Anne Lesoufaché (1809-1887) ; don de sa veuve en 1891.
Bibliographie : Baulez 2001b, p. 34-35, fig. 7 ; Fuhring 2005, n°s 111-113.

Paris, Ecole nationale supérieure des beaux-arts.
Inv. EBA 2007, EBA 2008, EBA 2009.

Après qu'il eut été tendu en 1779 d'un lampas « à rinceaux d'ornements arabesques » sans doute jugé trop dense, la reine souhaita en mai 1783 que son cabinet intérieur fût entièrement boisé, à l'instar de son boudoir aménagé deux ans plus tôt.

D'après les plans dressés par l'architecte Mique, les frères Rousseau soumirent deux propositions de décor, suivant une chronologie qui permet de percevoir les choix de la reine. Le premier projet, orné de panneaux peints et vraisemblablement conçu par le cadet Jean Siméon, correspond à ces trois dessins. Le peintre et décorateur de la reine propose une nouvelle interprétation du décor arabesque – remis à la mode par des artistes tels que Charles Louis Clérisseau dès les années 1770 – où nombre d'éléments sont toutefois inspirés de l'œuvre d'Antoine Watteau, diffusé à travers les estampes du *Recueil* de Jean de Julienne, dont la publication s'acheva en 1738. Datés du 30 mai 1783, ces dessins ne furent finalement pas retenus et l'aîné des Rousseau, Jules Hugues, sculpteur ordinaire de la reine, soumit un autre projet de décor, aux panneaux sculptés, daté du 4 août, plus officiel et au caractère antiquisant plus novateur, qui fut agréé. **B. R.**

173, 174, 175

Atelier de Jules Hugues Rousseau,
dit Rousseau l'Aîné
(Versailles, 1743 – Lardy, 1806)
et de son frère Jean Siméon,
dit Rousseau de La Rottière

173

Projet de cheminée pour le petit appartement de la reine à Versailles

Plume et encre grise avec tracé au crayon sur papier gris bleu ; reprise de la moulure de la tablette à la plume et encre brune
H. 20,7 ; l. 20 cm
A la plume et encre brune, plusieurs dimensions en pied, pouce et ligne, et annotation indiquant : *Cheminée en griote et bronzes pour / le petit appartement particulier de la Reine*
Au verso, croquis de moulure au crayon
Versailles, musée national des châteaux de Versailles et de Trianon. Inv. MV 8069 ; inv. dessins 667.

174

Projet de lambris sculptés pour le cabinet de la Méridienne à Versailles

Plume et encre grise, rehauts de lavis jaune, vert et prune avec tracé au crayon, sur papier crème
H. 31,4 ; l. 26,4 cm
Annoté à la mine de plomb en bas à droite : *2 pie 6*
Versailles, musée national des châteaux de Versailles et de Trianon. Inv. MV 8067 ; inv. dessins 665.

175

Projet d'écran de cheminée pour le meuble d'hiver du cabinet doré de la reine à Versailles

Plume et encre grise, rehauts de lavis jaune et rose, avec tracé au crayon, sur papier crème
H. 21,9 ; l. 17,2 cm
Versailles, musée national des châteaux de Versailles et de Trianon. Inv. MV 8062 ; inv. dessins 668.

Provenance : Ayant appartenu à Louis Siméon ou Henri Louis François Gillet, petit-fils de Rousseau de La Rottière, les trois dessins ont été acquis par la Société des amis de Versailles en faveur du château de Versailles lors de la vente aux enchères organisée par Me Pescheteau à l'hôtel Drouot à Paris le 20 décembre 1954 ; entrés au musée le 14 mars 1955.
Bibliographie : Baulez 1985, p. 3-4 ; Baulez 1990b, p. 103, repr. fig. 13 ; Baulez 2001b, p. 36, repr. fig. 10 ; Salmon 2005a, p. 118-119, n°s 35-37, repr.

Désignés à partir de 1779-1780 comme « sculpteur des Bâtiments de la Reine » et « peintre et décorateur de la Reine », Jules Hugues et son frère Jean Siméon Rousseau collaborèrent avec l'architecte Richard Mique afin de créer pour la Couronne certains des plus beaux décors de goût arabesque et antiquisant de la fin de l'Ancien Régime.
Plusieurs projets témoignent de leur activité dans les appartements de Marie-Antoinette. Pour le cabinet de la Méridienne à Versailles, les deux frères donnèrent ainsi en 1781 le dessin des nouveaux lambris sculptés de tiges de rosier, de cœurs percés de flèches, de dauphins, de paons et autres accessoires liés à l'amour conjugal et faisant allusion à la naissance prochaine et espérée d'un héritier mâle. Pour le petit appartement de la reine aménagé en 1784 au rez-de-chaussée de la cour de Marbre, ils fournirent les modèles des cheminées. Pour le cabinet doré de l'appartement intérieur de la reine, toujours à Versailles, ils communiquèrent à Georges Jacob des études pour le nouveau meuble d'hiver livré en 1789.
Chacun de ces chantiers fit certainement l'objet de nombreuses études dessinées préparatoires. Trois d'entre elles ont pu regagner les collections du château de Versailles en 1955. Elles démontrent que les Rousseau ne se limitèrent pas à sculpter des lambris. Sous la conduite de Mique et avec le soutien de la souveraine, ils s'attachèrent à créer des ensembles homogènes, ceux-là mêmes qui ont conduit les historiens de l'art à évoquer un « style Marie-Antoinette ». X. S.

175

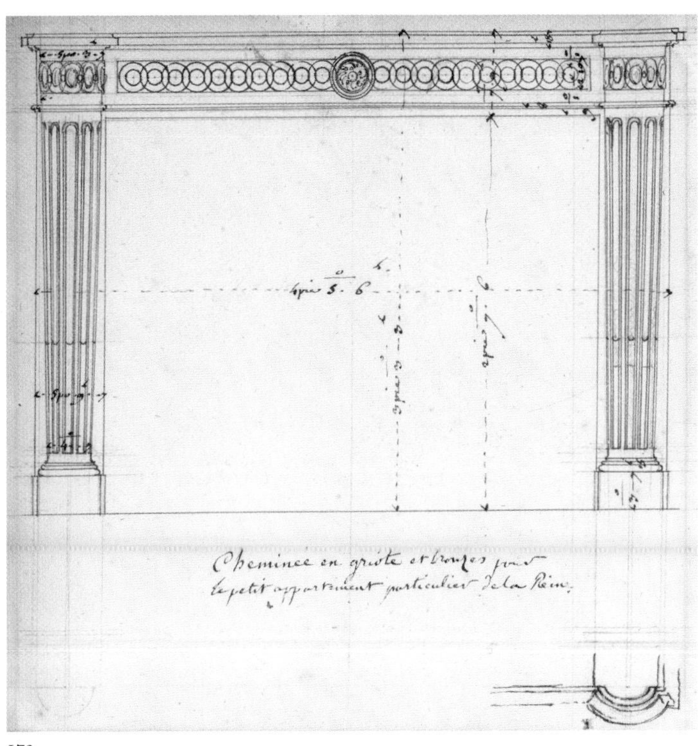

173

174

176

Atelier de Pierre Rousseau

(Nantes, 1751 – Rennes, 1829)

Projet de panneau en arabesque pour le grand cabinet ou salon des jeux de Marie-Antoinette au château de Fontainebleau

Crayon, rehauts de lavis gris et bleu, plume et encre noire sur papier crème
H. 43,9 ; l. 21,2 cm

Provenance : Vente, Paris, hôtel Drouot, 9 mai 1913, lot 150 (comme une œuvre de Prieur préparatoire au décor de Fontainebleau).

Collection particulière.

Lorsqu'il passa en vente en 1913, le dessin était associé au nom de Prieur, sans préciser s'il s'agissait de Jean-Louis (1732-1795), sculpteur, bronzier et graveur, ou de son fils Jean-Louis le Jeune (1759-1795), peintre et dessinateur. Il avait été également considéré comme préparatoire à un décor créé pour Marie-Antoinette au château de Fontainebleau. Ainsi que nous l'a précisé Yves Carlier, la feuille doit effectivement être mise en relation avec le grand cabinet ou salon des jeux de la reine. Elle est préparatoire à l'un des deux panneaux peints encadrant le trumeau de miroir face aux fenêtres et présente quelques variantes. Sur les panneaux, Michel Hubert Bourgeois et Jacques Louis Touze ont effectivement remplacé les sphinges par des femmes drapées à l'antique, et le putto couronnant le décor arabesque par deux figures féminines dansant. X. S.

177, 178, 179, 180

Philippe Laurent Roland

(Pont-à-Marc, 1746 – Paris, 1816)

Quatre maquettes pour les dessus-de-porte du boudoir de la reine à Fontainebleau

Terre cuite partiellement peinte
H. 11,2 ; l. 21 ; pr. 4,5 cm

Provenance : Coll. Guillaume de Gontaut-Biron, marquis de Biron (1859-1939) ; sa vente, Paris, galerie Georges Petit, 9-11 juin 1914, n°s 85-88 ; don Maurice Fenaille le 12 juin 1914.
Bibliographie : Alfassa 1914, p. 56 ; Verlet 1961, p. 168 ; Genoux 1964, p. 120-123 ; Samoyault-Verlet 1977, p. 157-169 ; Draper 1999, p. 539-540 ; cat. exp. Rodez 2000, p. 119 ; Draper 2003-2004, p. 156-157 ; Carlier 2006b, p. 17, note 2.

Paris, musée des Arts décoratifs. Inv. 19683.1, 19683.2, 19683.3, 19683.4.

178

Assistant d'Augustin Pajou, Philippe Laurent Roland dut vraisemblablement à la sollicitude de son beau-père Nicolas Marie Potain, contrôleur général des Bâtiments du roi et contrôleur du palais de Fontainebleau, et de son beau-frère l'architecte Pierre Rousseau, inspecteur du même palais, de travailler aux nouveaux aménagements engagés dans les appartements de la reine en 1786. Outre le décor sculpté du grand cabinet de la reine, il reçut la commande des dessus-de-porte du boudoir attenant à la chambre. La pièce est vouée aux arts, évoqués par les figures des Muses associées deux par deux, sculptées en haut relief au-dessus de l'entablement des portes (l'une des Muses, Clio, est absente, représentée par Calliope, qui incarne également la poésie).

Ces maquettes, qui donnent la disposition des figures mais restent assez schématiques, furent-elles soumises à l'approbation de la reine, ou est-ce une version plus grande qui lui fut présentée pour accord, avant l'exécution définitive des groupes (Draper 2003-2004, p. 157) ? Il est en tout cas certain que Marie-Antoinette fut consultée, comme il était d'usage pour tous les travaux concernant ses appartements. Les reliefs définitifs furent exécutés en plâtre, la blancheur marmoréenne des figures assises sur des nuées se détachant sur un fond de mosaïque d'or en accord avec la préciosité de la pièce aux boiseries dorées et argentées. **B. R.**

177

179

180

projet du Carré de la Courte pointe du lit de la reine

Atelier de Marie-Olivier Desfarges
Reçu maître à Lyon en 1774

181

Projet pour la courtepointe du lit de la reine dans la chambre d'apparat à Versailles

Gouache sur papier crème
H. 25; l. 19,5 cm (à vue)
Annoté à la plume et encre brune en bas:
projet du Carré de la Courte pointe du lit de la Reine.
Versailles, musée national des châteaux de Versailles et de Trianon. Inv. MV 8976; inv. dessins 1208.

182

Projet pour le traversin, le dossier du chantourné, et le fond du lit de la reine dans la chambre d'apparat à Versailles

Gouache sur papier crème
H. 23,8; l. 13,6 cm
Au verso du carton de montage, annotation à la plume et encre brune: *esquisse du dossier / du lit de la reine / avec bordure fond... / sculpture approuvé / par Mr Thierry / de Ville d'avray / en may 1786 / P 766 / N AA.*
Versailles, musée national des châteaux de Versailles et de Trianon. Inv. MV 8977; inv. dessins 1209.

Provenance: Publiés en 1924 dans la *Gazette des Beaux-Arts* par Henri Labbé de La Mauvinière, les deux dessins étaient demeurés en possession de sa famille; mis en vente à Paris, à l'hôtel Drouot, le 16 décembre 1991 (Mes Audap, Godeau, Solanet, lot 66, repr.), ils furent retirés de la vente; acquis par le château de Versailles en 1998 auprès d'un vendeur anonyme par l'intermédiaire de Sotheby's France; entrés au musée le 20 juillet 1998.
Bibliographie: Labbé de La Mauvinière 1924, p. 313-316, repr.; Huisman et Jallut 1970, p. 102, repr.; Lemoine 1976, p. 143, repr. fig. 2 et 3; Salmon 1999, p. 47, repr.; Salmon 2005a, p. 120-121, nos 38 et 39, repr.

Marie-Antoinette accorda légitimement une certaine attention à l'aspect de sa chambre d'apparat à Versailles et, plus particulièrement, aux étoffes qui en constituaient les meubles d'été et d'hiver. Pour elle, il s'agissait là du seul moyen de « personnaliser » le lieu, puisque l'essentiel du décor avait été créé pour Marie Leszczyńska et n'était pas appelé à être lourdement transformé. Posé en 1770-1771, le premier gros de Tours à volubilis et chèvrefeuille tissé à Lyon en 1769-1770 sous la direction de Gondoin pour le meuble d'été résultait du choix de l'administration. Le riche brocart bleu et blanc orné de fleurs et de papillons tissé par Pernon afin de le remplacer ne fut mis en place que pendant l'été 1786. La reine avait dû attendre plus de quinze ans afin de renouveler le décor d'étoffe de sa chambre.

Le nouveau brocart ne fut semble-t-il pas jugé heureux, soit parce que son accord chromatique jurait avec le reste de la pièce, soit parce qu'il n'avait pas plu à la souveraine, soit les deux. Envoyé à Fontainebleau, il fut remplacé par une nouvelle soierie commandée dès 1786 à Desfarges par l'intendant du Garde-meuble Thierry de Ville-d'Avray. En partie brochée et en partie brodée de bouquets de fleurs, de rubans et de plumes de paon, elle coûtait 315 livres l'aune et devait couvrir le lit, les sièges, le paravent, l'écran de cheminée et les murs de l'alcôve. Si Marie-Antoinette avait elle-même demandé à ce que l'on ôtât le brocart de Pernon, on peut légitimement supposer qu'elle fut consultée pour la soierie de Desfarges. Les dessins lui furent-ils alors soumis ou même montrés ? Décrivant la courtepointe, le traversin, le dossier du chantourné et le fond du lit, ils donnaient tous les deux une parfaite idée de l'effet de la soierie et avaient certainement aidé la reine ou les services du Garde-meuble de la Couronne à prendre la décision de ce nouveau tissage. **X. S.**

La reine décriée

Xavier Salmon

Avec l'exercice du pouvoir, la confiance et l'amour qu'inspirait Marie-Antoinette s'évanouirent pour laisser place à la malveillance et à la haine. Naguère idole des Français, la souveraine enchanteresse s'était aliéné les cœurs[1]. Nombreuses sont les sources à en témoigner. Même si elles ne sont sans doute pas dépourvues de parti pris et si elles font parfois preuve d'une vision faussée de la situation politique, les considérations réunies dans les mémoires du comte de Saint-Priest[2] nous paraissent ainsi tout à fait exemplaires de l'image que l'opinion publique se forgea de la reine. Rompu à la diplomatie et aux intrigues de cour parce qu'il avait été ambassadeur de France à Lisbonne et auprès de la Sublime Porte avant d'être nommé ministre de la Maison du roi, François Emmanuel Guignard de Saint-Priest s'imposait en témoin d'exception.

Aux yeux de l'homme de cour, la consommation du mariage n'ayant eu lieu que plusieurs années après l'accession au trône, les rapports entre les deux jeunes époux n'en furent que moins tendres. Sans affection pour le prince, la dauphine n'en donna que plus d'essor à la coquetterie naturelle aux jeunes personnes. Devenue reine et par conséquent totalement maîtresse de ses actions sous un roi que Saint-Priest qualifiait sans ambages de « borné et faible », Marie-Antoinette se livra sans retenue à ses passions. Elle remercia la comtesse de Noailles, sa dame d'honneur, jugée trop pédante et trop soigneuse pour le maintien de l'étiquette, et nomma la princesse de Lamballe surintendante de sa maison. Dès lors, protégés par la reine, tous les jeunes gens affluèrent à la cour, et les plus âgés, se croyant déconsidérés, n'y parurent plus que très rarement. Toute cette jeunesse se livra au goût de la parure, à la recherche du luxe et de la frivolité. Fêtes, spectacles, bals devinrent plus que jamais l'affaire de la cour. Maurepas et les autres ministres gouvernèrent au jour le jour, avec pour seul impératif de pourvoir aux dépenses. Dans cette frénésie, Marie-Antoinette fut soutenue par un cercle d'amis, Pierre Victor de Besenval, lieutenant-colonel des gardes suisses, « vieux petit-maître et homme à bonnes fortunes », la comtesse Jules de Polignac, « dame d'une rare beauté » mais « d'un caractère froid » et « d'un esprit peu étendu », son ami le comte de Vaudreuil, « homme fort à la mode sans être de la première jeunesse », le duc de Coigny, premier écuyer, et Axel von Fersen. Cette compagnie croula sous les bienfaits et se donna pour n'aimer que la vie privée, la cour, l'étiquette et l'éclat lui étant insupportables. Pour lui complaire, la reine retrancha peu à peu les cérémonies gênantes et les apparitions publiques. Elle en vint à ne plus assister quotidiennement à la messe. Les jours de sermon ne furent plus suivis. L'irréligion se montra bientôt à découvert.

Le mariage consommé et les premières naissances survenues, la reine, toujours selon Saint-Priest, n'en modifia pas pour autant son train de vie. Manifestant du goût pour la danse, et tentant de son

 Double page précédente : détail du cat. 217.

mieux pour y réussir, mais sans succès selon le courtisan, elle multiplia les bals et les ballets figurés. Pour s'assurer une intimité avec la souveraine, il fallut savoir bien danser.

Longtemps, les actes de bienfaisance de Marie-Antoinette et ses charmes personnels balancèrent le mécontentement provoqué par sa coquetterie, son luxe dans la parure et ses dépenses dans les jardins. Rapidement, on lui reprocha aussi cette variété continuelle et entraînante dans ses atours parce qu'elle ruinait les femmes de la cour et leur famille qui s'attachaient à suivre son exemple. Aux domestiques à la tenue simple et noble, la reine préféra de grands heiduques vêtus à la hongroise et tout chamarrés d'argent, et des valets de pied de haute taille et doublement galonnés. Fort insolents en public, tout ces gens-là déplurent au peuple.

Aux anciennes voitures lourdes et superbes qui pouvaient accueillir toutes les dames, la reine préféra des chars élégants pour elle seule ou tout au plus une de ses dames, Mme de Polignac. Les dames d'honneur, d'atours ou du palais ne furent plus averties de ses déplacements et il n'y eut plus d'officiers ni de gardes d'escorte, surtout pour aller au Petit Trianon.

Offert par Louis XVI à son épouse peu après son accession au trône, ce domaine suscita aussi très rapidement la critique. Pour le comte de Saint-Priest et pour nombre d'autres contemporains, Marie-Antoinette y avait dépensé beaucoup trop d'argent en bâtiments et en jardins. Elle en avait aussi fait le lieu destiné à ses « rendez-vous ». Offrant plus de liberté, Trianon permettait aussi toutes les audaces de la mode et tous les abus qu'elle pouvait engendrer. Certains personnages en tirèrent le plus grand avantage. Léonard, coiffeur de la reine, arrivait ainsi à Versailles en voiture à six chevaux. Sa manière d'avancer les cheveux sur le front de ses clientes avait particulièrement trouvé grâce aux yeux de la souveraine. Avec aigreur, Saint-Priest soulignait combien tous les parents et amis du coiffeur étaient devenus des protégés de la cour, combien l'homme se vantait d'avoir obtenu trente places dans les fermes générales et combien il était devenu fort riche.

Selon Saint-Priest, avec l'âge, la jeunesse de Marie-Antoinette s'effaça, les agréments diminuèrent et les erreurs augmentèrent sans cesse. Longtemps stipendiée pour ses dépenses, sa coterie, son esprit de liberté, la souveraine le fut aussi pour son ingérence dans les affaires de l'Etat. Avec la disparition de Maurepas, ce vieillard qui « n'avait que le tact des convenances de la cour », les créations de nouvelles places et la survivance des autres s'accrurent dans des proportions ridicules et toujours avec de nouveaux appointements. Toutes ces grâces, sans autre mérite que la faveur de la reine, scandalisèrent l'opinion publique. Marie-Antoinette se mêlait de toutes les nominations et promotions, en particulier pour les bénéfices ecclésiastiques, les places de colonel, les ambassades, les chasses, et les emplois des finances. « Tout était de son ressort, les ministres allaient au-devant de ses désirs et lui laissaient faire les plus médiocres choix. »

Parmi les promus, les reconnaissants furent minorité, les plus nombreux, ingrats, et les mécontents, infinité. Rien ne valut plus de haine à la souveraine. « Faites parler la reine » devint une règle pour presque tous les ministres. Marie-Antoinette défaisait ceux qui ne s'attachaient pas à l'appliquer. Une telle politique, incohérente et anarchique, laissa le trésor royal exsangue. Il fallut rappeler Necker. Mais le mal était fait. Pour Saint-Priest, avec le retour du ministre, le crédit de la reine perdit de sa force. Et si la confiance du roi ne s'était en rien altérée pour son épouse, déjà le mouvement qui les entraînait à leur perte était donné. Il eût fallu un tout autre caractère que celui de Louis XVI et plus de talent que n'en avait Marie-Antoinette pour sortir de l'abîme qui s'ouvrait sous leurs pas. A la suite du comte de Saint-Priest, l'opinion publique en était désormais intimement convaincue.

1. Selon les *Mémoires secrets*, voir Fort 1999, p. 317.
2. Saint-Priest 2006, p. 260-276.

Marie-Antoinette et la mode

Pascale Gorguet Ballesteros

« Il est vrai que je m'occupe un peu de ma parure... * »

Il y a deux façons de faire la mode; l'exemple de Marie-Antoinette en est une parfaite illustration. Certains lancent la nouveauté ou l'adoptent avec tant de rapidité et de panache qu'ils en semblent les auteurs. D'autres suivent les tendances du moment et, parce qu'ils sont exposés au regard de tous, s'en font les meilleurs représentants. Quand il s'agit de la reine de France, principale actrice d'une cour guettée par toutes les autres tant du point de vue de l'étiquette que du goût en matière vestimentaire, tout choix peut avoir une portée considérable.

Dans l'état actuel des connaissances, il existe malheureusement peu de documents permettant de cerner au plus juste le comportement de Marie-Antoinette en matière de mode. La *Gazette des atours*, datée de 1782, et l'*Etat de sa garde-robe...*, rédigé par Mme d'Ossun[1], sa dame d'atours, entre 1779 et 1787, ont souvent été commentés[2]. Par ailleurs, l'iconographie connue des portraits de la reine ne renouvelle pas la question à ce jour.

Fig. 38
Claude Louis Desrais
Marie-Josèphe de Savoie, comtesse de Provence, en costume de cour
Versailles, musée national des châteaux de Versailles et de Trianon.

Marie-Antoinette n'est pas de ces personnes qui influent sur la mode par leur capacité d'innover. Son extrême fidélité à Mlle Bertin, sa chère marchande de modes, traduit une difficulté à s'émanciper d'un talent jugé indispensable à la mise en valeur de son apparence. Quand cette dernière lui est présentée par la duchesse de Chartres[3], au début de l'été 1774, des marchands tels Mme Pompée, dont elle est déjà cliente, Beaulard ou Mme Alexandre, fournisseurs des comtesses d'Artois et de Provence, épouses des frères du roi, sont également connus sur la place de Paris. Mais la reine leur préfère Rose Bertin. Est-ce un geste politique quand elle autorise la marchande à la rejoindre dans ses cabinets lors de sa « toilette de représentation[4] » ? N'est-ce pas plutôt le désir de s'affranchir ponctuellement « des lois de l'étiquette[5] » pour profiter à sa guise des plaisirs de la mode ? Elle semble plus fascinée par les plumes et le talent de sa modiste à renouveler des parures qu'habitée par un réel besoin d'originalité. Même si elle sait que sa position sociale fait d'elle un exemple pour les autres femmes, comme le lui rappelle souvent sa mère, Marie-Thérèse d'Autriche.

Les étoffes légères, aux couleurs pastel, présentées dans la *Gazette des atours de la reine* pour l'année 1782 sont d'une relative modestie, mais correspondent parfaitement au goût de l'époque pour la simplicité.

* *Correspondance Marie-Antoinette* 2005, lettre de Marie-Antoinette à Marie-Thérèse, Versailles, 17 mars 1775, p. 207.
1. *Garde-robe des atours de la reine. Gazette pour l'année 1782* dite *Gazette des atours*, Paris, Arch. nat., musée de l'Histoire de France, AE I 6 n° 2 ; *Etat de la garde-robe de Marie Antoinette et dépense pour cet objet*, Paris, Arch. nat., K 506 n° 25[18].
2. Nolhac 1925b ; Nolhac 1925a ; Tétart-Vittu 2001 ; *Gazette des atours* 2006.
3. Campan 1825, I, p. 95.
4. *Ibid.*, I, p. 313.
5. *Ibid.*, I, p. 314.

Fig. 39
Adolf Ulrik Wertmüller
Marie-Antoinette et ses enfants
Stockholm, Nationalmuseum.

Cependant, quelques échantillons de tissus semblables mais de couleurs différentes[6] posent problème. N'est-il pas extraordinaire que Marie-Antoinette ait porté plusieurs fois la même étoffe, même si le coloris différait ? Est-ce le signe d'un véritable engouement ou une solution de facilité ?

L'*Etat de la garde-robe de Marie-Antoinette...*, essentiellement focalisé sur les efforts de Mme d'Ossun pour réaliser des économies, laisse plutôt l'impression d'une reine dépensière et frivole. Car c'est bien dans les « modes » que les dépenses sont le plus élevées et Mlle Bertin en est le principal fournisseur. En 1784, elles s'élèvent à 100 651 livres pour seulement 43 857 livres relatives aux étoffes. « L'article le plus considérable qui est celui des modes est composé 1° des garnitures d'habits et robes de toutes espèce montant ensemble à 41 806 livres 2° Des différentes parures particulières, manteaux, rubans, fleurs, bonnets, gazes, blondes etc 58 845 livres[7]. » Cette année-là, la reine achète deux cent cinquante-huit fichus et accessoires de lingerie, en 1787, quatre cent trente-sept, malgré les grandes résolutions de réforme annoncées pour ses trente ans[8]. Tous ne servent évidemment pas. Ce document pose par ailleurs la question de l'intervention de la reine dans la composition de son vestiaire ; l'état de 1779 mentionne une robe sur considération « en Toile de Jouy choisie par la reine », précision qui revient à trois reprises dans la *Liste des habillements de printemps qui sont à la garde-robe de la reine pour servir au printemps 1782*. Les costumes, grands habits, polonaises, robes anglaises, redingotes, lévites, correspondent aux silhouettes féminines publiées par la *Galerie des modes et costumes français* de 1778 à 1788. Là encore, les étoffes de soie sont d'une grande sobriété, satins, taffetas, gazes, et, pour les cotonnades, moins nombreuses, perses, toiles de Jouy[9], mousselines, percales et basins.

C'est donc tout naturellement que Mme Vigée Le Brun a représenté la reine dans une robe de percale blanche. Depuis au moins 1778, Marie-Antoinette affiche une prédilection pour cette tenue confortable dont le négligé élégant suit les tendances nouvelles de la mode[10]. Le scandale provoqué par le tableau au Salon de 1783 lui fit sans doute mieux mesurer l'importance du respect des apparences. Dans le portrait qui le remplaça, *Marie-Antoinette à la rose*, Mme Vigée Le Brun montre une reine assagie en robe à la française de satin bleu. Depuis le milieu des années 1770, cette robe, très en vogue au milieu du siècle, représente une alternative officielle au grand habit archaïque prescrit par l'étiquette de la cour. La position de la jeune reine, prise entre ses choix de mode personnels et le respect des convenances, ne saurait être mieux illustrée.

6. *Gazette des atours* 2006, p. 4 : pékin de soie marron *(robe sur le grand panier)* ; pour cet échantillon, il est précisé : « les raies de l'étoffe carmélite ne doivent pas être plus grandes que l'étoffe bleue », ce qui indiquerait que la robe n'est pas encore faite et que l'on est au stade de la commande ; p. 31 et 34 : pékin de soie rose (pour une robe turque) et bleu (pour une robe anglaise) ; p. 39 : taffetas de soie chiné fond rose et fond blanc (pour grands habits).
7. *Etat de la garde-robe de Marie Antoinette et dépense pour cet objet*, Arch. nat., K 506 n° 25[18].
8. Oberkirch 2000, p. 396.
9. Toile de coton imprimée dans la manufacture de Christophe Philippe Oberkampf établie en 1760 à Jouy-en-Josas près de Versailles.
10. Campan 1825, I, p. 194.

183
Martial Deny
(né à Paris en 1745)
d'après Claude Louis Desrais
(Paris, 1746 – *id.*, 1816)

Marie-Antoinette
en grand habit d'apparat

Eau-forte rehaussée d'aquarelle
H. 25,6 ; l. 18,5 cm (au trait carré)
H. 40,2 ; l. 26,3 cm (pour la feuille)
La lettre indique en bas : *Marie-Antoinette, Archiducheße d'Autriche, Reyne de France ; en Robe de Cour, / garni de Perles, de guirlandes et de glands, avec un Manteau Royal violet,-/ orné de Fleurs de Lys d'Or. Coëffé de Perles, Fleurs, Aigrettes et Epingles à Diamants.*
Sous le trait carré à gauche : *Dessiné par Desrais*,
à droite : *Gravé par Deny*.
Sous la lettre : *A Paris chés Basset Rüe S^{t}. Jacques au coin de celle des Mathurins à l'Image S^{te}. Geneviève. Avec Priv. du Roy*.
Au-dessus du trait carré, à gauche : *A.*, à droite : *2me. F*

Provenance : Fonds ancien.

Versailles, musée national des châteaux de Versailles et de Trianon. Inv. grav. 1975.

La planche appartient au premier cahier de la *Collection d'Habillements modernes et galants* publiée par l'éditeur André Basset. Pour ce recueil d'estampes, Desrais avait fourni les dessins préparatoires aux planches figurant Louis XVI et Marie-Antoinette. X. S.

184
Anonyme français, vers 1780
Marie-Antoinette en robe redingote

Pierre noire, rehauts de lavis gris et de gouache blanche, brune et rose sur papier crème
H. 60 ; l. 46 cm

Provenance : Suivant la tradition familiale, le portrait aurait été envoyé par Axel von Fersen à sa sœur Sophie Piper comme modèle d'une robe de la reine ; c'est pourquoi la feuille de papier présente des pliures.
Bibliographie : *La Suède et Paris* 1947, p. 76, n° 276.

Linköping, Östergötlandslänsmuseum, château de Löfstad. Inv. ÖML 1983.

185

Jean-Pierre Julien Dupin, dit Dupin fils

Actif à Paris dans la seconde moitié du XVIIIe siècle

Marie-Antoinette

Burin et eau-forte
H. 24,2 ; l. 16,3 cm (au trait carré)
H. 25,8 ; l. 17,1 cm (pour la feuille)
La lettre indique : *Marie Antoinette / ARCHIDUE. D'AUTRICHE SŒUR DE L'EMPERR. / REINE DE FRANCE, / Née à Vienne le 2 Novembre 1755.*
Sous le trait carré en bas à gauche : *Peint par Vanloo*, à droite : *Gravé par Dupin fils*, et au milieu : *A Paris chés Esnauts et Rapilly rue St. Jacques à la Ville de Coutances. A.P.D.R.*

Provenance : Albums Louis-Philippe.

Versailles, musée national des châteaux de Versailles et de Trianon. Inv. LP 83-15[1].

Dupin fils collabora entre 1778 et 1787 avec Esnauts et Rapilly pour la publication de la *Galerie des modes et costumes français*. La planche décrivant Marie-Antoinette de profil ne semble pas faire partie de cet ouvrage, mais témoigne parfaitement de l'attention que la souveraine accordait à son paraître. La gravure de Martial Deny d'après Desrais (cat. 183), comme le dessin adressé par Fersen à sa sœur Sophie Piper (cat. 184), illustrent aussi combien Marie-Antoinette était attentive à la mode. Nombreux sont ceux qui l'ont déjà souligné et se sont intéressés au rôle qu'avait exercé en ce domaine la marchande de modes Rose Bertin. A peine Marie-Antoinette avait-elle accédé au trône que sa mère Marie-Thérèse s'en était inquiétée. Le 4 février 1775, elle écrivait ainsi à Mercy-Argenteau, son ambassadeur à Paris (Arneth et Geffroy 1874, II, p. 292-293) : « on dit que, la Reine ayant mis une nouvelle mode de coiffure avec du plumache, le Roi doit lui avoir fait présent d'une belle aigrette, en l'accompagnant de ce joli compliment qu'il la priait de se servir de cette aigrette au lieu de la nouvelle coiffure, et qu'elle n'avait que faire de ces parures pour relever ses grâces. Je voudrais savoir si c'est un fait réel ou controuvé. [Il l'aurait corrigée très poliment sur la parure : je serais fâchée si elle donnait dans l'extravagance des modes] ». Le 20 février, Mercy répondait que l'histoire était mensongère (*ibid.*, II, p. 297-298) : « Ce cadeau a été fait sans aucune remarque ni aucun propos sur les coiffures, et jamais le Roi n'a donné la moindre marque qu'il désapprouvât ce genre d'ajustement. Il est vrai que la parure en plumes est portée à une sorte d'excès, mais la Reine ne fait en cela que suivre une mode qui est devenue générale, et qui, ainsi que les précédentes, ne tardera sans doute pas à varier pour faire place à d'autres modes qui se succèdent ici avec une rapidité constante et jamais interrompue. »

Loin d'être rassurée, Marie-Thérèse écrivait le 5 mars à sa fille (*ibid.*, II, p. 306) : « je ne peux m'empêcher de vous toucher un point que bien des gazettes me répètent trop souvent : c'est la parure dont vous vous servez ; on la dit depuis la racine des cheveux 36 pouces de haut [87,5 cm], et avec tant de plumes et rubans qui relèvent tout cela ! Vous savez que j'étais toujours d'opinion de suivre les modes modérément, mais de ne jamais les outrer. Une jeune jolie Reine, pleine d'agrément, n'a pas besoin de toutes ces folies ; au contraire la simplicité de la parure fait mieux paraître, et est plus adaptable au rang de Reine. Celle-ci doit donner le ton, et tout le monde s'empressera de cœur à suivre même vos petits travers ». Le 17 mars, Marie-Antoinette répondit (*ibid.*, II, p. 307-308) : « Il est vrai que je m'occupe un peu de ma parure, et pour les plumes, tout le monde en porte, et il paraîtrait extraordinaire de n'en pas porter. On en a fort diminué la hauteur depuis la fin des bals [de carnaval]. » Le 10 avril 1776, elle indiquait encore à l'impératrice (Metra 1933, p. 174) : « J'enverrai à ma chère Maman par le prochain courrier le dessin de mes différentes coiffures ; elle pourra les trouver ridicules, mais ici les yeux y sont tellement accoutumés qu'on n'y pense plus, tout le monde étant coiffé de même. » Le 13 juin suivant, elle ajoutait (*ibid.*, p. 178) : « Il en est de la coiffure pour les femmes d'un certain âge comme de tous les articles de l'habillement et de la parure, excepté le rouge, que les personnes âgées conservent ici, et souvent même un peu plus fort que les jeunes. Sur tout le reste, après quarante-cinq ans, on porte des couleurs moins vives et moins voyantes, les robes ont des formes moins ajustées et moins légères, les cheveux sont moins frisés et la coiffure moins élevée. » Avant l'âge fatidique, Marie-Antoinette n'entendait donc pas se contraindre en matière de mode. Les gazettes surent continuellement le lui reprocher et faire croire à l'opinion publique combien cette attitude fut néfaste aux finances du royaume. **X. S.**

186

Anonyme français, vers 1780

Le Triomphe de la coquetterie

Eau-forte
H. 34 ; l. 48 cm (au coup de planche)
H. 35,6 ; l. 49,1 cm (pour la feuille)

Bibliographie : Burlingham et Cuno 1988, p. 153-154, nº 14, repr.

Paris, Bibliothèque nationale de France, département des Estampes et de la Photographie. Inv. H 9825.

En réponse à la mode des coiffures les plus extraordinaires, on vit fleurir dans Paris plusieurs estampes qui en dénonçaient les exagérations. Opposant lors d'une joute nautique deux jeunes femmes élégamment vêtues et magnifiquement coiffées de perruques fleuries et emplumées, *Le Triomphe de la coquetterie* est emblématique de ces productions satiriques. A n'en pas douter, les gravures attaquaient aussi la reine. Dans ces années-là, Marie-Antoinette passait aux yeux du public comme l'instigatrice de cet engouement pour les perruques élevées et enrichies de nombreux accessoires. Au point même que le coiffeur Depain, rue de Condé aux armes d'Artois vis-à-vis la rue des Cordeliers à Paris, n'avait pas hésité à placer en frontispice le portrait de Marie-Antoinette à sa toilette dans son recueil des différentes perruques à la mode gravées par Chapuy (château de Löfstad, Suède). X. S.

187

Jean-Baptiste André Gautier-Dagoty
(Paris, 1740 – *id.*, 1786)

Gautier-Dagoty peignant le portrait de la reine dans sa chambre à Versailles

Gouache sur papier
H. 67,5 ; l. 54,5 cm
Signé en bas à droite : *Dagoty G pinxit*

Provenance : Coll. François Coty ; sa vente, Paris, galerie Charpentier, 30 novembre 1936, lot 7 ; coll. Giuseppe di Gentile ; sa vente, Paris, galerie Charpentier, 5 avril 1938, lot 5 ; acquis à cette occasion par le château de Versailles.
Bibliographie : Verlet 1938 ; Salmon 1993, p. 98-101, 202-203 ; Salmon 2002, p. 228, nº 70, repr. p. 143 ; Salmon 2005a, p. 78, nº 9, repr.

Versailles, musée national des châteaux de Versailles et de Trianon. Inv. MV 6278.

L'œuvre n'a pour autre but que de témoigner de l'orgueil d'un peintre qui avait obtenu *la* commande de sa carrière. Jean-Baptiste André Gautier-Dagoty s'applique à l'autocélébration. Il se représente dans la chambre de Marie-Antoinette à Versailles, peignant le portrait tant décrié de 1775. Même si elle apparaît de format ovale et non pas rectangulaire, l'effigie est aisément reconnaissable sur le chevalet. La première ébauche, tracée à la craie blanche, décrit effectivement l'attitude de la souveraine, la main droite posée sur le sommet de la mappemonde, avec à l'arrière-plan la silhouette de la statue figurant Minerve. A gauche de la composition, l'une des dames de compagnie présente à la souveraine un feuillet portant une supplique dont le texte concerne également le peintre. On y lit : *A la Reine / Madame / J. B. G. Dagoty ayant eu l'honneur / de peindre Votre majesté et de lui faire / plusieurs portraits la supplie humblement / de vouloir bien lui permettre de porter le / titre de son peintre*. D'un caractère commémoratif, la scène ne s'est certainement jamais déroulée de la sorte. Mais cela a peu d'importance, car elle n'en demeure pas moins extrêmement précieuse. Non seulement elle documente un état historique de la chambre d'apparat de la souveraine, mais elle témoigne aussi d'un instant de vie de cour. Dès 1938, Pierre Verlet avait reconnu sur la table disposée à proximité de Marie-Antoinette le miroir doré et le carré de la grande toilette de vermeil livrée par Thomas Germain à la mère de Louis XVI, la dauphine Marie-Josèphe de Saxe. En 1770, cette toilette avait été restaurée par les Roettiers, Jacques III et son fils Jacques Nicolas, afin que la nouvelle dauphine puisse en faire usage. Verlet avait aussi souligné toute l'importance de la représentation du lit d'été couronné d'un coq et de branches de laurier sculptés au centre de l'impériale, et de son gros de Tours à fond blanc broché de ramages de chèvrefeuille et de volubilis. Vendu en 1793, le monumental serre-bijoux d'Evalde situé à gauche du lit, comme la suspension si particulière des rideaux, témoignent d'une parfaite connaissance des lieux. Le soin avec lequel Gautier-Dagoty regroupe autour de Marie-Antoinette son maître de musique, son coiffeur et les dames de sa maison fait aussi de l'image la seule illustration dans l'iconographie royale française d'Ancien Régime des activités qui occupaient la matinée de la reine après la cérémonie du lever. **X. S.**

188

Garde Robe des Atours de la Reine. Gazette pour l'année 1782. Gazette de la Reine

Registre relié en parchemin vert de deux cent soixante-douze pages. Les quarante-trois premiers feuillets, parfois séparés les uns des autres par un ou plusieurs feuillets vierges, comportant au recto soixante-dix-huit échantillons de tissu fixés par des points de cire à cacheter rouge, bleu ou vert ou par de la colle, et des mentions manuscrites, titres de haut de page et commentaires des échantillons.
H. 36,5 ; l. 24 cm

Provenance : Geneviève de Gramont, comtesse d'Ossun, dame d'atours de Marie-Antoinette ; le document est saisi par les autorités révolutionnaires avec les autres papiers de Mme d'Ossun en 1794 et versé aux Archives nationales ; armoire de fer au palais des Tuileries jusqu'en 1849 (carton 14, nº 786) ; armoire de fer à l'hôtel Soubise à partir de 1849.
Bibliographie : James Sarazin et Lapasin 2006, p. 5-32.

Paris, Centre historique des Archives nationales, musée de l'Histoire de France. Inv. AE I 6 nº 3.

Ainsi que le relate Mme Campan, « la dame d'atours était chargée du soin de commander les étoffes, les robes, les habits de cour, de régler, de payer les mémoires ; tous lui étaient soumis, et n'étaient acquittés que sur sa signature et ses ordres, depuis les souliers jusqu'aux habits brodés à Lyon ». A la demande de Marie-Antoinette, en 1781, Mme d'Ossun succéda à la duchesse de Mailly comme dame d'atours. De 1782 au 10 août 1792, elle traita avec les marchands d'étoffes (Le Normand, Barbier ou Lévesque), les couturières (Mme Le Normand), et les marchandes de modes (Mlle Bertin, Mlle Pompée puis Mme Eloffe). Contenant les échantillons des sai-

sons d'une ou de plusieurs années entre 1782 et 1784 (la mention « été 1784 » apparaît en effet en haut du folio 39), le registre constitua très certainement pour la dame d'atours un document de gestion comptable où était collationnée une partie des fournitures livrées devant être réglées par le contrôleur général des finances, et non pas l'un des livres d'échantillons que la première femme de chambre présentait à la reine à son réveil et où celle-ci désignait à l'aide d'épingles ce qu'elle désirait porter. **X. S.**

189

Guillaume Dominique Doncre

(Zeggers-Cappel, 1743 – Arras, 1820)

Marie-Jeanne Bertin, dite Rose Bertin (1747-1813)

Huile sur toile
H. 81 ; l. 64,5 cm

Provenance : Vente, Paris, hôtel Drouot, 21 mars 1997, lot 83 (comme école française du XVIIIe siècle ; portrait d'une dame en robe bleue à fronces, une rose piquée dans le décolleté, avec pour provenance la famille de Rose Bertin, modiste de la reine Marie-Antoinette) ; vente, Meerbusch (Allemagne), Meerbuscher Kunstauktionshaus, 7 décembre 2002, lot 2097 (comme portraitiste allemand du XVIIIe siècle ; portrait d'une dame de la cour), invendu ; repasse en vente dans la même salle le 11 octobre 2003, lot 2078 (invendu), puis le 16 juin 2007, lot 2098 ; acquis à l'issue de cette dernière vente par l'actuel propriétaire. Le tableau a pu être exposé grâce à une délicate et difficile restauration effectuée par M. Jan-Stefan Ortmann.

Collection particulière.

L'œuvre est inédite et particulièrement précieuse, car le visage de Rose Bertin n'était connu jusqu'à ce jour que par l'estampe de Janinet gravée d'après le portrait de Trinquesse malheureusement détruit pendant la Première Guerre mondiale, par un portrait tardif anonyme (vers 1810) conservé au musée Carnavalet, et par un beau pastel probablement de Kucharski (Sapori 2003, repr. ill. 41). La comparaison entre ces effigies assurées de la modiste de Marie-Antoinette et la toile ici exposée ne laisse aucun doute au sujet de l'identité du modèle. Le métier et les caractéristiques stylistiques du portrait ont conduit, de manière tout à fait justifiée, l'actuel propriétaire de l'œuvre à l'attribuer au portraitiste arrageois Dominique Doncre. Ainsi que le relate Emile Langlade en 1911 (p. 105-109), lors de sa première grossesse en 1778, Marie-Antoinette s'était ouverte de ses craintes à Rose Bertin. La modiste lui avait alors fait part de l'existence, près d'Abbeville, sa ville natale, d'une statue miraculeuse de la Vierge abritée dans la chapelle de Monflières. La reine lui avait aussitôt demandé de porter en offrande à cette Madone une robe de brocart d'or. Ce fut donc pour Mlle Bertin l'occasion de séjourner dans sa Picardie natale, et probablement de solliciter Doncre afin qu'il peigne son portrait. L'artiste n'a pas cherché à dissimuler l'embonpoint de la dame. Il s'est attaché à rappeler son prénom d'emprunt en glissant une rose dans sa main gauche, et il a souligné combien ce ministre tyrannique de la mode pouvait elle-même accorder beaucoup d'attention à son paraître. **X. S.**

Les dépenses

Vincent Bastien

Depuis 1770, les finances de la France s'étaient considérablement dégradées. Malgré des réformes, les recettes n'arrivaient pas à se redresser et Marie-Antoinette, inconsciente de ces difficultés, s'entoura d'une importante Maison, ne regardant pas à la dépense pour ses tenues, ses bijoux, ses fêtes et le jeu. Elle contribua malgré elle à amoindrir les finances royales.

La Maison de la reine

Les dépenses de l'administration de la Maison de la reine sont bien connues[1]. Son budget global couvre les frais de fonctionnement (de la chapelle, de la Chambre, de la Garde-robe, de l'écurie..., les gages des officiers et les diverses charges avec un budget alloué à chaque département), mais aussi certaines dépenses imprévues. La dépense de la Maison de Marie-Antoinette dauphine passe de 1 056 000 livres en 1771 à 1 600 000 livres en 1772. A l'avènement de Louis XVI, le budget est porté à 2 200 000 livres et s'accroît pour atteindre près de 4 700 000 livres en 1788. Cette somme considérable dépasse largement le budget prévisionnel de 4 250 000 livres présenté par le ministre Calonne en 1787. En janvier 1788, un édit de Louis XVI ordonne la suppression de cent soixante-treize offices de la Maison de la reine. Bien que, dans son préambule, le roi se félicite que « la reine, notre très chère épouse et compagne désire concourir avec nous à l'exécution des projets d'économie qu'exige en ce moment l'état de nos finances », l'édit n'a que peu d'effet, car le poids financier des offices attachés au service de la reine est bien négligeable comparé à celui des dépenses extraordinaires qu'elle ordonne.

Dès juillet 1775, Marie-Antoinette fait rétablir pour la princesse de Lamballe la charge de surintendante pour sa Maison, qui avait été abolie par Louis XV en raison de son coût annuel de 150 000 livres. A l'automne, elle se lie d'amitié avec la comtesse de Polignac, une jeune femme de peu de moyens mais dont elle apprécie la gaieté d'esprit. La reine s'avère généreuse envers cette amie et tout son entourage en versant de dispendieux appointements, comme pour le comte de Polignac, nommé premier écuyer, qui reçoit une importante pension.

Marie-Antoinette multiplie les toilettes luxueuses et les coiffures. Sa dame d'atours, la comtesse d'Ossun, manifeste une réelle volonté d'économie pour la garde-robe, néanmoins le budget annuel de 120 000 livres sera toujours dépassé, comme en 1785, où les dépenses atteignent 260 000 livres. Des coiffures imposantes créées par le coiffeur Léonard sont enrichies de plumes et d'aigrettes en diamants, encore visibles sur plusieurs tableaux figurant la reine.

Son goût pour les bijoux

Pour son mariage, la jeune dauphine reçoit en présent un coffre à bijoux contenant une importante corbeille constituée d'« une magnifique parure, composée d'une montre d'émail avec sa chaîne tout en diamants, un étui de côté [...] le tout de la plus grande richesse[2] ». Marie-Antoinette impressionne par ses tenues semées de pierres précieuses et ses parures, qu'elle acquiert avec passion. Dès 1775, elle n'hésite pas à solliciter Louis XVI pour payer les 460 000 livres d'une paire de girandoles (boucles d'oreilles) en diamants. Ainsi, les joailliers Boehmer et Bassenge reçoivent sur quatre ans les versements du roi[3]. L'année suivante, elle cède certains bijoux pour acquérir une paire de bracelets, ce qui choque Marie-Thérèse[4] : « Toutes les nouvelles de Paris annoncent que vous avez fait un achat de bracelets de 250 000 livres, que vous avez dérangé vos finances et chargé de dettes, et que vous avez pour y remédier donné des diamants à très bas prix, et qu'on suppose après que vous entraînez le Roi à tant de profusions inutiles, qui depuis quelques temps augmentent de nouveau et mettent l'Etat dans la détresse où il se trouve. »

Outre ses achats personnels, de colliers, bracelets, boucles d'oreilles, bagues... en perles ou en diamants, Marie-Antoinette dispose de certains « bijoux de la Couronne » composés des diamants et des joyaux des collections royales qui sont conservés au Garde-meuble. Parmi l'inventaire des diamants de la Couronne de 1789[5], le diamant *Sancy*[6] est noté comme « employé

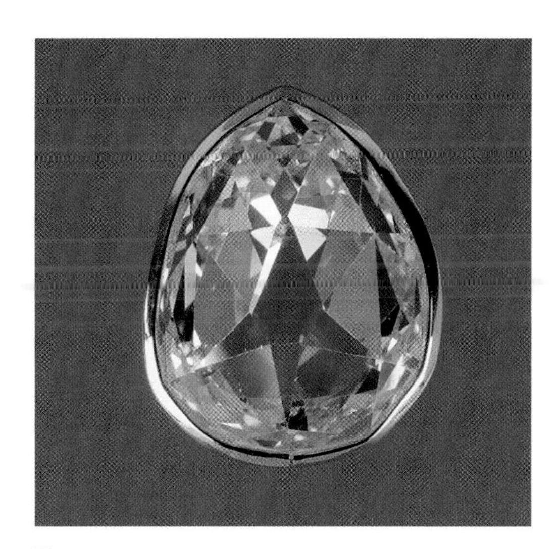

Fig. 40
Diamant *Le Grand Sancy*
Paris, musée du Louvre.

dans les parures de la Reine », qui le porte en pendentif *(fig. 40)*. Ces dépenses somptuaires contribuent à associer son nom au fameux collier qui pourtant ne lui a jamais appartenu.

Une passion pour les fêtes et le jeu

Marie-Antoinette apprécie les fêtes : les bals de l'Opéra où elle se rend incognito et masquée, les bals costumés comme les quadrilles où les danseurs se déguisent, ou encore les bals parés. Les divertissements donnés à Versailles par le couple royal sont très onéreux, mais « Leurs Majestés, ainsi que le ministre, n'avaient point trouvé cette dépense trop considérable pour avoir amusé toute la Cour pendant l'hiver entier[7] », commente le 27 mars 1775 le contrôleur de la Chambre du roi. En septembre 1776, Mercy-Argenteau s'inquiète du coût des fêtes données[8] : « La reine a fait faire un théâtre à Trianon ; elle n'y a encore donné qu'un spectacle suivi d'un souper, mais cette fête a été très dispendieuse, et on appréhende qu'elle ne se répète. » Les dépenses ne feront que s'accroître, tant le désir d'amusement de la reine augmente avec les années. En effet, Marie-Antoinette aime le théâtre, la musique et la scène, mais aussi les jeux d'appartement où elle perd des sommes colossales. Chanceuse au départ, comme lors du mariage du comte d'Artois en 1773, où elle gagne près de 700 louis, elle organisera dans le salon de la Paix, à Versailles, le jeu de la reine où sa chance l'abandonnera.

Du 30 octobre au 1er novembre 1776, le roi ayant concédé à sa femme le droit d'organiser une séance de jeu, celle-ci s'arrange pour la faire durer trois jours. La reine y laisse de fortes sommes d'argent. « Il prit l'envie à la reine de jouer au pharaon ; elle demanda au roi qu'il permit que l'on fit venir des banquiers-joueurs de Paris. Le monarque observa qu'après les défenses portées contres les jeux de hasard, même chez les princes du sang, il était de mauvais exemple de les admettre à la cour ; mais le roi, avec sa douceur ordinaire, ajouta que cela ne tirerait pas à conséquence pourvu que l'on ne jouât qu'une seule soirée. Les banquiers arrivèrent le 30 octobre et taillèrent toute la nuit et la matinée du 31 chez la princesse de Lamballe, où la reine resta jusqu'à cinq heures du matin, après quoi S.M. fit encore tailler le soir et bien avant dans la matinée du 1er novembre, jour de Toussaint. La reine joua elle même jusqu'à près de trois heures du matin. [...] La reine se tira de là par une plaisanterie, en disant au roi qu'il avait permis une séance de jeu sans déterminer la durée, ainsi on avait été en droit de la prolonger pendant trente-six heures[9]. » Marie-Antoinette voue une véritable passion au jeu. En janvier 1777, endettée, elle demande au roi d'acquitter ses dépenses. « Je trouvai la reine inquiète et embarrassée sur l'état de ses dettes, dont elle ne savait pas elle-même le montant. J'en fis le relevé, qui se portait à la somme de quatre cent quatre-vingt-sept mille deux cent soixante et douze livres. La reine, un peu surprise de voir ses finances dérangées à un tel point, sentit combien elle allait être gênée dans ses dépenses courantes. [...] Le roi consentit d'abord à payer toute la somme. Il ne demanda que quelques mois de délai, voulant que cette dette fût acquittée sur sa cassette particulière[10]. »

Les dettes de Marie-Antoinette pour le jeu et les fêtes, pour ses parures et ses habits fastueux seront abordées par ses accusateurs lors de son procès en 1793.

1. Arch. nat., O1 3790 à O1 3797.
2. Papillon de La Ferté 1887, p. 272.
3. Beauchamp 1909, p. 37-99. Le nom de Boehmer apparaît, mais la somme versée est donnée à la reine pour le joaillier.
4. Arneth et Geffroy 1874, II, p. 485 (lettre du 2 septembre 1776).
5. Arch. nat., O1 3362.
6. Conservé au musée du Louvre à Paris, OA 10630, ce diamant taillé en poire pèse plus de 50 carats.
7. Papillon de La Ferté 1887, p. 380. Les dépenses des différents bals excédèrent 100 000 livres.
8. Arneth et Geffroy 1874, II, p. 495 (lettre du 17 septembre 1776).
9. *Ibid.*, II, p. 524-525 (lettre du 15 septembre 1776).
10. *Ibid.*, III, p. 7 (lettre du 17 janvier 1777).

190-191
Pierre Adrien Pâris
(Porrentruy, 1745 – Besançon, 1830)

Salle de banquet et de bal pour la fête donnée à Marly pour la naissance du dauphin en 1781

Provenance : Fonds de l'architecte Pâris.
Bibliographie : Gruber 1972, p. 128-132, 202, n° 83, repr. pl. LVIII, LIX.

Besançon, bibliothèque municipale.
Inv. fonds Pâris, n° 484 (t. IX des dessins), pl. 9.

190 A

Élévation extérieure de la salle de verdure

Crayon, plume, encre de Chine, aquarelle et gouache sur papier crème
Annoté en haut : *Salle de Banquet et de Bal / Pour la Fête donnée à Marly sur le devant de la grande Pièce d'Eau pour la naissance du Dauphin / Fils de Louis XVI.*
H. 14,5 ; l. 35,5 cm

190 B

Plan de la salle de verdure

Crayon, plume, encre de Chine, aquarelle sur papier crème
Légende du plan, à gauche : *A. Salle de Bal / B. Loge de la famille Royale. / C. Galleries où se tiendront les Gardes. / D. Garderobbe / E. Salles des rafraichissements / F. Dépots des rafraichissements / G. Loges p^r. la Cour. &c. / H. Amphithéâtre p^r. les femmes / I. Amphithéâtre p^r. les Musiciens / L. Degrés pour monter aux loges / M. Garderobbe / N. Balcon d'où l'on verra les parties de la / fête qui se passeront à l'extérieur.* ; à droite : *N^ta : Les lignes Rouges / indiquent les décorations de / verdure qui formeront la / première Salle et sous / lesquelles seroient celles / qui formeront la Salle de / Bal en y ajoutant les / huit Colonnes teintées / en jaune.*
H. 22,5 ; l. 35,5 cm

191 A

Coupe sur la largeur de la salle de verdure décorée pour la fête de nuit

Crayon, plume, encre brune et aquarelle sur papier crème
Annoté en haut : *Coupe sur la Largeur de la Salle*
H. 10 ; l. 12 cm

191 B

Coupe sur la longueur de la salle de verdure décorée pour la fête de nuit

Crayon, plume, encre de Chine et aquarelle sur papier crème
Annoté en haut : *Coupe sur la longueur de la Salle.*
H. 10 ; l. 24 cm

191 C

Coupe de la salle de verdure décorée en bosquet de treillages pour la fête de jour

Crayon, plume et encre de Chine, aquarelle sur papier crème
Annoté en haut : *Coupe de la même Salle / Décorée en Bosquet de Treillage / pour la Fête / de Jour.*
H. 10 ; l. 24,3 cm

191 B, détail

193
Pierre Adrien Pâris
Elévation sur la largeur de la salle à manger dans les maisons de bois pour les bals de la reine en 1785
Aquarelle et gouache sur trait de plume, sur papier crème
H. 15,1 ; l. 37 cm

Provenance : Fonds de l'architecte Pâris.
Bibliographie : Gruber 1972, p. 204-205, n° 95, repr. pl. LXVIII.

Besançon, bibliothèque municipale. Inv. fonds Pâris, vol. 484, pl. VII, n° 12.

193

194
Pierre Adrien Pâris
Elévation sur la longueur de cette même salle à manger
Aquarelle et gouache sur trait de plume, sur papier crème
H. 15,3 ; l. 23,1 cm

Provenance : Fonds de l'architecte Pâris.
Bibliographie : Gruber 1972, p. 205, n° 96, repr. pl. LXVIII.

Besançon, bibliothèque municipale. Inv. fonds Pâris, vol. 484, pl. VII, n° 11.

Les bals de la reine donnés à Versailles pendant l'hiver 1785 ne furent pas moins somptueux que les précédents. Bachaumont, Pidansat de Mairobert et Mouffle d'Angerville, les auteurs des *Mémoires secrets pour servir à l'histoire de la République des lettres*, précisaient qu'ils avaient repris le 27 décembre 1785 après avoir été interrompus pendant quelque temps (1786, XXVIII, p. 23, à la date du 8 janvier 1785). Ils indiquaient également que la reine ne s'y rendait qu'à dix heures du soir et ne dansait pas en raison de sa grossesse. Pour que ces bals puissent se dérouler au plus grand contentement des invités, Pâris avait été à nouveau chargé de concevoir des architectures éphémères. Sur la cour royale furent ainsi construites des maisons de bois destinées à abriter la salle à manger. Le décor intérieur imaginé à cette occasion et le soin qui fut apporté à sa réalisation ne se distinguaient en rien des aménagements pérennes conçus à l'intérieur des appartements royaux et de l'application qui présidait à leur exécution. Les matériaux utilisés avaient cependant vocation à ne pas durer. Cependant, les fragiles édifices furent régulièrement utilisés. Dans ses *Souvenirs*, Félix de France d'Hézecques (1873, p. 224-225) révélait ainsi : « Dans la partie du château située à gauche de la cour royale, était une ancienne salle de spectacle que ses étroites dimensions avaient fait abandonner. C'était là que se donnait la fête. On y ajoutait plusieurs de ces pavillons de bois conservés à l'hôtel des Menus-Plaisirs, et qui, dressés en peu d'instants, décorés en quelques heures, formaient des palais ambulants. La distribution changeait souvent, et la salle de 1786 se fit surtout remarquer par son élégance. » X. S.

194

Le Petit Vienne

Xavier Salmon

Le 7 juin 1774, l'ambassadeur Mercy-Argenteau écrivait à Marie-Thérèse[1] : « Depuis longtemps, et lorsque Mme l'archiduchesse était encore dauphine, elle désirait beaucoup d'avoir une maison de campagne à elle en propre, et elle s'était formé plusieurs petits projets à cet égard. A la mort du roi, le comte et la comtesse de Noailles suggérèrent le petit Trianon [...] je la suppliai [Marie-Antoinette] de faire elle-même cette demande sans autres mesures préparatoires et sans le concours de personne. S. M. daigna agréer mon idée, et au premier mot qu'elle prononça au roi du petit Trianon, il répondit avec un vrai empressement que cette maison de plaisance était à la reine et qu'il était charmé de lui en faire don. »

Marie-Antoinette disposait enfin d'un lieu où elle pouvait échapper à l'étiquette et vivre à sa guise. Selon les *Mémoires secrets*, elle avait même précisé au roi qu'elle acceptait Trianon à la condition qu'il n'y viendrait que lorsqu'il y serait invité[2].

Rapidement, le domaine fut surnommé le Petit Vienne ou le Petit Schönbrunn. Pour beaucoup, l'appellation était dépourvue de malice. Cependant, avec les années, elle acquit une connotation indéniablement critique. Les travaux engagés à grand renfort de dépenses pour créer sur les plans de Richard Mique le jardin de goût anglo-chinois et ses fabriques, les fêtes et les divertissements champêtres jugés dispendieux, les règles édictées « De par la Reine », comme la compagnie trop choisie de la souveraine, la création de la troupe théâtrale de Trianon et la mise en place, en marge des Bâtiments, de l'administration du Garde-meuble de la reine, attisèrent les reproches de la cour et de la ville.

Le 31 août 1780, Marie-Thérèse indiquait à Mercy[3] : « Je crois bien que malgré les soins que vous employez à faire mettre tout l'ordre et toute la décence possible dans les spectacles de Trianon, vous ne les goûtiez pas trop. Je suis de votre avis, sachant par plus d'un exemple que d'ordinaire ces représentations finissent ou par quelque intrigue d'amour, ou par quelque esclandre. » Bien vite, cet amusement limité à un si petit nombre suscita en effet jalousie et réclamations. Bien vite aussi, chacun sut qu'à Trianon, dans le cercle intime de la souveraine, seuls la chanson nouvelle, le bon mot du jour ou les petites anecdotes scandaleuses formaient les sujets d'entretien[4]. On s'interrogea même sur la moralité des invités et sur l'exemple qu'ils donnaient à la reine.

Le 18 décembre 1781, Mme de Bombelles écrivait à son époux[5] : « En tout, cette fameuse société est composée de personnes bien méchantes et montée sur un ton de morgue et de médisance incroyable. Ils se croient faits pour juger tout le reste de la terre... Ils ont si peur que quelqu'un puisse s'insinuer dans la faveur qu'ils ne font guère d'éloges, mais ils déchirent bien à leur aise. Il faut cependant voir tout cela et ne rien dire : c'est impatientant. »

Fig. 41
Le Petit Trianon, façade sud donnant sur les parterres du jardin français.

1. Arneth et Geffroy 1874, II, p. 166.
2. Cité par Desjardins 1885, p. 57.
3. Arneth et Geffroy 1874, III, p. 462.
4. Selon Mme Campan, citée par Desjardins 1885, p. 175.
5. Cité *ibid.*, p. 182.

RECEUIL
Plans du Petit
Trianon
Sr. Mique Chevalier
L'ordre de St. Michel
Architecte
Général des Batimens
du Roy et de la
Reine.
1786.

Trianon et le retour à la nature

Chantal Waltisperger

Marie-Antoinette est encore enfant lorsqu'en 1765 le marquis de Girardin aménage à Ermenonville le premier parc[1] à l'anglaise de France; amateur averti, il s'inspire des jardins nouveaux visités quelques années auparavant en Angleterre. Toute l'Europe cède à l'anglomanie, qui fait découvrir le goût du confort, les courses de chevaux et la passion des jardins pittoresques.
Dix ans plus tard, devenue reine de France et maîtresse du Petit Trianon, Marie-Antoinette sacrifie à la mode et remplace le jardin botanique de Louis XV par un jardin naturel. Car il est de bon ton de se pâmer devant un paysage, d'être touché par la nature, de la décrire avec goût et élégance. La littérature, avec Jean-Jacques Rousseau en chef de file, et la peinture, avec Hubert Robert, diffusent cette sensibilité préromantique et cette esthétique du sublime. Ermenonville, Monceau et le Désert de Retz[2] développent les thèmes du jardin philosophique où les multiples fabriques, bancs, ponts, autels et grottes sont associés à des textes gravés dans la pierre. Marie-Antoinette trouve ailleurs ses modèles; d'abord chez le comte de Caraman[3], dont elle visite le jardin des juillet 1774. Autour d'elle les projets se multiplient: Chantilly[4] depuis l'année précédente, puis Mauperthuis[5] et Bagatelle[6], en 1779 Rambouillet, Le Raincy et Rosny[7], en 1781 Bellevue[8] et la Folie Saint-James[9], Montreuil[10] et enfin Méréville[11] retiennent plus simplement le thème convenu du jardin paysage pour errance poétique, jardin de peintre et non plus d'architecte. Antiques ou chinoises, les fabriques y sont les points d'orgue du déroulement des promenades dans une nature idéalisée, savamment composée de vallonnements, de rochers et de ponts, de vastes prairies, de bouquets d'arbres et de rivières serpentines.
Charles Joseph de Ligne a, sans doute le premier, construit un hameau dans son parc anglais de Belœil dès 1769. A Chantilly, Condé anime le sien d'une « ferme ornée » conçue comme un décor pour les fêtes durant lesquelles les paysans deviennent figurants d'un théâtre grandeur nature où se mêlent spectateurs et acteurs. Mais le prince de Ligne

Fig. 42
Le Hameau de la reine

regrette ce choix d'une rusticité simplement locale : « Je ne lui trouve pas assez l'air d'une citation. A force d'être naturel, il fait regretter d'abord qu'on ne l'ait pas abattu[12]. » Pour sa part, il a choisi l'exotisme d'un village tartare avec une mosquée. Le duc d'Orléans, au Raincy en 1780, préfère des isbas russes. Cependant, le goût de Marie-Antoinette la porte plus vers l'inspiration théâtrale de Condé et, en 1783, elle demande à son architecte Richard Mique d'ajouter un village de chaumières – l'une d'elles est la « maison de la reine » – au jardin du Petit Trianon afin de répondre au désir de divertissement toujours renouvelé de sa société intime. A côté, la petite ferme est réellement en activité, mais l'intérieur des maisons du hameau est d'un luxe et d'un raffinement tout aristocratiques. Refusant obstinément les autocontraintes de sa position de reine, Marie-Antoinette dans son hameau rêve de la liberté que symbolise la vie pastorale pour la classe supérieure d'une société allergique aux régimes autocratiques. Mais ni la familiarité des bals de l'Opéra ni les retraites champêtres ne pouvaient satisfaire les codes de comportement de la royauté française, pour laquelle les exigences de la représentation – avec les courtisans comme témoins et médiateurs – fondent la légitimité.

Fig. 43
Le Belvédère

Fig. 44
Le Temple de l'Amour

1. Toutefois, un jardin à l'anglaise semble avoir existé dès 1750-1760 au château d'Aunoy à Champeaux (Seine-et-Marne).
2. Dessinés respectivement en 1773 par Carmontelle pour Philippe d'Orléans et en 1774 par son propriétaire François Nicolas de Monville.
3. Péchère 1973.
4. Broglie 1951.
5. En 1775 pour le marquis de Montesquiou-Fézensac.
6. En 1777 pour le comte d'Artois.
7. Rambouillet pour le duc de Penthièvre, Le Raincy pour le duc d'Orléans et Rosny pour Talleyrand.
8. Pour Mesdames. Ganay 1926.
9. Pour le trésorier général des Colonies Claude Baudard de Saint-James.
10. Pour la comtesse de Provence.
11. En 1783 pour le banquier Jean Joseph de Laborde.
12. Ligne 1989.

195

Attribué à Jean-Baptiste André Gautier-Dagoty

(Paris, 1740 – *id.*, 1786)

Marie-Antoinette devant le temple de l'Amour

Huile sur toile
H. 41,1 ; l. 33 cm

Provenance : Peut-être s'agit-il du petit portrait qui appartenait en 1867 à M. Bonnefoy des Aulnais, lié à la famille de Bonnefoy du Plan, et qui figura cette année-là au Petit Trianon ; coll. Ribeyre ; sa vente en 1872 ; coll. Moreau Chaslon ; vendu en 1939, puis passé en Grande-Bretagne.
Bibliographie : Jallut 1955b, p. 28 ; Charles 1989, p. 226-227, n° 33, repr. (comme d'Antoine Vestier).

Collection particulière.

Le portrait est extrêmement célèbre et très régulièrement reproduit. Peut-on en effet espérer image plus emblématique de Marie-Antoinette ? La reine apparaît vêtue d'une robe redingote caractéristique des années 1780. Elle pose devant le temple de l'Amour dans son domaine de Trianon. Indéniablement, l'artiste a cherché à souligner la beauté de son modèle. Tout semble donc réuni sur ce petit tableau, beauté, élégance et amour de la nature. L'œuvre n'en demeure pas moins en quête d'auteur. Longtemps, elle fut associée au nom d'Antoine Vestier (Avallon, 1740 – Paris, 1824). Spécialiste de l'artiste, Anne-Marie Passez réfutait à raison une telle attribution. Le nom de François Dumont récemment avancé n'est pas plus convaincant. Le visage de poupée de la reine, le traitement fluide de la chevelure, les petits empâtements de matière qui soulignent tel ou tel élément de l'habit nous font en revanche penser à la manière de Jean-Baptiste André Gautier-Dagoty. La comparaison entre le visage de la reine tel qu'il apparaît sur le petit portrait et tel que Gautier-Dagoty le peignit sur l'effigie officielle en habit de cour (voir cat. 93) nous semble tout à fait concluante. Œuvre de petites dimensions, le portrait de la reine à Trianon peut fort bien avoir été offert par Marie-Antoinette à Bonnefoy du Plan, ou bien avoir été commandé par lui, puisqu'il semble qu'il se trouvait encore dans sa descendance en 1867.

X. S.

196

Claude Louis Châtelet

(Paris, 1753 – *id.*, 1794)

La tour de Marlborough et le moulin dans le jardin anglais de Mesdames au château de Bellevue

Huile sur toile
H. 42 ; l. 90 cm
Signé et daté en bas au milieu

Provenance : Acquis par le musée en 1976.
Bibliographie : Poisson 1985, p. 100, n° 345, repr. p. 101.

Sceaux, musée de l'Ile-de-France. Inv. 21-6-76.

Mesdames Adélaïde, Victoire et Sophie reçurent le château de Bellevue, sur la commune de Meudon, à la mort de leur père Louis XV en 1774. Voulue par Mme de Pompadour, qui en avait confié la construction à l'architecte Lassurance, la demeure était entourée de jardins à la française traités en terrasses et en bosquets dessinés par Jean-Charles Garnier d'Isle. En 1781, les filles de Louis XV souhaitèrent ajouter à cet ensemble un jardin paysager de goût anglais. Elles firent alors appel à l'architecte Richard Mique qui dessina un vallon avec une rivière, un petit lac, des maisons normandes, un moulin et une tour de Marlborough. Ces édifices fragiles disparurent pour la plupart dès le XIXe siècle. Longtemps conservé malgré le morcellement du domaine de Bellevue, le jardin anglais disparut définitivement en 1960. Indéniablement, il annonçait celui de Marie-Antoinette à Trianon.

X. S.

197

Ecole française
de la première moitié du XIXe siècle

D'après un plan attribué à Richard Mique
(Nancy, 1728 – Paris, 1794)

Plan du jardin français et du jardin anglais à Trianon

Plume, encre de Chine et rehauts d'aquarelle sur papier crème
H. 46,4 ; l. 65,5 cm
Annoté en haut à droite à la plume et encre brune : *Jardin pittoresque / du petit Trianon* ; au milieu à droite, légendes des lettres à la plume et encre grise : *Renvois / A château / B Ecurie &c / C Sallon frais / D Salle de concert / E Ménagerie / F Jardinier / G Orangerie et serre / H Jeu de Bagues / I Salle de spectacle / K Rocher / L Belvedere / M Grotte / N Ruine / O Solitude / P Vacherie / Q Hameau / R Temple* ; échelle en bas à droite

Provenance : Coll. Henri Grosseuvre, Versailles ; acquis par le château de Versailles à l'amiable avant la vente de la coll. organisée à l'hôtel Drouot à Paris du 16 au 18 avril 1934 (partie du lot 448 regroupant 15 plans aquarellés de Versailles et de Trianon).
Bibliographie : Hoog 1992, p. 108, 110, n° 64 ; Salmon 2005a, p. 172-173, n° 65, repr.

Versailles, musée national des châteaux de Versailles et de Trianon. Inv. MV 7281 ; inv. dessins 731.

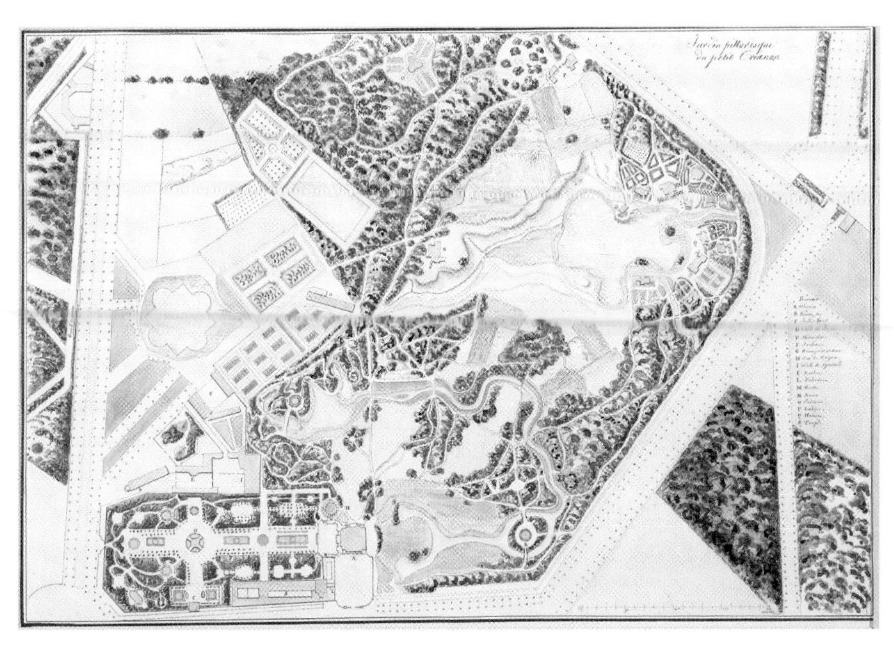

Le plan décrit les jardins de Trianon tels que les connut Marie-Antoinette.
A l'ouest, le jardin à la française, conçu à la demande de Louis XV autour du pavillon français, de la nouvelle ménagerie et du Salon frais, offrait ses perspectives rectilignes de parterres fleuris et de charmilles. Entre 1777 et 1779, il fut enrichi par Richard Mique, l'architecte de la reine, d'un petit théâtre.
A l'est, Mique conçut entre 1777 et 1781 un nouveau jardin de goût anglo-chinois. Inspiré par ceux des princes de Condé à Chantilly ou de Mesdames, les tantes de Louis XVI, à Bellevue, ce jardin donnait une liberté feinte à la nature et comprenait plusieurs fabriques, le temple de l'Amour sur son île, à l'est, le jeu de bagues et le belvédère, au nord. Il fut aussi agrémenté d'un lac artificiel autour duquel on édifia un hameau constitué de maisons de goût normand. Cet ensemble pittoresque enchanta les visiteurs dès sa réalisation et il contribua au succès des lieux même après le départ de la famille royale en octobre 1789. En 1790, le voyageur Halen s'en faisait ainsi l'écho : « Ce jardin, tracé à l'anglaise, a, selon le goût d'aujourd'hui, ses rochers, ses allées bordées de rocs, ses ermitages, et ses grottes. Mais, le plus beau de tout, c'est un charmant village, de neuf maisons environ ; au milieu se trouve une pelouse verte bordée d'un ruisseau qu'on passe sur de petits ponts très simples. Les maisons sont rustiques il est vrai, mais très propres et pour la plupart couvertes de vignes grimpantes. Il ne manque rien à ce village, ni son moulin, ni sa tour qu'on appelle tour de Marlborough. Tout est bien conservé. Mais les maisons qu'habitaient les gens de service, sont vides ; et l'on entend plus les cris de joie qui remplissaient autrefois le petit village aux fêtes coûteuses que la Reine donnait presque chaque semaine. Il y a plus d'un an qu'elle n'a pas visité son séjour favori » (cité par Arthur Chuquet en 1896, « Paris en 1790 »). X. S.

196

198
Louis Nicolas de Lespinasse,
dit le Chevalier de Lespinasse
(Pouilly-sur-Loire, 1734 – Paris, 1808)
Vue du Petit Trianon
et du temple de l'Amour

Plume et encre grise, aquarelle et gouache
sur papier crème
H. 21,5 ; l. 35 cm

Provenance : Proposé en septembre 1990 au château de Versailles par Henry Potts, marchand à Chillingham (Alnwick, Northumberland, Grande-Bretagne), le dessin ne fut pas acquis car jugé trop onéreux ; mis en vente à Londres le 9 juillet 1991 (Christie's, lot 321), il fut finalement retiré de la vente ; acquis par le château de Versailles en 1992 de Mr. Potts par l'intermédiaire de Mrs. Kate de Rothschild à Londres ; entré au musée le 21 janvier 1992.
Bibliographie : Hoog 1992, p. 102, n° 51, repr. ; Salmon 1999, p. 42, n° 33, repr. p. 43 ; Salmon 2005a, p. 174-175, n° 66, repr.

Versailles, musée national des châteaux de Versailles et de Trianon. Inv. MV 8617 ; inv. dessins 1109.

On doit à Lespinasse plusieurs des dessins qui furent gravés afin d'illustrer le *Voyage pittoresque de la France* publié à Paris en huit volumes de 1784 à 1792 par La Borde, Guettard et Beguillet. Parmi ceux dédiés au Grand et au Petit Trianon, la feuille décrivant le Petit Trianon et le temple de l'Amour est particulièrement intéressante. Non seulement elle regroupe certaines des fabriques du nouveau jardin anglo-chinois, dont le jeu de bagues et son ombrelle chinoise mis en place en 1776 à droite du petit château d'agrément, mais elle permet aussi de se faire une idée assez juste de l'aspect de la végétation du domaine au temps de la reine. X. S.

199
Henri Joseph Van Blarenberghe
(Lille, 1750 – *id.*, 1826)

199 a
Vue du moulin et du boudoir
au hameau de Trianon

Gouache sur vélin
Diam. 7,2 cm
Signé et daté en bas au milieu : *van Blarenberghe / 1784*

199 b
Vue du colombier au hameau
de Trianon

Gouache sur vélin
Diam. 7,2 cm
Signé en bas à gauche : *van Blarenberghe*

Provenance : Acquis par Edouard André en 1868 auprès de l'antiquaire Laurent ; coll. Edouard André et Nélie Jacquemart ; legs à l'Institut de France en 1913.
Bibliographie : Maillet-Chassagne 2001, p. 147, fig. 57 ; Château-Thierry 2006, p. 30, 35, n°s 24 et 25, repr.

Paris, musée Jacquemart-André. Inv. 1035-1 et 2.

Construit pour l'essentiel entre 1783 et 1785, le hameau a contribué à forger auprès des esprits naïfs cette idée charmante que la reine de France avait aimé à jouer la paysanne ou la bergère. Une connaissance plus approfondie des lieux et de leur usage appelle à d'autres conclusions. En demandant en 1783 à son architecte Richard Mique, au peintre Claude Louis Châtelet et au maquettiste Freret les plans, les croquis paysagers et les maquettes d'un ensemble de maisonnettes de goût normand, Marie-Antoinette sacrifiait à une mode aristocratique qui avait conduit d'autres éminents personnages à vouloir avant elle la construction d'un hameau dans leurs parcs. En 1783, elle demande à Mique de lui créer le sien dans la partie nord de son jardin anglo-chinois. Disposées autour d'un lac sur un terrain ceint d'un fossé, les maisons se divisaient en deux groupes séparés par une petite rivière prenant naissance dans la pièce d'eau. D'un côté l'on trouvait le moulin, le boudoir, la maison de la reine et, en arrière, des bâtiments pour le service ; de l'autre, les logis pour le garde et le jardinier, la grange, le poulailler, la tour de Marlborough avec ses dépendances abritant la laiterie et la pêcherie, et, un peu à l'écart, la ferme. Les travaux commencèrent pour l'essentiel à partir de 1784. Il avait été nécessaire au préalable de procéder au terrassement des lieux en traçant les chemins et en creusant le lac et les rivières. A l'extérieur de chacune des maisons, les murs furent peints et décorés « en vétusté », avec des effets de vieilles briques, de pierre effritée, de fausses lézardes et de crépis abîmés. Toutes les maisons reçurent un toit de roseau, à l'exception de celle de la reine et de la laiterie, qui furent couvertes de tuiles. En 1787, le gros des travaux était achevé. La reine put dès lors entièrement profiter de son nouveau hameau. Dans ce monde en miniature, les petits édifices accueillaient deux types d'activités. Celles liées à la vie de cour se concentraient dans cinq maisons réservées à l'usage de Marie-Antoinette et de ses invités. La maison de la reine et le billard offraient des intérieurs particulièrement soignés où la salle à manger, le cabinet de tric-trac, le cabinet chinois, le billard et quelques pièces de repos permettaient de reproduire en petite compagnie le mode de vie des appartements du Petit Trianon. A proximité, le boudoir et le réchauffoir, avec sa cuisine, son fournil, son bûcher, son garde-manger, sa lingerie, son argenterie, son lavoir et sa maison pour les valets de pied, assuraient un service sans faille. Dans la laiterie de propreté pouvaient être goûtés les laitages. Les activités à caractère paysan avaient investi la ferme, située un peu à l'écart afin de ne pas incommoder avec les odeurs de la vacherie, de la chèvrerie et de la porcherie, ainsi que la grange, le colombier également dénommé poulailler, et la laiterie de préparation. Chacun de ces lieux permettait au fermier Valy Bussard et à ses aides de conduire une véritable activité agricole, avec le labourage des champs, la culture des jardins et jardinets tracés par Antoine Richard autour des maisons, la taille des arbres, la moisson, la cueillette des fruits et l'élevage des vaches, moutons, chèvres, porcs, lapins et poules. Par son caractère de simplicité, la vie de la campagne apportait une note d'« exotisme » et répondait au désir de la reine d'échapper à l'étiquette trop contraignante de la vieille cour. De construction légère, le hameau du Petit Trianon nécessita un entretien constant. Les années de Révolution et d'abandon furent parti-

culièrement néfastes à sa conservation. Sous l'Empire, certaines des fabriques étaient en si mauvais état qu'il fut même décidé de les détruire. Malgré cet état de délabrement, les maisons n'en demeurèrent pas moins un objet de curiosité et d'admiration. **X. S.**

200

Claude Louis Châtelet
(Paris, 1753 – *id.*, 1794)

Recueil des Plans du Petit Trianon, par le Sr Mique, Chevalier de l'Ordre de St Michel, Premier architecte honoraire, Intendant Général des Bâtiments du Roy et de la Reine, 1786

Gouache et aquarelle sur tracé à la pierre noire sur papier crème dans un volume in-folio relié en maroquin rouge
H. 47,5 ; l. 35 cm

Provenance : Offert en 1786 à l'archiduc Ferdinand de Habsbourg et à son épouse Maria Béatrice Cybo Malaspina, duchesse de Massa et princesse de Carrare, lors de leur visite à Versailles sous les noms de comte et comtesse de Nellembourg ; passé dans les collections de la Biblioteca Estense à Modène.
Bibliographie : Arizzoli-Clémentel 1998, p. 15-21.

Modène, Biblioteca Estense Universitaria. Inv. Est. 119.

Entre 1779 et 1789, Richard Mique et Claude Louis Châtelet reçurent à plusieurs reprises des paiements pour les plans et les vues des recueils qui avaient été ordonnés par Sa Majesté. Pour ses visiteurs les plus prestigieux, Marie-Antoinette avait en effet une attention toute particulière. Afin qu'ils conservassent le souvenir du domaine de Trianon, elle leur faisait présent d'un petit volume relié regroupant diverses vues et plans.
En 1779, elle envoya ainsi à Gustave III de Suède un premier recueil (Stockholm, Bibliothèque royale). Payé 700 livres à Châtelet le 16 mai 1780, il comprenait quatre dessins avant l'édification du hameau de Mique et un plan. En 1781 fut exécuté le recueil de l'ancienne collection Harrach-Esmerian (vente Esmerian, Paris, palais Galliera, 6 juin 1973, lot 65, et Sotheby's New York, juin 1995). Constitué de sept aquarelles, dont cinq par Châtelet, et de treize plans, il était vraisemblablement destiné à Joseph II. L'année suivante, en 1782, un nouveau recueil fut exécuté afin d'être offert au comte du Nord, futur Paul Ier de Russie, et à son épouse Maria Feodorovna (bibliothèque du palais de Pavlovsk). Il réunissait le plan du domaine de Trianon, les vues du Petit Trianon depuis l'entrée et avec le jeu de bagues, celles du temple de l'Amour et du Belvédère, deux vues de la grotte et deux vues des jardins avec les fabriques. Egalement dessiné par Châtelet, le frontispice fut séparé du recueil au début du XXe siècle lors des ventes des Soviets et il se trouve depuis 1984 au Metropolitan Museum of Art à New York. Le 26 octobre 1782, Châtelet recevait 1 800 livres pour les dessins qu'il avait faits des diverses vues des recueils qui avaient été ordonnés par Sa Majesté, de deux tableaux devant servir pour l'exécution sur le terrain et autres peines qu'il s'était données lors de la fête pour le comte du Nord dans ledit jardin (Arch. nat., O^{1} 1877). Le 15 avril suivant, il percevait à nouveau 1 320 livres pour les dessins faits de diverses vues des recueils (Arch. nat., O^{1} 1877). Le 27 septembre 1784, Langlois recevait également paiement pour la reliure d'un recueil, ainsi que Thibault et Fontaine, dessinateurs et élèves de l'Académie d'architecture, pour les plans généraux et particuliers, élévations et coupes du recueil (Arch.

nat., O[1] 1876). En 1785, Châtelet était encore payé 1 500 livres, probablement pour un album qui avait peut-être été commandé à l'occasion de la visite à Paris de Gustave III, l'année précédente. En 1786 était offert à l'archiduc Ferdinand, frère de la reine, et à son épouse, en visite à Versailles sous les noms de comte et comtesse de Nellembourg, le recueil aujourd'hui conservé à la bibliothèque Estense à Modène. Il s'agit de l'album connu le plus complet car il comprend vingt-six feuillets avec vingt-cinq relevés d'architecture regroupés sur dix-neuf feuilles, et sept vues pittoresques, dont le frontispice, figurant les plus beaux points de vue du site de Trianon. L'année suivante, le 18 janvier, Châtelet recevait 1 000 livres pour diverses vues à la gouache qu'il avait faites du jardin du Petit Trianon, faisant partie des recueils que Sa Majesté avait ordonnés pour la princesse des Asturies et le comte de Nellembourg (Arch. nat., O[1] 1878, dossier 3).
Dans les mêmes années, d'autres recueils avaient également été exécutés (en particulier le recueil « Parmentier », dont la feuille figurant le *Jeu de bagues* est aujourd'hui conservée au département des Estampes et de la Photographie à la Bibliothèque nationale de France). Tous témoignaient du plaisir que Marie-Antoinette éprouvait à partager les beautés de Trianon. X. S.

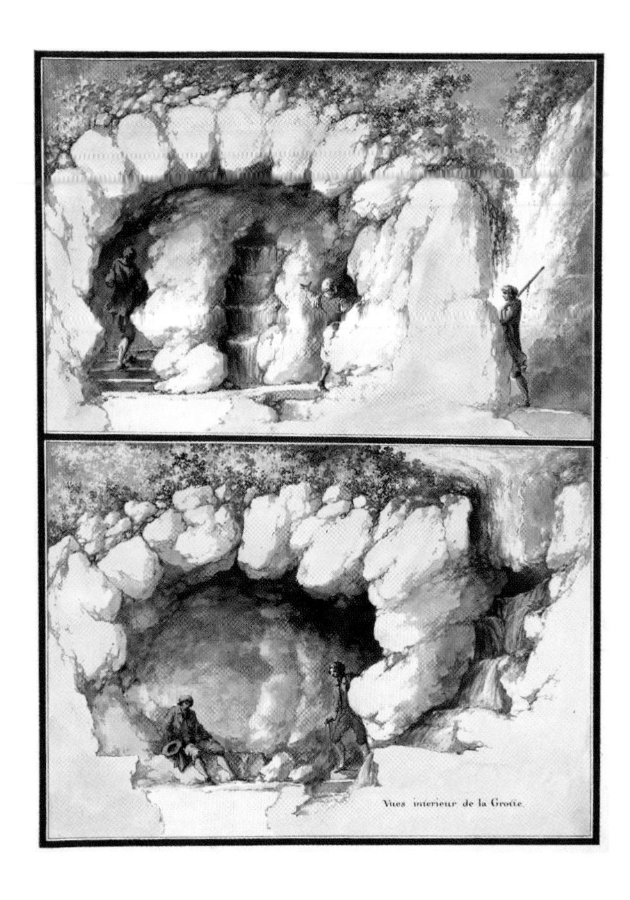

201
Claude Louis Châtelet
(Paris, 1753 – *id.*, 1795)
Le Temple de l'Amour

Huile sur toile
H. 54,5 ; l. 73 cm
Signé et daté en bas à gauche : *Cl. Châtelet 1787*

Provenance : Vente, Paris, hôtel Drouot, 25 juin 1990, lot 25, repr. ; marché de l'art parisien, où il fut acquis par son actuel propriétaire.
Bibliographie : Salmon 2005a, p. 176, repr. fig. 1.

Collection Prof. Dr. J. Kleinstein.

Outre les gouaches réunies en albums, Châtelet peignit aussi plusieurs petits tableaux à l'huile figurant certaines des fabriques du jardin anglo-chinois du Petit Trianon. Le 16 mai 1780, l'artiste recevait ainsi 720 livres pour diverses vues et tableaux de paysages exécutés dans le jardin de Sa Majesté au Petit Trianon (Arch. nat., O[1] 1876, dossier 4). Avec les années, ces œuvres à la touche minutieuse et délicate ne furent certainement pas toutes destinées à la famille royale. Le domaine de Marie-Antoinette jouissait auprès des curieux d'une grande renommée. Les vues en décrivant les éléments les plus nobles ou les plus pittoresques, comme l'entrée de la grotte (vente, Paris, palais Galliera, 2 décembre 1976, n° 3), étaient donc recherchées des amateurs. Au même titre qu'Hubert Robert commercialisa plusieurs œuvres, dessins ou peintures, décrivant le bosquet des Bains d'Apollon à Versailles, Châtelet peignit aussi plusieurs petites toiles des jardins de Trianon. La vue du temple de l'Amour nous semble tout à fait représentative de ce type de production. X. S.

Un mobilier raffiné

202 à 204
Georges Jacob
(Cheny, 1739 – Paris, 1814), maître en 1765
Mobilier de la chambre « au treillage » de Marie-Antoinette au Petit Trianon

1787

202
Deux fauteuils

H. 95,3 ; l. 63 ; pr. 61 cm

203
Deux chaises

H. 94 ; l. 51,8 ; pr. 56,5 cm

204
Écran à châssis

H. 1,113 ; L. 0,745 ; pr. 0,415 m

Provenance : Adjugé en octobre 1793 au citoyen Rocheux pour le compte du marchand Hebert ; acquis en 1942.
Bibliographie : Watson 1963, n° 172, p. 137 ; Meyer 1974, p. 279-280 ; Salverte 1975, p. 166 ; Arizzoli-Clémentel et Gastinel-Coural 1988, p. 76 ; Baulez 1990a, p. 22, 36 ; Gorguet-Ballesteros 2000, n° 108, p. 190 ; Meyer 2002, n° 71, p. 274-277 ; Hans 2005, n° 49, p. 140-142.

Versailles, musée national des châteaux de Versailles et de Trianon. Inv. V 1709 à 1713.

Marie-Antoinette commanda en 1787 un nouveau mobilier pour sa chambre à coucher de Trianon. Le mobilier fut livré par son Garde-meuble privé, dirigé par Bonnefoy du Plan. Celui-ci fit certainement appel à Jean Démosthène Dugourc pour dessiner ce mobilier. On appelle cet ensemble la « chambre au treillage », car un décor de treillage ou plutôt de vannerie court sur l'ensemble du mobilier. Georges Jacob retient ce décor sur la ceinture des sièges. Les meubles d'ébénisterie de Schwerdfeger en 1788 présentent une ornementation de bronze doré reprenant ce motif de vannerie, tout comme les bronzes d'ameublement des bras de lumière, de la pendule et du feu qu'exécute Thomire en 1788.

La reine désirait un mobilier en osmose totale avec la nature champêtre de Trianon. Il s'agit bien du chef-d'œuvre du genre pittoresque (Baulez 1990a, p. 36). Il imite l'osier des sièges de jardin, des tiges en faisceau enguirlandées de lierre, de jasmin, de muguet et d'épis de blé. Aux accotoirs des fauteuils fleurissent des muguets (Salverte 1975, p. 166). Georges Jacob livre là un ensemble inédit dans la représentation de la flore.
L'écran repose sur des patins en pied de bouc, avec deux têtes de satyre. Pierre Claude Triquet est l'auteur de la sculpture du lit en chaire à prêcher (disparu), Jean-Baptiste Simon Rode le sculpteur de l'autre partie du mobilier comportant deux fauteuils, deux chaises, une bergère (disparue), un tabouret de pied, le fauteuil de toilette (Los Angeles, musée J. Paul Getty) et l'écran.
De ce célèbre ensemble, le château de Versailles conserve deux fauteuils, deux chaises, l'écran de cheminée et le tabouret de pied.
Jean-Baptiste Chaillot de Prusse, peintre artiste, a peint les bois « dans les couleurs de la vérité et de la nature », tandis que Desfarges, « fabricant d'étoffes de soie et brodeur à Lyon », exécutait la couverture en basin de coton brodé de laine, peut-être d'après un modèle de Dugourc. Les œuvres de Versailles, fait exceptionnel, ont conservé leur couverture d'origine d'un grand naturalisme. La chambre au treillage révèle magnifiquement le goût de la reine, ce goût rustique remarquablement sophistiqué. A Trianon, Marie-Antoinette se plaisait dans le pittoresque et les contrastes pour animer la splendide harmonie des lieux. **P.-X. H.**

205

Jean Ferdinand Joseph Schwerdfeger

(Steinbrück, Basse-Saxe, 1734 – Paris, 1818)

Console de la chambre de Marie-Antoinette au Petit Trianon

1788
Bâti de chêne, placage d'acajou ronceux, bronze doré, dessus en marbre blanc veiné
Signé à l'encre sous le tiroir gauche : *FERDINAND SCHWERDFEGER ME.EBENISTE – A PARIS – 1788*
H. 86 ; l. 143 ; pr. 47,7 cm

Provenance : Vendue en octobre 1793 ; coll. Youssoupov, Saint-Pétersbourg ; confisquée en 1917 ; aliénée par le gouvernement soviétique en 1928 ; coll. Hans Rudolph, Hambourg, 21 mars 1952, n° 287 ; coll. Alexis de Gunzburg ; sa vente, Paris, palais Galliera, 24 novembre 1976, n° 118 ; acquise en 1976.
Bibliographie : Meyer 1974, n° 4-5, p. 279-283 ; Baulez 1980, n° 92, p. 113 ; Baulez 1990a, p. 36 ; Meyer 2002, n° 72, p. 282-283 ; Hans 2005, p. 142-144.

Versailles, musée national des châteaux de Versailles et de Trianon. Inv. V 5106.

Cette console exécutée par Schwerdfeger fait partie du mobilier commandé par Marie-Antoinette en 1787 pour sa chambre à coucher de Trianon, probablement dessiné par l'ornemaniste Jean Démosthène Dugourc.
Nous savons qu'en 1788 le Garde-meuble privé de la reine faisait exécuter des « Commodes, Consoles, Tables de Trianon » au riche décor de bronze doré (Baulez 1980, p. 113). D'autre part, un mémoire du 7 juillet 1788 émanant du doreur Mellet porte sur la dorure de trois meubles, une commode, une console et une table en corbeille. Le mémoire permet de connaître les bronzes figurant sur la console. Ceux-ci, fondus par Turpin et ciselés par Duport et Marant, remarquables, se conjuguent avec la perfection de travail de Schwerdfeger.
Dans la chambre à Trianon prend place de nos jours une petite table rectangulaire (table Schlichting déposée par le Louvre en 1975). Elle ne correspond pas à la table en corbeille, mais est assortie à la console, signée et datée de la même manière. M. Ch. Baulez a alors supposé que Schwerdfeger réservait ce mode de signature, une grande inscription à l'encre, pour une commande de la reine.
Avec cette console, Schwerdfeger a exécuté un meuble extrêmement luxueux aux lignes sévères d'une incroyable modernité. On retrouve l'harmonie, l'originalité et la grandeur propres à un chef-d'œuvre. Du caractère pesant des pieds, une formule très réussie, découle une grande force esthétique. C'est l'œuvre exceptionnelle de Schwerdfeger qui exprime à la veille de la Révolution le goût de la reine. **P.-X. H.**

206

Pierre Philippe Thomire

(Paris, 1751 – *id.*, 1843)

Pendule dite « aux Aiglons »

Paris, vers 1788
Bronze doré
H. 43 ; l. 38 cm
Cadran signé *Robin Hger du Roi*

Provenance : Chambre de Marie-Antoinette au Petit Trianon en 1788 ; Directoire exécutif au palais du Luxembourg en 1796 ; boudoir de l'impératrice Joséphine aux Tuileries en 1807 ; appartement de la duchesse d'Orléans au Petit Trianon en 1837.
Bibliographie : Ottomeyer et Pröchel 1986, p. 240 ; Baulez 1996, p. 27 ; Baulez 2000, p. 104 ; Baulez 2001a, p. 282.

Versailles, musée national des châteaux de Versailles et de Trianon. Inv. T 540 C.

207

Pierre Philippe Thomire

Paire de bras de lumière

Paris, vers 1787-1788
Bronze ciselé, patiné et doré
H. 53,5 ; l. 27 cm

Provenance : Chambre de Marie-Antoinette au Petit Trianon en 1788 ; ventes révolutionnaires ; vente, Paris, hôtel Drouot, 15 décembre 1927, n° 4.
Bibliographie : Revel 1959, p. 157 ; Verlet 1969, n° 17 ; Meyer 1974, p. 279-283 ; Baulez 1986, p. 607, 913 ; Ottomeyer et Pröchel 1986, p. 240 [n° 4.5.2] ; Verlet 1987, p. 44, 89, 466 ; Pereira Coutinho 2000, n° 26, p. 90.

Lisbonne, musée Calouste Gulbenkian. Inv. 18 A/B.

Pierre Philippe Thomire, ciseleur-doreur du roi et de la reine, a exécuté en 1787-1788 les bronzes d'ameublement destinés à la chambre à coucher de la reine à Trianon, c'est-à-dire la pendule aux aiglons, trois paires de bras de lumière et un feu. Ces bronzes déclinaient le décor de treillage ou de vannerie caractéristique de la chambre.
La pendule est constituée d'un socle ajouré à l'imitation de treillage et reposant sur quatre pieds simulant des corbeilles. Deux aiglons soutiennent le mouvement au cadran signé de l'horloger Robert Robin et des branches de rosier enveloppent le cadran. Les aiglons sont une évocation de l'Autriche et indiquent qu'il s'agit d'un modèle exécuté spécialement pour Marie-Antoinette. Marie-Antoinette a partagé avec son royal époux ce goût pour l'horlogerie et appréciait particulièrement les beaux bronzes. Malheureusement, la pendule a été transformée. A l'origine, le mouvement était accosté d'un amour en marbre blanc tenant un médaillon au chiffre de la reine (Verlet 1987, p. 466). La pendule, de manière assez inexplicable, n'a pas été vendue en 1793. Elle orna plus tard le boudoir de l'impératrice aux Tuileries. L'inventaire des Tuileries en 1807 signale, à gauche du cadran, un amour en marbre supportant une couronne ayant succédé au médaillon au chiffre de Marie-Antoinette et, à droite du cadran, une corbeille de fleurs. L'amour en marbre blanc a pu disparaître lors de la révolution de 1830 (Baulez 2000, p. 104). L'entreprise Thomire restaura la pendule en 1837, complétant alors le socle avec les deux petits bouquets de fleurs de la terrasse et redorant la pendule.
Les branches des bras de lumière et les bobèches simulent des treillages. Le fût et les bras sont entrelacés de chèvrefeuilles et de feuillages amplifiant une couronne de roses. Le musée Calouste Gulbenkian à Lisbonne conserve l'unique paire de bras connue de la chambre. On admire l'époustouflante composition en apparence naturelle, à l'équilibre parfait. Thomire avait également exécuté un feu assorti (disparu) composé « d'une corbeille aussi à jour garnie de fleurs et de guirlandes ». **P.-X. H.**

208

François Toussaint Foliot, dit François II Foliot

(Paris, 1748 – *id.*, après 1808)
Maître menuisier en 1773

Chaise du pavillon du Rocher au Petit Trianon

Paris, 1781
Hêtre sculpté et doré
H. 89 ; l. 56 ; pr. 56 cm
Numéro peint sur les sangles : *du n° 77/8*

Provenance : Coll. baron Edmond de Rothschild ; acquis par dation, 1990.
Bibliographie : Lefuel 1923, p. XII ; Verlet et Devinoy 1958 ; Pallot 1987, p. 41 ; Baulez 1991, p. 76-81 ; Meyer 2002, p. 229-231, n° 58 ; Hans 2005, n° 44.

Versailles, musée national des châteaux de Versailles et de Trianon. Inv. 5358.

Le mobilier du pavillon du Rocher, commandé en août 1780, comprenait huit fauteuils et huit chaises. Si le pavillon lui-même avait été dessiné par Richard Mique, le dessin des sièges revint comme il se doit au dessinateur du Garde-meuble de la Couronne, Jacques Gondoin. Les bois « de forme romaine » furent exécutés par François II Foliot, dont ce fut l'une des dernières livraisons avant qu'il soit remplacé dans les faveurs de la reine par le menuisier Georges Jacob. Malheureusement, le nom du sculpteur qui a exécuté les montants du dossier en torches de l'hymen entourées d'une guirlande de lierre et surtout l'exceptionnel décor ajouré à la ceinture, fait d'une guirlande de myrte tournant autour d'un jonc, n'est pas connu ; il doit s'agir de Nicolas Quinibert Foliot, qui travaillait très souvent associé à son neveu menuisier, ou de Pierre Edme Babel. La dorure rechampie en blanc avait été confiée à l'atelier de la veuve Bardou. Quant à la garniture, à carreaux, elle était l'élément le plus extraordinaire de ce « meuble », dont le dessin général, également composé par Gondoin, se devine sur la maquette en cire (cf. cat. 169). La base du dossier en gros de Tours à fond blanc, « peint en arabesque et fleurs », était encadrée de gros de Tours bleu peint de jasmin, alors que le haut du dossier était recouvert d'une draperie peinte « en petits bouquets barbeaux et roses encadrées d'une bordure en feuille de mirthe » (les mêmes draperies se retrouvaient sous la ceinture) ; le carreau d'assise était orné de « cinq couronnes dont une de roses et quatre de lauriers entrelassées et liées ensemble par des barbeaux » (mémoire de Gondoin, 01/3627). L'ensemble des soieries avait été livré par Nau et posé par le tapissier du Garde-meuble Capin, comme la passementerie fournie par la veuve Saporito. Le tout avait été exécuté conformément à la maquette soumise à l'approbation de la reine. **B. R.**

209

Manufacture de la rue Thiroux, dite « de la Reine »

Terrine à lait (dite aussi jatte à lait)

Marque : *A* majuscule surmonté d'une couronne
1786
Versailles, musée national des châteaux de Versailles et de Trianon. Inv. 5893.

Cette pièce fait partie des quarante-huit terrines exécutées en 1786, en trois tailles différentes, pour la « laiterie de propreté » de Marie-Antoinette au hameau du Petit Trianon (Baulez 2001c, p. 16-17 ; on connaît cinq pièces de ce service : une terrine de la plus grande taille – sur le marché, 2007 –, trois terrines de taille moyenne – celle-ci ainsi qu'une autre à Versailles, une troisième vendue à Paris, chez Sotheby's, le 29 mars 2007, lot 75 – et une de la plus petite taille – vendue à Paris, Drouot, Ader Picard Tajan, 9 novembre 1990, lot 880 ; Desjardins 1885, p. 312-313). Le service est exécuté dans la manufacture de la rue Thiroux, propriété d'André Marie Lebœuf, qui devient en 1778 fournisseur officiel de la reine, ce qui l'autorise à marquer de son chiffre *A* surmonté d'une couronne la porcelaine qu'elle produit. Le décor floral simple, sur un fond essentiellement blanc souligné de touches de dorure, ainsi que l'inclusion de barbeaux sont semblables à ceux des services de la reine exécutés par la manufacture de Sèvres.

La longue tradition de laiteries dans les demeures princières remonte au XVIe siècle, quand celles-ci étaient rattachées aux ménageries, comme celle de la duchesse de Bourgogne à Versailles, construite en 1698 par Hardouin-Mansart. Avec la mode des jardins à l'anglaise, ou jardins pittoresques, à la fin du XVIIIe siècle, la laiterie devint l'un des nombreux bâtiments essentiels de l'aspect ornemental de ces jardins. On trouve alors une grande variété de styles architecturaux, allant du rustique (pour le hameau) au néoclassique (à Rambouillet), ou à l'exotique (à Belœil). Comme partout, on trouve au hameau deux laiteries séparées. A l'origine, la « laiterie de propreté », ou « d'agrément », située à côté de la tour de Marlborough (Heitzmann 2002), est l'endroit où les visiteurs du jardin s'arrêtent pour une dégustation de lait froid, crème, fromage, glaces et fruits. Le vrai travail de préparation des produits laitiers a lieu dans la « laiterie de préparation » (Heitzmann 2001 ; ce bâtiment n'existe plus). L'aménagement intérieur de la laiterie de propreté est calqué sur le modèle de la laiterie de préparation, mais, contrairement à cette dernière, on y trouve des ustensiles plus luxueux : les terrines sont posées sur des consoles en marbre placées sur les côtés de la salle, tandis qu'une table en marbre se tient au centre de la pièce. Alors que la laiterie d'agrément est équipée d'un service de porcelaine, la laiterie de préparation est équipée en ustensiles en fer blanc (*ibid.*, p. 75-76).

A une époque où l'on vante les bienfaits d'une vie simple au plus près de la nature, il est fort probable que les visiteurs de la « laiterie de propreté » aient été amenés à confectionner eux-mêmes des produits laitiers. En 1773, Jacques François Blondel encourage la construction de laiteries sur le terrain des maisons de plaisance, laiteries où « les dames viennent prendre le lait, battre le beurre, et faire des fromages pour se délasser des courses et des amusements champêtres » (Blondel 1773, IV, p. 68). Cela est confirmé par le fait que la porcelaine de la laiterie du hameau comprenait deux « battes [*sic*] à beurre » en porcelaine, comme à Chantilly (Girardin 1791, p. 44). De plus, l'une des dames de compagnie de Marie-Antoinette, Adélaïde Henriette Auguié, est portraiturée à l'intérieur d'une laiterie, vêtue d'un simple habit de mousseline, une cruche à lait en porcelaine à la main, alors qu'une terrine à lait est posée dans le fond (œuvre d'Adolf Ulrik Wertmüller, Stockholm, Nationalmuseum, inv. NM 4881). La reine ne se rendait à la laiterie qu'avec ses amis intimes (on n'y trouve que six tasses et six assiettes), ce qui correspond à la nature du Petit Trianon et de ses jardins, qui n'étaient ouverts qu'à quelques privilégiés. S. S.

210

Elisabeth Louise Vigée Le Brun
(Paris, 1755 – *id.*, 1842)

Elisabeth Philippine Marie Hélène de France (1764-1794), dite Madame Elisabeth, sœur de Louis XVI

Huile sur toile
H. 110 ; l. 82 cm

Provenance : Coll. du comte des Cars ; don en 1961 au château de Versailles par la marquise d'Oncieu de Chaffardon et sa sœur Mlle Beatrix de Bertier de Sauvigny, petites-filles du comte des Cars ; entré au musée le 10 février 1961.
Bibliographie : Vigée Le Brun 1835-1837, vol. I, p. 331 ; Nolhac 1908, p. 137 ; Salmon 2005a, p. 106, n° 27, repr.

Versailles, musée national des châteaux de Versailles et de Trianon. Inv. MV 8143.

Lorsqu'elle arriva à Versailles, Marie-Antoinette manifesta rapidement son attachement à la plus jeune sœur du futur Louis XVI, Madame Elisabeth, de presque dix ans sa cadette. Avec les années, cet attachement se transforma en véritable affection et les deux jeunes femmes ne cessèrent de cultiver leur compagnie respective. Madame Elisabeth disposa même d'un appartement à l'étage d'attique du Petit Trianon. En 1782, la princesse posa pour Mme Vigée Le Brun. Connu par plusieurs répliques dont celle de Versailles, son portrait la présente dans une tenue champêtre, le visage tout empreint de fraîcheur et de bienveillance, avec tous les charmes d'une jolie bergère, dénomination dont la portraitiste fit usage à son sujet, dans les mémoires qu'elle publia entre 1835 et 1837. X. S.

211

Anton Joseph Hickel
(Leipa, Bohême, 1745 – Hambourg, 1798)

Marie-Thérèse Louise, princesse de Lamballe (1749-1792)

Huile sur toile
H. 66 ; l. 44 cm
Signé et daté en bas à droite : *Hickel 1788*

Provenance : Coll. des princes de Liechtenstein.
Bibliographie : Englebert 1980, p. 268-269, n° 49-07, repr.

Vaduz-Vienne, Sammlungen des Fürsten von und zu Liechtenstein. Inv. 1675.

Fille de Louis Victor de Savoie-Carignan et de Christine Henriette de Hesse-Rheinfels-Rothenbourg, Marie-Thérèse Louise épousa en 1767 le prince de Lamballe, fils du duc de Penthièvre. L'année suivante, alors qu'elle n'était encore âgée que de dix-neuf ans, la princesse devenait veuve. En 1770, elle fit connaissance de la petite dauphine. Les deux jeunes femmes se lièrent rapidement d'amitié. En 1775, la princesse de Lamballe devint surintendante de la Maison de la reine. Cette position lui valut de nombreuses jalousies et le dévouement qu'elle manifesta toujours à la souveraine fut la source des calomnies les plus scandaleuses. Le portrait de la princesse laissé par la baronne d'Oberkirch tranche singulièrement avec la moderne Sapho dénoncée par l'opinion publique. Pour la mémorialiste (1970, p. 362), Mme de Lamballe avait été une personne fort jolie, sans pour autant avoir les traits réguliers. D'un caractère gai et naïf, elle n'avait pas eu beaucoup d'esprit, fuyant les discussions et donnant raison tout de suite plutôt que de disputer. Douce, bonne, obligeante, bienveillante et vertueuse, jamais elle n'avait manifesté une mauvaise pensée. Passée en Angleterre en 1791, elle revint aux Tuileries à la fin de l'année, craignant pour la sécurité de la reine. Elle fut tuée en 1792, lors des terribles massacres de septembre, et sa tête fichée au bout d'une pique fut promenée sous les fenêtres de Marie-Antoinette au Temple. X. S.

212

Elisabeth Louise Vigée Le Brun
(Paris, 1755 – *id.*, 1842)

Gabrielle Yolande Claude Martine de Polastron, duchesse de Polignac (1749-1793)

Huile sur toile
H. 92,2 ; l. 73,3 cm
Signé en bas à gauche : *L^e Le Brun 1782*

Provenance : Peint en 1782, le portrait, suivant une tradition que nul document d'archives ne permet aujourd'hui d'entériner, aurait été donné par la reine Marie-Antoinette au maître de poste qui aida la duchesse et ses proches à émigrer vers Bâle dans la nuit du 16 juillet 1789 ; l'œuvre serait ensuite demeurée dans la famille de cet homme jusqu'en 1875, date à laquelle son descendant, n'ayant pas d'héritier, décida de la léguer par testament au duc de Polignac ; entrée en 1998 dans les collections du château de Versailles par dation en paiement de droits de succession.
Bibliographie : Salmon 1998, p. 13-14, repr. ; Salmon 2000, n. p., repr. fig. 1 ; Baillio 2004, p. 150-151, 167, n° 57 ; Salmon 2005a, p. 112, n° 32, repr.

Versailles, musée national des châteaux de Versailles et de Trianon. Inv. MV 8971.

« Madame de Polignac était plus reconnaissante qu'enorgueillie de l'amitié dont elle était l'objet. [...] Tout ce que disait Madame de Polignac était empreint d'un caractère séduisant de vérité. Sa personne était remplie du naturel qui charmait dans ces discours. Elle ne visait pas à l'esprit ; elle n'était pas essentiellement belle, mais un sourire enchanteur, de beaux yeux bruns pleins de bienveillance, je ne sais quelle grâce négligée qui se cachait dans chacun de ses mouvemens, la faisaient remarquer au milieu des plus belles, et sa conversation naïve la faisait écouter de préférence à tous les efforts du bel esprit. Bonne, égale dans son humeur, inaccessible à la jalousie, dépourvue d'ambition, aimant tous ceux qui aimaient son auguste amie, Madame de Polignac a joui de la plus haute faveur sans jamais aucun des défauts des favoris. Ses amis l'ont, il est vrai, poussée plus d'une fois hors de son caractère, et son élévation fut pour eux un moyen de fortune. » Dressé par Mme Campan (1823, I, p. 142), ce portrait avantageux de l'amie de Marie-Antoinette semble répondre à celui peint par Mme Vigée Le Brun en 1782. A plusieurs reprises, la célèbre portraitiste fut appelée à fixer les traits de Gabrielle Yolande Claude Martine de Polastron, duchesse de Polignac. L'effigie au chapeau de paille témoigne non seulement de la beauté du modèle soulignée par l'artiste dans ses mémoires, mais aussi du peu de goût que la jeune femme manifesta pour la parure. Mme Campan déclarait qu'on la voyait presque toujours dans un négligé, recherché seulement par la fraîcheur et le bon goût de ses vêtements (*ibid.*, p. 141). Elisabeth Louise Vigée Le Brun la décrit effectivement vêtue d'une robe flottante de linon ou de mousseline au décolleté enrichi d'une collerette double froncée au moyen d'un ruban bleu ciel. Sa taille est marquée sous la poitrine par une ceinture nouée dans le dos « à la petite fille », suivant la mode du temps. Un châle de taffetas noir bordé de gaze est posé sur ses épaules. Les cheveux, coiffés en « confidents abattus », disparaissent en partie sous un grand chapeau de paille piqué de fleurs et d'une plume dénommée « follette ».
La jeune femme paraît sans ostentation, le teint d'une grande fraîcheur, les dents superbes, le sourire enchanteur, comme étrangère aux projets ambitieux qui permirent à sa famille et à ses amis de s'enrichir et lui valurent cette renommée de cupide intrigante. X. S.

213

Elisabeth Louise Vigée Le Brun

Joseph Hyacinthe François de Paule de Rigaud, comte de Vaudreuil

Huile sur toile
H. 71 ; l. 58 cm

Provenance : Coll. Clermont-Tonnerre ; vente, Paris, hôtel Drouot, 8 avril 1908, lot 15 (avec la provenance Clermont-Tonnerre), repr. ; acquis à cette occasion par l'expert de la vente Georges Sortais pour 6 050 francs (mention de l'achat faite par Helm dans son ouvrage dévolu à Mme Vigée Le Brun paru à Londres en 1915 et par Pierre de Nolhac en 1908).

Collection particulière.

Mme Vigée Le Brun portraitura le comte de Vaudreuil en 1784. Cette année-là, ainsi qu'elle l'indique dans la liste de ses portraits peints avant 1789, elle livra le grand portrait en pied aujourd'hui conservé au musée des Beaux-Arts de Richmond (Virginie), et cinq autre copies. Parmi ces dernières, on comptait au moins deux versions ovales figurant le modèle en buste sans les mains. L'une est aujourd'hui conservée au musée Jacquemart-André à Paris, après avoir été acquise en 1903 par Mme André auprès de l'antiquaire Leroy à Versailles ; l'autre, provenant de l'ancienne collection Clermont-Tonnerre, est ici même présentée. Bien fait de sa personne, spirituel et galant, le « divin Vaudreuil » appartenait à la société des Polignac. L'homme le plus chevaleresque et le plus magnifique de la cour savait parler aux femmes. Il n'en fallut pas plus pour que la rumeur en fît l'un des nombreux amants de la reine. Dans *Le Barbier de Séville* monté sur la scène du théâtre de Trianon, n'avaient-ils pas l'un et l'autre incarné Rosine et Almaviva ? X. S.

215

Joseph Boze

(Martigues, 1745 – Paris, 1826)

Jeanne Louise Henriette Campan, née Genet (1752-1822)

Pastel sur papier bleu marouflé sur toile

H. 80 ; l. 63 cm

Provenance : Le portrait aurait été soit donné par Mme Campan à son amie Mme de La Chapelle, épouse de Charles Gilbert de La Chapelle, commissaire général de la Maison du roi et chef des bureaux de M. de Laporte, ministre de la Liste civile, soit offert par Louis XVIII à son valet de chambre Du Tillet ; les deux hypothèses sont plausibles, car le pastel est demeuré jusqu'à nos jours dans la descendance La Chapelle-Du Tillet ; Aloyse, la fille de M. de La Chapelle, avait épousé Jean-Baptiste Antoine Georgette Du Buisson de La Boulaye, intendant de la Maison du roi sous Louis XVIII et Charles X ; la mère de celui-ci était la fille de M. Du Tillet ; la grand-mère de l'actuel propriétaire, née Edith de La Boulaye, descendait en ligne directe de Charles Gilbert de La Chapelle.

Collection particulière.

214

Ecole française ou suédoise, seconde moitié du XVIIIe siècle

Axel von Fersen (1755-1810)

Huile sur bois

H. 15,8 ; l. 15,6 cm

Provenance : Coll. de Sophie Piper, sœur d'Axel von Fersen, au château de Löfstad, où le portrait est attribué de manière erronée à Adolf Ulrik Wertmüller.
Bibliographie : *La Suède et Paris* 1947, p. 74, n° 263.

Linköping, Ostergotlandslansmuseum, château de Löfstad. Inv. ÖML 1989.

Comme chacun des membres de la société de Marie-Antoinette, Axel von Fersen suscita curiosité, intérêt et critique. Plusieurs contemporains s'exprimèrent à son sujet. Laissons ainsi la parole au comte de Saint-Priest (2006, p. 262-263) : « le comte Fersen, suédois de nation, fixa le cœur de la souveraine. Il en fut remarqué spécialement en 1779, lorsque, se trouvant en France où il était venu servir, il parut à Versailles dans le nouveau costume suédois. La reine l'aperçut et fut frappée de sa beauté. C'était, en effet, alors une figure remarquable. Grand, élancé, parfaitement bien fait, de beaux yeux, le teint mat mais animé, il était fait pour donner dans l'œil d'une femme qui cherchait les impressions vives plus qu'elle ne les redoutait. Son premier écuyer, qui lui donnait la main, dit qu'il s'aperçut au mouvement de la main de la princesse d'une forte émotion à cette première vue. Le comte Fersen ne tarda pas à s'apercevoir de son avantage et il sut en profiter. Mme de Polignac ne contraria point le goût de son amie. Vaudreuil et Besenval combinèrent sans doute pour elle qu'un étranger isolé, peu entreprenant par caractère, leur convenait beaucoup mieux qu'un Français entouré de parents qui enlèverait pour eux toutes les grâces et finirait peut-être chef d'une clique qui les éclipserait tous. La reine fut ainsi encouragée à suivre son penchant et s'y livra sans grande prudence ».

Le mémorialiste ajoutait aussi qu'avec les années, malgré la haine publique, Marie-Antoinette était finalement parvenue à faire agréer par Louis XVI sa liaison avec Fersen. Il précisait (*ibid.*, p. 272) : « en répétant à son époux tous les propos qu'elle apprenait qu'on tenait dans le public sur cette intrigue, elle offrait de cesser de le voir, ce que le roi refusa. Sans doute qu'elle lui insinua que, dans le déchaînement de la malignité contre elle, cet étranger était le seul sur lequel on put compter [...]. En attendant, Fersen se rendait à cheval dans le parc, du côté de Trianon, trois ou quatre fois la semaine ; la reine seule en faisait autant de son côté, et ces rendez-vous causaient un scandale public, malgré la modestie et la retenue du favori qui ne marqua jamais rien à l'extérieur et a été, de tous les amis d'une reine, le plus discret ».

Soulignons qu'Axel von Fersen et Marie-Antoinette avaient tous deux le même âge. **X. S.**

L'œuvre est inédite. On doit sans hésitation l'attribuer à Joseph Boze. En 1786, le portraitiste avait livré un autre portrait de Mme Campan, aujourd'hui conservé à Versailles (MV 5780 ; Salmon 1997, p. 47-49, repr. p. 48). Sur les deux œuvres, la tête est en tout point identique. L'artiste a en revanche modifié la robe de son modèle et dissimulé ses mains dans un manchon de fourrure. Si, pour l'année 1786, le livre de comptes de Boze mentionne bien le « portrait au pastel avec des mains », avec une estimation de 6 000 livres, ainsi que deux miniatures peintes d'après cette œuvre, il ne cite pas l'effigie au manchon. Peut-être faut-il en déduire une date d'exécution plus tardive.

Le 23 juillet de l'année de réalisation du premier pastel, Jeanne Louise Henriette Campan était devenue l'une des deux premières femmes de chambre de la reine, en survivance de la baronne de Missery. Fille de M. Genet, premier commis au ministère des Affaires étrangères, elle avait été nommée lectrice en octobre 1768. Le 11 mai 1774, elle épousait Pierre Dominique François Bertholet-Campan, maître de la Garde-robe de Mme la comtesse d'Artois et officier de la chambre de Madame la dauphine. Mme Campan demeura au service de Marie-Antoinette jusqu'au 11 août 1792, date à laquelle elle ne fut pas autorisée à la suivre au Temple. Elle conserva toujours la confiance de la souveraine. **X. S.**

215

« Souvent le couvert mis à Versailles à 1 heure et demie, [j'ai] vu un quart d'heure après la reine à Trianon et son dîner dans des voitures. Il faut enfin se représenter que la Reine, faisant le chemin à pied en 12 minutes, il n'y a point de rayon de soleil qui ne doive déterminer le concierge à être sur ses gardes » (Verlet 1985, p. 632-633). C'est en ces mots que Bonnefoy du Plan justifiait en 1783 auprès du directeur du Garde-meuble de la Couronne, Thierry de Ville-d'Avray, toute l'importance de sa charge de concierge à Trianon. L'homme comptait assurément parmi les serviteurs les plus proches et les plus zélés de la souveraine. Fils de Pierre Antoine Bonnefoy, garde-meuble ordinaire de la Chambre de la reine et de celle de la dauphine, Pierre Charles succéda à son père dans la même fonction. En 1772, il cumulait déjà les charges de garçon du Garde-meuble du roi, garde-meuble ordinaire en survivance de la Chambre de la reine, valet de chambre tapissier de la feue reine, garde-meuble et valet de la chambre tapissier de la dauphine, et valet de chambre ordinaire du comte de Provence. Quatre ans plus tard, il fut promu responsable du détail du Petit Trianon et en fut nommé concierge. Dès lors, il organisa tout le service intérieur, surveillant la lingerie comme la batterie de cuisine, distribuant aux suisses la consigne, ou veillant à ce que chacun fût correctement placé les jours de spectacle au théâtre de la reine. Attentif au moindre souhait de la souveraine, Bonnefoy du Plan obtint encore en 1784 le détail du Garde-meuble de la reine. Son crédit auprès de Marie-Antoinette s'en trouva toujours plus renforcé. Boze a parfaitement saisi toute l'intelligence du personnage et tout l'orgueil qu'il pouvait tirer de sa position. X. S.

216

Joseph Boze

(Martigues, 1745 – Paris, 1826)

Pierre Charles Bonnefoy du Plan (1732-1824)

Pastel sur papier bleu marouflé sur toile
H. 64,9; l. 54,1 cm
Signé et daté en bas à droite : *Boze p. / 1785*

Provenance : Acquis 200 francs pour le château de Versailles par l'intermédiaire de l'expert parisien Georges Sortais lors du comité du 25 janvier 1894; inscrit sur l'inventaire du cabinet des Dessins du musée du Louvre (RF 1956); entré au château de Versailles le 9 mai 1894.
Bibliographie : Salmon 1997, p. 42-43, n° 3, repr. (avec bibl. détaillée); Fabre 2004, p. 124-126, n° 34, repr.

Versailles, musée national des châteaux de Versailles et de Trianon. Inv. MV 5301 ; inv. dessins 1146.

Se mettre en scène

Vincent Bastien

Après la réalisation du jardin anglo-chinois, puis du jeu de bagues, Marie-Antoinette sollicite son architecte Richard Mique pour la construction d'un petit théâtre. Caché entre une montagne artificielle et les charmilles du jardin français, le bâtiment est construit de 1777 à 1779. La scène exiguë est pourvue de tous les perfectionnements ; la salle destinée à accueillir un petit nombre d'invités et l'avant-scène sont très richement ornées de sculptures et de tentures. Le plafond peint par Jean-Jacques Lagrenée[1] est achevé en juillet 1779.
C'est dans ce théâtre que Marie-Antoinette goûte au plaisir de jouer sur scène avec sa famille et ses amis proches, devant un public choisi parmi lequel figure le roi. La reine chante *Le Devin du village* de Jean-Jacques Rousseau et joue souvent l'un des premiers rôles des dernières pièces à la mode. A l'issue de l'inauguration, le 1er juin 1780, le baron Grimm[2] relate l'événement dans ses écrits : « les spectacles donnés, ces jours passés, dans la jolie salle de Trianon intéressaient bien trop l'honneur du théâtre et la gloire de M. Sedaine pour ne pas nous permettre d'en conserver le souvenir dans nos fastes littéraires. On n'a jamais vu, on ne verra sans doute jamais "le Roi et le Fermier" ni "la Gageure imprévue" joués par de plus augustes acteurs ni devant un auditoire plus imposant et mieux choisi. La reine, à qui aucune grâce n'est étrangère et qui sait les adopter toutes sans perdre jamais celle qui lui est propre, jouait, dans la première pièce le rôle de Jenny ; dans la seconde, celui de la soubrette. Tous les autres rôles étaient remplis par des personnes de la société intime de Leurs Majestés et la famille royale. M. le comte d'Artois a joué le rôle du valet dans la première pièce, et celui d'un garde-chasse dans la seconde. C'est Caillot et Richer qui ont eu l'honneur de former cette illustre troupe. M. le comte de Vaudreuil, le meilleur acteur de société qu'il y ait peut-être à Paris, faisait le rôle de Richard : Mme la duchesse de Guiche[3], dont Horace

Fig. 45
La scène du théâtre de la reine au Petit Trianon

aurait bien pu dire : "Mater pulchra filia pulchrior[4]", celui de la petite Betzi ; Mme la comtesse Diane de Polignac celui de la mère, et le comte d'Adhémar celui du roi. Les mêmes acteurs ont joué depuis sur le même théâtre, sans y avoir admis beaucoup plus de spectateurs, "On ne s'avise jamais de tout, et les Fausses Infidélités", de M. Barthe. »
C'est le début d'une longue série de représentations et de divertissements privés[5], où la reine actrice se plaît à jouer des personnages d'horizons différents. Pour l'opéra-comique ou la comédie, elle est dirigée par les grands noms de la scène parisienne : Joseph Caillot et Louis Augustin Richer[6], Louis Michu[7]. Elle se plaît à donner la réplique devant un public choisi, comme le 27 juin 1784, où elle se produit sur la scène de Trianon devant le comte de Haga[8]. L'été 1785 sera celui des dernières représentations de la reine. Au cours des répétitions de la pièce de Beaumarchais *Le Barbier de Séville*, alors qu'elle interprète Rosine[9], le comte d'Artois incarne Figaro et Vaudreuil endosse le rôle d'Almaviva ; l'insouciance de la jeune fiancée espagnole Rosine est interrompue par plusieurs éléments troublants que révéleront l'affaire du Collier.
Presque intact aujourd'hui, le théâtre du Petit Trianon reste un témoignage unique du goût et de la personnalité de Marie-Antoinette. Après ce scandale, Marie-Antoinette n'aura jamais plus l'occasion d'interpréter la comédie dans son théâtre.

Fig. 46
Vue extérieure du théâtre

Fig. 47
La salle du théâtre

1. *Apollon, les Muses et les Grâces.*
2. Grimm 1880, p. 427-428.
3. La fille de Mme la comtesse Jules de Polignac.
4. Une fille plus charmante encore que sa charmante mère.
5. Desjardin 1885, p. 142-161.
6. Voir note 2.
7. Bachaumont 1783-1789, XVI (1784), p. 29. « 20 octobre [1780]. C'est le Sieur Michu, de la comédie italienne, qui a eu l'honneur de donner des leçons à la reine pour les opéras comiques qu'elle joue spécialement. »
8. Le roi de Suède, Gustave III.
9. France d'Hézecques 1873, p. 241-242.

217
Claude Louis Châtelet
(Paris, 1753 – *id.*, 1795)
Illumination du Belvédère et du rocher du Petit Trianon en 1781 en l'honneur du comte de Provence, frère du roi, ou de l'empereur d'Autriche Joseph II

Huile sur toile
H. 58,5 ; l. 80 cm
Signé et daté en bas à gauche : *CHÂTELET / 1781*

Provenance : Don de Jacques Doucet au musée Carnavalet à Paris en 1900 ; échange avec le musée du château de Versailles en 1949 ; entré au château le 17 février 1950.
Bibliographie : Nolhac 1927, p. 175-176 ; Salmon 2002, p. 228-229, n° 71, repr. p. 144 ; Salmon 2005a, p. 176, n° 67, repr.

Versailles, musée national des châteaux de Versailles et de Trianon. Inv. MV 7796.

A partir de 1775, Marie-Antoinette donna plusieurs fêtes dans les jardins du Petit Trianon. Les lieux se prêtaient admirablement à ces activités éphémères destinées à un cercle de privilégiés. Châtelet s'en fit un précieux témoin. Au cours de l'année 1781, le jardin du Petit Trianon fut illuminé à deux reprises. Le 26 juillet, le pavillon du Belvédère, édifié en 1777 au sommet d'une butte dominant le petit lac artificiel, s'éclaira nuitamment en l'honneur du comte de Provence. Le résultat fut si heureux qu'il décida Marie-Antoinette à renouveler l'attraction au début du mois d'août à l'occasion du séjour à Versailles de son frère l'empereur Joseph II. A l'aide de terrines dissimulées au sein de la végétation et de fagots allumés dans les fossés, les petits monuments répartis dans le jardin anglais ainsi que les massifs d'arbustes et de fleurs prirent des teintes variées. Le tableau de Versailles conserve le souvenir de l'une de ces deux soirées sans qu'il soit malheureusement possible de préciser laquelle. Il appartint peut-être à Mique, qui, à sa mort, possédait quatre vues du jardin anglais peintes par Châtelet. La souveraine avait elle aussi désiré conserver le souvenir de l'une de ces soirées exceptionnelles en plaçant dans son appartement au Petit Trianon le grand tableau en hauteur figurant *Une illumination donnée dans les jardins du Nouveau Trianon au jour d'une fête* peint en 1781 par Hubert Robert. **X. S.**

218
Niklas Lafrensen le Jeune, dit Lavreince
(Stockholm, 1737 – *id.*, 1807)

Fête donnée au Petit Trianon le lundi 21 juin 1784 en l'honneur du roi de Suède Gustave III

Gouache sur papier
H. 30,5 ; l. 37,6 cm

Provenance : En 1785, coll. du roi Gustave III ; en 1894, cité dans la coll. de Karl Dahlgren à Stockholm ; don au musée en 1895 par Karl Dahlgren.
Bibliographie : Desjardins 1885, p. 255-259, 376.

Linköping, Ostergötlandslansmuseum. Inv. B 639.

La fête offerte au Petit Trianon le 21 juin 1784 à Gustave III, lors de son second séjour en France, fut magnifique. Le souverain étranger, qui voyageait alors sous le nom de comte de Haga, s'en était ouvert à son frère. Il lui avait écrit (cité par Desjardins 1885, p. 256-257) : « On a jouée sur le petit théâtre le Dormeur reveillé, par M. de Marmontel, musique de Gretri, avec tous l'appareille [des] ballets de l'opéra, réunis à la comédie ittallienne. La décoration de diamans termina le spectacle. On souppa dans les pavillons du jardin, et après souper, le jardins anglais fut illumminée : c'étoit un enchantement parfait. La Reine avait permis de si prommener aux personnes honnettes qui n'ettoit pas du soupper, et on avoit prévenu qu'il falloit être habillees en blanc, ce qui formoit vraiment le spectacle des Champs Ellisées. La Reine ne voulloit pas ce mettre à table, mais fit les honneurs comme l'auroit pu faire la maîtresse de la maison la plus honnette. Elle parla à tous les Suedois et s'occupa deux avec un soin et une attention extreme. Toutte la famille Royal y ettoit, les charges de la cour, leurs femmes, les capitaines des gardes du corps, les cheffes des autres troupes de la maison du Roi, les ministres et l'ambassadeur de Suède. La pr. de Lambal fut [la] seul des princesses du sang qui y ettoit. La Reine avoit exclu tous les princes, le Roi ayant été mecontent deux pour une tracasserie qu'ils ont fait au prince de Poix, capitaine des gardes du corps de quartier, pour des loges, le jour du grand spectacle de Versailles ».
Bien qu'il fît ce soir-là un peu froid, les divertissements nocturnes furent particulièrement réussis. Aux lampions, on avait ajouté de nombreux transparents figurant des amoncellements de roches, des roseaux, des buissons et des fleurs. Pour entretenir tout au long de la soirée le feu allumé derrière le temple de l'Amour, six mille quatre cents fagots furent brûlés. X. S.

219
Anonyme
Proue du canot de promenade de la reine Marie-Antoinette

1777
Bois peint et doré
H. 1,80; l. 1,68; pr. 0,86 m

Provenance: Elément d'une embarcation de la flottille du Grand Canal à Versailles, attribué au musée national de la Marine en 1894.
Bibliographie: Fennebresque 1899, p. 101-102; Mourot 2001; Mourot 2006.

Paris, musée national de la Marine. Inv. MnM 39 OA 7.1.

Le musée national de la Marine conserve deux éléments d'un élégant canot, proue et poupe, qui aurait été offert à Marie-Antoinette par M. de Calonne, homme d'Etat et homme de cour. La souveraine aimait à se promener sur l'eau et posséda plusieurs chaloupes, gondoles et canots qui faisaient partie de la flottille miniature née sous le règne de Louis XIV. La proue de canot qui est parvenue jusqu'à nous, élégamment ornée d'une sirène et de deux dauphins, témoigne de la richesse de l'ornementation des embarcations en usage à Versailles. Plusieurs d'entre elles furent d'ailleurs décorées par l'ornemaniste Caffieri. Compte tenu des proportions des fragments conservés, il semble que le canot mesurait de 13 à 14 mètres de long sur 3,50 mètres de large. Il était mis en mouvement par dix à douze rameurs et portait à l'arrière une cabine vitrée où la reine pouvait prendre place. Remisé dans un hangar de la « petite Venise » installé près du Grand Canal, il ne fut pas vendu ni détruit sous la Révolution et ses restes fort délabrés furent mis à jour à la fin du XIXe siècle par Pierre de Nolhac, conservateur du musée de Versailles, et transférés au musée de la Marine. **A. M.-P.**

220
Johann Georg Weikert
(Vienne ?, 1745 ou 1743 – *id.*, 1799)
Représentation à Schönbrunn par les archiduchesses d'Autriche du divertissement « Il Parnasso confuso », le 24 janvier 1765

Huile sur toile
H. 2,89; l. 2,085 m
Monogrammé et daté en bas à droite: *W.f. (1) 778.*
Inscriptions identifiant les princesses au bas de chacun des personnages (de gauche à droite):
- *M. l'Archiduchese Josepe.*
- *Madame l'Archiduchese Elisabethe.*
- *Madame l'Archiduchese Amélie.*
- *Madame l'Archiduchese Charlotte.*

Date inscrite au milieu, sous Elisabeth: *L'an 1765*
Inscription sur un rouleau de papier posé entre Marie Josèphe et Marie Élisabeth: *ALL'AUGUSTO GI/USEPPE LA PIU LU/CIDA STELLA DELLA / BAVARA REGGIA*

Versailles, musée national des châteaux de Versailles et de Trianon. Inv. MV 3944.

221

Johann Georg Weikert

(Vienne ?, 1745 ou 1743 – *id.*, 1799)

Représentation à Schönbrunn par les archiducs Ferdinand et Maximilien d'Autriche, et l'archiduchesse Marie-Antoinette du ballet-pantomime « Le Triomphe de l'Amour », le 24 janvier 1765

Huile sur toile
H. 2,86 ; l. 2,11 m

Inscriptions identifiant chaque danseur (de gauche à droite) :
- [...] *L'Archiduc Ferdinand.*
- *Monseigneur l'Archiduc Maximilien.*
- *Madame l'Archiduchese Antoinette.*

A gauche, au milieu, inscriptions nommant chacune des fillettes :
1. Pauline / Auersp[erg]
2. Christine D.lle Auers[perg]
3. Christine / D.lle Clary
4. Thérèse / Clary

A droite, inscriptions nommant chacun des garçonnets (de gauche à droite) :
- *1. Xavier Comte d'Auersperg-*
- *2. Frederique Landgraf de Fürstenberg-*
- *3. Joseph comte de Clary-*
- *4. Wenceslas comte de Clary*

Date inscrite en bas à gauche, sous Ferdinand :
L'An 1765

Provenance : Tableaux commandés en 1778 par Marie-Antoinette pour être placés dans les lambris de la salle à manger du Petit Trianon à Versailles en remplacement de la toile de Gabriel François Doyen figurant *La Pêche* (MV 6189) et de celle de Noël Hallé décrivant *Les Vendanges* (MV 6193) ; selon Marguerite Jallut (1955a, p. 26), cités le 18 août 1792 au Grand Trianon ; installés par Louis-Philippe dans les Galeries Historiques de Versailles ; présentées en 1867 au Petit Trianon à l'initiative de l'impératrice Eugénie, les deux toiles furent ôtées de la salle à manger en 1939.
Bibliographie : Desjardins 1885, p. 163-164 ; Flammermont 1897, p. 7-8 ; Brière-Misme 1968, p. 223-224 ; Boysson 1980, p. 112-114 ; Salmon 2005a, p. 80-84, nos 10, 11.

Versailles, musée national des châteaux de Versailles et de Trianon. Inv. MV 3945.

Quand Marie-Antoinette reçut le Petit Trianon, en 1774, la résidence champêtre comportait un décor créé à l'intention de Louis XV. Dans la grande salle à manger à l'initiative de Charles-Nicolas Cochin, avaient été disposées quatre grandes toiles dont les sujets répondaient à la destination de la pièce. « La Pêche », représentée par Neptune et Amphitrite environnés de nymphes et de tritons présentant aux hommes des poissons, des coquillages et d'autres richesses de leur empire, avait été confiée à Doyen. « La Chasse », symbolisée par Diane partageant son gibier entre ses nymphes et les paysans, avait été peinte par Vien. « La Moisson », réunissant Cérès et Triptolème distribuant du grain, enseignant aux peuples l'art de préparer le blé et présidant aux moissons, était de Lagrenée l'Aîné. Et « La Vendange », figurée par le triomphe de Bacchus et des paysans cultivant le raisin, avait été initialement confiée à Pierre puis à Noël Hallé. A la livraison des œuvres, *La Pêche* et *La Vendange* ne donnèrent pas satisfaction. L'œuvre de Hallé offrait un défaut de fini et des raccourcis désagréables. Celle de Doyen avait déplu à Marie-Antoinette en raison de figures féminines jugées trop lestes.

Afin de répondre au désir de la reine de voir ôter *La Pêche*, l'administration des Bâtiments invita Doyen à reprendre sa composition. Hallé fut quant à lui prié de retravailler sa toile. Après l'abandon de la commande par Doyen, une solution de compromis dut être trouvée afin que la salle à manger puisse être utilisée. La toile de Hallé demeura en place, peut-être après avoir été modifiée, et *La Pêche* de Doyen fut remplacée par la version de *La Vendange* qu'avait peinte Pierre et qui n'avait pas été retenue. La pièce comporta donc à deux reprises le même sujet. Cette solution ne fut certainement pas du goût de la reine. Fin 1777, elle manifestait le désir d'obtenir la copie d'un tableau décrivant les fêtes données à Schönbrunn lors du second mariage de Joseph II en 1765. Le 5 janvier 1778, Marie-Thérèse écrivait à sa fille à ce sujet : « Mercy m'a envoyé une mesure pour un tableau que vous souhaiteriez avoir pour Trianon, c'est l'opéra joué aux noces de l'Empereur. Je me fais le plus grand plaisir du monde de vous servir ; mais il me faut une explication : il y en a deux : l'un l'opéra, l'autre le ballet où cette petite reine [il s'agit de Marie-Antoinette] était avec ses deux frères. Je crois que vous voudriez avoir ce dernier, ou peut-être tous les deux. Vous serez servie ; mais dans ce cas il me faudra encore une mesure pour le second tableau, savoir de quel côté le jour vient, si cela doit être un cadre ou servir de tapisserie, attachée à la muraille. » Le 15 janvier suivant, la reine remerciait sa mère et acceptait les copies des deux œuvres. Le 12 février 1779, les toiles, copiées par Weikert d'après les tableaux originaux de 1765 aujourd'hui conservés à Vienne et attribués à l'atelier de Martin Van Meytens (cat. 32), étaient remises à Marie-Antoinette. Contrairement au désir de la souveraine, ces œuvres ne furent pas substituées dans la grande salle à manger aux deux versions de *La Vendange*, puisque celles-ci étaient encore citées en place au Petit Trianon le 13 avril 1794. Décrivant certaines de ses sœurs et deux de ses frères, les toiles répondaient parfaitement au goût de la souveraine pour les portraits de famille et lui rappelaient les heureux instants de la jeunesse. Les avait-elle fait disposer au Petit Trianon dans une autre pièce ? Nous n'en avons pas l'assurance. Dans ses souvenirs, le comte Félix de France d'Hézecques, page de Louis XVI, cite parmi l'ameublement du petit château « quelques portraits des enfants de Marie-Thérèse » qui « reportaient la reine au sein de sa famille » et « devaient lui inspirer aussi les réflexions les plus sérieuses » puisque « tous ces princes et toutes ces princesse étaient représentés en religieux creusant leurs tombeaux » (1873, p. 240-241). L'auteur faisait-il quelques confusions ? S'agissait-il en fait de la copie réunissant quatre des sœurs de la reine de France dans *Il Parnasso confuso*, et de celle décrivant Ferdinand, Maximilien et Marie-Antoinette interprétant le ballet-pantomime du *Triomphe de l'Amour* ? Nous ne pouvons l'affirmer. Soulignons seulement que, le 18 août 1792, les deux toiles étaient citées au Grand Trianon (Jallut 1955b, p. 26). X. S.

222

Jean-Henri Naderman

(Fribourg, 1734 – Paris, 1799)

Harpe de Marie Antoinette

1774

H. 1,545; l. 0,76 m

Inscription à l'intérieur de la console: *10 novembre 1774*

Provenance: Donnée par Madame Elisabeth à l'une de ses filleules, Mlle de Cambis, qui l'offrit à sa nièce, Mlle de Trémault; don de Mlle de Trémault en 1904.

Bibliographie: *Bulletin de la Société archéologique scientifique et littéraire du Vendômois*, 1904, p. 172; Jallut 1955a, n° 736; Guilbaud 1989, p. 274, n° 164, repr. p. 160.

Vendôme, musée municipal. Inv. 2266.

Livrée par Naderman, « luthier facteur de harpe ordinaire de la reine », l'année de l'accession de Marie-Antoinette au trône, la harpe porte un décor exaltant la jeune souveraine: la colonne sculptée d'un faisceau de lis au naturel supporte un putto soutenant les armes de la reine couronnées – bûchées à la Révolution – surmontées du soleil rhodien, alors que sur la table d'harmonie sont peintes les figures de la Paix et de Minerve. Marie-Antoinette avait reçu à Vienne une éducation musicale soignée, poursuivie à la cour de France: « à cinq heures tous les jours le maître de clavecin ou à chanter jusqu'à six heures », suivant ce qu'écrit la dauphine, le 12 juillet 1770, à sa mère l'impératrice. Dans une lettre du 13 avril 1773, Mercy-Argenteau informe cette dernière que « Madame l'Archiduchesse continue à aimer la musique; elle y fait des progrès, et elle a un goût tout particulier à jouer de la harpe », instrument que lui enseignait le talentueux Philippe Joseph Hinner. Mme Campan, dans ses mémoires, rappellera que « la musique était le talent qui plaisait le plus à la reine », laquelle « était parvenue à déchiffrer à livre ouvert, comme le meilleur professeur », jugement toutefois nuancé par la mémorialiste: « elle ne jouait bien d'aucun instrument » (Campan 1822, I, p. 40).

C'est pinçant les cordes d'une harpe que Marie-Antoinette fut représentée par Jean-Baptiste André Gautier-Dagoty dans la célèbre gouache évoquant une séance de pose de la reine (cf. cat. 187), et une harpe figure sur le portrait final en habit d'apparat, achevé en juillet 1775 par l'artiste (cf. cat. 93). **B. R.**

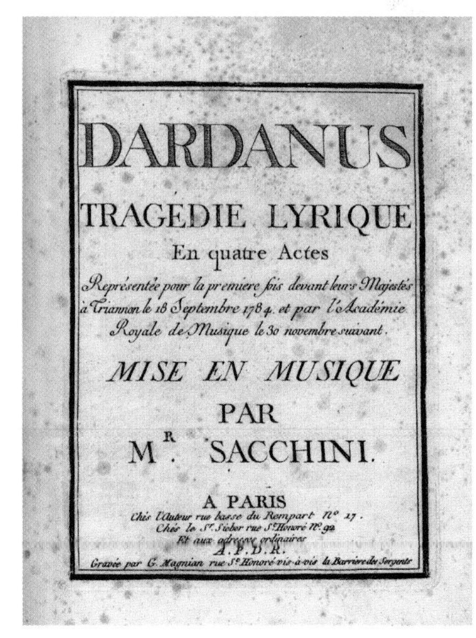

DARDANUS

TRAGÉDIE LYRIQUE

En quatre Actes

Représentée pour la premiere fois devant leurs Majestés à Trianon le 18 Septembre 1784. et par l'Académie Royale de Musique le 30 novembre suivant.

MISE EN MUSIQUE

PAR

M^R. SACCHINI.

A PARIS

Chés l'Auteur rue basse du Rempart N° 17.

Chés le S^r. Sieber rue S^t. Honoré N° 92

Et aux adresses ordinaires

A.P.D.R.

Gravée par G. Magnian rue S^t. Honoré vis-à-vis la Barrière des Sergents

223

Antonio Sacchini

(Florence, 1730 – Paris, 1786)

Dardanus, tragédie lyrique en quatre actes représentée pour la première fois devant Leurs Majestés à Trianon [sic], *le 18 septembre 1784 et à l'Académie royale de musique le 30 novembre suivant.*

Paris, Sieber, [n. d.]

H. 38; l. 28 cm; 269 p.

Reliure en maroquin rouge, plats ornés d'un triple filet d'or, quatre fleurs aux angles; grandes armes de Marie-Antoinette (absent dans Olivier, Hermal et Roton); dos plat, pièce de titre en maroquin vert

Provenance: Coll. Grosseuvre, n° 352.

Versailles, musée national des châteaux de Versailles et de Trianon. Inv. 352.

Antonio Sacchini fut présenté à Marie-Antoinette par Piccinni le 1er août 1781 à Trianon, lors de la représentation de l'*Iphigénie en Tauride* de Gluck, donnée sur le théâtre de la reine en l'honneur de Joseph II alors en visite en France. Sa musique n'était pas inconnue, puisque la Comédie-Italienne avait joué deux de ses œuvres en 1775 et 1777. Gluck ayant quitté Paris en 1779, après l'échec d'*Echo et Narcisse*, c'est sur Sacchini que se porta l'attention de la reine, laquelle, en 1781, obtint que l'Académie royale de musique lui passât commande de trois ouvrages. Après *Renaud* (28 février 1783) et *Chimène* (18 novembre 1783), *Dardanus* fut le troisième ouvrage de cette commande. Le livret, de Nicolas François Guillard, s'inspirait de celui écrit par Charles Antoine Le Clerc de La Bruère pour Jean-Philippe Rameau en 1739.
Créée sur la scène du théâtre de la reine à Trianon devant Louis XVI et Marie-Antoinette le 18 septembre 1784, l'œuvre accusait de nombreuses faiblesses dramatiques. Après quelques remaniements, *Dardanus* fut joué à l'opéra le 30 novembre suivant en présence des comtes de Provence et d'Artois, sans obtenir le succès escompté, et quitta l'affiche après six représentations. Réduit à trois actes, il fut redonné à Fontainebleau à l'automne 1785, rencontrant cette fois un franc et durable succès. **R. M.**

224

Canapé et deux tabourets (d'une série de quatre)

Paris, vers 1775-1780
Noyer et peuplier, soie, métal
H. canapé 115 ; l. 133 ; pr. 53 cm
H. tabouret 40 ; diam. 37 cm
Marque circulaire au fer sous le châssis du canapé et à l'encre sous les toiles des tabourets :
GARDE MEUBLE DE LA REINE / MA
Cachet de cire : *H.Z.A. FRANKFURT A/M.10*

Provenance : Coll. William F. B. Massey-Mainwaring, Londres ; sa vente, Christie's, Londres, 16 mars 1907 (?) ; don Georges Heine, 1929.
Bibliographie : Dilke 1901, p. 2, note 2 ; Jallut 1955a, n° 742 ; Souchal 1962, p. 114-115, fig. 90.

Paris, musée des Arts décoratifs. Inv. 26793 A, B1 et 2.

Une tradition ancienne voulait que ce mobilier provînt du cabinet turc de Marie-Antoinette à Fontainebleau. La qualité assez sommaire de la sculpture, qui privilégie les effets plus que le souci du détail, exclut qu'il s'agisse d'un mobilier pour un appartement de la souveraine. Une autre origine avait été suggérée lors de l'exposition de 1955, la « Maison chinoise au dessus du billard » au hameau de Trianon où avaient été installées sept figures de cire représentant les envoyés de Tipoo Saïb et leur suite, en juillet 1788.
Il doit plus vraisemblablement s'agir d'un mobilier de scène exécuté pour le théâtre du Petit Trianon, construit par Mique en 1780, ou distrait des magasins des Menus-Plaisirs et attribué au Garde-meuble de la reine.
Son aspect général évoque un Orient de fantaisie, proche des modèles de turquerie alors à la mode, notamment dans la forme des piètements découpés à la manière d'un lambrequin. Un arc d'où pendent une dépouille d'ocelot et un carquois forment les accotoirs du canapé. Le dessin des carquois comme le velours brodé de fils et sequins de métal, inspirés de l'art ottoman, ne laissent pas de doute sur le caractère recherché de ce mobilier, et le raffinement de cette partie sculptée et brodée marque tout le soin apporté alors aux accessoires de théâtre, en particulier pour le service de la reine.
Doit-on rapprocher ce mobilier de la tragédie de Chamfort, *Mustapha et Zéangir*, présentée à Fontainebleau lors du séjour de la cour en novembre 1776 et qui « obtint le plus grand succès » (Campan 1822, I, p. 153), notamment auprès de la reine, qui gratifia l'auteur d'une pension ? Ou ce mobilier fut-il créé pour accompagner l'extraordinaire décor de diamants peint par Sageret pour la représentation à Marly de *Zémir et Azor*, en mai 1779 ? Cet opéra comique de Marmontel et Grétry, créé à Fontainebleau en 1771, fut finalement repris le 6 juin 1782 sur la scène de Trianon, où l'on avait remonté le décor de Marly (Castellucio 1992 [1993], p. 100). C'est à cette occasion que le vit la baronne d'Oberkirch : « il y a une décoration de diamants dont l'éclat éblouit les yeux ». On y avait vraisemblablement également transporté le mobilier de scène. **B. R.**

Le scandale : l'affaire du Collier

Vincent Bastien

Une abondante littérature accompagne l'affaire du Collier[1]. L'escroquerie eut un énorme retentissement en raison des personnalités qui y furent impliquées. Jeanne de Saint-Rémy de Valois (1756-1791), descendante en ligne directe d'un bâtard de Henri II, avait épousé en 1780 Marc Antoine Nicolas, comte de La Motte et officier de gendarmerie. Dès 1784, avec des complices, elle projeta d'obtenir le fameux collier de diamants, pesant plus de 2 800 carats, créé par les joailliers parisiens Charles Auguste Boehmer et Paul Bassenge.

Mme de La Motte proposa alors au cardinal Louis René Edouard de Rohan-Guéméné (1734-1803), prince évêque de Strasbourg, d'entrer dans les bonnes grâces de Marie-Antoinette en avançant de l'argent pour acheter le bijou. En effet, le cardinal avait été un ambassadeur peu apprécié à la cour viennoise de 1772 à 1774, et la souveraine avait constamment marqué ses distances envers lui. La comtesse signa alors de faux billets de la reine et engagea une jeune femme, Mlle Le Guay d'Oliva, afin de duper le cardinal. Le 11 août 1784, à la nuit tombée, l'actrice joua le rôle de la reine dans les bosquets de Versailles. Le 1er février 1785, le cardinal, convaincu d'être rentré en faveur auprès de Marie-Antoinette, acheta le collier aux joailliers. Sans plus attendre, les complices de ce piège démontèrent la parure et écoulèrent les pierres. Le cardinal s'étonna alors qu'aucun changement n'intervienne à son égard.

La famille royale découvrit une partie de la vérité quand Boehmer adressa, le 12 août 1785, un mémoire à la reine. Convoqué, le cardinal expliqua avoir acheté le collier à la demande de Marie-Antoinette. Il fut arrêté le 15 août à Versailles et conduit le lendemain à la Bastille. Louis XVI confia le jugement au parlement de Paris. Après délibération, le 31 mai 1786, le prince de Rohan fut déchargé de toute accusation. Condamnée à la détention perpétuelle à la Salpêtrière et marquée du « V » de voleuse, Mme de La Motte devait s'évader pour rejoindre son époux en Angleterre. Lors du procès de la reine, des questions relatives à cette affaire lui furent encore posées.

Ce scandale affaiblit à jamais Marie-Antoinette et la monarchie.

1. Campan 1823, II, chap. XII, p. 1-26 ; Beugnot 1866, I, p. 5-44 et 45-102.

225
D'après Charles Auguste Boehmer
(Dresde, vers 1740 – Stuttgart, 1794)
et Paul Bassenge
(Actif au XVIIIe siècle)
Le Collier de la reine

Paris, vers 1785
Gravure à l'eau-forte sur papier
H. 50,7 ; l. 39,6 cm (pour la feuille)
La lettre indique en bas : *Représentation exacte du grand Collier en Brillants des Srs Boëhmer et Bassenge / Gravé d'après la grandeur des Diamans.*

Provenance : Coll. Henri Grosseuvre ; acquise à l'amiable par le château de Versailles avant la vente de la coll. organisée à l'hôtel Drouot, Paris, du 16 au 18 avril 1934 (partie du lot 544).
Bibliographie : Bastien 2007, p. 199.

Versailles, musée national des châteaux de Versailles et de Trianon. Inv. grav. 1455.

La gravure représente l'extraordinaire collier exécuté par les joailliers parisiens Boehmer et Bassenge à l'extrême fin du règne de Louis XV. Spécialisés dans le commerce des bijoux et pierreries, leur clientèle comptait la cour versaillaise et les plus grands souverains étrangers. Pour ce collier conçu comme un chef-d'œuvre, les joailliers réunirent pendant plusieurs années des perles et cinq cent quarante diamants d'une qualité incomparable taillés en brillants ou en poires. Cette parure composée de deux éléments se nouait par un ruban à l'arrière du cou. La partie supérieure, constituée d'un ras-du-cou tombant en chute, est enrichie de plusieurs pendants, dont un plus important au centre, composé d'un diamant poire bordé de perles et couronné par trois brillants. Le second collier, porté sur le décolleté et les épaules en contrepoids, comprend deux rangs de diamants séparés par un rang de perles. Croisé au centre par un important brillant, il est terminé aux extrémités par quatre glands stylisés en perles et diamants, inspirés de modèles en passementerie.
Les joailliers envisageaient que Louis XV pût offrir cet ultime présent à la comtesse Du Barry, mais le prix trop élevé demandé – 1 600 000 livres – n'attira aucun monarque ou grand seigneur. Lors de la naissance de Madame Royale en 1778, Louis XVI pensa offrir ce collier à la reine, mais Marie-Antoinette, en dépit d'un amour immodéré pour les bijoux, s'opposa à cette acquisition onéreuse. En revanche, elle s'endetta bientôt auprès des joailliers pour plusieurs pièces, dont une importante paire de bracelets pour laquelle le roi s'acquitta de la dette correspondante sur plusieurs années. Au terme du remboursement, Boehmer présenta de nouveau le collier à la reine, qui déclina l'offre une nouvelle fois.
C'est alors que Mme de La Motte s'adressa aux joailliers et les informa que la reine souhaitait acquérir cette parure par un intermédiaire, le cardinal de Rohan. Il s'ensuivit l'un des plus importants esclandres de l'histoire : l'affaire du Collier.
Cette représentation gravée du collier permet d'imaginer l'éclat de ces joyaux de deux mille huit cent quarante-deux carats. Elle servit de modèle pour l'exécution de la réplique de ce célèbre bijou avec des pierres semi-précieuses taillées à l'ancienne (tour de cou : cent quarante pièces ; guirlandes : cinq cent trente-cinq pièces), suivant l'idée émise par Alain Decaux en 1960. **V. B.**

226
D'après Charles Auguste Boehmer
et Paul Bassenge
Réplique du collier de la reine

Paris, XXe siècle
Saphirs blancs, perles, monture en argent
Petit collier, tour de cou : H. 16 ; L. 24 cm ; grand collier, guirlandes : H. 38 ; L. 104 cm

Provenance : Don de Mme Paulette Laubie, maison Burma, Paris, au musée du château de Versailles en 1963.
Bibliographie : Compardon 1863 ; Hans 2002, n° 87, p. 161, 232.

Versailles, musée national des châteaux de Versailles et de Trianon. Inv. V 3925.

227

Ferdinand Schwerdfeger

(Allemagne, 1734–1818)
Maître en 1786

« Coffre aux diamants » de Marie-Antoinette

Paris, 1787
Bâti en chêne, acajou massif et placage d'acajou ; nacre, peintures sous verre, ivoire, porcelaine dure de Sèvres ; bronze doré et argenté, fer ; marbre vert de mer
H. 2,63 ; l. 2,072 ; pr. 0,65 m

Provenance : Intégré aux coll. de la Couronne, à Saint-Cloud en 1807, à Compiègne en 1811, aux Tuileries sous la Restauration, appartement de la duchesse d'Angoulême ; au musée des Souverains ; puis déposé au Petit Trianon en 1867 ; transféré au château, chambre de la reine, en 1933.
Bibliographie : Barbet de Jouy 1866, p. 186, n° 144 ; Lescure 1867, n° 24 ; cat. exp. Paris, 1882, n° 183 ; cat. exp. Paris, 1900 ; Molinier [1902], p. 211 ; Calmettes 1913, p. 463 ; Salverte 1923, p. 293, pl. LXI ; Jallut 1955a, n° 740 ; Frégnac-Meuvret 1963, p. 320-321 ; Baulez 1981, p. 28 ; Pradère 1989, p. 420-421 ; Baulez 1990a, p. 57-59 ; Baulez, cat. exp. Versailles, 2001a, p. 281, fig. 4 ; Meyer 2002, n° 70, p. 268-273.

Versailles, musée national des châteaux de Versailles et de Trianon. Inv. V 14266

Bien que destiné à remplacer un meuble officiel offert à l'occasion du mariage, ce coffre à bijoux fut commandé et payé par la reine, et son élaboration échappa totalement aux services du Garde-meuble royal. C'est en effet Bonnefoy du Plan qui fut chargé de cette commande, comme le rappelle Mme Campan dans ses mémoires : « C'est lui qui a fait dessiner et exécuter l'armoire ou espèce de secrétaire destiné à serrer les bijoux de la reine » (1822, I, p. 304).
Perpétuant la tradition des grands cabinets du règne de Louis XIV, Dugourc a conçu un meuble particulièrement riche de goût arabesque ouvrant à trois vantaux. Les quatre grandes figures de bronze doré représentant les Saisons furent modelées par Boizot, comme celles de la Force encadrée de la Sagesse et de l'Abondance, assises sur une nuée argentée au sommet du meuble, qui portaient la couronne royale détruite à la Révolution. Les bronzes furent fondus par Martaincourt, bronzier de la Couronne, leur ciselure assurée par Thomire, et leur dorure par Mellet.
A l'exception de la couronne qui le somme, la symbolique royale est absente de ce meuble, consacré à l'exaltation de la France protectrice des arts : aux quatre figures des Saisons répondent les peintures sous verre à décor arabesque de Jean-Jacques Lagrenée le Jeune encadrées de nacre et les bas-reliefs en grisaille peints par Jacques Joseph de Gault (l'un signé et daté 1787) au stylobate : *Offrande à Flore, Sacrifice à Cérès, Triomphe de Bacchus* et *Enlèvement de Proserpine*. Ces scènes encadrent une plaque centrale : *Les Muses présentées à la France par la Renommée*. Enfin, les quatre Eléments, du même artiste, figurent dans les médaillons au sommet des montants. Est-ce pour être en accord avec ce thème des arts que le médaillon central fut remplacé en 1788 par Boizot par *La Peinture, la Sculpture et l'Architecture protégées par la Renommée et couronnées par le Génie de la France* ?
La part qui revint à la manufacture de Sèvres dans l'ornementation du meuble ne doit pas être négligée : outre le médaillon à la manière de Wedgwood situé au centre de la ceinture, les tablettes d'entretoise supportaient « deux vases beau bleu plein » posés sur « 2 plaques idem » livrés par la manufacture le 24 août 1787 (Archives de la manufacture de Sèvres, Vy 10, f° 171 v°, information communiquée par Ch. Baulez). C'est à la lecture de l'inventaire des Tuileries au XIXe siècle, alors que le meuble se trouvait dans la chambre de S. A. R. Madame, que l'on en a la description la plus précise : « vases en porcelaine bleue richement ornés de bronzes ciselés et dorés, figures de femmes ailées à arabesques » (AJ 19/155, inventaire de 1826). Les vases furent brisés lors des événements de juillet 1830.
Le coffre à bijoux était placé dans l'alcôve de la chambre de la reine, et s'y trouvait au moment de la Révolution. La couronne en fut alors retirée et détruite. **B. R.**

Répondre à la critique par l'image

Xavier Salmon

La relation que Marie-Antoinette entretint avec sa propre image, nous l'avons déjà souligné, la conduisit à commander des effigies où elle se dépouillait des attributs de la royauté pour privilégier la ressemblance, critère essentiel à ses yeux de la qualité du portrait, et favoriser des actions plus humaines répondant à son goût pour les loisirs, la mode ou la condition de mère. L'âge de la souveraine, sa méconnaissance de la peinture, comme son désir de se soustraire aux trop grandes astreintes de l'étiquette, l'aidèrent à transgresser certaines règles. Le fit-elle en toute conscience ou non ? La question est passionnante, mais les éléments font défaut pour étayer une réponse solide.

Survenue à l'occasion du Salon de 1783, l'affaire du portrait « en gaulle » peint par Mme Vigée Le Brun (cat. 228) illustre parfaitement le propos. L'œuvre décrivait la reine suivant la dernière mode, vêtue d'une robe en chemise ou en gaulle, la tête couverte d'un grand chapeau de paille piqué de plumes. La robe connaissait alors un immense succès car elle donnait beaucoup plus d'aisance au mouvement. Toutes les grandes dames de la société s'en étaient emparées et Elisabeth Vigée Le Brun avait déjà portraituré plusieurs d'entre elles de la sorte. Marie-Antoinette ne faisait donc pas montre de beaucoup d'originalité. En revanche, en acceptant que son portrait en gaulle paraisse au Salon, elle invitait le public à pénétrer son intimité et elle se désacralisait. Désirait-elle alors tester l'opinion publique ou bien la dimension éminemment privée de l'œuvre lui avait-elle échappé ? Orchestrée ou non, la réaction des visiteurs et de la critique fut unanime. La chemise fut jugée déplacée et il ne fut pas du goût de tous d'être ainsi confrontés à un si auguste personnage amoindri par la trivialité d'un habit d'intérieur.

L'importance de l'image n'avait à cette occasion sûrement pas échappé à la souveraine et à l'administration royale. Aux heures critiques de la calomnie puis de l'affaire du Collier, ce fut à nouveau l'image de Marie-Antoinette que les autorités souhaitèrent mettre en avant en usant du Salon comme lieu de diffusion du message. Face aux attaques répétées, il ne fut plus question de seulement glorifier la reine, mais de présenter la mère. Ni le portrait de Wertmüller (cat. 230) en 1785, ni celui, admirable, de Mme Vigée Le Brun (cat. 232) en 1787, odes aux vertus maternelles, ne réussirent à convaincre. Marie-Antoinette s'était voulue mère, mais trop tard. Son image s'imposait désormais en Madame Déficit.

228
D'après Elisabeth Louise Vigée Le Brun
(Paris, 1755 – *id.*, 1842)
Marie-Antoinette en chemise ou en gaulle

Huile sur toile
H. 92,7 ; l. 73,1 cm

Provenance : Comte Charles de Damas ; comte Arthur de Voguë ; coll. Saint ; Wildenstein, Paris et New York ; Reinhardt Galleries, New York ; dès 1928, William R. Timken, puis à sa veuve Lillian Guyet Timken ; legs à la National Gallery of Art en 1960.

Washington, National Gallery of Art.
Inv. 1960.6.41 (1593).

228

229
Elisabeth Louise Vigée Le Brun
Marie-Antoinette à la rose

Huile sur toile
H. 113 ; l. 87 cm

Provenance : Anc. coll. de la Couronne ; entré à Versailles sous le règne de Louis-Philippe.
Bibliographie : Salmon 2005b, p. 116-119, repr.

Versailles, musée national des châteaux de Versailles et de Trianon. Inv. MV 3893.

1783 fut pour Mme Vigée Le Brun l'année des premières épreuves. Femme, épouse d'un expert et marchand de tableaux, peu appréciée par Jean-Baptiste Marie Pierre, le Premier peintre du roi, et désirant être reconnue dans le domaine de la peinture d'histoire, l'artiste n'aurait certainement pu être agréée et reçue à l'Académie royale de peinture et de sculpture en une seule séance, le 31 mai, si la reine n'était personnellement intervenue en sa faveur. A son premier Salon, fin août, la portraitiste rendait naturellement hommage à sa protectrice. Parmi les œuvres exposées, outre celles décrivant le comte et la comtesse de Provence, on comptait en effet un portrait de Marie-Antoinette. L'effigie se voulait à la pointe de la mode car la souveraine y portait une robe en chemise faite dans une pièce de mousseline. Cette « gaulle » connaissait depuis le début des années 1780 un très grand succès et avait été adaptée à Paris par la célèbre marchande de modes Rose Bertin. Nombreuses étaient alors les dames de l'aristocratie à la porter. L'accessoire donnait assurément beaucoup plus d'aisance.

Au Salon, les portraits de la reine et de sa belle-sœur, la comtesse de Provence, elle aussi figurée en chemise, cristallisèrent aussitôt les critiques. Dans la *Correspondance littéraire*, on relata combien les visiteurs avaient été choqués de découvrir les deux jeunes femmes dans des tenues aussi inconvenantes. Les *Mémoires secrets* partagèrent un tel avis et imputèrent le choix du costume à la reine. On y lisait (Fort 1999, p. 253) : « Madame Lebrun a exposé trois portraits de la famille royale, ceux de la Reine, de Monsieur, de Madame. Les deux princesses sont en chemise, costume imaginé depuis peu par les femmes. Bien des gens ont trouvé déplacé qu'on offrît en public ces augustes personnages sous un vêtement réservé pour l'intérieur de leur palais ; il est à présumer que l'auteur y a été autorisé et n'aurait pris d'elle-même une pareille liberté. Quoi qu'il en soit, Sa Majesté est très bien ; elle a cet air leste et délibéré, cette aisance qu'elle préfère à la gêne de la représentation, et qui chez elle ne fait point tort à la noblesse de son rôle. Quelques critiques lui trouvent le cou trop élancé, ce serait une petite faute de dessin ; du reste, beaucoup de fraîcheur dans la figure, d'élégance dans le maintien, de naturel dans l'attitude, font aimer ce portrait ; il intéresse même ceux qui, au premier coup d'œil, n'y reconnaîtraient point la Reine. » Le mal était fait. Marie-Antoinette n'éprouvait aucune honte à paraître en chemise. Il s'agissait pour elle d'exprimer son besoin de liberté. Son goût la conduisait à préférer la mode d'inspiration étrangère. Face à l'opinion publique, l'administration royale préféra fléchir. Mme Vigée Le Brun dut ôter le portrait du Salon et le remplaça par une image beaucoup plus consensuelle. Disposant de peu de temps, l'artiste reprit à l'identique le visage et l'attitude de la reine pour son nouveau tableau. Elle se contenta de la représenter au-devant d'un paysage, une rose à la main, mais avec une robe à la française, de couleur gris-bleu dite « suie des cheminées de Londres ». Ainsi la souveraine manifestait-elle son soutien aux soyeux lyonnais. L'œuvre fut aussitôt appréciée. *L'Année littéraire* indiquait ainsi : « On a remarqué que [le portrait] de la Reine, qui avait d'abord été exposé au Salon, était faible de ton et de couleur ; Madame Le Brun en a substitué un autre qui a plus d'effet : les grâces et la ressemblance de cette princesse auguste sont très bien conservés. » On ne sait ce que pensa Marie-Antoinette de toute cette affaire. Tout au plus peut-on souligner que Mme Vigée Le Brun fut appelée à peindre plusieurs versions de chacun des deux portraits, en gaulle, et à la rose. Dans sa liste des tableaux et portraits exécutés avant de quitter la France en 1789, l'artiste répertoriait une effigie de la reine avec un chapeau et trois copies de cette image, sans distinguer les deux versions. Du portrait en gaulle, l'exemplaire de la collection de Hesse-Darmstadt est aujourd'hui le plus célèbre. Il avait été offert par Marie-Antoinette à la princesse Louise Henriette de Hesse et serait l'exemplaire du Salon. Du portrait à la rose, on connaît deux versions autographes, celle du château de Versailles et celle qui fut donnée par la reine à son grand aumônier, Mgr François de Fontanges (1744-1806), évêque de Nancy et primat de Lorraine (*fig. 229 a*). **X. S.**

Fig. 229 a
Elisabeth Louise Vigée Le Brun
Marie-Antoinette à la rose
Exemplaire de Mgr de Fontanges.
Collection particulière

229

230

Eugène Battaille
(Granville, 1817 – *id.*, 1875)
D'après Adolf Ulrik Wertmüller
(Stockholm, 1751 – Etats-Unis, 1811)

Marie-Antoinette, Madame Royale et le dauphin dans les jardins de Trianon

Huile sur toile
H. 2,70; l. 1,94 m
Signé et daté en bas à gauche: *A: Wertmüller. Suedois. / à Paris 1785. / Eug. Battaille imitavit 1868.*

Provenance: Commandé en 1867 par l'impératrice Eugénie, épouse de Napoléon III, pour la salle à manger du Petit Trianon.
Bibliographie: Salmon 2005a, p. 90; Salmon 2005b, p. 120-123, repr. p. 123.

Versailles, musée national des châteaux de Versailles et de Trianon. Inv. MV 5054.

Désormais trop fragile pour voyager, le grand portrait de Marie-Antoinette et ses enfants peint par Wertmüller en 1785 n'a pu être présenté au Grand Palais. Aussi avons-nous décidé d'exposer la copie qu'en peignit Eugène Battaille en 1867-1868 à la demande de l'impératrice Eugénie.
Lorsque Wertmüller reçut la commande du portrait, l'opinion publique ne pouvait être plus défavorable à la reine. Aussi le comte d'Angiviller, directeur des Bâtiments, chercha-t-il à donner une nouvelle image de la souveraine. A la femme perverse et dépensière dont Paris avait forgé le portrait, l'administration royale souhaita opposer une mère aux mœurs irréprochables. Pour peindre cette œuvre, le choix se porta sur Adolf Ulrik Wertmüller. L'artiste avait été reçu à l'Académie royale de peinture et de sculpture le 31 juillet 1784, et, d'origine suédoise, bénéficiait du titre du Premier peintre « en survivance » du roi de Suède. Cette même année 1784, Gustave III avait d'ailleurs rendu visite à Louis XVI et Marie-Antoinette. En faisant appel à l'un de ses talentueux sujets, peut-être avait-on cherché à être agréable à ce monarque étranger si francophile.
L'œuvre devait être montrée au public à l'occasion du Salon de 1785. Wertmüller reçut par conséquent des consignes très précises. Au Salon, la toile monumentale fut exposée à une place d'honneur (n° 119). Elle ne laissa personne indifférent. Les plus courtisans la louèrent. Pour l'auteur de la « Deuxième promenade de Crités au Sallon », « la reine des Français [...] semblait éteindre le feu majestueux de son regard et descendre de son trône pour procurer aux bourgeois de la capitale la satisfaction de la fixer et de lui offrir l'hommage de leur cœur et de leur soumission ». Pour le poète anonyme de l'« Impromptu sur le Sallon », cette reine adorée se trouvait encore embellie par la présence de ses enfants à ses côtés, et de ces traits si chéris, si connus à la France, on pouvait aussi, d'après son cœur, juger la ressemblance. L'auteur des *Mémoires secrets* se fit beaucoup plus insidieux (Fort 1999, p. 301): « Est-il possible qu'un aussi habile homme que Wertmüller, destiné à remplacer le premier peintre du roi de Suède, se connaisse si peu en grâces et en majesté ? On assure que la reine, lorsqu'elle est entrée au Salon, s'est méconnue elle-même, et s'est écriée: "Quoi ! C'est moi, là... ?" D'ailleurs, quel moment a-t-il choisi ? Elle se promène, dit-il, avec Monseigneur le dauphin et Madame, fille du roi, dans le jardin anglais du Petit Trianon, action froide et particulière, n'excitant qu'un intérêt de curiosité. Il fallait, comme l'a observé un critique judicieux, représenter la reine montrant ses enfants à la nation appelant ainsi tous les regards et tous les cœurs et resserrant plus fortement que jamais, par ces gages précieux, l'union entre la France et l'Autriche. » L'abbé Soulavie, dans ses « Réflexions importantes sur les progrès de l'art en France et sur les tableaux exposés au Louvre », partageait un jugement similaire. Pour lui, le portrait d'une reine demandait bien davantage. L'opinion de tous les hommes sur le pouvoir des grâces et de la beauté était tel, même dans les nations où la constitution politique était austère, qu'un artiste qui devait se laisser conduire par le goût général devait ne jamais perdre de vue de rendre ce qui pouvait exciter dans le spectateur l'attachement, le dévouement, le respect. Autant on se plaisait à admirer dans la tête d'un roi la majesté et la bonté, autant on aimait à considérer dans le portrait d'une reine la beauté, les grâces, le sourire enchanteur compatible même avec la majesté d'une grande souveraine. Dans le tableau en pied de Wertmüller, on ne trouvait pas toute la richesse du coloris. Il n'était pas non plus ressemblant. Il fallait ici représenter la reine comme mère des enfants et comme souveraine. Soulavie concédait qu'il était difficile d'associer tous les caractères de majesté, de bonté et d'affabilité. Il y avait certes quelque chose de tout cela dans le portrait, mais il aurait été nécessaire de rendre le tout ensemble et de le bien caractériser. Wertmüller avait échoué et le choix de D'Angiviller s'était donc révélé malheureux. X. S.

231

Adolf Ulrik Wertmüller

(Stockholm, 1751 – Etats-Unis, 1811)

Marie-Thérèse Charlotte, dite Madame Royale, fille de Marie-Antoinette

Huile sur toile
H. 56; l. 46 cm
Signé et daté en haut à gauche: *A:Wertmuller. S. / à Paris 1786.*

Provenance: Coll. de Sophie Piper, sœur d'Axel von Fersen, au château de Löfstad; selon la tradition familiale, le portrait aurait été offert à Fersen par la reine.

Linköping, Ostergotlandslansmuseum, château de Löfstad. Inv. ÖLM 2023.

Les avis de la critique et celui de Marie-Antoinette conduisirent l'administration royale à demander à Wertmüller de retoucher son portrait de 1785. Sans demander de nouvelles séances de pose à la souveraine, le peintre reprit ses pinceaux en 1786.

En juillet, le travail était achevé et l'œuvre livrée à l'ambassadeur de Suède à Paris afin d'être envoyée à Gustave III. Le 18 mai précédent, l'artiste avait reçu un premier acompte de 3 000 livres en paiement du tableau. Le 19 novembre, il percevait les 8 000 livres restantes. Même si elle avait déplu, l'œuvre n'avait donc pas été jugée suffisamment médiocre pour finir dans les magasins de la Surintendance. Non seulement elle avait paru digne d'être offerte à un souverain étranger que l'on souhaitait honorer et avait été payée une somme très importante, mais elle avait aussi inspiré au peintre d'autres portraits. Cette même année 1786, peut-être à la demande de la reine elle-même, Wertmüller avait peint un portrait de Madame Royale en reprenant à l'identique le visage du grand portrait et en revêtant la fillette d'une chemise en déshabillé. Aujourd'hui conservée au château de Löfstad, en Suède, cette œuvre avait peut-être été offerte par la reine à Axel von Fersen avant de passer en possession de Sophie Piper, la sœur du beau Suédois. En 1788, le maître reproduisait cette fois-ci le visage de Marie-Antoinette sur un portrait en buste décrivant la souveraine vêtue d'une jaquette verte à rayures avec une pèlerine, une cravate blanche et un bonnet à la créole *(fig. 231 a)*. De cette effigie, il tirait ensuite plusieurs réductions destinées à certaines personnes de l'entourage de la reine, à l'exemple de Mme Auguié et de sa sœur Mme Campan, ses femmes de chambre. L'existence de tous ces portraits conduit à demeurer prudent au sujet de l'assertion selon laquelle l'échec du grand portrait au Salon de 1785 priva Wertmüller de commandes pendant deux longues années. X. S.

Fig. 231 a
Adolf Ulrik Wertmüller
Marie-Antoinette
1788
Versailles, musée national des châteaux de Versailles et de Trianon. Inv. MV 8211

232

Elisabeth Louise Vigée Le Brun

(Paris, 1755 – *id.*, 1842)

Marie-Antoinette et ses enfants

Huile sur toile

H. 2,75; l. 2,15 m

Signé et daté en bas à gauche: *L. Vigée Le Brun 1787*

Provenance: Commandé en septembre 1785 par la direction des Bâtiments du roi; exposé au Salon de 1787 (n° 97); exposé au château de Versailles dans le salon de Mars jusqu'en juin 1789, mois du décès du dauphin; envoyé à cette date en magasin; demeuré dans les coll. nationales pendant la Révolution; affecté au musée de Versailles à l'époque de Louis-Philippe.
Bibliographie: Baillio 1981a; Baillio 1981b; Salmon 2005b, p. 124-134, repr.

Versailles, musée national des châteaux de Versailles et de Trianon. Inv. MV 4520.

Malgré l'échec du grand portrait de Wertmüller (voir cat. 230), D'Angiviller n'avait pas renoncé à présenter au public une image de Marie-Antoinette la glorifiant dans son rôle de mère. En septembre 1785, une nouvelle commande fut ainsi passée à Mme Vigée Le Brun. La somme colossale de 18 000 livres lui avait été promise, mais elle devait se plier à certaines consignes. L'œuvre serait monumentale. Elle représenterait la souveraine, dans son intérieur, avec ses enfants, afin de témoigner de la pérennité de la Couronne et d'illustrer l'idéal de vertu domestique. L'élaboration de la toile ne fut pas sans hésitation. La portraitiste ne savait pas comment mettre en place sa composition. Elle rechercha les conseils de Jacques Louis David, qui l'invita à adapter certaines des Saintes Familles de Raphaël. Après avoir soumis une esquisse préparatoire, Elisabeth Vigée Le Brun s'attacha à peindre des études des visages et, en juillet 1786, obtint du Garde-meuble royal les accessoires nécessaires à sa composition.

Le 25 août 1787, les portes du Salon s'ouvraient, mais le portrait n'était pas exposé. L'affaire du Collier avait définitivement ruiné la réputation de Marie-Antoinette et Paris avait placé la souveraine au pilori. Mme Vigée Le Brun en était particulièrement inquiète et n'avait pas osé envoyer la toile. L'espace d'honneur laissé ainsi vacant dans l'exposition fit le plus mauvais effet. Il inspira le célèbre quolibet: « Voilà le Déficit! » L'artiste fut aussitôt sommée de présenter le tableau. Elle s'exécuta. Chacun put alors juger. La critique donnée à cette occasion dans les *Mémoires secrets* permet parfaitement de mesurer combien le message voulu par D'Angiviller ne fut pas compris. On y lisait (Fort 1999, p. 317-321):

« je cherchai le tableau de la Reine que beaucoup d'amateurs avaient vu chez Madame Lebrun et qu'ils prônaient singulièrement... Je ne trouvai que la place; j'en demandai la raison à M. Amédée Vanloo, l'ordonnateur du Salon. Il me dit que le tableau n'était pas achevé; d'autres peintres, plus véridiques, m'assurèrent qu'il était très fini, mais qu'on n'avait osé l'exposer, les premiers jours, de peur des outrages d'une populace effrénée. Quoi! M'écriai-je la Reine, cette souveraine enchanteresse, naguère l'idole des Français, qui ne se montrait point au spectacle, dans les rues, dans son palais, sans ces applaudissements tumultueux, indices de la satisfaction générale? Quoi! la Reine se serait aliéné les cœurs à ce point!... Au point, me répond-on, que son auguste époux lui a conseillé de ne point venir à Paris, où sa propre personne ne serait peut-être pas respectée. [...]

« Abîmé dans mes réflexions, je ne m'étais nullement aperçu d'un mouvement extraordinaire qui s'était passé dans le Salon et tout à coup se présenta, comme par un coup de baguette, devant moi le portrait de la Reine que je cherchais. On s'était déterminé à l'exposer enfin pour faire cesser des soupçons vraiment offensants, des bruits plus dangereux que les injures imaginaires qu'on redoutait.

« A l'instant il fut entouré de la foule. Mais ce tableau étant d'une grandeur qui exige un certain point de vue éloigné, je ne fus que mieux en état de le considérer à l'aise. La Reine y est représentée en pied, de grandeur naturelle, mais assise; elle tient sur ses genoux le duc de Normandie; à sa droite est Madame Royale penchée légèrement sur elle et la caressant; à sa gauche et à une certaine distance se voit le Dauphin: d'une main il entrouvre les rideaux d'une barcelonnette vide, qu'on suppose d'abord être celle du plus jeune prince. Cette composition est simple, facile, bien groupée, mais il en résulte une critique très juste et qui n'échappe à aucun observateur un peu réfléchissant. C'est que les airs de têtes ne répondent en rien à la situation: la Reine, soucieuse, distraite, semble plutôt éprouver de l'affliction que la joie expansive

d'une mère qui se complaît au milieu de ses enfants. L'air sérieux de sa fille fait supposer que déjà dans un âge susceptible de participer aux chagrins de sa mère, elle cherche à la consoler par sa tendresse affectueuse. Le duc de Normandie, loin d'avoir l'expression d'un enfant, en pareille position [...] ne montre aucune gaieté; on le juge triste, sinon par réflexion, au moins par sympathie. Enfin le geste du Dauphin est un hors d'œuvre qui l'isole de cette scène intéressante.

« Elle le devient bien davantage et tout s'explique au contraire par une supposition peut-être plus ingénieuse que vraie, c'est que le tableau a été commandé au moment où la Reine venait de perdre la princesse nouvellement née [Sophie Hélène Béatrix, née le 9 juillet 1786 et morte le 19 juin 1787], dont il s'agissait de perpétuer le souvenir. Son absence ou plutôt sa mort est caractérisée par le vide du berceau que montre à regret le Dauphin, lié par là naturellement à l'action: l'atteinte de la douleur généralement répandue sur toutes ces physionomies n'est plus un contresens et elle se gradue convenablement suivant les personnages. D'autres amateurs d'anecdotes plus instruits assurent que [dans] le tableau imaginé du vivant de la jeune princesse, elle était représentée endormie dans le berceau et le Dauphin, le doigt sur la bouche, semblait craindre qu'on ne troublât son sommeil, mais que, le motif de cet épisode n'existant plus, l'artiste, en supprimant l'enfant, avait conservé la couchette et changé seulement l'action du bras gauche dans M. le Dauphin.

« Cette troisième explication ne sert qu'à rendre plus sensible le défaut reproché ci-dessus, surtout de la part de la Reine, qui aurait dû non seulement faire briller la joie dans ses regards, mais les porter vers la jeune princesse, par sa faiblesse attirant plus particulièrement ses soins maternels.

« Malheureusement pour Madame Lebrun, il s'ensuit que la seule bonne idée est purement romanesque. En effet, si son intention eût été telle, elle n'aurait pas manqué de la développer dans le livret; au surplus, il restera toujours une équivoque fâcheuse sur cette couchette, qui lui donnera l'air d'une énigme et la clarté essentielle dans tout ouvrage l'est surtout dans une composition pittoresque. Un autre reproche que j'entends faire à Madame Lebrun, qui n'est pas si généralement senti, mais non moins fondé, c'est d'avoir donné à la Reine un éclat, une fraîcheur, une pureté que ne peuvent conserver les chairs d'une femme de trente ans. Sa carnation éclipse celle de Madame, un peu dans l'ombre, il est vrai, celle du Dauphin supposé éloigné, mais celle même du duc de Normandie, personnage saillant avec elle et qui ne devrait être qu'un assemblage de lis et de rose.

« Au surplus, monsieur, ce défaut est un beau défaut et vous indique sur quel haut ton de couleur est monté le tableau: il est dans les vêtements, dans les meubles, dans l'architecture d'une magnificence rare, proportionnée au sujet.

« Dans le cas où Madame Lebrun n'aurait pas eu, en composant cette grande scène de famille, l'intention détournée qu'on lui prête pour la justifier, ce qui la rendrait vraiment coupable, c'est qu'elle connaît parfaitement toute l'expression de la tendresse maternelle en semblable circonstance et qu'elle en offre une preuve dans son propre tableau, où elle s'est peinte tenant sa fille dans ses bras. La sérénité repose sur son front, la joie brille en ses yeux: elle triomphe de porter un si précieux fardeau et rend à son enfant tous les sourires qu'elle en reçoit. Une mignardise que réprouvent également et les artistes et les amateurs et les gens de goût, dont il n'y a point d'exemple chez les anciens, c'est qu'en riant elle montre les dents. Cette affectation est surtout déplacée dans une mère: elle ne compasse point de la sorte ses mouvements et se livre sans mesure à tout l'excès de son tendre enthousiasme. »

L'anecdote l'avait donc emporté au détriment du sens profond. On s'était avant tout interrogé sur l'absence de la petite Sophie dans le berceau – absence réelle et non pas liée à une modification de la composition puisque la récente radiographie de la toile n'a révélé aucune présence dissimulée – et sur l'aspect soucieux et distrait de la souveraine. Marie-Antoinette n'était pas parvenue à s'imposer en moderne Cornélia, mère des Gracques. Elle n'était pas devenue cette antique héroïne qui, à la requête d'une dame demandant à voir ses bijoux, avait présenté ses propres enfants dont l'affection était sa seule vraie richesse. Inscrit à droite de la composition, le serre-bijoux de Bélanger et Gouthière était demeuré un simple accessoire. Ni l'ombre dans laquelle il était plongé ni la lumière qui auréolait les enfants n'avaient suscité de commentaires. D'Angiviller échouait encore. **X. S.**

233
Adélaïde Labille-Guiard
(Paris, 1749 – *id.*, 1803)

Madame Adélaïde, fille de Louis XV

Huile sur toile
H. 2,71 ; l. 1,95 m
Signé et daté en bas à gauche : *Labille F. Guiard 1787.*

Provenance : Exposé au Salon de 1787 (n° 110) ; payé 5 000 livres à l'artiste par Madame Adélaïde ; coll. de Madame Adélaïde ; placé aux Tuileries à la Restauration (arch. Louvre, Z 4, 1814, 1er septembre) ; mis en magasin au musée du Louvre pour la décoration des maisons royales (arch. Louvre, 1 DD 56, 1818, p. 233, n° d'ordre 196) ; déposé au château de Compiègne (arch. Louvre, 1 DD 77, 1824, p. 206, n° 1799) ; envoyé au musée de Versailles le 5 janvier 1835 (arch. Louvre, P 12 reg. Versailles, t. II, f° 62).
Bibliographie : Passez 1973, p. 182-184, n° 79, repr. pl. LXV (avec bibl. détaillée).

Versailles, musée national des châteaux de Versailles et de Trianon. Inv. MV 3958.

L'œuvre fut exposée au Salon de 1787 en pendant du portrait de Mme Vigée Le Brun figurant la reine et ses enfants. Elle n'était pas non plus dépourvue d'un sens politique. Le livret du Salon le soulignait. Certains critiques s'en firent aussi l'écho. Dans les *Mémoires secrets*, on lisait ainsi (Fort 1999, p. 322-323) : « On ne peut point parler de Madame Lebrun sans mettre à côté Madame Guiard, sa digne rivale et nommée premier peintre de Mesdames : cette qualité lui était bien due pour le Portrait de Madame Adélaïde. La princesse est en pied, de grandeur naturelle et son tableau éclipsé au premier coup d'œil par celui de la reine, gagnant à l'examen, est jugé n'être point inférieur, quoiqu'il n'y ait qu'une figure. Sa composition, moins difficile pour le groupe, n'est pas d'une conception moins savante et le rapproche encore plus de l'histoire. Voici le sujet annoncé par l'artiste : "Au bas des portraits en médaillons du feu roi, de la feue reine et du feu dauphin, réunis en un bas-relief imitant le bronze, la princesse, qui est supposée les avoir peints elle-même, vient d'écrire ces mots : *leur image est encore le charme de ma vie*. Sur un ployant est un rouleau de papier, sur lequel est tracé le plan du couvent fondé à Versailles par la feue reine et dont Madame Adélaïde est directrice.

« "Le lieu de la scène est une galerie ornée de bas-reliefs, représentant différents traits de la vie de Louis XV ; le plus apparent en rappelle les dernier moments où, ayant fait retirer les princes à cause du danger de sa maladie, Mesdames entrent malgré toutes les oppositions, en disant *nous ne sommes heureusement que des princesses*. On y aperçoit un autre bas-relief où Louis XV montre au dauphin, son fils, le champ de bataille de Fontenoy, et s'écrie *: voyez ce que coûte une victoire !*" On conçoit qu'un tel sujet exigeait un style austère : il y règne une mélancolie douce qui, loin de repousser le spectateur, l'attire et l'intéresse. La douleur de la princesse est parfaitement bien sentie : elle est debout devant son ouvrage, elle tient son mouchoir de la main gauche, dont elle va essuyer les larmes que lui arrache la réflexion et qu'elle a retenues durant son travail ; elle a dans sa droite encore le crayon dont elle s'est servi.

« Les médaillons réunis se détachent bien, de manière à distinguer les trois figures très ressemblantes : Les étoffes du vêtement de Madame Adélaïde sont sagement conçues et quoique d'une grande vérité, choisies parmi les couleurs les plus tendres et les plus modestes ; tout l'intérieur de l'appartement est fort riche, mais d'une décoration noble, sage et grave. On regrette de ne pouvoir détailler les deux bas-reliefs décrits ci-dessus. Ceux qui les ont vus de près assurent qu'ils ne laissent rien à désirer dans leur genre, qu'on y distingue clairement le sujet et qu'ils sont finis autant que le comporte une esquisse tracée d'un seul trait.

« Ce tableau n'attire pas la multitude comme celui de la reine, mais plaît davantage aux connaisseurs. »

Figure de proue de la « vieille cour », Madame Adélaïde se voulait la garante de l'héritage de Louis XV. Incarnation des valeurs sûres et justes, courage, humanité, dévotion à ce qui avait été accompli par son père, elle glorifiait la lignée des Bourbons, offrant en alternative aux événements la stabilité d'un pouvoir séculaire que le scandale ne pouvait atteindre. X. S.

234

François Dumont

(Lunéville, 1751 – Paris, 1831)

Marie-Antoinette et ses enfants au pied d'un arbre

Miniature sur ivoire
H. 19,5 ; l. 14,3 cm
Signé dans l'angle inférieur gauche : *Dumont*

Provenance : Coll. David David-Weill ; legs David-Weill au musée du Louvre en 1937 (inv. 1937).
Bibliographie : Jean-Richard 1994, p. 116, n° 184, repr. p. 117 ; Salmon 2005b, p. 136, repr. p. 138.

Paris, musée du Louvre, département des Arts graphiques. Inv. R.F. 28719.

Le carnet de comptes de Dumont mentionne à la date de 1790 : « Rendu le 29 jeanvier un tableau composé pour la Reine où est son Portrait celui de Madame fille du roi et Monseigneur le dauphin Payé 200 louis. » Il y a tout lieu de croire que l'œuvre ainsi sommairement décrite est celle que conserve aujourd'hui le musée du Louvre. Très certainement commandée en 1789, la miniature met en exergue les vertus maternelles de la souveraine. Bien que très affectée par le décès du premier dauphin, Marie-Antoinette paraît en compagnie de Madame Royale et de son second fils, le petit Louis Charles, duc de Normandie. La femme demeure élégante, mais elle s'efface au profit de la mère. Le garçonnet se serre tout contre elle et la protège avec beaucoup de tendresse de ses bras délicatement posés sur sa gorge. La fillette tient la main de celle qui lui donna le jour. Aucun attribut ne laisse deviner la haute condition des modèles. Mais, loin de se limiter à un attachant morceau d'intimité familiale, le petit portrait se veut à nouveau un manifeste de la nature vertueuse et bonne de la souveraine. Madame Royale s'applique en effet à graver sur le tronc d'arbre les mots : « Soyez à tous leur mère. » Marie-Antoinette lui soutient la main, s'appropriant ainsi la formule. Pendant miniaturisé du portrait de la reine et ses enfants peint par Vigée Le Brun en 1787, l'œuvre de Dumont n'était certes pas destinée à être vue par la foule, mais elle témoigne encore à nos yeux de cet état d'esprit qui devait être celui de la reine avant que l'Histoire ne se déchaîne. X. S.

L’agent de l’Autriche

Xavier Salmon

Conçue par Choiseul et Marie-Thérèse, l’union du dauphin de France et de Marie-Antoinette scellait une alliance politique. Placée au cœur de la cour de France, la petite archiduchesse devait assurer par son comportement exemplaire la pérennité de ces nouveaux liens tissés entre deux nations longtemps ennemies. La mission n’était pas facile et appelait à composer avec le parti piémontais ou à déjouer ses pièges. Les premières années, à la requête de sa mère et de l’ambassadeur Mercy-Argenteau, l’enfant fut invitée à prendre position afin de pouvoir influer d’une façon de plus en plus décisive dans les sujets les plus sérieux. Pour coopérer et entretenir l’union des deux cours, il lui fallait captiver Louis XV et ménager la favorite, Mme Du Barry, ainsi que les ministres. Pleine de bonne volonté, Marie-Antoinette ne trouvait cependant aucun plaisir dans cet exercice ardu nécessitant constance et persévérance. Marie-Thérèse en avait rapidement pris conscience. Le 31 août 1773, elle écrivait ainsi à Mercy[1] : « Je vous avoue franchement que je ne souhaite pas que ma fille gagne une influence décidée dans les affaires. Je n’ai que trop appris, par ma propre expérience, quel fardeau accablant est le gouvernement d’une vaste monarchie. De plus, je connais la jeunesse et légèreté de ma fille, jointe à son peu de goût pour l’application, ce qui me ferait d’autant plus craindre pour la réussite dans le gouvernement d’une monarchie aussi délabrée que l’est à présent celle de France ; et si ma fille ne pouvait la relever, ou que l’état de cette monarchie venait encore empirer de plus en plus, j’aimerais mieux qu’on en inculpât quelque ministre que ma fille. Je ne saurais donc me résoudre à lui parler politique et affaire d’État, à moins que vous ne le trouviez à propos et que vous ne me marquiez même nommément ce que je devrais lui en écrire. »

L’ambassadeur s’appliqua dès lors à faire part à l’impératrice des consignes qui devaient être communiquées à Marie-Antoinette pour le bien de l’Autriche. Il s’attacha aussi à responsabiliser la dauphine. Le 19 janvier 1774, il s’en expliquait de la sorte[2] : « J’ai fait voir à Mme l’archiduchesse qu’en gagnant plus de crédit et de pouvoir, il faut que l’un et l’autre soient étayés par des connaissances acquises qui leur sont indispensables pour opérer le bien. Il faut en connaître la nature ainsi que les moyens de l’effectuer. Si le roi ou M. le dauphin parlent à Mme l’archiduchesse d’une affaire sérieuse, il faut qu’elle se trouve en état de donner une réponse juste et éclairée. Son jugement, son esprit naturel lui donneront toutes sortes de facilités à cet égard ; il ne s’agit que d’un peu d’instruction sur le fond des choses. C’est aussi ce que je tâche de mettre sous les yeux de S.A.R., soit en matières politiques, soit en objets de gouvernement ou sur le personnel des gens de ce pays-ci. »

Marie-Antoinette devenue reine de France, ni Marie-Thérèse ni son ambassadeur ne changèrent de stratégie. Il fallait initier la jeune souveraine à l’art délicat de la politique, mais avec circonspection et en choisissant avec soin les sujets.

Invitée à plusieurs reprises par sa mère à employer tout son zèle et toute sa dextérité pour le maintien de l’alliance de la France et de l’Autriche, mais sans y mettre trop de feu afin de ne pas se rendre importune au roi, suspecte aux ministres et odieuse à la nation, Marie-Antoinette prit avec les années plus d’assurance. Jugée modérée par l’Autriche, son implication politique n’en fut pas moins perçue par certains comme toujours trop inféodée aux intérêts des Habsbourg. Dès le début du règne, les reproches et les griefs n’avaient pas manqué.

Pour ses ennemis, la souveraine avait conservé le cœur autrichien. Elle le manifestait par des agréments aussi futiles que les parties de traîneau en hiver, mode qui démontrait sa prédilection pour les habitudes de Vienne[3]. Elle l’affirmait en changeant de manière déplacée les noms français de ses palais pour en substituer d’étrangers, le Petit Trianon devenant le Petit Vienne. Elle en apportait enfin la preuve en soutenant la prétention de son jeune frère Maximilien à ne pas accorder lors de son séjour à

1. Arneth et Geffroy 1874, II, p. 35.
2. *Ibid.*, II, p. 96.
3. Campan 1823, I, p. 110-114.

Versailles sa première visite aux princes du sang. Par tous les moyens on cherchait à répandre l'opinion que Marie-Antoinette regrettait sa terre natale et la préférait à la France.

Aux heures terribles, la souveraine devint une tigresse à la solde de l'Autriche. Tous les maux lui furent alors imputés[4]. Depuis le début de la Révolution, elle avait cherché à faire enlever les subsistances de Paris et de la République afin de soumettre le peuple à ses volontés tyranniques. Elle avait appelé les gardes du corps à se réunir pour assassiner les gardes-françaises. Elle avait passé des sommes immenses à ses beaux-frères pour les armer contre ses bienfaiteurs. Elle avait demandé à son perfide époux de ne pas prêter serment sur l'autel de la patrie, et au traître Bouillé de semer la discorde sur les frontières. Elle avait fait passer des secours au scélérat La Fayette pour qu'il arme contre sa propre patrie. Elle avait gangrené plusieurs membres de l'Assemblée constituante afin de trahir les intérêts d'un peuple dont ils avaient la confiance. Elle avait fait consentir son époux à fuir sur une terre étrangère pour se rallier à ses frères et les faire entrer à main armée contre leur pays. Inexorablement, Marie-Antoinette demeurait « l'Autrichienne ».

4. Lebois [n. d.].

235
Anton von Maron
(Vienne, 1731 – Rome, 1808)
Marie-Thérèse veuve

1773
Huile sur toile
H. 2,87; l. 1,25 m
Signé et daté sur le socle de pierre: *Maron f. 1773*

Provenance: Peint à la demande de l'impératrice Marie-Thérèse; à partir de 1815, encastré au-dessus de la cheminée du salon de marbre du Haut Belvédère.
Bibliographie: Röttgen 1972, p. 43; cat. exp. Vienne 1976, n° 145; Heinz 1979, p. 284; cat. exp. Vienne 1980, n° 33.02; Prohaska 1999, n° 189.

Vienne, Kunsthistorisches Museum, Gemäldegalerie. Inv. 6201 (exposé dans la galerie de portraits illustrant l'histoire de l'Autriche, château d'Ambras près d'Innsbruck).

A partir de 1770, sans doute par l'entremise d'Anton Raphael Mengs dont il était l'élève, le beau-frère et le plus proche collaborateur, Anton von Maron exécuta à Florence des portraits de la famille grand-ducale qui furent envoyés à la cour de Vienne. En 1772, Maron revint quelque temps dans sa ville natale de Vienne, essentielle-

236

ment en vue de préparer une réforme de l'Académie des beaux-arts. Parallèlement, avec son ami le peintre paysagiste Joseph Rosa, nommé directeur de la Galerie de peinture impériale par Marie-Thérèse en 1772, il entreprit un inventaire des tableaux conservés à Vienne et dans les résidences de Prague, Graz, Innsbruck et Presbourg (Bratislava), pour préparer le réaménagement puis le transfert de la galerie dans le Haut Belvédère. Maron commença aussi, à Vienne, à travailler au grand portrait des *Augusti Sovrani* Marie-Thérèse et Joseph II (cat. 236), en exécutant des études de têtes *(sole teste)*. L'étude de tête pour Marie-Thérèse se trouve actuellement dans la collection des ducs d'Albe à Madrid. L'esquisse de composition (Vienne, Kunsthistorisches Museum) fut probablement déjà exécutée à Rome, où Maron peindra en 1773 le grand portrait qui sera ensuite envoyé à Vienne.

Le tableau montre l'impératrice vêtue des habits de deuil qu'elle ne quitta plus après le décès de son époux l'empereur François Ier Étienne en 1765. Elle porte pour unique bijou le *Sternkreuzorden* (« ordre de la Croix étoilée »). Marie-Thérèse désigne le plan posé sur la table, qui montre le château et le parc de Schönbrunn. Le château apparaît sous l'aspect que lui donna l'architecte Nikolaus Pacassi sous le règne de Marie-Thérèse ; le plan présente également le projet de transformation du jardin d'Hohenberg. À l'arrière-plan se dresse une sculpture allégorique en pierre représentant *La Paix par la fermeté*. **K. S.**

236

Anton von Maron

(Vienne, 1731 – Rome, 1808)

L'Empereur Joseph II avec la statue de Mars

1775
Huile sur toile
H. 2,42 ; l. 1,725 m
Signé et daté sur le socle de pierre :
Maron Austr^cus Vienn^sis Pin Romae : 1775

Provenance : Peint à la demande de l'impératrice Marie-Thérèse ; entre 1815 et 1891, encastré au-dessus de la cheminée du salon de marbre du Haut Belvédère.
Bibliographie : Röttgen 1972, p. 35 ; cat. exp. Vienne 1976, n° 148 ; Heinz 1979, p. 284.

Vienne, Kunsthistorisches Museum, Gemäldegalerie. Inv. 6200 (exposé dans la galerie de portraits illustrant l'histoire de l'Autriche, château d'Ambras près d'Innsbruck).

Au cours de son séjour à Vienne en 1772, Anton von Maron commença à travailler à de grands portraits d'apparat de l'impératrice Marie-Thérèse (cat. 235) et de son fils et corégent Joseph II, pour lesquels il exécuta sur place des études de têtes *(sole teste)*. Il ne peignit les tableaux eux-mêmes qu'après son retour à Rome. Le portrait de Marie-Thérèse fut achevé et envoyé à Vienne en 1773, alors que celui de l'empereur subit de tels dommages pendant son transport de Rome à Vienne qu'il en fut quasiment détruit. L'artiste exécuta donc une seconde version, conservée, qu'il termina en 1775 comme l'atteste l'inscription.

L'étude de tête pour ce portrait a disparu, mais une petite esquisse de composition fut proposée sur le marché de l'art allemand en 1986, puis sur le marché anglais en 1999.

Outre l'ordre de la Toison d'or, l'empereur porte l'ordre militaire de Marie-Thérèse sur ruban rouge-blanc-rouge, et l'ordre hongrois de Saint-Étienne sur ruban vert et pourpre. La présence de la sculpture de l'*Ares Ludovisi* et la scène de bataille à l'arrière-plan rendent surtout hommage à Joseph II en sa qualité de capitaine. **K. S.**

237

Louis-Simon Boizot

(Paris, 1743 – *id.*, 1809)

Joseph II, empereur d'Autriche (1741-1790)

Buste en marbre
H. 81 ; l. 56 ; pr. 36 cm
Signé au dos : *Joseph II empereur fait à Paris en 1777 d'après nature par Boizot*

Provenance : Commande de la reine Marie-Antoinette ; présenté au Salon de 1777 (n° 258) ; placée dans l'antichambre du Petit Trianon, l'œuvre fut payée avec son pendant figurant Louis XVI et leurs gaines la somme de 8 000 livres ; cité en magasin à Versailles en 1827, puis transféré au château de Saint-Cloud en mai 1827 ; réinstallé à son emplacement d'origine en 1831.
Bibliographie : Hoog 1993, p. 203, n° 909, repr. ; Picquenard 2001, p. 92, n° 13, repr. p. 91.

Versailles, musée national des châteaux de Versailles et de Trianon. Inv. MV 2150.

237

Superbe morceau où la ressemblance le dispute à la virtuosité dans le traitement du marbre, le buste de Joseph II fut commandé en 1777 par Marie-Antoinette en même temps que celui de Louis XVI (château de Versailles, inv. MV 5789). Les deux œuvres prirent place dans l'antichambre du Petit Trianon. De manière bien naturelle, la reine souhaitait ainsi rendre hommage à son époux et à son frère. D'avril à juillet 1777, sous le pseudonyme de comte de Falkenstein, l'empereur avait rendu visite à sa sœur. Marqué par le sceau de la simplicité, son séjour lui avait permis de prodiguer de très nombreux conseils et de s'alarmer du comportement trop peu responsable de la reine de France. La même année, il lui écrivait : « Je tremble actuellement du bonheur de votre vie, car ainsi à la longue cela ne pourra aller et la révolution sera cruelle si vous ne la préparez » (cité par Zweig 1999, p. 127). **X. S.**

238

Joseph Hauzinger

(1728-1786)

Marie-Antoinette, Louis XVI et l'archiduc Maximilien à Versailles en 1774

1778
Huile sur toile
H. 2,49 ; l. 1,50 m

Provenance : Peint pour orner les appartements de Marie-Thérèse à Schloss Hof ; en 1898, transporté de Schloss Hof au château d'Eckartsau ; jusqu'en 1918, propriété de l'habsburgischer Familienfonds ; repris dans l'inventaire de la Gemäldegalerie de Vienne.
Bibliographie : Barta 2001, p. 105 ; Hanzl-Wachter 2005, n° 5 ; Schütz 2006, n° 63.

Vienne, Kunsthistorisches Museum, Gemäldegalerie. Inv. 8854 (à nouveau exposé, depuis 2005, dans l'appartement « de veuve » de Marie-Thérèse [*Witwenappartement*] à Schloss Hof).

Situé à l'est de Vienne sur la Morava (en allemand, March), à la frontière avec la Hongrie (aujourd'hui avec la Slovaquie), Schloss Hof, qui faisait partie de la succession du prince Eugène, fut acheté en 1755 par Marie-Thérèse pour François Ier. Entré dans les biens privés de Marie-Thérèse et de ses descendants à la mort de l'empereur, le château fut transformé à partir de 1773, surélevé d'un étage et doté d'un nouvel aménagement intérieur. On y installa pour Marie-Thérèse un appartement comprenant quatre pièces principales et trois secondaires. L'une des chambres fut ornée en 1776 de quatre portraits de famille figurant ses fils régnant en Italie, et ses filles mariées avec des Bourbons à Naples et à Parme. En vertu d'un concours organisé à l'Académie des beaux-arts, ces portraits furent exécutés par quatre peintres différents,

dont Joseph Hauzinger, peintre de chambre de la cour impériale et professeur de peinture d'histoire à l'Académie des beaux-arts de Vienne. Deux ans plus tard, Hauzinger reçut commande, pour le salon de réception attenant, de deux autres portraits de groupe représentant les autres enfants de Marie-Thérèse. Sur le premier figure l'empereur Joseph II en compagnie de ses deux sœurs restées célibataires, Marie-Anne et Marie-Élisabeth, tandis que le second montre le plus jeune des enfants de Marie-Thérèse, l'archiduc Maximilien, futur grand-maître de l'Ordre teutonique, prince électeur et archevêque de Cologne, rendant visite à sa sœur Marie-Antoinette et à Louis XVI à Versailles, à l'occasion du voyage qu'il entreprit dans les Pays-Bas autrichiens et en France en 1774.
Il existe pour ce tableau un dessin préparatoire (Vienne, Bildarchiv der Österreichischen Nationalbibliothek) qui témoigne d'un changement d'attitude des protagonistes. **K. S.**

239
Anton Matthias Domanöck
(Vienne, 1713 – *id.*, 1779)
Guéridon à dessus de bois pétrifié

1770
Acier poli, bronze ciselé et doré au mercure
Inscription gravée sur l'un des tiroirs : *An : Domanöck inv. et Fe(1) 770 Viennae Aust.*
Marque au feu *GR* couronnée et extrémités supérieures de la lettre *W* (?) (Garde-meuble privé de la reine avant 1784) ; marque circulaire du Garde-meuble de la Reine (après 1784) : numéro *N°.8.1* à la peinture noire
H. 86,7 ; l. 72,6 ; pr. 55,5 cm

Provenance : Coll. de Marie-Antoinette, ventes révolutionnaires : adjugée au citoyen Grincourt ; coll. Watson Taylor (vente à Erlestoke en 1832) et duc de Normanton (juillet 1925) ; vente Founès, Paris, 27 juin 1935, n° 115 ; legs du comte Niel en 1966.
Bibliographie : Baulez 1978, p. 367, fig. 11-13, p. 368, p. 373 note 93 ; Verlet 1987, p. 236 ; Leben 1995, p. 109 ; Meyer 2002, n° 54, p. 216-217.

Versailles, musée national des châteaux de Versailles et de Trianon. Inv. 4324.

Ce guéridon est constitué d'un plateau de bois pétrifié enchâssé dans une ceinture d'acier. Le plateau repose sur un fût à décor de têtes de bélier et sur un socle tripode à jarret de bélier. La structure en acier est agrémentée d'une parure de bronze ciselé et doré. Ce guéridon appartenait aux collections de Marie-Antoinette. Au revers du plateau, il porte la marque au feu *GR* probablement associée à la lettre *W*, très lacunaire, pour « Versailles ». Cette marque correspond à la marque du Garde-meuble privé de la reine, utilisée avant 1784. On relève également la marque au feu circulaire postérieure du Garde-meuble de la reine.

La table aurait été remise par Domanöck Jeune, fils d'Anton, en décembre 1770 à Marie-Antoinette de la part de sa mère l'impératrice (Baulez 1978, p. 367).
Anton Matthias Domanöck fut le premier directeur de l'Ecole de gravure et d'artisanat sur métal fondée à Vienne en 1767. Son fils fut envoyé en France pour se perfectionner dans la gravure de médailles. Le Metropolitan Museum of Art de New York conserve une série de dessins de tables à mettre directement en relation avec le travail de Domanöck *(ibid.)*. Les meubles en acier ont véritablement fasciné la fin du XVIIIe siècle et il faut voir dans l'acier un matériau d'exception au même titre que le bois pétrifié. Marie-Antoinette s'est enthousiasmée pour ce type de table, véritable objet d'art. On se souvient que le cabinet doré de la reine à Versailles comptait quatre superbes tables aux plateaux de bois pétrifié sur piètement en acier et bronze doré, exécutés d'après des dessins attribués à Gilles Paul Cauvet (Baulez 2001b, p. 37). Dans sa chambre à coucher également à Saint-Cloud étaient disposées deux autres tables de bois pétrifié (arch. Louvre, ms. 37, f° 137, n° 2137). Le roi et la reine possédaient des objets d'art de bois pétrifié superbement montés. **P.-X. H.**

240
Joseph Ignaz Würth
Actif à Vienne, maître orfèvre en 1770
Paire de vases en bois pétrifié

Vienne, 1780
Bois pétrifié, bronze doré
H. 36,8; diam. 16,7 cm
Inscription: *Jos. Würth Fec. Vienna 1780*

Provenance: Salle à manger intérieure du roi; remis au cabinet d'histoire naturelle à Versailles le 9 thermidor an IX (avec socle de granit vert); au XIXe siècle, galerie du Grand Trianon, salon de compagnie du Petit Trianon (inventaire de 1894).
Bibliographie: Baulez 1978, p. 367-369, fig. 15; Verlet 1987, p. 236-237, fig. 261.

Versailles, musée national des châteaux de Versailles et de Trianon. Inv. T 517 C.

Christian Baulez a pu reconstituer l'histoire de ces vases, cadeau de Marie-Thérèse à son gendre Louis XVI. L'impératrice, décédée le 29 novembre 1780, avait légué aux souverains français des objets précieux de ses collections, principalement des boîtes en laque mais également quelques objets de bois pétrifié. Joseph II annonce, dans une lettre datée du 17 février 1781, l'envoi de « 6 ballots qui contiennent le légat en laque et les souvenirs qui en conséquence du testament de feu SM ont été destinés pour la Reine, le Roi et la petite Madame ». A Louis XVI devaient revenir « 2 vases de bois pétrifié avec leurs petites tables », ainsi qu'« un tric trac avec tout ce qui y appartient en laque »; Marie-Antoinette recevait « une garniture de laque composée de 50 pièces en boîtes de différentes grandeurs » (cf. cat. 130-140) et la petite-fille de l'impératrice, Madame Royale, « une boîte à parfiler de bois pétrifier montée en or, un lit chenu en laque et 5 boîtes rondes, une boîte à parfiler quarrée – 2 tasses en laque ».
Les vases reçus par le roi furent placés dans la salle à manger de son appartement intérieur, transformée en un véritable cabinet de collectionneur, alors que les deux petites tables rejoignirent l'ancienne pièce de la vaisselle d'or, autre cabinet de l'appartement où le roi disposait ses collections les plus rares.
Ces vases dont le précieux matériau venait des mines de Hongrie avaient été agrémentés d'une monture de l'orfèvre de la cour, le *Hofsilberjuwelier* Würth, alors qu'il livrait au beau-frère de la reine, le duc Albert de Saxe-Teschen (1738-1822), un service de table également marqué par l'influence du style français.
Ces vases durent plaire car Marie-Antoinette commandait auprès du joaillier Aubert en 1783 deux vases de même matière, en forme d'œuf et de plus grande dimension, agrémentés d'une exceptionnelle monture « en bronze doré d'or mat les anses en serpent entrelacés, culot et plin the en ornements dentelés » dont l'exécution fut confiée au bronzier François Rémond (musée Nissim de Camondo). **B. R.**

241

Manufacture royale de porcelaine de Sèvres

D'après Louis Simon Boizot (Paris, 1743 – *id.*, 1809)

Buste de Marie-Antoinette reine de France

Vers 1774-1775
Biscuit de porcelaine dure
H. 67 ; l. 42 ; pr. 23 cm

Bibliographie : Cat. exp. Vienne 1980, n° 42.02, p. 246 ; Leitner 1875, p. 14 ; Tietze 1908, p. 130 ; cat. exp. Bordeaux 2005-2006, p. 77.

Vienne, Bundesmobilienverwaltung, Schloss Schönbrunn. Inv. MD 040236.

Jusqu'à présent, en Autriche, on ignorait totalement à la fois l'origine et l'auteur de ce buste en biscuit de la reine Marie-Antoinette.

Le plus ancien inventaire du château de Schönbrunn, de 1812, fait mention d'un buste dans le *Millionenzimmer* (« salon du Million »), mais sans en fournir le nom ; cité dans la première monographie sur Schönbrunn rédigée en 1875 par Quirin Leitner, ce buste est illustré par une eau-forte de Rudolf von Alt, datée de 1874. L'œuvre de Schönbrunn est – selon les dernières investigations françaises – un exemplaire du buste en biscuit exécuté en deux grandeurs à la manufacture royale de porcelaine de Sèvres, d'après un modèle du sculpteur Louis-Simon Boizot (une petite version de 30 centimètres de 1774 et une grande de 68 centimètres). Il s'agissait là du premier portrait de Marie-Antoinette en reine, portrait qui impressionna par le rendu de la grâce naturelle et de la noblesse de la jeune femme, et dont tout le monde fit l'éloge. En 1775, Marie-Antoinette envoya un exemplaire à Vienne comme cadeau de nouvel an à l'attention de sa mère Marie-Thérèse. Il y a toutes les chances pour qu'il s'agisse de l'œuvre aujourd'hui conservée à Schönbrunn. **E. I.**

242

Manufacture royale de porcelaine de Sèvres

Service à fond vert offert par Marie-Antoinette à Joseph II en 1777

1777

Pâte tendre (« fritte »)

242 a

Pot à oille et son plateau

Plateau : L. 46,6 ; l. 38,5 cm
Pot à oille : H. 16,5 : L. 32,5 ; l. 20,5 cm
Couvercle : H. 11 ; L. 24 ; l. 18,5 cm

242 b

Rafraîchissoir à bouteille (seau à liqueur)

H. 12 ; L. 32 ; l. 13 cm

242 c

Verrière

H. 13 ; L. 30,5 ; l. 20,5 cm

242 d

Compotier ovale

H. 27 ; L. 20 ; l. 40 cm

Bibliographie : *Ehemalige Hofsilber* 1996, p. 227 *sq.* ; Guillemé Brulon 1983 ; Cronin 1975, p. 204.

Vienne, Bundesmobilienverwaltung-Silberkammer Hofburg. Inv. MD 180528-001, 004 à 008, 012.

Après que Marie-Antoinette eut épousé, en 1770, le dauphin et futur roi Louis XVI en vue de renforcer l'alliance entre l'Autriche et la France, son frère Joseph II, qui partageait le pouvoir avec l'impératrice Marie-Thérèse, lui rendit visite à Paris en 1777. Au cours de ce long voyage entrepris sous le pseudonyme de « comte de Falkenstein », il passa par Munich, Stuttgart, Strasbourg et Nancy, avant de rejoindre Paris. Au-delà de l'objectif politique – convaincre son beau-frère de la nécessité d'annexer la Bavière –, Joseph II souhaitait aussi s'informer sur l'industrie, les dispositifs militaires et la philosophie de la France. Pourtant, son motif essentiel était d'ordre dynastique : après sept ans de mariage, le couple royal était toujours sans enfant. Dans une lettre adressée à son frère Léopold, grand-duc de Toscane, il décrit en des termes crus la vie conjugale de Louis XVI et Marie-Antoinette, les taxant de « maladroits » sur le plan érotique : « Dans son lit, il a des érections fort bien conditionnées ; il introduit le membre, reste là sans se remuer deux minutes, peut-être, se retire sans jamais décharger, toujours bandant et souhaite

242 a

242 b

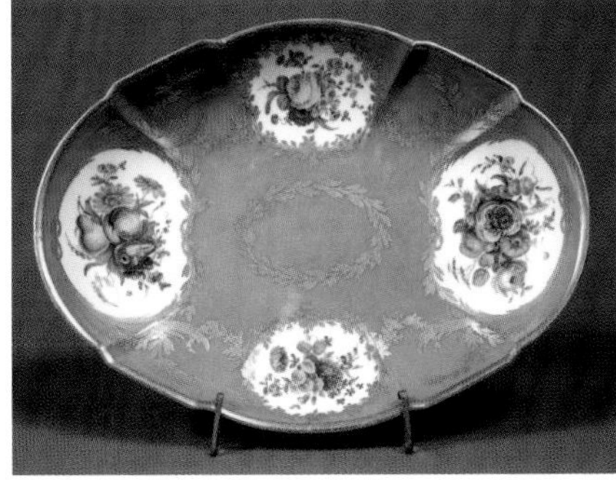

242 d

242 c

243

Manufacture royale de porcelaine de Sèvres

Service aux épis de blé offert par Marie-Antoinette à Joseph II en 1777

Pot à oille

1777
Modeleur : L. V. Godin d'après des esquisses de J. S. Duplessis
Porcelaine dure, polychrome
Pot à oille et son couvercle : H. 21 ; diam. 34 cm
Plateau : L. 60 ; l. 46 cm
Lettre-date : Z (1777)
Pot à oille : marque de peintre *B* (peintre décorateur Jean-Pierre Boulanger, actif de 1754 à 1805)

Bibliographie : *Ehemalige Hofsilber* 1996, p. 233 *sq*.

Vienne, Bundesmobilienverwaltung-Silberkammer Hofburg. Inv. MD 180530.

le bonsoir. [...] Ma sœur avec cela a peu de tempérament et ils sont deux francs maladroits ensemble. »

Joseph clarifia la situation, persuada son beau-frère d'une petite intervention, et Marie-Antoinette se retrouva rapidement enceinte. Louis XVI remercia Joseph par écrit pour son précieux conseil.

A la suite de ce séjour, Joseph reçut de l'ambassadeur d'Autriche à Paris, le comte de Mercy, un cadeau d'une ampleur considérable au nom de Sa Majesté le roi. Il est probable que l'étiquette interdisait à Louis XVI de lui transmettre ce présent de ses propres mains : en effet, Joseph voyageait incognito, et non en qualité d'empereur du Saint Empire. La cour de France déplora que Joseph ne pût offrir lui-même un cadeau en retour.

Le présent du roi comprenait un service de table et à dessert de deux cent quatre-vingt-quinze objets de la manufacture de Sèvres, que Joseph avait visitée personnellement, ainsi que cent soixante-trois figures en biscuit, un déjeuner, différents vases et pots à fleurs, et quatre terrines décorées d'épis d'or ; en tout, cinq cents pièces d'une valeur de 43 560 livres. Cet ensemble montrait clairement le luxe incroyable des arts de la table au XVIIIe siècle. En raison de la couleur de son fond, le grand service est aussi appelé « service vert », couleur dont la luminosité était une caractéristique de la manufacture de Sèvres. Son procédé de fabrication était long et complexe, nécessitant pratiquement une nouvelle cuisson pour chaque couleur appliquée, l'or n'étant ajouté qu'à la fin. Seules les maisons princières pouvaient s'offrir de telles pièces. D'autres frères et sœurs de Marie-Antoinette reçurent également des services de la manufacture de Sèvres : Marie-Caroline de Naples, Marie-Christine de Saxe-Teschen et l'archiduc Ferdinand à Milan.

Des quelque trois cents pièces du « service vert », la Silberkammer ne possède plus qu'une cinquantaine. Parmi les objets livrés avec le « service vert » se trouvaient deux soupières ovales et deux pots à oille ronds en porcelaine dure, ornés d'épis dorés et de produits de la campagne (fruits, céréales, fruits des champs, fleurs, volailles), de fruits de mer et d'emblèmes ruraux (outils de jardinage, instruments agricoles, accessoires de berger), tous ces éléments symbolisant la fertilité de la nature domestiquée.

Les terrines comptent parmi les produits les plus beaux jamais exécutés à la manufacture de Sèvres ; des quatre pièces livrées, trois sont encore conservées à la Silberkammer de Vienne – la quatrième a été cassée en 1854, comme l'indique un ancien inventaire. Autant que nous le sachions, seules les collections du Metropolitan Museum de New York possèdent une terrine de cette qualité exceptionnelle. **I. B.**

243

244

Deux fusils de dame d'une série de douze

Pierre de Sainte (actif de 1763 à 1793, notamment à Versailles), arquebusier ordinaire du roi Louis XVI
Versailles, vers 1770-1780
Acier bleui, partiellement damasquiné d'or; acier brillant, gravé; argent gravé; velours de soie vert bordé d'or; bois, corne.
L. 126; l. 18,7; pr. 5,5 cm; calibre 11,8 mm
Canon et culasse signés: *De Saint a Versailles*

Bibliographie: Schedelmann 1972, p. 254; cat. exp. Tokyo 1992, p. 121, n° 108 (éd. all., p. 251, n° 108); Beaufort et Pfaffenbichler 2005, p. 240-241, n° 94.

Vienne, Kunsthistorisches Museum Wien, Hofjagd- und Rüstkammer. Inv. G 315.

Ces deux somptueuses armes de chasse sont l'œuvre de l'armurier royal Pierre de Sainte, à Versailles. Elles font partie d'une série qui comprenait autrefois douze pièces, que leur faible poids, leur crosse garnie de velours vert et leur élégante damasquinure d'or en relief ornant le canon bleui désignent comme des fusils de dame.

D'après la tradition, cet ensemble particulièrement raffiné rejoignit les collections viennoises en tant que présent de Marie-Antoinette (1755-1793) à sa mère l'impératrice Marie-Thérèse (1717-1780). L'inventaire de la Hofgewehrkammer de 1819 nous apprend que ces fusils furent aussi utilisés par la troisième épouse de l'empereur François II (1768-1835), l'impératrice Maria Ludovica (1787-1816). CH. B.

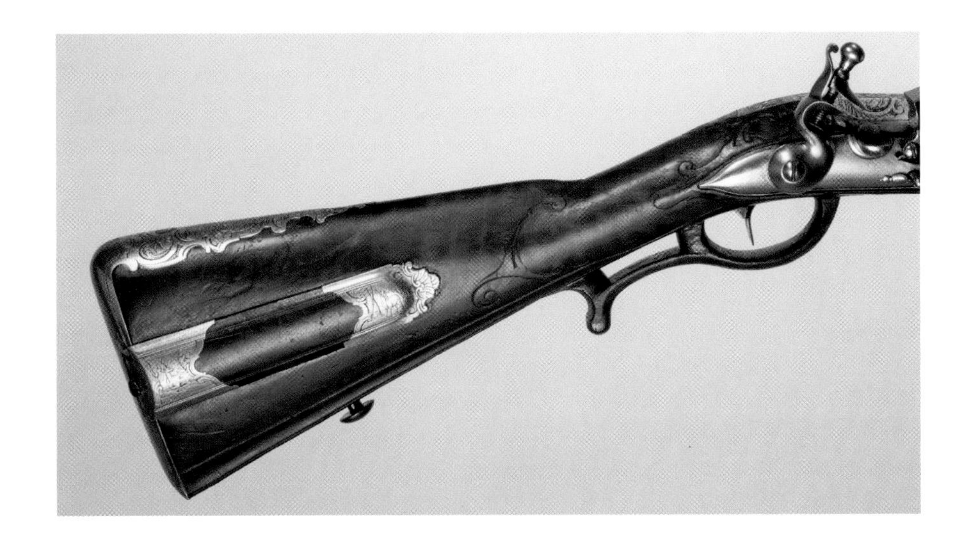

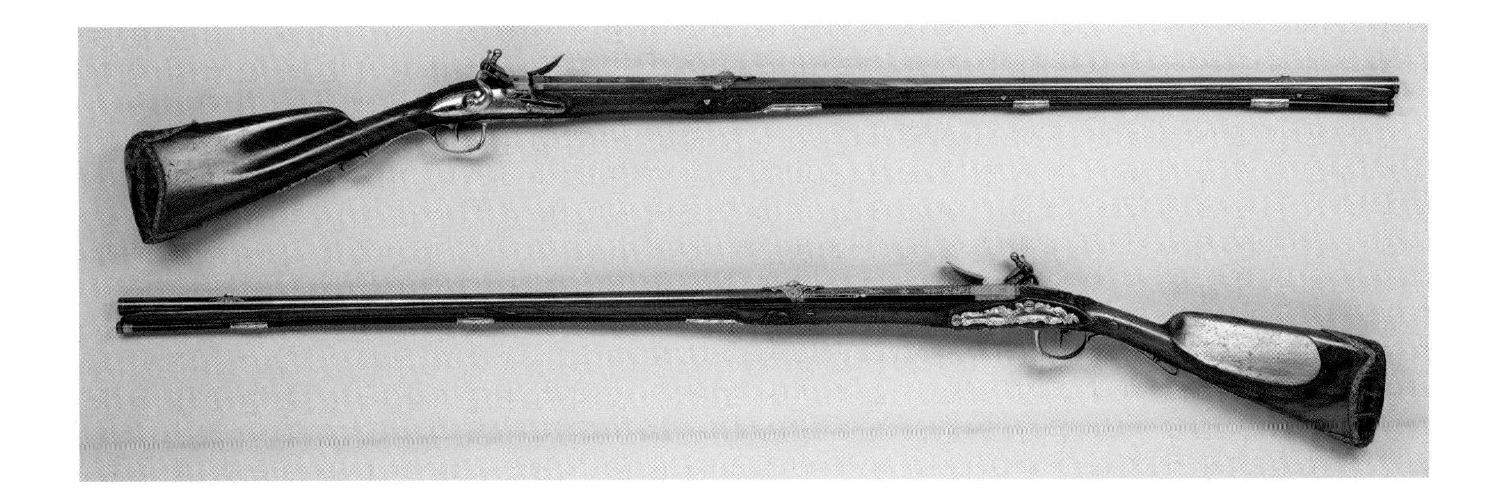

La force du destin

Anne Forray-Carlier

Les journées des 5 et 6 octobre 1789 scellent à plus d'un titre le destin de Marie-Antoinette. La fuite était encore possible, pour elle et ses enfants, ce jour-là. Les diverses sources qui permettent aujourd'hui de retracer l'emploi du temps des souverains indiquent que l'attelage du dauphin, apprêté pour la promenade, aurait pu être utilisé pour quitter Versailles, alors que les nouvelles alarmantes annonçaient l'arrivée d'une foule haineuse se dirigeant vers le château, une foule qui en voulait à « l'Autrichienne ». La décision fut tout autre. Qu'elle l'ait voulu ou non, qu'elle en fût consciente ou pas, en faisant choix de se replier au château, Marie-Antoinette entrait dans l'histoire. Il semble bien que se soit opérée, brutalement, une prise de conscience de l'essence même du pouvoir royal placé entre les mains de Louis XVI dans l'esprit de celle qui jusqu'alors avait traité avec désinvolture la politique et avait été le jouet des intrigues diverses qui se nouaient et se dénouaient à la cour et qu'au gré de ses caprices elle avait servies sans pour autant en mesurer les enjeux. Elle regretta bientôt cette décision, si l'on en croit le comte de Saint-Priest, qui rapporte dans ses mémoires que la reine aurait dit, alors que Louis XVI était sur le point de céder à la demande du peuple qui voulait sa venue à Paris : « Je ne comprendrai jamais comment je ne suis pas partie hier au soir[1]. » Ce choix eût sans aucun doute changé le cours des événements, mais elle assuma pourtant son rôle de souveraine, refusant de quitter un époux menacé, un époux dont elle ne connaissait que trop les indécisions. Marie-Antoinette était alors âgée de trente-trois ans, quatre années la séparaient de sa fin tragique, quatre années qui allaient révéler un aspect inattendu de sa personnalité. Ignorante des réalités françaises, Marie-Antoinette, par la force des choses, allait se mêler directement des affaires de l'Etat et malheureusement multiplier les erreurs. Vivant dans la hantise de nouvelles journées d'octobre, la reine et Louis XVI considéraient que l'on avait fait d'eux des prisonniers et se comportèrent en captifs dès les premières semaines de leur installation aux Tuileries. Fragile politiquement, cette période de la législative fut cependant la plus favorable à un retournement, mais Louis XVI ne sut pas en mesurer l'importance. Marie-Antoinette tenta bien d'être ferme, mais ne le fut pas dans le bon sens. Son secrétaire des commandements, Augeard, rapporte dans ses mémoires[2] cette phrase de la reine : « Toute réflexion faite, je ne partirai pas : mon devoir est de mourir aux pieds du roi », phrase qui montre sa détermination à lier son sort à celui du roi. Cette décision, non pas de ne pas fuir mais du moins de ne jamais fuir sans le roi, fut mal comprise par son entourage. Ainsi s'ouvrit une première phase, des journées d'octobre au séjour autorisé au château de Saint-Cloud pendant l'été 1790. D'un commun

 Double page précédente : détail du cat. 281.

accord, le couple refusa toute tentative de fuite, acceptant d'être les acteurs d'une révolution modérée, offrant officiellement des gages de bonne volonté mais en réalité espérant pouvoir compter sur l'appui des souverains étrangers et sur la position des princes émigrés pour mettre en œuvre une contre-révolution. N'étant pas encore l'objet d'une surveillance étroite, Marie-Antoinette se livrait à une importante correspondance dont les extraits qui nous sont parvenus montrent à la fois sa méconnaissance des hommes et son attachement aux privilèges liés à la monarchie absolue. Comment aurait-il pu, d'ailleurs, en être autrement, alors que tous les usages voulaient que l'épouse du roi n'eût aucun rôle autre que de représentation ? Marie-Antoinette fut-elle mal conseillée ? Les plans échafaudés tour à tour par Mirabeau, Barnave ou Dumouriez montrent que ce ne fut pas toujours le cas. Mais l'incompréhension qui s'était développée entre la souveraine, retirée dans sa tour d'ivoire, et le peuple pour qui elle symbolisait depuis longtemps tous les travers de la monarchie, suivant l'image qu'en présentaient pamphlets et estampes injurieux, était irréversible. Le peu d'enthousiasme montré par les différentes cours étrangères pour venir en aide au roi favorisa la préparation de la fuite de la famille royale. L'échec de l'épisode de Varennes marqua la rupture définitive du lien qui unissait encore Paris à son souverain et ruina l'expérience tentée pour la première fois en France d'une monarchie constitutionnelle. Dès lors, une surveillance étroite s'exerça sur les Tuileries, faisant du roi et de la reine de véritables prisonniers. Marie-Antoinette s'essaya alors au double-jeu, laissant croire à Barnave qu'elle l'écoutait, mais continuant à appeler de ses vœux une aide venue de l'étranger. Rassurée par l'avènement de son neveu François II à la couronne impériale, elle finit par mettre tous ses espoirs dans la guerre, convaincue d'un succès rapide des troupes étrangères. Le calcul fut funeste pour elle : la guerre déclarée le 20 avril 1792 raviva les tensions et les méfiances et l'on mit les défaites françaises sur le compte d'un « comité autrichien » animé par la reine. Le 10 août, les Tuileries étaient prises d'assaut, sonnant le glas de la monarchie. Le 12 août au soir, la famille royale était conduite au Temple, bel et bien prisonnière cette fois. Malgré une surveillance incessante et mesquine, Marie-Antoinette et les siens réussirent à maintenir des contacts avec l'extérieur, espérant tout d'une paix échangée contre la vie du roi et de sa famille. La suite des événements allait ruiner cet espoir et lorsque débuta le procès du roi, le 11 décembre 1792, elle comprit sans doute que tout était fini : le 20 janvier 1793, Louis XVI échangeait avec les siens ses dernières paroles, le 21 il était guillotiné. Mais l'Histoire n'allait pas laisser là la souveraine déchue : les premiers revers militaires, les suspicions au sein de la Convention, les conflits qui opposaient les Français entre eux favorisèrent la création du Comité de salut public, qui décida de prendre des mesures radicales contre la veuve Capet. Séparée de son fils en juillet 1793, la reine quitta le Temple le 2 août pour la Conciergerie, comparut le 14 octobre devant le Tribunal révolutionnaire et fut condamnée à mort le 16 au terme d'un procès inique. Ces quelques semaines passées à la Conciergerie, Marie-Antoinette les employa à se préparer à l'ultime épreuve, qu'elle regarda sans doute comme une délivrance après ce long cauchemar. Les quatre années qui séparent les journées des 5 et 6 octobre de celle de son exécution allaient faire d'une reine frivole une martyre et lui donner la stature d'un véritable personnage de l'Histoire.

1. Saint-Priest 1929, II, p. 89.
2. Augeard 1866.

245

Anonyme français,
dernier quart du XVIIIe siècle

Le Despotisme terrassé

1789
Eau-forte et manière noire
H. 17,9 ; l. 27,2 cm (au coup de planche)
H. 23,3 ; l. 29,4 cm (pour la feuille)

Bibliographie : Burlingham et Cuno 1988,
p. 161, n° 25, repr.

Paris, Bibliothèque nationale de France,
département des Estampes et de la Photographie.
Inv. Qb1 14 juillet 1789.

246

Anonyme français,
dernier quart du XVIIIe siècle
L'Hydre aristocratique

1789
Eau-forte coloriée
H. 17,3 ; l. 26,4 cm (au coup de planche)
H. 24,5 ; l. 30,9 cm (pour la feuille)

Bibliographie : Burlingham et Cuno 1988, p. 161, no 26, repr.

Paris, Bibliothèque nationale de France, département des Estampes et de la Photographie. Inv. Qb1 14 juillet 1789.

Le 14 juillet 1789, la Bastille tombe. Tombe en même temps l'hydre aristocratique, « ce monstre mâle et femelle qui n'a d'humain que ses têtes et qui, d'un naturel féroce, barbare et sanguinaire, se repaît de sang, de larmes et de la subsistance des malheureux ». La bête cherchait de tous côtés à envahir, pour satisfaire son ambition et son insatiable avidité. Elle croyait que tout ce qui respirait devait lui être soumis et elle ne vivait que pour elle. La désolation, la famine et la mort étaient toujours à sa suite. Réfugiée en France où elle avait causé les plus grands maux, elle avait vu ses têtes se démultiplier en si grand nombre qu'il ne lui avait plus été possible de se cacher. Le soir du 12 juillet, l'hydre fut aperçue sur la route de Versailles à Paris. Aussitôt, on s'arma pour la poursuivre. A la nouvelle qu'elle s'était terrée à la Bastille, le 14 elle y fut forcée et chacun s'empressa d'abattre toutes ses têtes pour les empêcher de renaître. Délivrée d'un fléau aussi redoutable, la France, jusqu'alors abattue, put enfin se relever. Les deux estampes décrivant la fin de l'hydre connurent immédiatement un immense succès. **X. S.**

247

Anonyme français, fin du XVIIIe siècle

Repas des gardes du corps

Eau-forte
H. 9,8 ; l. 6,7 cm (au trait carré)
H. 12,7 ; l. 7,9 cm (pour la feuille)
La lettre indique en bas : *Repas des gardes du Corps*
En haut, à gauche : *Tome V.*, et à droite : *Pag. 269*

Provenance : Fonds ancien.

Versailles, musée national des châteaux de Versailles et de Trianon. Inv. grav. 4520.

Le 12 septembre 1789, les députés patriotes demandent à Louis XVI de sanctionner les arrêtés de la nuit du 4 août. Le roi tergiverse. Dans son for intérieur, il n'est pas prêt à prendre une telle mesure et craint que son refus ne provoque une émeute populaire. Pour s'en protéger, et sous prétexte de rétablir l'ordre dans la région, il fait venir de Douai à Versailles le régiment de Flandre. Le 21 septembre, l'Assemblée obtient du roi l'autorisation de la publication des arrêtés. Le lendemain, à l'annonce de l'arrivée du régiment de Flandre, Paris s'inquiète. Marat réclame la dissolution de l'Assemblée. D'autres veulent que le roi et la reine viennent passer l'hiver à Paris. Le 23, les onze cents hommes du régiment entrent dans Versailles. Le 1er octobre suivant, les officiers de la garnison de Versailles offrent aux nouveaux venus un banquet dans la salle de l'Opéra royal. A l'apparition de la famille royale, toute l'assemblée l'acclame et reprend en cœur les paroles de Grétry :

> *O Richard, ô mon Roi,*
> *L'univers t'abandonne,*
> *Sur la terre il n'est donc que moi*
> *Qui m'intéresse à ta personne.*

Les esprits s'enflamment. Quelques cocardes blanches, de la couleur du régiment de Flandre, remplacent les tricolores. La nuit résonne de « A bas l'assemblée ! ».
Dès le 3 octobre, la presse parisienne a fait du banquet une orgie où l'on a foulé au pied la cocarde tricolore. Paris gronde. Le lendemain, les dames de la cour distribuent des cocardes blanches aux gardes nationaux. Dans la capitale, l'agitation est croissante car on est convaincu de l'outrage fait à la nation, le pain manque et l'on entend dans la rue « Mort à la reine ! ». Tout est prêt pour les événements de la nuit du 5 au 6 octobre. X. S.

248

Anonyme français, fin du XVIIIe siècle

La Terrible Nuit du 5 au 6 octobre 1789

Eau-forte rehaussée d'aquarelle
H. 12,5 ; l. 8,4 cm (au trait carré)
H. 14,3 ; l. 8,6 cm (pour la feuille)
La lettre indique en bas : *La terrible Nuit du 5 au 6 Octobre 1789. Quis cladem illius noctis, quis funera fando / explicet...... Virg.*

Provenance : Coll. Henri Grosseuvre, Versailles ; acquis par le château de Versailles à l'amiable avant la vente de la coll. organisée à l'hôtel Drouot à Paris du 16 au 18 avril 1934 (partie du lot 513 composé de 3 pièces).

Versailles, musée national des châteaux de Versailles et de Trianon. Inv. grav. 5309.

Le 5 octobre 1789, cinq à six mille femmes de Paris prirent le chemin de Versailles, conduites par le commis aux écritures Maillard. Arrivées dans la cité royale, elles envoyèrent une délégation aux Menus-Plaisirs, où siégeait l'Assemblée, afin de demander du pain, puis quelques-unes d'entre elles furent reçues au château, où Louis XVI leur remit un billet dans lequel il indiquait : « Je suis sensiblement touché de l'insuffisance de l'approvisionnement de Paris. Je

continuerai à seconder le zèle et les efforts de la municipalité par tous les moyens et toutes les ressources qui sont en mon pouvoir et j'ai donné l'ordre le plus positif pour la circulation libre des grains sur toutes les routes et le transport de ceux qui sont destinés à ma bonne ville de Paris. »
Les gardes du corps, le régiment de Flandre et deux cents hommes de la garde nationale de Versailles s'étaient entre-temps rangés sur la place d'Armes. Vers minuit, la foule des Parisiennes et les hommes de La Fayette se massèrent sur la grande esplanade. Le général pénétra alors au château et, face au roi, s'exclama : « Je viens, Sire, vous apporter ma tête pour sauver celle de Votre Majesté ; si mon sang doit couler, que ce soit pour le service de mon roi, plutôt qu'à l'ignoble lueur des flambeaux de la Grève. » Il obtint alors du souverain la garde du château et que les anciens gardes-françaises reprennent leurs postes. Chacun ensuite se retira pour aller dormir. A six heures du matin, le peuple força les accès du château. Alarmée par la clameur et par les gens de sa maison lui indiquant que l'on avait forcé les portes de son appartement, Marie-Antoinette s'enfuit par les arrière-cabinets afin de se réfugier chez le roi. Après beaucoup d'efforts, les gardes-françaises parvinrent à libérer le château de ses envahisseurs. La journée du 6 commençait. L'auteur anonyme de l'estampe relate avec beaucoup de liberté ces terribles événements. Il souligne aussi avec malice l'incompétence de La Fayette. Le général demeure irrémédiablement endormi au premier plan de la composition. X. S.

249

Anonyme anglais, 1789

Le Roi esclave ou les sujets rois. Patriotisme féminin

Eau-forte rehaussée d'aquarelle posée au pochoir
H. 17,9 ; l. 7,1 cm (au trait carré)
H. 19,3 ; l. 7,19 cm (pour la feuille)
La lettre indique : *Le Roi ESCLAVE ou les SUJETS ROIS / FEMALE PATRIOTISM*
En bas à droite : *Pub. Oct. 31 1789 by SW FOKS* (?) *N° 3 Piccadilly.*

Provenance : Fonds ancien.

Versailles, musée national des châteaux de Versailles et de Trianon. Inv. grav. 896.

A Paris comme à Londres, les événements du 6 octobre 1789 inspirèrent rapidement des estampes populaires et satiriques. Celle ici présentée est datée du 31 octobre. Nous n'avons pu en déterminer l'auteur.
Après que les portes de l'appartement de la souveraine eurent été forcées tôt dans la matinée du 6, la foule avait investi la place d'Armes, toutes les cours du château de Versailles et l'entrée de l'avenue de Paris.
Ainsi que le relatent Mme Campan et Bertrand de Molleville dans leurs mémoires (Campan 1823, II, p. 81-84), on demanda que la reine paraisse sur le balcon. Elle s'y présenta avec Madame et le dauphin. La foule cria alors : « Pas d'enfants. » La souveraine les renvoya et, les yeux et les mains levés vers le ciel, elle s'avança à nouveau sur le balcon. Quelques voix crièrent à Paris ! Ce cri devint bientôt général. Après avoir délibéré, Louis XVI s'adressa au peuple et déclara : « Mes enfants, vous voulez que je vous suive à Paris, j'y consens, mais à condition que je ne me séparerai pas de ma femme et de mes enfants. » La déclaration fut aussitôt accueillie par un mouvement de joie.
Le roi et la reine partirent de Versailles à une heure. Le dauphin, Madame Royale, Monsieur, Madame, Madame Elisabeth et Mme de Tourzel les accompagnaient dans le carrosse. Plusieurs voitures de suite transportaient la princesse de Chimay, les dames du palais de semaine, puis la suite du roi et le service. Cent voitures de députés et le gros de l'armée parisienne clôturaient le cortège. Les poissardes entouraient et précédaient le carrosse royal en criant : « Nous ne manquerons plus de pain, nous tenons le boulanger, la boulangère et le petit mitron. » En macabre annonce au passage du roi et de sa famille, les deux têtes des gardes du corps massacrés avaient été transportées vers Paris dès dix heures. La marche fut si lente qu'il était près de six heures lorsque Louis XVI et les siens arrivèrent à l'Hôtel de Ville à Paris.
L'estampe britannique prend quelque liberté avec l'Histoire et fait de Marie-Antoinette l'entière responsable de l'événement. Louis XVI lui déclare en effet : « Oh ma femme qu'avez vous fait. » La reine lui répond : « Ah mon cher pour cette fois le C – a emporté la tête. » Le dauphin conclut : « mon père était pot / ma mère était bronze / cela ne pouvait être autrement. » X. S.

Vivre aux Tuileries

Anne Forray-Carlier

Le 14 juin 1773, six jours après son entrée dans Paris, Marie-Antoinette dauphine relatait à sa mère, avec autant d'enthousiasme qu'en avaient manifesté les Parisiens, ce jour de fête : « Pour les honneurs nous avons reçu tous ceux qu'on a pu imaginer, mais tout cela, quoique fort bien, n'est pas ce qui m'a touchée le plus, mais la tendresse et l'empressement de ce pauvre peuple. […] Qu'on est heureux dans notre état de gagner l'amitié de tout un peuple à si bon marché ! Il n'y a pourtant rien de si précieux : je l'ai bien senti et je ne l'oublierai jamais[1]. » Quel contraste avec l'entrée de la famille royale au soir du 6 octobre 1789 ! Après quarante-huit heures éprouvantes, sous la contrainte, tenue de paraître au balcon de l'Hôtel de Ville puis conduite dans un palais qui n'était pas prêt pour les recevoir ! Marie-Antoinette rapporte ces événements dès le lendemain, dans une lettre à Mercy : « Je me porte bien, soyez tranquille. En oubliant où nous sommes et comment nous y sommes arrivés, nous devons être contents du mouvement du peuple, surtout ce matin. […] Jamais on ne pourra croire ce qui s'est passé dans les dernières vingt-quatre heures. On aura beau dire, rien ne sera exagéré et au contraire tout sera au dessous de ce que nous avons éprouvé[2]. » A l'ambassadeur d'Espagne venu demander comment se portait Louis XVI, Marie-Antoinette répondit : « Comme un roi captif[3]. » C'est en effet comme tels que Marie-Antoinette et Louis XVI vécurent leur installation forcée aux Tuileries. Le futur chancelier Pasquier écrit quant à lui dans ses mémoires : « La physionomie du roi était empreinte d'un caractère de résignation, […] la douleur de la reine avait quelque chose de plus ferme et qui laissait percer l'indignation[4]. » Abandonné par la cour depuis plus de soixante ans, le palais n'était pas désert pour autant. Plusieurs courtisans en occupaient les logements, qu'ils durent quitter dès le 6 octobre pour laisser les commis du Garde-meuble aménager en quelques heures les appartements. Louis XVI prit possession du Grand appartement au premier étage, complété par plusieurs pièces au rez-de-chaussée, en entresol et au premier étage, qui constituaient ses cabinets et dans lesquelles il allait passer le plus clair de son temps. Le dauphin fut installé dans le Grand appartement de la reine, dont l'enfilade s'achevait par des cabinets qu'il partageait avec le roi. Madame Royale logea dans les petits entresols situés au-dessus de la chambre du roi que la reine s'était fait aménager en 1783-1784 pour ses passages à Paris. La reine disposa de l'appartement du rez-de-chaussée côté jardin, occupé jusqu'alors par la comtesse de La Marck et aménagé à la dernière mode. L'appartement comportait, en partant de l'escalier dit « de la reine » : une salle des gardes, une salle des valets de pied, une salle des buffets, une pièce des nobles servant de salle à manger, un salon, une chambre à coucher et plusieurs cabinets en entresol[5]. Ces derniers restent les moins bien connus ; sans doute avaient-ils été aménagés par le Garde-meuble de la reine, car les archives du Garde-meuble de la Couronne n'en font pas état. Ce fut là désormais que se déroula la vie quotidienne de la reine.

Immuablement, l'administration du Garde-meuble assura sa tâche sous les ordres de son intendant, qui les prenait du roi. Plusieurs semaines furent nécessaires pour rendre les logements décents[6]. Ces aménagements consistèrent essentiellement à faire

Fig. 48
R. Dighton
Le Retour de Louis XVI à Paris, le 6 octobre 1789
Paris, musée Carnavalet.

venir de Versailles et d'autres résidences des meubles et des objets ; à réemployer tentures et garnitures anciennes, ce qui impliquait de multiples opérations de dégarnissage, regarnissage, rallongement ou raccourcissement, nettoyage[7]. Les premiers travaux menés pour Marie-Antoinette furent assurés pendant le séjour autorisé au château de Saint-Cloud de l'été 1790. On refit la chambre à coucher de la reine. Le damas vert et blanc de la comtesse de La Marck fut retiré au profit d'un pékin bleu argent tissé à l'origine pour Choisy[8]. Pour s'y accorder, le lit et les sièges faits pour la chambre de Gustave III lors de son séjour à Versailles furent redorés par Chatard et placés dans la chambre. Une commode à dessus de marbre blanc, un secrétaire en armoire et une toilette en marqueterie de bois gris satiné enrichis de bronzes dorés complétaient l'ameublement[9]. Après l'échec de la fuite à Varennes et l'incertitude de son sort, le retranchement de la famille royale fut total, sans toutefois entraver la marche habituelle du Garde-meuble. De nouveaux travaux furent entrepris chez la reine et se poursuivirent jusqu'en 1792. On se contenta de remplacer d'anciennes étoffes ou de réutiliser des bois anciens. On commanda par exemple au menuisier Sené deux canapés, deux tabourets et une chaise haute pour compléter le mobilier de Vaudreuil, acheté par la Couronne en 1788[10] et placé dans le salon de compagnie de la reine.

Si les rouages traditionnels poursuivaient leur marche, la vie quotidienne des Tuileries était tout autre qu'à Versailles. Les événements avaient conduit Louis XVI et Marie-Antoinette à souhaiter une vie plus privée et délibérément familiale. Celle-ci était troublée uniquement le dimanche et le jeudi par la vie de cour qui reprenait ses droits avec l'inaltérable cérémonial du repas public du roi et du jeu le soir. Les autres journées se déroulaient ainsi : la reine, après son lever, déjeunait seule, voyait ses enfants et veillait à leur éducation. Elle écoutait la messe puis revenait dans ses cabinets pour vaquer à différents travaux. A treize heures, le roi, Madame Elisabeth, Madame Royale et le dauphin retrouvaient la reine dans sa salle à manger pour le « dîner ». Après une partie de billard avec le roi, la reine se retirait de nouveau dans ses cabinets avant de retrouver les siens, vers vingt heures, pour le « souper » ; à vingt-trois heures, chacun se retirait. La lecture, qui jusqu'alors avait fort peu occupé la reine, devint un dérivatif essentiel ; selon les mots mêmes de Mme de Tourzel, Marie-Antoinette passait son temps « à écrire et à travailler[11] ». Au risque d'alimenter la haine de ses ennemis, Marie-Antoinette tenait une abondante correspondance, chiffrée pour déjouer l'attention de son entourage, qui montre ses efforts désespérés pour sortir la royauté de l'impasse dans laquelle elle s'était enferrée. Lorsque Marie-Antoinette quitta les Tuileries, au matin du 10 août 1792, elle n'imaginait sans doute pas qu'elle abandonnait le palais à la vindicte populaire et que, pas plus qu'à Versailles, elle n'y retournerait jamais.

Fig. 49
Jean-Louis Prieur
Retour de Varennes. Arrivée de Louis Capet à Paris
Paris, musée Carnavalet.

1. *Correspondance Marie-Thérèse Marie-Antoinette* 1933, p. 97.
2. *Correspondance Mercy-Argenteau Joseph II* 1889-1891, p. 271-272.
3. Saint-Priest 1929, II, p. 90.
4. Pasquier 1894, I.
5. Deux plans levés en 1789 dévoilent la distribution (Arch. nat., CP Va 59/15 et 16), à compléter par un état de la répartition des logements (Arch. nat., K 528), les papiers de l'administration du Garde-meuble permettent de retracer les changements qu'occasionna l'installation de la famille royale (Arch. nat., O^1 3282, 3300, 3301, 3416, 3417, 3419, 3426, 3480B, 3571, 3572, 3581 à 3585, 3649 à 3656). Les mémoires de Mme Campan et de Mme de Tourzel renseignent surtout sur les activités de chacun. Il faut y ajouter Roussel 1802, dont une partie remplace le procès-verbal de la pose des scellés de 1792, qui n'est pas conservé.
6. Huit cents ouvriers s'activèrent (Arch. nat., O^1 2804) et 780 000 livres furent dépensées en deux mois (Arch. nat., O^1 1270, f° 81).
7. Arch. nat., O^1 3651.
8. Arch. nat., O^1 3582.
9. Cf. Anne Forray-Carlier, « La famille royale aux Tuileries », *in* cat. exp. Paris 1993-1994.
10. Cf. Verlet 1945, p. 112.
11. Cf. Tourzel 1986, p. 221.

250

Aleksander Kucharski

(Varsovie, 1741 – Paris, 1819)

Marie-Antoinette

Pastel sur parchemin monté sur châssis
H. 80,3 ; l. 64,2 cm
L'ancien carton de montage portait une étiquette. Décollée et classée dans les archives de la conservation, celle-ci porte l'inscription suivante à la plume et encre de Chine : *Portrait de la Reine de France MARIE-ANTOINETTE d'AUTRICHE / Commencé par KOUARSKY en 1791 / La Reine faisait faire ce portrait pour Mme la Marquise de Tourzel gouvernante des enfants / de France, il fut presque détruit lors du voyage de Varennes et recommencé en 1792. Au 10 août / il fut enlevé de l'appartement de sa Majesté ; et retrouvé trois ans après, par les soins du / M*[is] *de Tourzel, fils, Grand Prévost de France. / Précieux souvenir des bontés de la Reine dont il donne une ressemblance parfaite / quoique bien abimé, par tout ce qu'il a souffert.*
Lorsque le portrait appartenait au duc Des Cars, une note de la main de Mme de Tourzel se trouvait au dos du pastel ; le texte en est transcrit sur l'étiquette aujourd'hui conservée à Versailles, à l'exception de la dernière phrase qui indiquait : *Ce portrait de la Reine reçut le 10 Août deux coups de pique des révolutionnaires.*

Provenance : Commencé en 1791 à la demande de Marie-Antoinette qui souhaitait en faire don à Mme de Tourzel, gouvernante des enfants de France, le portrait demeura inachevé en 1792 ; suivant la tradition, le pastel fut retrouvé en 1795 par le marquis Charles de Tourzel, fils de Mme de Tourzel ; par descendance, Augustine de Tourzel, duchesse Des Cars, puis au duc Louis Des Cars ; ce dernier vendit en 1954 le portrait au château de Versailles ; l'acquisition fut rendue possible grâce aux fonds de la sauvegarde de Versailles et à la généreuse participation de lady Deterding et de Francisco de Assis de Chateaubriand Bandeira y Mello ; l'œuvre est rentrée au château de Versailles le 8 mars 1954.
Bibliographie : Salmon 1997, p. 91-94, n° 24, repr. (avec bibl. détaillée).

Versailles, musée national des châteaux de Versailles et de Trianon. Inv. MV 8053 ; inv. dessins 1070.

Si l'on fait abstraction de sa forte dimension émotionnelle légitimée par sa rocambolesque histoire et renforcée par son inachèvement, le pastel de Kucharski témoigne admirablement des pratiques de cour qui persistèrent lors du séjour de la famille royale au palais des Tuileries. Envoyé à Paris grâce à une pension allouée par le roi Stanislas Auguste Poniatowski afin de s'y former, Kucharski n'avait jamais regagné sa Pologne natale. Son talent pour l'art du portrait lui assura peu à peu une clientèle de renom, en particulier parmi les élégantes du cercle de la reine. Lorsque Mme Vigée Le Brun partit en émigration et que la famille royale quitta Versailles pour Paris, il fut choisi comme nouveau portraitiste de Marie-Antoinette. La chronologie de ses portraits de la reine est aujourd'hui extrêmement difficile à préciser. Pour Marguerite Jallut, le maître avait livré sa première image de la souveraine dès 1780. Pour d'autres, il ne fut appelé à peindre Marie-Antoinette qu'après son installation aux Tuileries. L'examen des images aujourd'hui connues et regroupées sous le nom de l'artiste permet quelques remarques. L'effigie de Marie-Antoinette figurée de trois quarts avec un diadème et le manteau royal d'hermine fleurdelisé, propriété en 1955 de la comtesse de Bonnecorse-Lubières (Salmon 1997, repr. p. 94, fig. 2) et peinte selon Jallut entre 1789 et 1790, présente un visage aux traits privés de réalisme qui invite à penser que la souveraine n'a pas posé. Le pastel inachevé est en revanche d'une telle humanité, d'une telle acuité et d'une telle présence qu'il ne peut avoir été peint en l'absence du modèle. Kucharski en fit d'ailleurs le prototype de nombre de ses portraits de la souveraine. Plusieurs œuvres, dont la célèbre image de la reine endeuillée au Temple, reprennent exactement le même visage, comme si l'artiste, suivant une pratique habituelle au portraitiste de cour, après avoir fixé au pastel les traits de la reine lors d'une ou de plusieurs séances de pose, avait ensuite utilisé cette étude afin de multiplier les effigies de Marie-Antoinette tout en modifiant les accessoires de son habit afin de donner un sentiment de renouvellement. Après octobre 1789, soit en des périodes plus difficiles, Marie-Antoinette s'était donc encore pliée à l'exercice de la pose, comme au temps des années versaillaises. X. S.

251

Claude Louis Desrais

(Paris, 1746 – *id.*, 1816)

Promenade de la famille royale dans le jardin des Tuileries

Plume, encre noire, et lavis brun avec rehauts de gouache blanche, sur traces d'esquisse à la pierre noire sur papier crème
Passé à la pointe pour le transfert ; dos passé à la sanguine
H. 23,2 ; l. 19,7 cm

Provenance : Coll. Jean Louis Soulavie (1752-1813) ; marque au recto (Lugt 1533) ; vente, Paris, 25 avril 1904, lot 48, repr. p. 17 ; coll. Edmond de Rothschild.
Bibliographie : Jean-Richard et Mondin 1989, p. 40, n° 31, repr.

Paris, musée du Louvre, département des Arts graphiques, collection Edmond de Rothschild. Inv. 3624 DR.

Encore libre de ses gestes, la famille royale aimait à se délasser dans le jardin des Tuileries. Le dessin de Desrais témoigne du respect qu'elle pouvait encore inspirer aux personnes qui la rencontraient à cette occasion. Le titre de l'eau-forte anonyme qui fut gravée en contrepartie d'après le dessin avant d'être coloriée révèle la nature de l'épisode représenté (Paris, musée du Louvre, département des Arts graphiques, inv. L. 489 L.R, n° 79). Vêtu de l'uniforme national et armé d'un petit fusil avec son sabre et sa giberne, le petit Graffin, âgé de onze ans, avait accompagné dans le jardin des Tuileries son père, garde auprès du roi. Ce matin-là, l'enfant fit l'exercice dans le jardin et chacun admira sa bonne grâce. Le dauphin se plaçant parmi les spectateurs, le petit militaire lui présenta les armes. « Ah ma bonne, s'écria l'enfant princier, voilà un bien jeune patriote. » L'enfant répondit avec esprit : « Mon Prince, nous le sommes tous en naissant. » X. S.

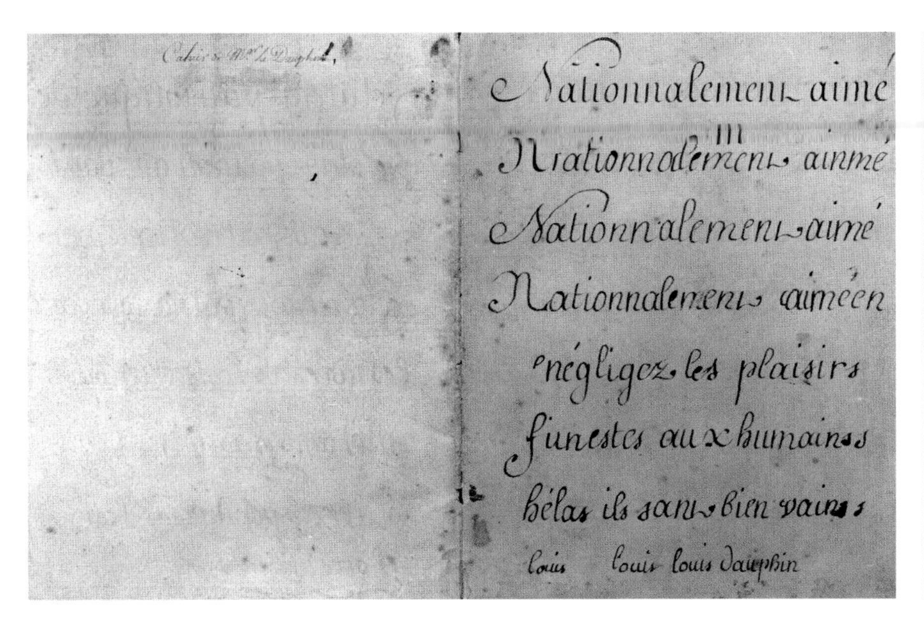
Cahier de Mr le Dauphin

Nationalement aimé

Nationnalement aimé

Nationnalement aimé

Nationnalement aimé en

négligez les plaisirs

funestes aux humains

hélas ils sont bien vains

Louis Louis Louis dauphin

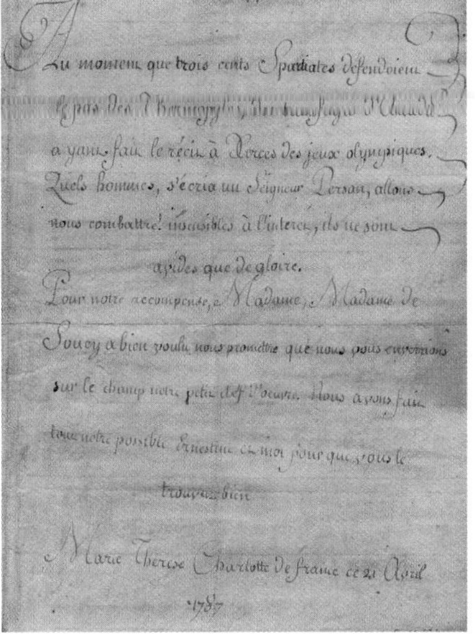
Au moment que trois cents Spartiates défendoient

le pas des Thermopyles, des transfuges d'Arcadie

ayant fait le récit à Xerces des jeux olympiques,

Quels hommes, s'écria un Seigneur Persan, allons

nous combattre! insensibles à l'intérêt, ils ne sont

avides que de gloire.

Pour notre récompense, Madame, Madame de

Soucy a bien voulu nous promettre que nous vous enverrions

sur le champ notre petit chef d'œuvre. Nous avons fait

tout notre possible Ernestine et moi pour que vous le

trouviez bien

Marie Therese Charlotte de France ce 21 Avril

1787

252

Cahier d'écriture du dauphin

1790-1792
Cahier autographe signé, 10 feuillets de papier vergé (filigrane de J. Kool) réunis par un ruban de soie bleue
H. 23,8; l. 18,6 cm

Provenance: Delesalle, ancien maître d'écriture du dauphin; don de M. Rainaud, 1923.
Bibliographie: Cat. exp. Paris 1939, n° 467; Jallut 1955a, n° 922; Trogan et Forray-Carlier 1993, n° 138.

Paris, musée Carnavalet. Inv. OM 3271.

253

Devoir d'écriture de Madame Royale

1787
Feuillet manuscrit, encre brune
H. 22,6; l. 18,3 cm

Provenance: Legs Rainaud, 1926.

Paris, musée Carnavalet. Inv. E 11634.

Dès leur naissance, et malgré un emploi du temps beaucoup plus chargé à Versailles qu'il ne devait l'être à Paris, la reine consacra à ses enfants le meilleur de son temps et suivit de très près leur éducation, sans aucunement se décharger sur la duchesse de Polignac, gouvernante des enfants de France. De cette période témoigne une lettre, soigneusement calligraphiée par la princesse, adressée à Mme de Polignac: « Au moment que trois cents Spartiates défendoient / le pas des Thermopyles, des transfuges d'Arcadie / ayant fait le récit à Xerces des jeux olympiques, / Quels hommes, s'écria un Seigneur Persan, allons / nous combattre! Insensibles à l'intérêt, ils ne sont / avides que de gloire. / Pour notre récompense, Madame, Madame de / Soucy a bien voulu nous promettre que nous vous enverrions / sur le champ notre petit chef d'œuvre. Nous avons fait / tout notre possible Ernestine et moi pour que vous le / trouviez bien / Marie Therese Charlotte de France ce 21 Avril / 1787 », texte charmant où quelques mots très évocateurs de la simplicité enfantine font suite à un passage d'histoire grecque. Ces feuillets, remis effectivement par Mme de Soucy, sous-gouvernante, à la duchesse de Polignac, passèrent à un certain M. Lelong, duquel le musée les détient par l'intermédiaire de M. Rainaud. Quoique antérieurs à la Révolution, ils doivent certainement leur conservation à la piété dont furent entourés très tôt les souvenirs tangibles des dernières années de la famille royale.

Plus tardif de quelques années à peine, le cahier du dauphin fut rédigé aux Tuileries. Mme de Tourzel, qui avait succédé à Mme de Polignac, note dans ses mémoires que le dauphin apprit à lire à l'automne 1789, à l'âge de quatre ans, pour offrir ce cadeau d'étrennes à sa mère: « Voila vos étrennes [...], j'ai tenu ma promesse, je sais lire à présent. »

Des leçons quotidiennes au dauphin et à sa sœur furent données, au moins à partir de 1791, par De Salle (nom transformé sous la Révolution en Dessalle), maître d'écriture à Versailles, pour un traitement annuel de 2 000 livres (Arch. nat., O[1] 3799, liasse 2). Les premières lignes et les annotations de chaque page du cahier du dauphin sont de sa main, les trois suivantes sont copiées, plus ou moins bien, par l'enfant, les groupes de deux mots suivant, de page en page, l'ordre alphabétique: « Nationalement aimé [...] Philosophiquement tenu [...] Vénérable administrateur [...] Zélateur patriotique... » Dans ce choix, comme dans celui des sentences dictées qui occupent les trois dernières lignes, se fait sentir l'influence de la Révolution.

Selon le journal *Le Thermomètre du jour* du 7 mai 1792, rédigé par Dulaure: « M. Dessalles, maître d'écriture, excellent patriote et père de huit enfants, avait donné un exemple au prince royal où il avait tracé quelques lignes de la déclaration des droits de l'homme. Cet acte patriotique du maître lui a valu son expulsion des Tuileries » (BnF, Lc [2] 623, 2e trim. 1792, p. 287). On peut en douter lorsqu'on sait que le fils Dessalle reprit, dès qu'il le put, l'orthographe originelle de son nom et que, surtout, le cahier du dauphin fut conservé par lui-même puis par ses descendants jusqu'à sa vente, en 1912, à un collectionneur. **R. T.**

La calomnie

Xavier Salmon

« Echappant à la tutelle d'une mère sévère, cette princesse était arrivée, à quinze ans, sans autre guide que les dernières recommandations maternelles, au milieu d'une cour dissolue, où le vice régnait ouvertement, protégé par un monarque faible. Elle sut s'y faire respecter; mais elle crut pouvoir quelquefois s'affranchir des entraves et de l'étiquette pour se procurer d'innocentes distractions; et, comme il fallait à la méchanceté quelque prétexte, on lui en fit un crime: ce fut là la source de toutes les calomnies qu'on répandit contre elle. [...]

« Sans enfants dans les premiers temps de son union, attachée à un mari qui aimait à consacrer à la chasse et à l'étude les loisirs que lui laissaient les devoirs de la souveraineté, la reine se forma une société où se trouvaient quelques jeunes gens; de là les horreurs débitées sur le compte de cette malheureuse princesse. Et cependant le vice se cache, tandis que ces visites étaient publiques. Au reste, si la reine admettait chez elle le comte Fersen, MM. de Vaudreuil et de Coigny, le vieux Besenval y était aussi appelé. Depuis dix ans toutes ces calomnies ont cessé, parce qu'elles sont devenues inutiles. Et pourtant aujourd'hui tout danger qu'eût pu offrir la publicité d'une intrigue criminelle avec la reine a disparu, tous les acteurs de ces prétendues scènes scandaleuses vivent encore, et aucune des anecdotes répandues au commencement de la révolution ne s'est confirmée; le silence le plus complet a enseveli toutes ces horreurs. »

Plusieurs décennies après les événements, le comte Félix de France d'Hézecques (1774-1835), ancien page de Louis XVI, soulignait encore combien l'existence de Marie-Antoinette avait été entachée par la calomnie[1]. A peine arrivée en France, la nouvelle dauphine avait dû affronter les intrigues et les mensonges. Dès le 16 novembre 1770, Mercy-Argenteau relatait ainsi à Marie-Thérèse[2] comment on s'occupait des moyens de procurer à la comtesse de Provence le plus d'éclat possible parce que le parti du gouverneur du dauphin, le duc de La Vauguyon, et de la comtesse Du Barry comptait sur la protection de cette princesse et croyait qu'il n'avait rien à espérer de la dauphine. Aussi s'appliquait-on à surveiller de très près Marie-Antoinette afin de lui trouver des défauts et de lancer des mensonges propres à induire le public en erreur. Pour se défendre de telles bassesses, l'ambassadeur d'Autriche s'était assuré de trois personnes du service de l'archiduchesse qui lui rendaient un compte exact de tout ce qui se passait dans les intérieurs de la princesse. L'abbé de Vermond, lecteur de la dauphine, l'informait au jour le jour des conversations. La marquise de Durfort communiquait le moindre propos qui se disait chez Mesdames, et, chez le roi, d'autres personnes relataient tous les éléments lorsque Marie-Antoinette s'y tenait. Par conséquent, il n'était pas d'heure dans la journée pour laquelle Mercy ne fût pas en état de rendre compte sur ce que l'archiduchesse avait dit, fait ou entendu. En novembre 1770, il était donc faux d'affirmer que le roi devenait réservé et embarrassé vis-à-vis de la dauphine, laquelle, bien au contraire, gagnait journellement sur l'amitié et les égards du monarque. Il était tout autant sans fondement d'accuser Marie-Antoinette de heurter de front la favorite Mme Du Barry. Il n'y avait jamais eu que des petits propos tenus contre cette femme, que Mesdames avaient toujours été les premières à lancer.

Avec l'accession au trône, la calomnie s'était faite plus insidieuse encore, entretenue par le parti anti-autrichien qui guettait la moindre faute d'une jeune souveraine inexpérimentée. Mme Campan raconte ainsi comment, lors de la cérémonie de deuil faite à La Muette par les dames présentées à la cour, une plaisanterie d'une des dames du palais donna à la reine le tort apparent de manquer de convenance[3]: « Madame la marquise de Clermont-Tonnerre, fatiguée par la longueur de cette séance, et forcée, par les

1. France d'Hézecques 1873, p. 16-17.
2. Arneth et Geffroy 1874, I, p. 97-98.
3. Campan 1823, I, p. 90-91.

2
7
8
9

fonctions de sa charge, de se tenir debout derrière la reine, trouva plus commode de s'asseoir à terre sur le parquet, en se cachant derrière l'espèce de muraille que formaient les paniers de la reine et des dames du palais. Là, voulant fixer l'attention et contrefaire la gaieté, elle tirait les jupes de ces dames, et faisait mille espiègleries. Le contraste de ces enfantillages avec le sérieux de la représentation qui régnait dans toute la chambre de la reine, déconcerta Sa Majesté plusieurs fois : elle porta son éventail devant son visage pour cacher un sourire involontaire, et l'aréopage sévère des vieilles dames prononça que la jeune reine s'était moquée de toutes les personnes respectables qui s'étaient empressées de lui rendre leurs devoirs ; qu'elle n'aimait que la jeunesse ; qu'elle avait manqué à toutes les bienséances, et qu'aucune d'elles ne se présenterait plus à sa cour. Le titre de moqueuse lui fut généralement donné, et il n'en est point qui soit plus défavorablement accueilli dans le monde.

« Le lendemain, il circula une chanson fort méchante, et où le cachet du parti auquel on pouvait l'attribuer se faisait aisément remarquer. [...]

Petite reine de vingt ans,
Vous, qui traitez si mal les gens,
Vous repasserez la barrière
Laire, laire, laire lanlaire, laire lanla. »

L'offensive était lancée. Désormais, plus rien ne l'arrêta. Par son comportement même, la reine nourrissait la calomnie. En janvier 1777, le duc de Croÿ soulignait lui-même combien Marie-Antoinette, « toujours extrêmement dissipée, ne faisait que courir, à Paris, les spectacles, le bal de l'Opéra, ceux de Versailles, et était toujours en l'air, cherchant à se secouer, pour se désennuyer. De plus, elle avait mis en train le gros jeu, qui devenait terrible, et elle n'était entourée que des jeunes gens les plus brillants, ce qui faisait crier[4]. » Tout fut alors sujet aux accusations les plus fausses. Lorsque Louis XVI, le comte de Provence et le comte d'Artois décidèrent de se faire inoculer contre la variole, le public fut très alarmé d'une telle décision et ceux qui la blâmèrent se plurent aussitôt à en rejeter le tort sur la reine qui, seule, avait pu donner un conseil aussi téméraire[5]. Peu après, lors d'un voyage à Marly, Marie-Antoinette manifesta le désir d'assister au lever de l'aurore. Après avoir obtenu l'accord de son époux, elle accomplit donc cette promenade nocturne en compagnie de plusieurs personnes de sa suite. Au bout de quelques jours circulait à Paris une pièce de vers intitulée *Le Lever de l'aurore*, libelle dépeignant sous les plus noires couleurs un divertissement dont l'innocence fut aussitôt mise en cause[6]. Le 15 décembre 1775, la reine s'ouvrait à sa mère au sujet de ce flot de libelles. Elle lui écrivait[7] : « Nous sommes dans une épidémie de chansons satiriques. On en a fait sur toutes les personnes de la cour, hommes et femmes, et la légèreté française s'est même étendue sur le roi. Pour moi, je n'ai pas été épargnée. Quoique les méchancetés plaisent assez dans ce pays-ci, celles-ci sont si plates et de si mauvais ton, qu'elles n'ont eu aucun succès, ni dans le public ni dans la bonne compagnie. » Le 17 décembre, Mercy cherchait à rassurer Marie-Thérèse[8] : « Les grands changements qui se préparent dans l'administration économique de l'État [édits de Turgot] donnent beaucoup d'humeur à ceux qui trouvent leur intérêt dans le désordre, cette fermentation occasionne une licence très-scandaleuse dans les propos et dans les écrits. Il a paru plusieurs chansons dans ce genre ; le roi et la reine n'y ont point été respectés. Je ne fais mention de cette misérable anecdote que pour assurer en même temps à V.M. qu'elle ne mérite pas la moindre attention, et que de pareilles horreurs, enfantées par un petit nombre de détestables sujets qui ont de tout temps infecté ce pays-ci, sont souverainement méprisées par la partie saine et raisonnable de la nation. » Le 19 janvier suivant, il ajoutait encore[9] : « Ces misérables productions ont eu lieu de tout temps dans ce pays-ci, et même indistinctement à tout propos ; aussi ne signifient-elles rien vis-à-vis des gens honnêtes et raisonnables, qui les regardent avec pitié et dégoût, comme un attribut de la légèreté nationale ou comme l'œuvre d'un certain nombre de fainéants dont l'espèce est particulière à la ville de Paris, et qui ne s'y occupent qu'à de pareilles platitudes. J'ai vu que la reine les appréciait très bien et n'en avait été nullement émue. » Le même jour, l'ambassadeur informait également l'impératrice du rôle que Beaumarchais avait pu avoir dans ces « vilenies scandaleuses ». Il révélait aussi l'existence d'une chanson contre le baron de Besenval, décrit comme fat et léger, et dont on s'étonnait que la reine ait fait son confident[10]. Bientôt aux ragots français s'adjoignirent ceux de l'étranger. A l'initiative du roi de Prusse, qui voyait du plus mauvais œil la politique européenne conduite par l'Autriche, Marie-Antoinette fut encore une cible. Mal avec le roi, séparée de lit, voulant rester toute la nuit à jouer, ne désirant nullement la venue de Joseph II en France, elle laissait libre cours à tous ses désirs[11]. Dans un premier temps semble-t-il peu sensible à la calomnie, la reine finit par s'en émouvoir. Le 16 août 1780, Mercy écrivait à Marie-Thérèse[12] : « Ces jours passés, la reine m'ayant fait venir chez elle, je la trouvai fort occupée et peinée d'un avis qu'on lui avait donné et qu'elle daigna me confier. Cet avis portait que les gazetins ou écrits à la main sur ce qui se passe à Versailles étaient maintenant imprimés à Düsseldorf ou aux Deux-Ponts, et que plusieurs exemplaires en étaient envoyés à Vienne ; que S.M. l'empereur, lors de son départ, avait expressément ordonné qu'on lui envoyât les dits gazetins partout où il serait, que S.A.R. Mme l'archiduchesse Marie marquait un singulier empressement à se procurer les mêmes nouvelles, et qu'elle semblait s'amuser de tous les petits sarcasmes qu'elle y trouvait contre la reine. S.M. ajouta qu'elle avait sollicité le roi de faire prendre quelques mesures pour tâcher de découvrir et d'intercepter les sources de pareils gazetins, et que le monarque avait promis de s'en occuper efficacement.

« J'observai à la reine que, dans tout ce détail, je croyais voir l'œuvre de quelque intrigant, cherchant à se faire valoir et y employant des moyens qui ont le caractère de l'invraisemblance et de la malhonnêteté ; que si on imprimait des gazetins à Düsseldorf ou aux Deux-Ponts, rien n'était si simple qu'ils parvinssent à Vienne et que S.M. l'empereur ainsi que S.A.R. Mme l'archiduchesse Marie en eussent connaissance ; mais que c'était une horreur d'oser annoncer que le monarque ou son auguste sœur prissent plaisir à lire des nouvelles qui seraient défavorables à la reine, et qui, sous cette forme, ne pouvaient exciter que leur indignation. »

L'affaire du Collier sonna l'hallali. La Révolution charia un torrent de boue. Plus rien ne fut épargné à la souveraine, et ce d'autant plus qu'au texte vint s'ajouter l'image des caricatures. Celle que l'on dénomma tour à tour Madame Déficit, l'Autrichienne ou Madame Veto s'imposait en femme vicieuse à la sexualité débridée, avide du sang des Français. Pour l'auteur bien évidemment anonyme des *Fureurs utérines de Marie-Antoinette*, la reine avait fauté avec le comte d'Artois et de cette union illicite était né le dauphin. Puis, après avoir momentanément succombé à Coigny, elle avait donné son cœur et ses attraits à Mme de Polignac avant de se livrer à Mme de La Motte et au cardinal de Rohan.

Sous la plume de Louis Boussemart, dans *Le Carême du temple*, elle avait l'esprit d'un démon, « alléchée de sang et de carnage comme une levrette, perfide et friande, en tout semblable par ses inclinations à celles d'une chatte ». Le Monsieur Veto de Girardot[13] lui imputait la perte de la famille royale parce qu'elle n'avait jamais songé qu'à elle. Le bonheur de l'Empire français avait toujours été le moindre de ses soucis. Elle n'avait jamais cessé de croire un seul moment que tous les hommes étaient faits pour la servir. Elle avait appauvri le royaume dès qu'elle était montée sur le trône. Elle avait dilapidé les finances pour subvenir à toutes ses folies. Elle avait dépensé avec la plus grande prodigalité, tout gaspillé, tandis que Louis XVI s'était attaché à vivre dans la plus grande économie. Cause de tous les maux de la France, Marie-Antoinette devait disparaître.

4. Croÿ 1907, III, p. 291-292.
5. Campan 1823, I, p. 92.
6. *Ibid.*, I, p. 92-93.
7. Arneth et Geffroy 1874, II, p. 404.
8. *Ibid.*, II, p. 410.
9. *Ibid.*, II, p. 416-417.
10. *Ibid.*, II, p. 420-421.
11. *Ibid.*, III, p. 17 (lettre du 3 février 1777 de Marie-Thérèse à sa fille).
12. *Ibid.*, III, p. 458.
13. Girardot 1792.

254
Anonyme français,
dernier quart du XVIIIe siècle
Ce Monstre a été trouvé au Royaume de Santa Fé au Pérou

Vers 1784
Eau-forte et burin
H. 23,3 ; l. 31,3 cm (au coup de planche)
H. 32,7 ; l. 36,5 cm (pour la feuille)

Bibliographie : Burlingham et Cuno 1988, p. 188-189, n° 69, repr.

Paris, Bibliothèque nationale de France, département des Estampes et de la Photographie. Inv. Qb1 1784.

255
Anonyme français,
dernier quart du XVIIIe siècle
Description de ce Monstre unique se saisissant de sa proye

Vers 1784
Eau-forte
H. 21,3 ; l. 32 cm (au coup de planche)
H. 30,4 ; l. 35,7 cm (pour la feuille)

Bibliographie : Burlingham et Cuno 1988, p. 188-189, n° 70, repr.

Paris, Bibliothèque nationale de France, département des Estampes et de la Photographie. Inv. Qb1 1784.

Dès 1784, les premières estampes satiriques assimilèrent la reine à un monstre malfaisant. Cette année-là, le *Courrier de l'Europe* annonça la découverte et la capture au Chili d'une bête à visage d'homme, crinière de lion, écailles de serpent sur le corps, cornes de taureau, ailes de chauve-souris et deux queues. L'annonce n'avait pour autre but que d'attirer l'attention sur le journal et de gonfler les ventes. Aussitôt, de nombreuses estampes décrivant le monstre circulèrent dans Paris, et ce, semble-t-il, à l'instigation du comte de Provence. En peu de temps, l'image fut détournée, afin de constituer un portrait voilé de la reine, et chacun put à loisir comprendre d'une manière toute différente le texte qui l'illustrait : « Ce monstre unique se saisissant de sa proye [...] sortait la nuit pour dévorer les cochons, les vaches et les taureaux des environs [...] sa bouche est aussi longue que sa face [...] les oreilles sont semblables à celles d'un âne [...] on l'amènera à petites journées à la famille royale. On compte prendre la femelle [...] elle paroit être celle des harpies qu'on regarda jusqu'ici come fabuleuse. » Avec les années, la figuration animalière de la souveraine devint beaucoup plus explicite. La gravure anonyme à l'eau-forte et manière noire figurant Marie-Antoinette en « poule d'Autriche » qui digère l'or et l'argent avec facilité, mais ne peut avaler la Constitution, est sans conteste la plus célèbre. X. S.

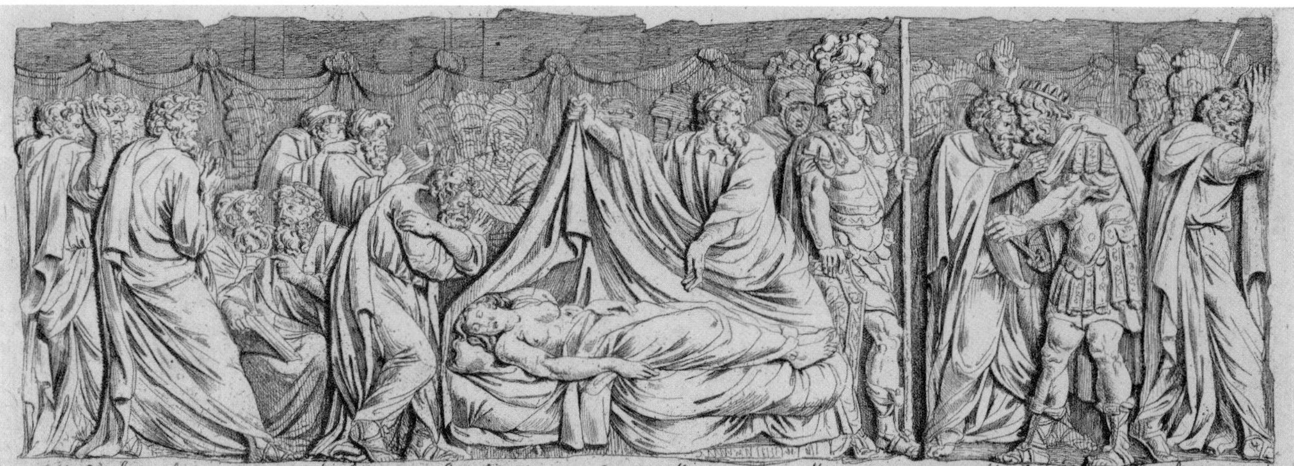

256

Anonyme français, fin du XVIIIe siècle

La reine Marie-Antoinette pousse à la guerre civile

Allégorie de Calonne, Lomenie de Brienne et Necker

Eau-forte
H. 30,9; l. 31 cm (au coup de planche)
H. 32,6; l. 33,8 cm (pour la feuille)

Provenance: Fonds ancien.

Versailles, musée national des châteaux de Versailles et de Trianon. Inv. grav. 3083.

Traitée à la manière d'un bas-relief antique, chacune des deux frises est explicitée par un texte qui en révèle la signification.

Pour la scène supérieure: « Le Sculpteur dans cette 1re frise a Représenté sous la figure d'une femme mourante le Royaume des herculanéens un bon genie / veille Près d'elle – L'Impératrice sous la figure de Junon Excite la guerre civile – la famine, le desespoir, la Rage et la mort a poignarder / cette femme – un Mauvais genie Est a leur tête – mais Minerve oppose son Egide et Rend leurs Efforts Impuissans. » La scène inférieure est ainsi décrite: « Cette 2.de frise Represente Encore le Royaume Sous la meme forme allegorique au millieu d'une assemblée des premiers du Royaume / Un Senateur nommé Louaca homme de merite mais prodigue et voluptueux leve le voile et fait connaitre quels sont les maux / de l'Etat. Cette Vuë Jette la Consternation dans l'assemblée – Le Roi se laisse aller aux Seductions d'un courtisan nommé Berenni / qui Replongea Encore le Royaume dans de nouveaux malheurs. Un Vieux Senateur appellé Kerennus Repand des larmes Sinceres / Sur le Sort des herculanéens – Sa Vertu devint un Crime – Son chatiment fut d'Etre banni. »

Les contemporains n'eurent alors aucune difficulté à reconnaître Marie-Antoinette sous les traits de l'impératrice excitant la guerre civile, Calonne sous ceux du sénateur Louaca, Lomenie de Brienne sous ceux du courtisan Berenni, et Necker sous ceux du sénateur Kerennus. X. S.

257

Anonyme français,
dernier quart du XVIIIe siècle

Le Ci Devant Grand Couvert de Gargantua moderne en famille

Vers 1791
Eau-forte coloriée sur papier bleu
H. 35,6; l. 52,7 cm (au coup de planche)
H. 42,2; l. 54,9 cm (pour la feuille)

Bibliographie: Burlingham et Cuno 1988, p. 187, n° 68, repr.

Paris, Bibliothèque nationale de France, département des Estampes et de la Photographie. Inv. Qb1 18 février 1791.

La tradition a souvent associé en Europe le souverain tout-puissant, peu économe du travail et des biens de ses sujets, à la figure du glouton Gargantua. Aussi l'estampe décrivant Louis XVI à table n'a-t-elle rien d'extraordinaire. Sa lettre en explicite toutes les finesses. Au centre de l'image, d'une taille plus grande que celle des autres personnages, le roi s'interroge: « Y en-a-t-il assez pour mon grand gosier pendant une année ? » A sa droite, Marie-Antoinette, caractérisée par les trois grandes plumes de paon, se demande également: « Faut-il que le verre ne soit pas ma baignoire. » Son verre s'emplit du sang d'un jeune soldat égorgé par le « boucher de Nancy », surnom que l'on avait donné au marquis de Bouillé après sa répression violente de la mutinerie conduite dans cette ville de Lorraine en 1790. Chacun des membres de la famille attablée manifeste la même boulimie:
« Quand j'ai le ventre plein, je m'en tiens au jeu.
– J'en ai plein ma poche.
– J'ai mangé de l'argent en bagatelle et je ronges les papier à Worms.
– Argent ou papiers, prenons toujours. »

X. S.

258

France, 1791

Memoire de La Berline Monté à Ressor sur un traïn / a arc faite sous Les ordres de Madame La Baronne de Golf / fournis par Louis Sellier aparis successeur du Sieur Warin Livré Le 12. / mars 1791

Encre brune sur quatre pages de papier crème de format in-folio
H. 34,6; l. 23,2 cm
Annoté à la dernière page à la plume et encre noire: *Jai Reconnois avoir Recu de Madame / La Baronne de Golf La Somme de cinq / mil neuf cent quarante quattre Livres pour / Le Montant du present memoire et de L'autre / part et pour Soldes de tout Compte jusque / a ce jour a paris le 20 Mars 1791 / Louis.*

Provenance: En 1947 dans la coll. du comte C. R. von Essen à Stockholm.

Stockholm, collection particulière.

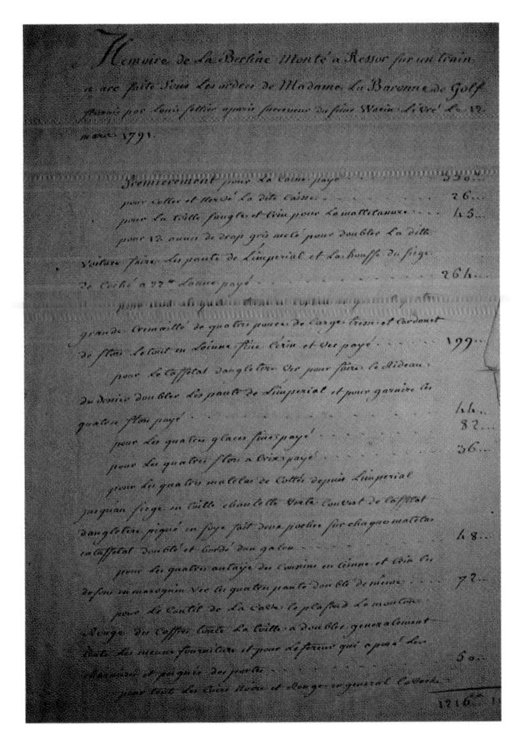
Memoire de La Berline Monté a Ressor sur un train a arc faite sous Les ordres de Madame La Baronne de Golf fournis par Louis Sellier aparis successeur du Sieur Warin Livré Le 12. mars 1791.

Le mémoire décrit de manière extrêmement précise la grosse et luxueuse berline tirée par quatre chevaux qui avait été commandée au sellier parisien Louis afin de permettre à la famille royale d'accomplir le voyage jusqu'à Montmédy. Estimée à 5 944 livres 10 sols, elle offrait tout le confort possible, avec ses rideaux de taffetas d'Angleterre de couleur verte, ses cuirs noir et rouge, ses deux lanternes à l'anglaise à réverbère et verre bombé, sa cantine pour le vin garnie tout en cuir et faite avec des séparations pour les bouteilles, et ses deux pots de chambre en cuir verni. Les quatre jalousies mouvantes en bois d'acajou avec leurs cordons et verrous assuraient également à ses occupants une certaine discrétion.

X. S.

259

Anonyme français, dernier quart du XVIIIe siècle

Fuite du roi

Vers 1791
Eau-forte coloriée sur papier bleu
H. 23,1; l 33 cm (au coup de planche)
H. 27,6; l. 34,6 cm (pour la feuille)

Bibliographie: Burlingham et Cuno 1988, p. 192, n° 74, repr.

Paris, Bibliothèque nationale de France, département des Estampes et de la Photographie. Inv. Qb1 21 juin 1791.

La lettre de l'estampe est particulièrement explicite et donne tout son sens à l'image: « Louis XVI déguisé en cuisinier, s'avance précédé de la Reine, qui elle même s'appuye sur le comte Fersen, indigne fils d'un si glorieux père, vers le fiacre où Madame royale et le dauphin sont près d'entre[r]. La Reine foule aux pieds la bonne foi, et reçoit des conseils de l'aigle impériale. Le fanatisme sous la figure du pape agite ses flambeaux pour éclairer le départ. Des seigneurs de la suite sortent de l'égoût de[s] Thuileries, des groupes de fille de joie applaudissent aux farces de Louis et de Marie-Antoinette. » Marie-Antoinette occupe le centre de la composition et s'impose comme celle qui ourdit cette fuite indigne.

X. S.

260

261

260

Anonyme français,
dernier quart du XVIIIe siècle

Enjambée de la Sainte Famille des Thuilleries à Montmidy

Vers 1791
Eau-forte coloriée sur papier bleu
H. 31,1 ; l. 47,6 cm (au coup de planche)
H. 35,4 ; l. 47,9 cm (pour la feuille)

Bibliographie : Burlingham et Cuno 1988, p. 191, n° 73, repr.

Paris, Bibliothèque nationale de France, département des Estampes et de la Photographie. Inv. Qb1 21 juin 1791.

La charge contre Marie-Antoinette ne peut être plus directe. Tout fut tramé par la reine. L'estampe le clame haut et fort. Dans une attitude plus qu'acrobatique, la souveraine prend appui d'un pied sur les Tuileries, et de l'autre sur un mont surmonté d'une horloge qui indique l'heure de midi. Elle porte sur son dos Louis XVI et le dauphin et tire par la main sa fille Madame Royale accompagnée de Madame Elisabeth. Le roi et son épouse tiennent ensemble le sceptre, mais il est brisé. Les autres personnages de la composition sont clairement identifiés par la légende et renforcent la condamnation que l'estampe prononce contre la reine. Sous Marie-Antoinette paraissent, de gauche à droite, le duc de Coigny, colonel et écuyer du roi, qui fut accusé par la rumeur d'avoir été l'amant de la reine, le cardinal de Rohan et la comtesse de La Motte, l'instigatrice de l'affaire du Collier, qu'elle brandit de la main droite. Sous les rochers qui figurent la cité de Montmédy, les trois émigrés impliqués dans des complots contre-révolutionnaires sont Jacques Antoine Marie de Cazalès, député de la noblesse aux Etats généraux qui émigra aussitôt après la fuite de Varennes, l'abbé Jean Siffrein Maury, député du clergé, émigrant aussi en 1791, et le vicomte de Mirabeau, chef de la Légion noire. Enfin, à gauche de l'image, le comte de Provence et son épouse encouragent la fuite royale et brandissent une bourse pleine d'écus. A chacun de ces acteurs, l'auteur anonyme de la gravure a prêté une phrase imprimée qui renforce encore la culpabilité de la reine. Marie-Antoinette indique elle-même : « Je lui donne tout. » **X. S.**

261

Anonyme français,
dernier quart du XVIIIe siècle

La Famille des cochons ramenée dans l'étable

Vers 1791
Eau-forte coloriée
H. 12,4 ; l. 21,3 cm (au coup de planche)
H. 14,5 ; l. 22,7 cm (pour la feuille)

Bibliographie : Burlingham et Cuno 1988, p. 197,
n° 84, repr.

Paris, Bibliothèque nationale de France,
département des Estampes et de la Photographie.
Inv. Qb1 25 juin 1791.

Le retour forcé de la famille royale à Paris fit naturellement l'objet d'estampes. Les plus respectueuses décrivaient l'événement tel qu'il s'était déroulé. Conduite par la Garde nationale, la berline abritait Louis XVI et ses proches en compagnie du maire de Paris Pétion de Villeneuve et du député de l'Assemblée constituante Barnave. *La Famille des cochons ramenée dans l'étable* fait usage d'un autre langage. Le roi, la reine, leurs enfants et Madame Elisabeth sont réduits à l'état de pourceaux transportés sur une litière de paille. X. S.

262

262

Anonyme français,
dernier quart du XVIIIe siècle

Hé hu ! Da da !

Vers 1791
Eau-forte coloriée sur papier bleu
H. 15,8 ; l. 22,3 cm (pour la feuille)

Bibliographie : Burlingham et Cuno 1988, p. 193,
n° 77, repr.

Paris, Bibliothèque nationale de France,
département des Estampes et de la Photographie.
Inv. Qb1 25 juin 1791.

263

263

Anonyme français,
dernier quart du XVIIIe siècle

J'en ferai un meilleur usage, et je sçaurai le conserver

Vers 1791
Eau-forte coloriée sur papier bleu
H. 20 ; l. 27 cm (au coup de planche)
H. 23,3 ; l. 30 cm (pour la feuille)

Bibliographie : Burlingham et Cuno 1988, p. 193,
n° 76, repr.

Paris, Bibliothèque nationale de France,
département des Estampes et de la Photographie.
Inv. Qb1 25 juin 1791.

Souvent, les caricatures s'attachèrent à montrer combien Louis XVI était un homme manipulé par son épouse. Les deux feuilles ici réunies en offrent un parfait exemple. La première estampe fait de la souveraine l'instigatrice de la fuite à Varennes. Apprêtée de manière coûteuse et par conséquent peu économe des deniers de son royaume, elle pousse son époux perché sur un cerf en bois et coiffé d'une couronne bien instable vers un mont sommé d'un cadran dont l'aiguille est pointée sur midi. La charade désigne évidemment la cité de Montmédy. Elle maintient Louis XVI dans le monde de l'enfance, soit celui où les décisions sont généralement prises par les adultes.

Sur la seconde estampe, Marie-Antoinette, à dessein très élégamment coiffée, avec plumes de paon, chapeau et voile, conduit Louis XVI dans une voiture pour enfant qui l'entrave et l'aide à ne pas chuter. Réduit à l'état infantile, le roi semble préférer le jouet de son fils, un moulin à vent, à son sceptre. Le dauphin prend possession du symbole royal et s'exclame : « J'en ferai un meilleur usage, et je sçaurai le conserver. »

Sur les deux caricatures, le choix des accessoires n'est aucunement le fait du hasard. Le moulin à vent témoigne de l'indécision du souverain ; le cerf aux bois majestueux, de sa condition de cocu. **X. S.**

264

Anonyme français, dernier quart du XVIIIe siècle
La Boîte à Pandore

Vers 1791
Eau-forte coloriée sur papier bleu
H. 16 ; l. 24,4 cm (au coup de planche)
H. 20,4 ; l. 27,4 cm (pour la feuille)

Bibliographie : Burlingham et Cuno 1988, p. 190, n° 72, repr.

Paris, Bibliothèque nationale de France, département des Estampes et de la Photographie. Inv. Qb1 25 juin 1791.

Traitée à la manière des gravures anglaises de l'époque, l'image dénonce une nouvelle fois les ambitions de l'Autriche. Pour ce faire, l'auteur anonyme utilise le mythe de Pandore, qui mit fin à l'âge d'or de l'humanité en ouvrant la boîte qui emprisonnait tous les maux.

Au centre de l'estampe, un homme en habit présente une boîte aux armes de l'Autriche qui contient une poupée incarnant la reine de France. Afin que chacun puisse aisément la reconnaître, on a pris soin d'inscrire le prénom d'Antoinette sur la robe de la figurine. La boîte porte également la sentence : « De tous les maux, voilà le pire. »

Ainsi pourvu de cet encombrant objet, l'homme lance à l'assemblée : « Voilà le seul bijou d'Allemagne que l'on puisse mettre à prix. » Chacun dans l'assemblée aristocratique réagit au présent, qui soulignant que le beau cadeau vient de la cour de Vienne, qui invitant à se défier du caractère d'Antoinette. Ce type d'image aida à faire croire à l'opinion publique l'idée commune selon laquelle Marie-Antoinette avait été accordée en mariage au futur Louis XVI afin de permettre à l'Autriche de s'emparer insidieusement de la France. **X. S.**

265

Anonyme français,
dernier quart du XVIIIe siècle

Que faites vous / ma fille ? / Quel désespoir ? / J'étois altérée du sang des François / n'ayant pu éteindre ma soif / mon désespoir m'a plongé au fonds de ce/ puits / Ah ! Maudits Français pourquoi m'arretiez vous ?

Vers 1791
Eau-forte coloriée sur papier bleu
H. 21,5 ; l. 15,5 cm (au coup de planche)
H. 23,5 ; l. 18,3 cm (pour la feuille)

Bibliographie : Burlingham et Cuno 1988, p. 194, n° 79, repr.

Paris, Bibliothèque nationale de France, département des Estampes et de la Photographie. Inv. Qb1 25 juin 1791.

L'estampe fait écho aux chansons populaires qui fleurissaient dans Paris vers 1790 et faisaient de Marie-Antoinette une femme prête à faire égorger toute la population de la capitale (Vovelle 1984, p. 199). Elle s'attache aussi à rappeler l'origine autrichienne de la souveraine. Sa mère, l'impératrice Marie-Thérèse, l'air courroucé, exhorte sa fille à retrouver son rang en lui rappelant sa condition de reine et lui désigne à cet effet sa couronne. Selon Cynthia Burlingham et James Cuno, la caricature est postérieure à la fuite de Varennes. Elle cherchait donc à souligner le danger autrichien et à instiller un sentiment d'inquiétude parmi le peuple. X. S.

266

Anonyme français,
dernier quart du XVIIIe siècle

Les deux ne font qu'un

Vers 1791
Eau-forte coloriée sur papier bleu
H. 14,8 ; l. 21,1 cm (au coup de planche)
H. 20,4 ; l. 25,8 cm (pour la feuille)

Bibliographie : Burlingham et Cuno 1988, p. 195, n° 82, repr.

Paris, Bibliothèque nationale de France, département des Estampes et de la Photographie. Inv. Qb1 25 juin 1791.

La tentative ratée de fuite vers Montmédy et la découverte au palais des Tuileries après le départ de la famille royale du manifeste par lequel Louis XVI révélait son opposition à la Révolution et à ses idées déchaînèrent la verve des caricaturistes. Sans plus aucune retenue, deux estampes en couleur attribuées à Villeneuve (Paris, BnF, Qb1 25 juin 1791) transformèrent Louis XVI en cochon, parjure et valet de chambre de son épouse qui, pour voyager, avait adopté une identité d'emprunt, et Marie-Antoinette en panthère à tête de Méduse, les serpents sifflant au-dessus de sa perruque.

L'estampe anonyme intitulée *Les deux ne font qu'un* combina ces deux images afin de créer un monstre à deux têtes incapable de se mouvoir. Du côté masculin, la bête avait l'aspect d'un porc, avec la tête de Louis XVI couronnée des cornes de l'homme trompé. Du côté féminin, elle prenait l'apparence d'une panthère, dont la tête présentait les traits d'une Marie-Antoinette perruquée de plumes de paon et de serpents. X. S.

Les heures sombres : l'emprisonnement au Temple

Anne Forray-Carlier

L'emprisonnement au Temple fut une étape de plus dans le processus de rapprochement de Marie-Antoinette et des siens. Une vie encore plus simple, plus familiale s'organisa, prélude à l'isolement total que la reine allait connaître quelques mois plus tard. D'abord « dorée », la prison devint graduellement un cachot. Logée, dans un premier temps, entre le 13 août et le 26 octobre 1792, dans l'appartement de Jean-Jacques Berthelemy, archiviste de l'ordre de Malte, situé dans la petite tour du Temple, la reine partageait avec le dauphin la plus grande chambre du second étage[1]. Madame Royale et Madame Élisabeth occupaient la pièce voisine et le roi s'était vu attribuer le troisième étage. Au premier étage se situait la salle à manger où la famille se retrouvait pour les repas.

Pendant cette première phase, d'importants travaux furent entrepris dans la grande tour pour assurer son isolement et son aménagement. Haute de cinquante mètres, elle était divisée en quatre étages constitués chacun d'une salle d'environ soixante-cinq mètres carrés, voûtée d'ogives partant d'un gros pilier central. Deux fenêtres sur chaque face apportaient la lumière du jour. La tourelle nord-est contenait un escalier à vis desservant les étages, les trois autres renfermaient des petits cabinets ronds directement ouverts sur les salles, éclairés par d'étroites meurtrières. Des cloisons furent donc élevées à chaque étage afin d'établir les pièces nécessaires. Cheminées et poêles furent installés, des carreaux de pierre de liais et noirs garnirent les sols, des sièges de commodité furent aménagés. Peintures et papiers peints furent posés et enfin d'importants travaux de serrurerie furent entrepris afin d'éviter tout risque de fuite : renforcement des serrures, pose de cadenas et mise en place de grilles aux fenêtres. Pour parfaire le tout, des abat-jour furent posés devant les fenêtres, rendant la vue sur l'extérieur impossible aux prisonniers et donnant à la tour cette silhouette si particulière connue par les estampes[2]. Le 29 septembre 1792, le roi était transféré dans la grande tour, suivi le 26 octobre par Marie-Antoinette, Madame Élisabeth et les jeunes princes. Cléry dans sa relation écrit : « Le rez-de-chaussée était à l'usage des municipaux ; le premier servait de corps de garde : le roi fut logé au second[3]. » Le troisième étage était donc dévolu au reste de la famille. La pièce servant de chambre à Marie-Antoinette disposait d'un papier peint avec bordures lilas. Le mobilier consistait en une commode d'acajou, une table de noyer, une table de nuit, un bidet,

Fig. 50
Translation de Louis XVI et de sa famille au Temple le 13 août 1792
Paris, musée Carnavalet.

Fig. 51
Anonyme
La famille royale se promenant dans le jardin du Temple et Cléry y jouant avec le dauphin
Paris, musée Carnavalet.

des sièges recouverts de damas vert et blanc, un écran, un paravent, une pendule de Lepaute, quelques flambeaux argentés[4]. Cette pièce allait servir à la reine jusqu'à son transfert vers la Conciergerie le 2 août 1793.

Définitivement emprisonnée, soumise à une surveillance étroite, subissant des humiliations sans nombre, objet d'une méfiance sans bornes, la famille royale se régla une nouvelle vie. Vers neuf heures chacun se retrouvait pour le premier repas. À dix heures, tous se réunissaient dans la chambre de la reine. Le roi faisait travailler le dauphin et la reine Madame Royale. La fin de la matinée s'achevait par des travaux d'aiguille pour les princesses et si le temps le permettait, tout du moins au début de sa détention, toute la famille descendait au jardin. À quatorze heures le déjeuner était servi. La chambre de la reine servait à nouveau de cadre pour l'après-midi où alternaient jeux, travaux d'écriture et lecture jusqu'au dîner servi à vingt et une heures. Après le repas, chacun se retirait. Après l'exécution du roi les conditions de détention se détériorèrent, la reine et les siens, enfermés jour et nuit, ne voyant plus les portes s'ouvrir que pour les repas apportés par les municipaux.

Fig. 52
Fragments de tissus du Temple
Paris, musée Carnavalet.

Tous les témoignages sont unanimes à souligner la dignité avec laquelle Marie-Antoinette supporta jusqu'au bout les conditions dans lesquelles elle allait passer ses derniers jours. Dans l'adversité générale elle ne trouvait de réconfort que dans ses enfants et sa belle-sœur.

Celle qui avait été promise à l'avenir le plus brillant, qui avait été célébrée, adulée dès son arrivée en France, qui avait régné sans partage sur les arts, celle pour qui les plus belles réalisations artistiques avaient été créées, s'était progressivement détachée des biens de ce monde et des apparences. La comparaison entre le mobilier « aux épis », si suprêmement raffiné, réalisé pour sa chambre de Trianon, et les modestes chaises paillées de Berthelemy qui lui servaient au Temple, permet de mesurer le gouffre qui sépare les deux périodes de sa vie. Marie-Antoinette sut montrer qu'elle y était insensible.

Mais qui peut imaginer quels furent ses sentiments, dans sa cellule de la Conciergerie, définitivement séparée de ses enfants, n'attendant plus de secours que de Dieu ? Dans cette ultime épreuve, prématurément vieillie, se sachant définitivement condamnée, Marie-Antoinette allait se comporter en souveraine jusqu'aux marches de l'échafaud, forgeant pour la postérité son image de martyre.

1. Sur l'histoire de l'enclos du Temple, cf. Curzon 1988 et Davranches 1904. Sur les événements qui se déroulèrent au Temple pendant la détention de la famille royale, cf. Tourzel 1986, Cléry 1987, Hüe 1860, Goret 1825, Moelle 1820, Edgeworth de Firmont 1987, Marie-Thérèse Charlotte de France 1987. Ces textes doivent être complétés par la lecture des comptes rendus officiels des commissaires du Temple et les arrêtés du Conseil général de la Commune, Arch. nat., séries F^7 et F^4.
2. Arch. nat., F^4 1306, 1307 ; A 108.
3. Cléry 1987, p. 55.
4. Arch. nat., F^7 4391, dossier 3.

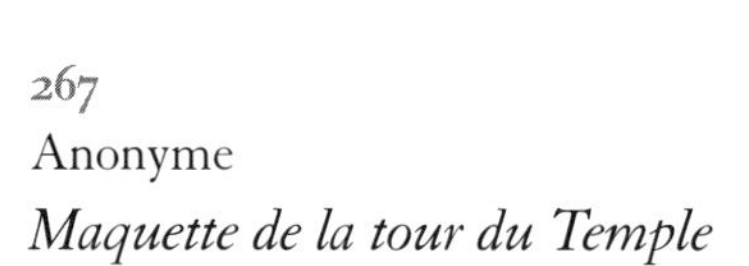

267
Anonyme
Maquette de la tour du Temple

Bois et carton
H. 64 ; l. 26 ; pr. 22 cm
Provenance : Inconnue.

Bibliographie : Cat. exp. Paris 1987, n° 192 ; cat. exp. Versailles 1989, n° 147 ; Trogan & Forray-Carlier 1993, n° 166.

Vauhallan, abbaye Saint-Louis-du-Temple.

268

Chaise à dossier lyre

Dernier tiers du XVIIIe siècle
Merisier, paille
H. 90; l. 45; pr. 41 cm

Provenance: Don de Mme Blavot, 1907.
Bibliographie: Cat. exp. Paris 1939, n°s 476-478; Jallut 1955a, n° 747; Trogan et Forray-Carlier 1993, n° 172; Forray-Carlier 2000, p. 224, n° 85.

Paris, musée Carnavalet. Inv. MB 217.

269

François Mongenot
(1732-1809)
et Pierre Pionez
(?-1790)

Table de chevet de la reine Marie-Antoinette au Temple

Seconde moitié du XVIIIe siècle
Noyer, marbre gris Sainte-Anne
H. 75; l. 47; pr. 32 cm

Provenance: Don de Mme Blavot, 1907.
Bibliographie: Cat. exp. Paris 1939, n°s 476-478; Trogan et Forray-Carlier 1993, n° 172; Forray-Carlier 2000, p. 224, n° 85.

Paris, musée Carnavalet. Inv. MB 214.

270

Table-coiffeuse de la reine Marie-Antoinette au Temple

Seconde moitié du XVIIIe siècle
Merisier
H. 72; l. 76; pr. 46 cm

Provenance: Don de Mme Blavot, 1907.
Bibliographie: Cat. exp. Paris 1939, n°s 476-478; Jallut 1955a, n° 747; Trogan et Forray-Carlier 1993, n° 172; Forray-Carlier 2000, p. 224, n° 85.

Paris, musée Carnavalet. Inv. MB 219.

268

269

270

Ces modestes meubles de merisier et de noyer, seulement garnis de paille pour les chaises, s'ils sont un intéressant témoignage de l'ameublement d'un bourgeois parisien à la fin de l'Ancien Régime, sont avant tout des reliques, statut qu'ils se sont acquis par l'utilisation qu'en fit la famille royale durant sa détention au Temple. Conduits dès le premier soir vers la petite tour du Temple, le roi et les siens occupèrent en effet l'appartement de l'archiviste de l'ordre de Malte, Jacques Albert Berthelemy. Selon ses dires, ce dernier disposa tout juste d'une heure pour rassembler quelques effets et se retirer, laissant tout le reste à la disposition de la famille royale. Lorsque celle-ci déménagea vers la grande tour, Berthelemy ne réintégra pas pour autant son logement, qui fut utilisé par les commissaires de garde au Temple. Plusieurs documents conservés aux Archives nationales (série F^7 4393) et d'autres à la Bibliothèque historique de la ville de Paris (papiers privés de Berthelemy) attestent qu'une partie du mobilier de la petite tour fut transférée vers la grande. Mais quels meubles précisément? Les listes conservées sont de simples énumérations sans descriptions précises, ce qui n'autorise que des rapprochements incertains. De son côté, Berthelemy n'eut de cesse, dès le 19 août 1792, de réclamer la restitution de ses effets dans des listes guère plus précises. Enfin, pour finir de brouiller les pistes, il ne faut pas oublier que des meubles nouveaux furent livrés à l'intention des illustres prisonniers (Arch. nat., F^7 4391, dossier 3) et que, lors des restitutions faites à Berthelemy en 1798, il n'est pas impossible que certains d'entre eux lui aient été attribués! Cela importe peu, dès lors que ces meubles étaient devenus des reliques, que Berthelemy légua comme telles à ses descendants. Il n'y a aucune raison de mettre ses dires en doute. C'est sa petite-fille par alliance, Mme Blavot, qui fit don d'une partie de ce mobilier au musée Carnavalet cent cinq ans plus tard. Avec ces trois meubles, Mme Blavot remettait également au musée le lit dans lequel Madame Elisabeth avait dormi et la bibliothèque qui avait servi à Louis XVI. Cet ensemble fut complété par une paire de fauteuils cabriolets estampillés de Porrot achetés à la vente après décès de Mme Blavot par M. Jean Fallou, qui les donna immédiatement au musée, puis, en 1982, par la pendule de Gribelin et la table ronde à abattants, légués par la marquise de Montgon, fille de l'historien G. Lenôtre, qui les tenait directement de Mme Blavot. **A. F.-C.**

271
Anonyme
Dîner de la famille royale emprisonnée au Temple

Eau-forte
H. 9,2 ; L. 14,8 cm (au trait carré)

Provenance : Acquis à l'hôtel Drouot à Paris le 13 février 1943 lors de la vente J. avec 76 autres gravures et dessins. Entré à Versailles le 26 mars 1943

Versailles, musée national des châteaux de Versailles et de Trianon. Inv. Grav. 4496.

« Diner de Louis Capet au Temple / Louis Capet, sa femme, sa sœur son fils et sa Fille dinent ensemble dans son appartement de la tour du Temple, le guichetier présent, ainsi que / deux officiers municipaux, dont l'un annonce en tirant sa montre, qu'il est trois heures, et que sa femme et sa belle-sœur et sa fille doivent se retirer. »
Cette modeste gravure, publiée dans le journal *Les Révolutions de Paris* daté des 13-20 octobre 1792 (nº 171, p. 165), sans être évidemment très exacte, donne une idée de la vie quotidienne des occupants de la tour, pénible surtout à cause de la surveillance constante qui s'exerçait sur eux. Les gardiens, attentifs à leurs moindres mouvements, s'épiant les uns les autres, prêts à trahir pour ne pas être trahis, se référaient au conseil du Temple, relevant de la Commune, pour la moindre décision, comme faire soigner une rage de dents ! **R. T.**

271

272
Mémoire de dépenses faites pour le roi et sa famille au Temple

1792
Feuillet manuscrit

Bibliographie : Cat. exp. Versailles 2007, nº 73

Versailles, Bibliothèque municipale.
Inv. Panthéon versaillais Cléry.

273
Mémoire de dépenses faites par Cléry pour le service du Roi, et d'après ses ordres, à la Tour du Temple, pendant le mois de septembre 1792

1792
Feuillet manuscrit, papier bleu
H. 36,5 ; l. 24,3 cm

Bibliographie : Trogan et Forray-Carlier 1993, nº 145.

Versailles, Bibliothèque municipale.
Inv. Panthéon versaillais Cléry.

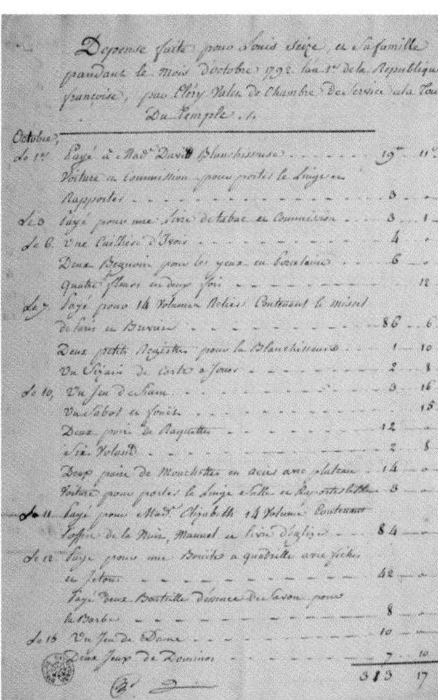

Dépense faite pour Louis Seize, et sa famille pendant le mois d'octobre 1792 l'an 1er de la République françoise, par Cléry Valet de Chambre de service à la Tour du Temple.

Octobre			
le 1er	Payé à Madame David Blanchisseuse	19	11
	Voiture et commission pour porter le linge et rapporter	3	—
le 3	Payé pour une livre de tabac et commission	3	1
le 6	Une cuillère d'ivoire	4	—
	Deux bagnoirs pour les yeux en porcelaine	6	—
	Quatre fleurs en deux fois		12
le 7	Payé pour 14 volumes reliés contenant le missel de Paris et bréviaire	86	6
	Deux petits registres pour la blanchisseuse	1	10
	Un sixain de cartes à jouer	2	8
le 10	Un jeu de Siam	3	16
	Un sabot et fouet		15
	Deux paires de raquettes	12	—
	Six volants	2	8
	Deux paires de mouchettes en acier avec plateau	14	—
	Voiture pour porter le linge sale et rapporter	3	—
le 11	Payé pour Mad. Elizabeth 14 volumes contenant l'office de la Messe, manuel et livre d'église	84	—
le 12	Payé pour une boîte à quadrille avec fiches et jetons	42	—
	Payé deux bouteilles d'essence de savon pour la barbe	8	—
le 15	Un jeu de dame	10	—
	Deux jeux de dominos	7	10
		313	17

272

273

Ces pages manuscrites, semblables à un inventaire à la Prévert, sont un témoignage unique et très émouvant de ce que fut la vie quotidienne des derniers mois de la famille royale. Cléry, fidèle à ses habitudes, notait consciencieusement toutes les dépenses faites pour le service du roi et d'après ses ordres. L'Assemblée législative avait voté un fonds de 500 000 livres réparti sur trois chapitres : les dépenses de la bouche, celles liées à l'entretien et menues dépenses et celles relatives aux travaux de réaménagement de la grosse tour (Arch. nat., F[7] 43921). La tenue de la comptabilité par l'économat permet en outre de connaître les noms des différents fournisseurs et les appointements du personnel dévolu à la garde des souverains (Arch. nat., F[7] 4391, dossier 2). D'autres papiers comptables donnent une idée du contenu de la garde-robe. Enfin, plusieurs factures d'objets divers tels que paire de volants, ballons, dominos, jeux de dames, petits ustensiles pour ouvrages, fournitures de mercerie, livres, témoignent des occupations quotidiennes de la famille royale. **A. F.-C.**

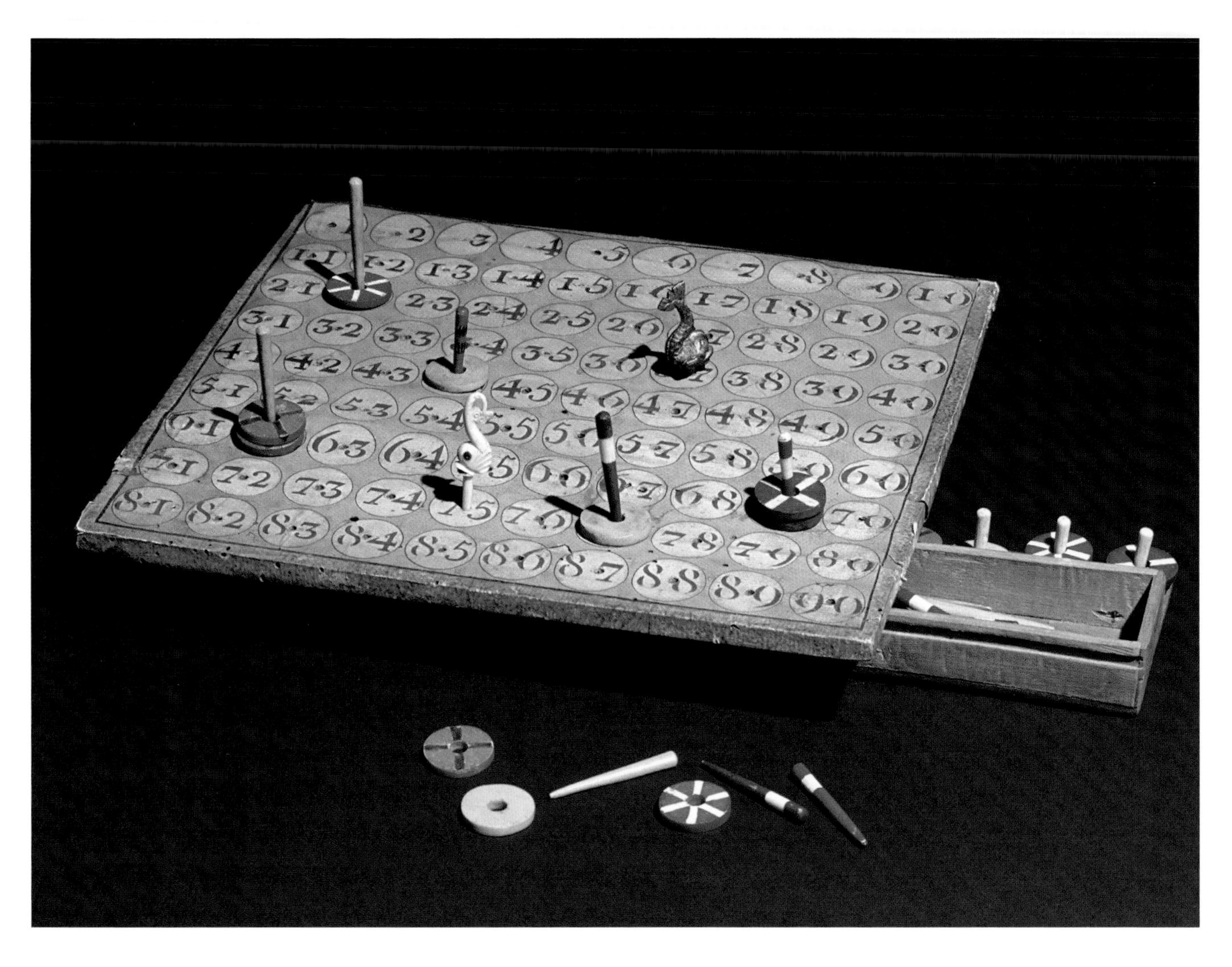

274

Jeu de loto-dauphin

Dernier quart du XVIIIe siècle
Carton, bois, os, plomb
H. 27 ; l. 24 ; pr. 24 cm

Provenance : Don de Mme Blavot, 1907.
Bibliographie : Trogan et Forray-Carlier 1993, n° 280.

Paris, musée Carnavalet. Inv. OM 2102.

Cléry retrace à deux reprises, lors du séjour dans la petite tour, puis après le transfert dans la grande tour, l'emploi du temps de chaque membre de la famille royale. Après neuf heures du matin, où tout le monde se retrouvait pour le petit déjeuner, la famille se réunissait dans la chambre de la reine. Le roi s'occupait alors de l'éducation du dauphin et la reine de celle de Madame Royale. A treize heures, si le temps le permettait, tout le monde descendait au jardin, et, à quatorze heures, le déjeuner était servi. L'après-midi se déroulait à nouveau dans la chambre de la reine : jeux, travaux d'écriture et de lecture jusqu'au dîner. Le jeu de loto-dauphin, jeu de hasard par excellence, fut une des activités favorites de la famille. Ses règles sont un peu plus complexes que celles du loto simple dans la mesure où l'on ne se bornait pas à payer le quine, mais également l'ambe, le terne et le quaterne, ce qui entraînait des gains plus élevés et un jeu qui gagnait en émotion. Le musée Carnavalet conserve également des petits soldats de plomb utilisés par le dauphin, ainsi qu'un jeu d'échecs en buis tourné, recueillis par Lasne, commissaire au Temple, qui était désireux de posséder quelque chose ayant été à l'usage de la famille royale. D'autres jouets sont conservés dans des collections privées, comme une émigrette provenant de Cléry et un toton en buis que Pauline de Tourzel, compagne de jeu des premiers jours au Temple, avait apporté et que Madame Royale lui rendit en mars 1795. **A. F.-C.**

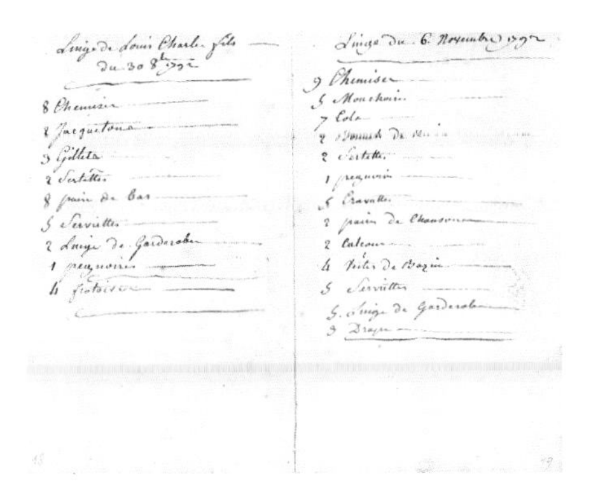

Linge de Louis Charles fils
Du 30 8bre 1792

8 Chemises
8 Jacquetons
3 Gillets
2 Sertettes
8 paires de bas
5 Serviettes
2 Linge de Garderobe
1 peignoir
4 frotoirs

Linge du 6 Novembre 1792

9 Chemises
5 Mouchoirs
7 Cols
2 Bonnets de nuit
2 Sertettes
1 peignoir
5 Cravattes
2 paires de Chaussons
2 Calecons
4 Vestes de Bazin
5 Serviettes
5 Linge de Garderobe
3 Draps

275

Jean-Baptiste Canthaney, dit Cléry
(Versailles, 1759 – Idzingen, Autriche, 1809)

Carnet de blanchissage de la famille royale au Temple

24 septembre – 17 décembre 1792
Carnet de papier, 32 pages, manuscrit
H. 24,5 ; l. 18,5 cm

Provenance : Coll. La Morinerie ; vente Lavedan, avril 1933 ; don des Amis du musée Carnavalet, 1933.
Bibliographie : Cat. exp. Paris 1931, n° 373 ; cat. exp. Paris 1939, n° 492 ; Trogan et Forray-Carlier 1993, n° 147.

Paris, musée Carnavalet. Inv. E 13735.

Emprisonnée le 13 août au soir dans la petite tour du Temple, la famille royale ne fut rejointe que treize jours plus tard par Jean-Baptiste Canthaney, dit Cléry, valet de chambre du dauphin, qui désormais remplaça François Hue auprès du roi. Cléry est entré dans l'Histoire grâce au récit qu'il rédigea sous forme de *Journal de ce qui s'est passé à la tour du Temple pendant la captivité de Louis XVI roi de France*, publié en 1798. Son récit, tout comme ceux de l'abbé Edgeworth de Firmont, confesseur du roi dans ses derniers moments, et de Madame Royale, devenue duchesse d'Angoulême, révèlent ce que fut la vie quotidienne de chacun au sein du Temple, les vexations encourues, les angoisses ressenties. Reconnaissons que ces textes ne sont pas impartiaux et qu'ils doivent être complétés, voire éclairés, par les comptes rendus officiels émanant des commissaires du Temple et les arrêtés du Conseil général de la Commune. D'autres documents, comme ce modeste carnet de blanchissage, permettent d'entrer plus intimement dans le quotidien. La liste des effets inscrits par Cléry donne des indications sur la garde-robe dont disposait la famille royale et dont il assurait l'entretien. On apprend par son journal que lorsqu'il recevait le linge au retour du blanchissage, les municipaux l'examinaient pièce par pièce ainsi que le livre de la blanchisseuse et tout autre papier servant d'enveloppe. Ils étaient présentés au feu afin de s'assurer qu'aucune écriture secrète n'y avait été apposée. Le même examen s'opérait lorsque le linge quittait la tour ! **A. F.-C.**

276

Chemise de Marie-Antoinette

Dernier tiers du XVIIIe siècle
Batiste

Provenance : Don de Mmes Soehnée, Martin et Lasne, 1911.
Bibliographie : Trogan et Forray-Carlier 1993, n° 256.

Paris, musée Carnavalet. Inv. E 7556[12].

Cette chemise fit partie du trousseau de la reine pendant sa détention et fut remise à l'un des commissaires du Temple, Etienne Lasne, chargé de la surveillance de la famille royale, lorsque Madame Royale quitta le Temple. Ce sont ses descendantes qui en firent don en 1911 au musée Carnavalet. Lorsque la reine arriva au Temple, elle ne disposait que de ce qu'elle avait sur le corps lorsqu'elle avait quitté précipitamment les Tuileries le 10 août 1792. Une des premières requêtes des prisonniers fut la constitution d'une garde-robe. Un état des dépenses permet de connaître les fournisseurs auxquels la Commune s'adressa, parmi lesquels figurent Mme Eloffe et Mlle Bertin (Arch. nat., F4 1311). Illustres noms parmi les marchandes de modes de l'époque, celles-ci fournirent toutefois de bien modestes effets, quelques pièces de linge de corps, des robes du matin en basin blanc que la reine, Madame Elisabeth et Madame Royale quittaient « pour un vêtement de toile fond brun à petites fleurs qui fit leur unique parure de la journée jusqu'à la mort du roi, que toute la famille prit le deuil » (Moelle 1820, p. 9). **A. F.-C.**

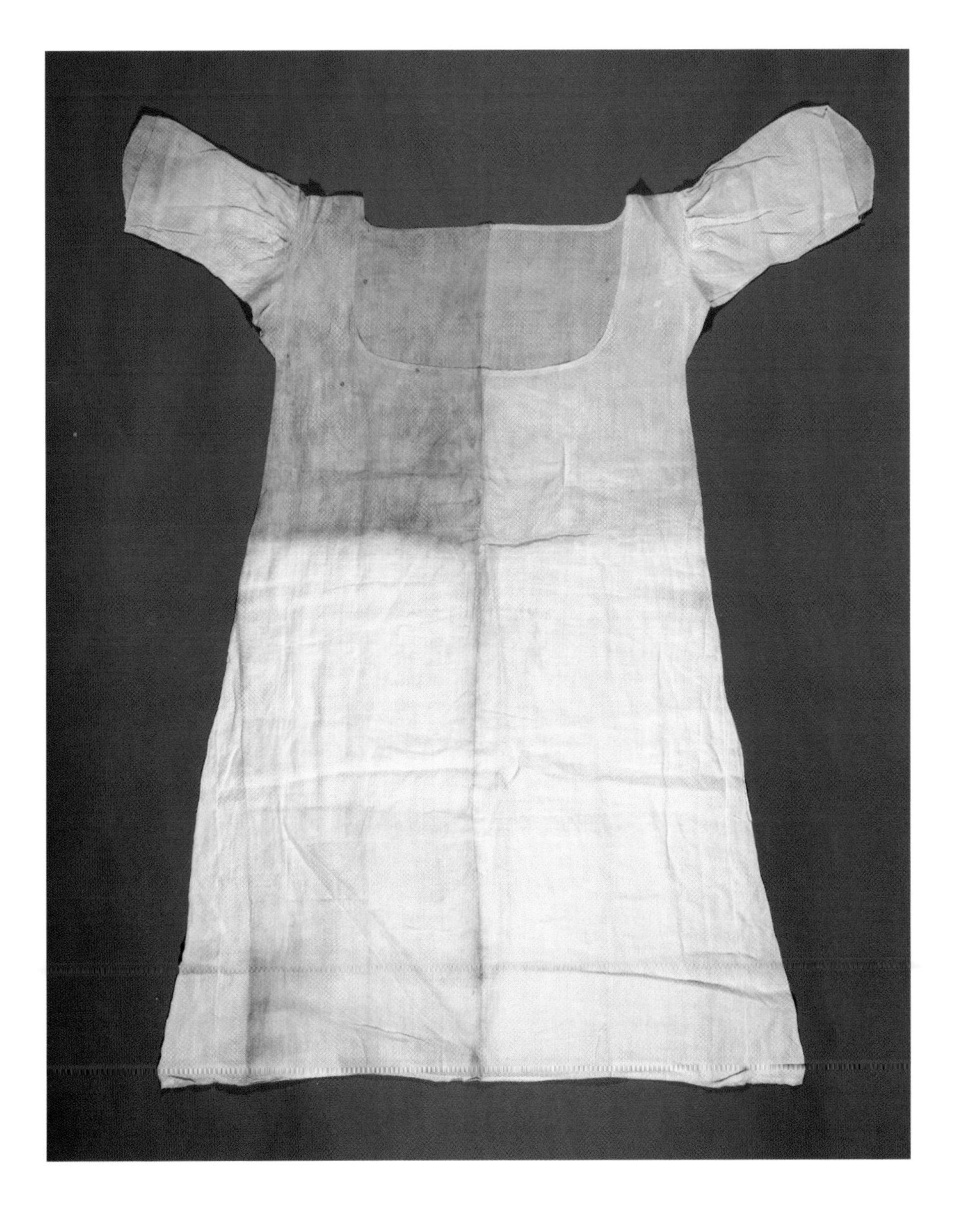

277

Serre-tête de Marie-Antoinette

Vers 1790
Coton, marque brodée : *HC*
H. 32,5 ; l. 26,5 cm

Bibliographie : Cat. exp. Paris 1939, n° 490 ; Trogan et Forray-Carlier 1993, n° 306.

Paris, musée Carnavalet. Inv. OM 272.

Les lettres *HC* correspondent aux initiales de Jean-Baptiste Canthaney, dit Cléry, dont le nom s'orthographiait également Cant-Hanet-Cléry. Elles furent brodées à sa demande sur toutes les pièces de vêtement ayant appartenu à la famille royale qu'il avait pu détourner et sur celles que Madame Royale lui avait données en souvenir de ses parents après sa détention. Ce serre-tête de la reine fut donc pieusement conservé par Cléry, ainsi que par Mme Giovanelli, sa petite-fille ; cette dernière le donna au duc de La Salle de Rochemaure, qui le céda à Mme de Forceville, laquelle à son tour en fit don au musée Carnavalet en 1930, avec plusieurs autres reliques. Ces pièces de lingerie étaient religieusement conservées dans un coffret en forme de sarcophage portant une plaque argentée gravée de l'inscription suivante : « Dépouilles sacrées. » Ce coffret est toujours conservé dans les collections du musée Carnavalet. Le serre-tête fut fourni à Marie-Antoinette lorsqu'elle demanda des vêtements de deuil, demande qui lui fut accordée dès le lendemain de la mort du roi. Le compte rendu de la séance du Conseil général de la Commune daté du 23 janvier 1793 fait état des vêtements qui furent accordés à la reine : un manteau de taffetas, un fichu, un jupon, une paire de gants de soie, deux paires de gants de peau et deux serre-tête de taffetas, le tout noir.

A. F.-C.

278

Médaillon contenant des cheveux de Marie-Antoinette et du dauphin

Début du XIXe siècle
Verre, verre opalin, verre irisé, perles, soie brune, cheveux, monture en or
H. 9,3 ; l. 6,5 cm

Provenance : Don de Mme Gibson, 1931.

Paris, musée Carnavalet. Inv. OM 3266.

Non reproduit.

On serait sans doute étonné, si l'on réunissait toutes les mèches de cheveux réputées provenir de Marie-Antoinette, par leur volume.
Comment, pourtant, démêler les vraies reliques des fausses ? Seule une analyse systématique de l'ADN permettrait de le faire. Toutefois, certaines filiations ne laissent aucun doute sur l'origine de certaines reliques ; tel est le cas du médaillon présenté dans l'exposition (ici non reproduit). Il fut donné au musée par Mme Gibson, qui l'avait acheté en novembre 1930 à Mme Getty, laquelle le tenait de son oncle Edme Genêt, qui en avait hérité au décès de son père Edmond Charles Genêt (1763-1834). Ce dernier fut le premier représentant de la République française aux Etats-Unis d'Amérique et détenait ce médaillon de sa sœur qui n'était autre que Mme Campan, première femme de chambre de la reine, qui l'avait reçu des mains mêmes de Marie-Antoinette. Au centre du médaillon, le verre irisé bleu lapis porte l'inscription en micro perles « l'Amitié », il est encadré par deux mèches blondes du dauphin réunies par un petit anneau de perles, le tout est posé sur un verre opalin légèrement irisé et encadré par une natte de cheveux châtains, ceux de Marie-Antoinette.

A. F.-C.

Fig. 278 a
Médaillon contenant des cheveux de Marie-Antoinette
Cristal et argent.
Paris, musée Carnavalet. Inv. OM 1677.

279

Bulletin de santé de Louis XVI

Feuillet manuscrit
H. 31,5 ; l. 18,8 cm

Provenance : Vente, Paris, hôtel Drouot, 2 avril 1993, n° 62.
Bibliographie : Trogan et Forray-Carlier 1993, n° 149.

Paris, Bibliothèque historique de la ville de Paris.
Inv. F. 71104.

Responsables devant la Convention de la détention du roi et des siens, des commissaires étaient tirés au sort parmi les membres du conseil de la Commune. Désignés par huit pour quarante-huit heures, relevés par moitié chaque jour, ils formaient le conseil du Temple (Arch. nat., F[7] 4391, dossier 1). Les bulletins qu'ils rédigeaient quotidiennement permettent de suivre jour après jour les décisions prises, nous renseignent sur les agissements des commissaires et révèlent la situation des détenus. Le bulletin présenté annonce que le roi a passé une meilleure nuit, toussant moins que la précédente, et que, sur l'avis du citoyen Monier, il a été soigné par du petit-lait et quelques légers purgatifs. Ce bulletin fait écho au récit de Cléry, qui relate cette maladie du roi pendant sa détention. Après trois jours de tergiversations et seulement lorsque la fièvre devint élevée, son premier médecin, Louis Guillaume Le Monnier, fut autorisé à l'examiner. Le reste de la famille royale ainsi que Cléry furent également atteints par ce mal. **A. F.-C.**

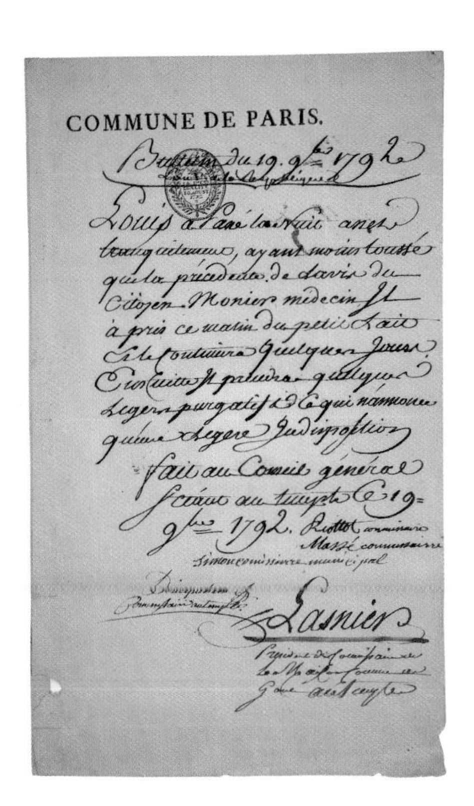
COMMUNE DE PARIS.
Bulletin du 19. 9bre 1792
Louis a passé la nuit assez
tranquillement, ayant moins toussé
que la précédente. de l'avis du
Citoyen Monier médecin il
a pris ce matin du petit Lait
et le continuera quelques jours ;
ensuite il prendra quelques
Legers purgatifs. Ce qui n'annonce
qu'une Legere Indisposition
fait au Conseil général
séant au temple le 19=
9bre 1792. commissaire
Massé commissaire
Simon commissaire municipal
Lasnier

280

Luigi Schiavonetti
(Bassano, 1765 – Londres, 1810)
D'après Charles Bénazech
(Londres, 1767 – *id.*, 1794)

Dernière entrevue de Louis XVI avec sa famille le 20 janvier 1793

Eau-forte inachevée
H. 22 ; l. 29,9 cm (au trait carré)
H. 24,8 ; l. 33,2 cm (pour la feuille)

Provenance : Coll. Edmond de Rothschild.
Bibliographie : Jean-Richard et Mondin 1989, p. 71, n° 78.

Paris, musée du Louvre, département des Arts graphiques. Inv. 23420 L.R.

Elément du culte du roi et des siens à plusieurs titres, cette gravure reproduit l'une des trois peintures consacrées par Charles Bénazech aux derniers moments de la famille royale : *La Séparation du roi et des siens* le 29 septembre 1792, lorsque le roi s'installa dans la grande tour, *Les Adieux du roi à sa famille* le 20 janvier 1793, auxquels assista l'abbé Edgeworth de Firmont, son confesseur, et *L'Exécution de Louis XVI*. Illustrant la scène du 20 janvier 1793, c'est l'une des représentations les plus proches dans le temps des événements reproduits. Pourtant, ce n'est sans doute pas la plus exacte, le peintre ne connaissait en effet les lieux et le déroulement de la scène que par récit, ce qui suppose d'ailleurs une tradition orale très précoce (les mémoires de Cléry ne furent publiés qu'en 1798). Quoi qu'il en soit, il a voulu peindre une scène dramatique, accentuant les attitudes et les gestes, en particulier ceux de la reine, qui domine de manière théâtrale et pathétique l'ensemble de la composition.

La planche de Schiavonetti, publiée à Londres le 1er février 1795 – comme celle montrant *La Séparation de Louis XVI et des siens*, publiée dès le 1er juin 1793 –, est l'une des nombreuses gravures inspirées par les peintures de Bénazech. Elles permirent une large diffusion de ces images et contribuèrent grandement à la mise en place d'un culte dédié à la famille royale. Différents objets souvenirs reproduisent également ces scènes, en particulier de nombreuses boîtes qui ont multiplié à l'envi le souvenir de ces moments poignants et sans précédent.

On ne peut citer l'œuvre de Bénazech sans évoquer un autre peintre, connu lui aussi par un très petit nombre d'œuvres consacrées aux mêmes sujets de caractère royaliste, Jean-Jacques Hauer (1751-1829) ; ses compositions jouèrent le même rôle de propagation. **R. T.**

281
Charles Bénazech
(Londres, 1767 – *id.*, 1794)
L'Exécution de Louis XVI

1793
Huile sur toile
H. 42 ; l. 56 cm

Provenance : Don du baron De Vinck, 1920.
Bibliographie : Trogan et Forray-Carlier 1993, n° 4.

Versailles, musée national des châteaux de Versailles et de Trianon. Inv. MV 5832.

Troisième composition connue de Charles Bénazech, *L'Exécution de Louis XVI*, appelée aussi, et plus précisément, *Louis XVI et l'abbé Edgeworth de Firmont au pied de l'échafaud le 21 janvier 1793*, fait directement suite au tableau précédent, même s'il ne s'agit pas d'un pendant et si le lien n'est qu'intellectuel et moral : Louis XVI accomplit jusqu'au bout son sacrifice. Naïvement anecdotique en même temps que dramatique, elle insiste sur le paysage parisien et sur le décor où se déroule la scène autant que sur la mise en place des acteurs de l'événement qui va s'accomplir. Sanson est dans l'ombre, tandis que Santerre, à cheval, et, naturellement, le roi, baigné de lumière, attirent l'œil ; la blancheur du gilet et de la chemise du roi éclaire son visage, accentuant son caractère de protagoniste. **R. T.**

282
Villeneuve
(actif entre 1789 et 1799)
Louis le traître lis ta sentence, 1793

Eau-forte, aquatinte, retouche à la roulette
H. 20,3; l. 17 (au coup de planche)
H. 30,9; l. 22,9 (pour la feuille)

Bibliographie: Burlingham et Cuno 1988, n° 198, n° 86, repr.

Paris, Bibliothèque nationale de France, département des Estampes et de la Photographie. Inv. Qb1 17 janvier 1793.

Le 21 janvier 1793, à dix heures du matin, Louis XVI monte à l'échafaud. Sur l'estrade, tandis que les tambours se font entendre, le roi lance à la foule assemblée: « Peuple, je meurs innocent! » Au bourreau Sanson, il déclare: « Je pardonne aux auteurs de ma mort. Je prie Dieu que mon sang ne retombe pas sur la France. » Quelques instants plus tard, la lame tombe et, à la présentation de la tête ensanglantée, la foule crie: « Vive la république! » L'événement fit aussitôt l'objet d'estampes. Celle de Villeneuve précède certainement de peu l'exécution. A l'exemple de la main divine du livre de Daniel dans les Saintes Ecritures, apparue lors du festin de Balthasar, la main de la Révolution inscrit le jugement prononcé à l'encontre du roi: « Dieu a calculé ton reigne et la mis afin. / tu as été mis dans la Balance et tu as été trouvé trop léger. » La lettre, accompagnée de l'image de la guillotine qui attend le coupable, fait état des débats conduits à la Convention nationale au sujet du procès du roi: « Cent fois coupable et cent fois pardonné, Louis le dernier a trop éprouvé la bienveillance et la générosité du peuple pour ne pas se rendre cette justice, qu'il doit avoir épuisé tous les sentiments d'humanité qu'un reste de pitié seule pouvait depuis quatre ans lui avoir conservé. Sa conscience est sans doute pour lui le bourreau le plus cruel; et que n'est-il possible de l'abandonner à ce tourment intérieur, mille fois pire que sa mort; mais la loi la plus sacrée, le salut de vingt-quatre millions d'hommes exige qu'il soit jugé; et la gloire de la France attachée au jugement de la génération actuelle et des générations futures veut qu'il soit puni [...] dans l'état actuel de la France et dans l'agitation dangereuse de l'Europe, comment considérer ce monstre sous un autre rapport que sous celui d'un point de ralliement des contre-révolutionnaires et comme un noyau de contre révolution. Alors la saine politique permet-elle en sa faveur une grâce qui tôt ou tard deviendrait la cause de la subversion de la République. » X. S.

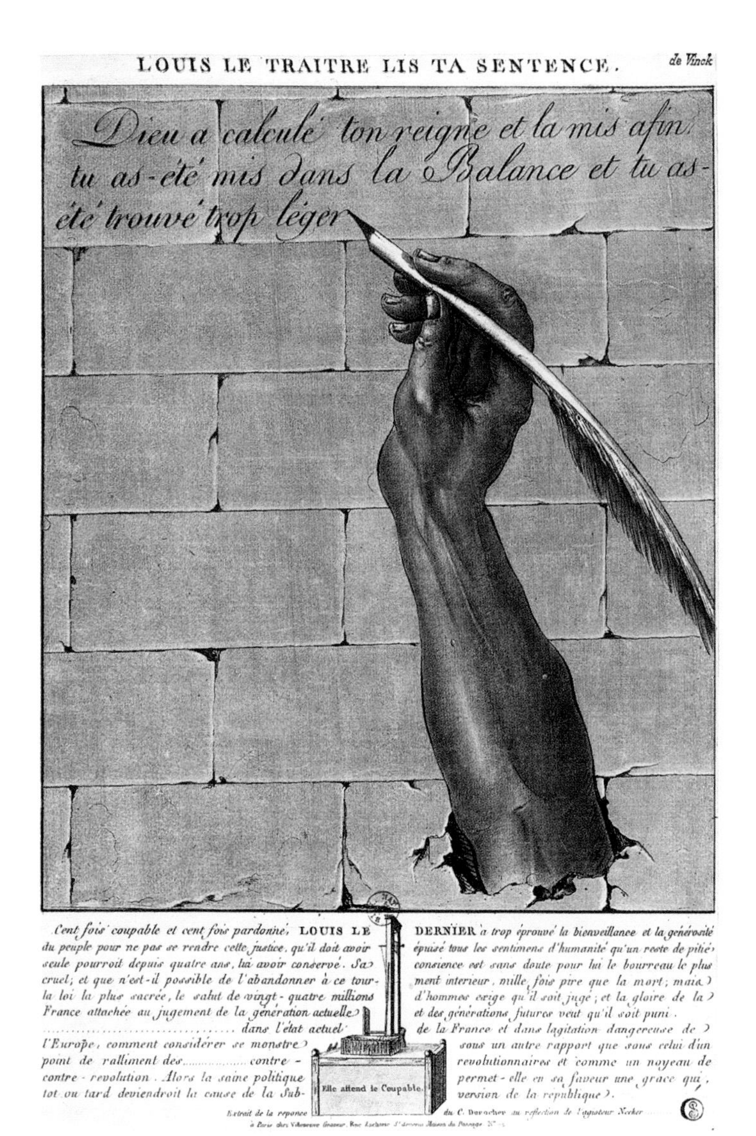

283

Aleksander Kucharski

(Varsovie, 1741 – Paris, 1819)

Marie-Antoinette au Temple

1793
Huile sur toile
H. 24; l. 18 cm

Provenance: Achat à M. Delmas, 1893.

Versailles, musée national des châteaux de Versailles et de Trianon. Inv. MV 5295.

Peintre de la reine après le départ de Mme Vigée Le Brun, Kucharski exécuta plusieurs portraits de Marie-Antoinette avant la Révolution. Au début de l'année 1791, aux Tuileries, il commença le célèbre portrait au pastel, destiné à être offert à la duchesse de Tourzel, inachevé le 21 juin 1791, lorsque le roi et sa famille quittèrent Paris secrètement pour la «fuite à Varennes» (cat. 250).
Mais, ici, c'est un tout autre portrait qui est présenté: peint par le même Kucharski, il montre la reine en deuil, donc après la mort de son époux. Sans doute n'en traça-t-il que des esquisses lors de ses visites, qui sont attestées par les minutes du procès, esquisses qu'il retravailla chez lui à partir d'une série de portraits de son auguste modèle, qu'il conservait dans son atelier et qui présentent le même visage, dans le même cadrage et la même pose, avec des accessoires vestimentaires différents. Le portrait de la reine en veuve connut un très vif succès. Kucharski en multiplia les répliques jusqu'à sa mort; d'autres peintres reproduisirent l'effigie royale, avec plus ou moins de talent. Ce portrait fut également reproduit sur des boîtes ou des tabatières. **R. T.**

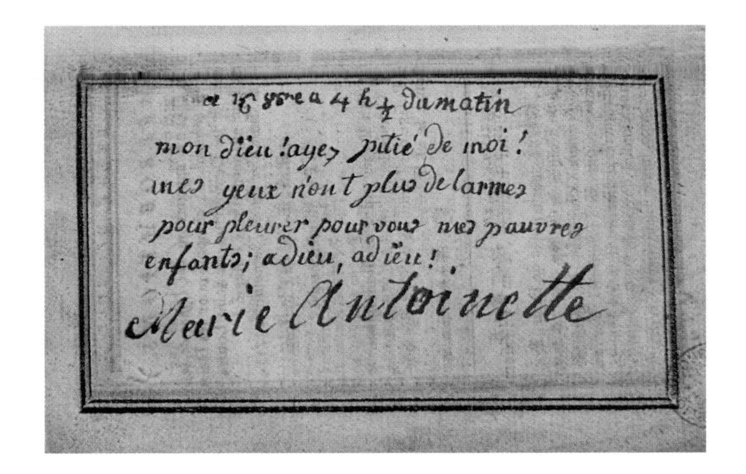
ce 16 8bre a 4 h ½ du matin
mon dieu! ayez pitié de moi!
mes yeux n'ont plus de larmes
pour pleurer pour vous mes pauvres
enfants; adieu, adieu!
Marie Antoinette

284

Office de la Divine Providence à l'usage de la maison royale de Saint-Louis à Saint-Cyr et de tous les fidèles

Paris, chez Prault père, 1756
Exemplaire ayant appartenu à Marie-Antoinette
Reliure de maroquin vert, décor à la dentelle; croix et fleurs de lis grattées
H. 13,6; l. 9 cm

Provenance: Acquis par Jules Garinet en 1882 à la vente après décès du Dr Dorin; légué par lui à la bibliothèque municipale de Châlons-sur-Marne en 1885.
Bibliographie: Trogan et Forray-Carlier 1993, n° 201.

Châlons-en-Champagne, Bibliothèque municipale. Inv. R.G.82.

A la Conciergerie, privée de toute activité, Marie-Antoinette, qui avait passé beaucoup de temps autrefois aux travaux d'aiguille, s'occupa les mains en tirant des fils de la tapisserie de sa cellule et en les tressant: Mme Bault et Rosalie Lamorlière s'accordent sur ce point. L'autre occupation de la reine était la lecture, quand du moins la lumière était suffisante, car on lui disputait de modestes chandelles. On sait par le compte des dépenses que quelques volumes furent loués pour elle, mais, à la fin du mois d'août 1793, cet agrément lui fut supprimé, et la sécurité, renforcée.
Elle put néanmoins conserver ce livre de prières, sans doute lu et relu mille fois pendant les soixante-seize jours qu'elle passa à la Conciergerie, et sur lequel, au petit matin, entre le verdict du tribunal qui venait de la condamner et son exécution, elle écrivit ce pathétique adieu: «Ce 16 8bre a 4 h 1/2 du matin / mon dieu! ayez pitié de moi! / mes yeux n'ont plus de larmes / pour pleurer pour vous / mes pauvres / enfants; adieu, adieu / Marie Antoinette.»
C'est probablement le conventionnel Courtois, chargé après thermidor de l'examen des papiers de Robespierre, qui s'appropria la précieuse relique, en même temps que d'autres documents du dictateur. Le livre de prières passa ensuite à sa fille, Charmette Courtois (1794-1867), longtemps hébergée par un certain Dr Dorin, à la vente après décès duquel il figurait, en 1882. **R. T.**

285
Dernière lettre de Marie-Antoinette écrite le 16 octobre 1793 à 4 h du matin à Madame Elisabeth, sœur de Louis XVI

Plume et encre brune sur papier crème
H. 23,5; l. 19 cm
Signatures (en page 2) et paraphes (en haut de la page 1) de l'accusateur public Antoine Quentin Fouquier-Tinville et des députés à la Convention Laurent Lecointre, Alexandre Legot, Armand Benoît Joseph Guffroy et Jean-Baptiste Massieu

Provenance : Saisi en 1816 chez le conventionnel Courtois qui avait été chargé du rapport sur les papiers trouvés chez Robespierre après le 10 thermidor an II, et versé aux Archives nationales au palais des Tuileries.

Paris, Archives nationales. Inv. AEI 7-8, pièce 3.

Le document est extrêmement célèbre. Il a suscité toutes les interrogations, parce qu'il est rédigé dans un français presque parfait, sans rature. Fut-il écrit par Marie-Antoinette ou par le conventionnel Courtois ? Fut-il mis en forme par le ministre Decazes afin de glorifier la monarchie ? L'énigme reste entière. Il n'en demeure pas moins l'une des pages importantes de l'histoire de France. Nous n'en donnons que quelques extraits :

« C'est à vous, ma sœur que j'écris pour la dernière fois. Je viens d'être condamnée non pas à une mort honteuse – elle ne l'est que pour les criminels – mais à aller rejoindre votre frère. Comme lui innocente, j'espère montrer la même fermeté que lui dans ses derniers moments. Je suis calme comme on l'est quand la conscience ne me reproche rien ; j'ai un profond regret d'abandonner mes pauvres enfants. Vous savez que je n'existais que pour eux et vous, ma bonne et tendre sœur. [...] Je meurs dans la religion catholique, apostolique, et romaine, dans celle de mes pères, dans celle où j'ai été élevée, et que j'ai toujours professée. [...] Je demande sincèrement pardon à Dieu de toutes les fautes que j'ai pu commettre depuis que j'existe. [...] Je demande pardon à tous ceux que je connais et à vous ma sœur, en particulier, de toutes les peines que, sans le vouloir, j'aurais pu leur causer. Je pardonne à tous mes ennemis le mal qu'ils m'ont fait. [...]

« Adieu, ma bonne et tendre sœur. Puisse cette lettre vous arriver. Pensez toujours à moi ; je vous embrasse de tout mon cœur, ainsi que ces pauvres et chers enfants. Mon Dieu ! qu'il est déchirant de les quitter pour toujours ! Adieu, adieu, je ne vais plus que m'occuper de mes devoirs spirituels. Comme je ne suis pas libre dans mes actions, on m'amènera peut-être un pretre, mais je proteste ici que je ne lui dirai pas un mot et que je le traiterai comme un être absolument étranger. »

X. S.

286
William Hamilton
(Chelsea, 1751 – Londres, 1801)
Marie-Antoinette conduite à son exécution le 16 octobre 1793

1794
Huile sur toile signée et datée en bas à gauche : *Wm Hamilton 1794*
H. 1,52; l. 1,97 m

Provenance : Acquis par Wyatt à la vente après décès de l'artiste, Londres, Phillips, 17-20 mai 1802, n° 349 ; sir Arthur du Cros, Baronet ; 1987, Sabin Galleries, Londres ; Sutton Place Foundation ; vente, Londres, Sotheby's, 14 juillet 1993, n° 101 ; galerie Michel Descours, Lyon.
Bibliographie : Bordes et Chevalier 1996.

Vizille, musée de la Révolution française. Inv. 1994-17.

Ramenée dans sa cellule à quatre heures, ayant finalement accepté un peu de bouillon, mais refusé le vermicelle, proposé par la fidèle Rosalie Lamorlière, la reine changea de linge tant bien que mal sous le regard des gendarmes, revêtit son déshabillé de piqué blanc, sur lequel elle noua un grand fichu de mousseline blanche. Rosalie lui coupa les cheveux pour que le bourreau n'eût pas à le faire (et sans doute garda-t-elle et offrit-elle des mèches de Marie-Antoinette, comme elle le fit des rubans qu'elle avait changés en réparant la robe noire). Girard, curé de Saint-Landry, lui proposa ses services pour l'assister dans ses derniers moments et la préparer à l'ultime rencontre avec Dieu. Elle ne le renvoya pas, mais refusa son ministère.

La peinture de Hamilton, qui fait partie, comme les toiles de Bénazech (voir cat. 281), des quelques tableaux anglais exécutés presque immédiatement après l'événement qu'ils représentent, en s'appuyant probablement sur les récits des journaux français, montre sa sortie de la Conciergerie, en présence d'une foule de tricoteuses haineuses, juste avant qu'elle ne monte dans la charrette qui va la conduire à l'échafaud. L'œuvre est extrêmement spectaculaire et suggestive, grâce à une habile répartition des lumières qui nimbent la figure de la reine d'un halo quelque peu irréel alors que les personnages qui l'entourent restent dans l'ombre. Ce contraste met en valeur la souveraine déchue, dans sa robe immaculée, et affirme déjà son statut de martyre.

R. T.

287

Jacques-Louis David

(Paris, 1748 – Bruxelles, 1825)

Marie-Antoinette conduite au supplice

Plume et encre brune sur papier crème
H. 14,8 ; l. 10,1 cm
Annoté par Jean-Louis Soulavie sur la feuille de papier bleuté servant de montage : *Portrait de Marie-Antoinette reine de france conduite / au Supplice ; dessiné à la plume par David Spectateur / du Convoi, & placé sur la fenetre avec la citoyenne jullien / epouse du représentant Jullien, de qui je tiens cette pièce.*

Provenance : Coll. Jean-Louis Soulavie (1752-1813), avec sa marque en bas à droite (Lugt 1533), qui l'aurait reçu de Marc Antoine Jullien, dit de La Drôme (1744-1821) ; vente, Paris, hôtel Drouot, 25 avril 1904, lot 24, repr. p. 19 ; acquis à cette vente par le baron Edmond de Rothschild (1845-1934), qui le légua au musée du Louvre avec sa coll. de gravures et de dessins, en 1936.
Bibliographie : Jean-Richard et Mondin 1989, p. 90-91, n° 105, repr. (avec bibl. détaillée) ; Rosenberg et Prat 2002, p. 136-137, n° 122, repr. ; Salmon 2005a, p. 144-147, repr. p. 145.

Paris, musée du Louvre, département des Arts graphiques, Collection Edmond de Rothschild. Inv. 3599 D.R.

Ultime image de la reine faite de son vivant avant son supplice, le croquis de la Collection Edmond de Rothschild a contribué à la légende de Marie-Antoinette. Le 16 octobre 1793, à quatre heures et demie du matin, Marie-Antoinette fut reconduite à la Conciergerie après avoir entendu son acte de condamnation. Dans sa prison, elle écrivit aussitôt sa dernière lettre à Madame Elisabeth. A sept heures du matin, le citoyen Sanson, exécuteur des jugements, se présenta dans sa chambre. La reine était déjà vêtue de blanc. A onze heures, elle sortit de la Conciergerie et prit place sur la charrette. Entouré d'une nombreuse troupe de gendarmes à pied et à cheval, le funeste convoi prit le chemin de la place de la Révolution, actuelle place de la Concorde. L'auteur du *Glaive vengeur* indique que, tout au long du chemin, on ne remarqua sur le visage de la reine ni abattement ni fierté. Elle parut insensible aux cris de « Vive la République ! » qui emplissaient le ciel et les rues de Paris. Arrivée à midi un quart sur la place, Marie Antoinette monta à l'échafaud. Quelques instants plus tard, Sanson montrait sa tête au peuple assemblé.

Le célèbre croquis du musée du Louvre témoigne avec force de ces derniers instants. Fut-il tracé par David, comme la plupart l'acceptent aujourd'hui, ou bien par Dominique Vivant Denon ? Le fut-il en présence de la reine, présence bien fugace d'un passage très bref au-devant d'une fenêtre sur le chemin du supplice ? Les questions intriguent et n'ont pas de réponse. Le profil n'en demeure pas moins d'une extraordinaire économie de moyens, d'une force qui parle au cœur et ne peut laisser indifférent. **X. S.**

La naissance de la légende

Rosine Trogan

Seule reine de France à avoir été si violemment caricaturée, Marie-Antoinette est aussi la seule à avoir fait l'objet d'une sorte de culte, de plusieurs sortes de culte, pour être plus exact, variant selon les moments de l'Histoire et les rôles relatifs des différents acteurs du drame, selon une évolution quasi chronologique, acte par acte.

Dès l'emprisonnement de la famille royale au Temple, cette situation hors du commun suscita deux attitudes opposées parmi les commissaires et les gardiens : les révolutionnaires « bon teint », ou qui voulaient le paraître, se croyaient obligés à la grossièreté ; les autres, plus ou moins conquis, en tout cas impressionnés, allaient jusqu'à se procurer des souvenirs matériels de cette inimaginable rencontre. C'est ainsi que se sont conservés un certain nombre d'objets liés à la vie quotidienne au Temple (hélas, d'autres objets s'y sont ajoutés dont l'authenticité est incertaine ; mais on est surpris de découvrir, conservés dans des familles sans lien évident avec le Temple, des souvenirs certainement authentiques). Ce ne sont souvent que de menues dépouilles, dont certaines ont par la suite fait l'objet de présentations plus ou moins luxueuses.

Au culte des reliques fit suite, comme il se doit, le culte des images. Les plus précoces furent peintes à l'étranger, particulièrement en Angleterre. Charles Bénazech (1767-1794), le premier, peignit Louis XVI séparé de sa famille en septembre 1792 et les adieux du roi le 20 janvier 1793 (ainsi qu'une exécution de Louis XVI), où Marie-Antoinette joue un rôle majeur. En 1795, Jean-Jacques Hauer (1751-1829), à Paris, reprit les mêmes thèmes (auxquels s'ajoute une confession de Louis XVI) ; outre ses qualités picturales légèrement supérieures, les représentations semblent être inspirées de sources plus fiables, plus proches du récit de Cléry, qui, ne l'oublions pas, n'était pas encore publié à cette date.

Dernier portrait de Marie-Antoinette, le tableau de Kucharski, d'après gouaches ou croquis pris sur le vif (?), cité au procès de la reine, fut certainement peint peu de temps après les événements ; il fit l'objet de nombreuses répliques jusqu'à la Restauration, répliques exécutées par le peintre lui-même ou copies par d'autres artistes de talent inégal.

Ce portrait de la reine en veuve semble avoir inspiré une peinture de la marquise de Bréhan, de 1795, qui reprend la pose d'un portrait par Vigée Le Brun mais est chargée de symboles : buste de Louis XVI, texte de son testament, médaillon à l'effigie du dauphin et de Madame Royale.

Ces portraits et ces scènes, qui servent de fondement à l'iconographie royaliste, furent abondamment diffusés, par la multiplication de copies peintes, mais surtout par l'estampe, plus ou moins fidèle au modèle original. A ces gravures s'ajoutent, pour une diffusion plus discrète, les gravures de format réduit, parfois regroupées en compositions variées, et insé-

Fig. 53
Estampe « Portraits cachés »
Ils sont gravés dans ma pensée
Paris, musée Carnavalet.

Fig. 54
Eventail aux monuments antiques
Paris, musée Carnavalet.

Au centre de chaque monument, un médaillon révèle à la lumière les profils de Louis XVI, Marie-Antoinette, Louis XVII, Madame Royale et Madame Elisabeth.

rées dans des couvercles de boîtes. Ajoutons encore les médailles, aux légendes françaises ou latines, mais toujours symboliques, frappées essentiellement à Berlin ou à Dresde, cette production se poursuivant jusque sous l'Empire.

Dès cette époque sans doute apparaissent les « portraits cachés », sous forme de planches *(fig. 53)*, de boîtes et même d'éventails *(fig. 54)*. Dans un décor funéraire anonyme, une urne, le plus souvent sous un cyprès, se devinent, dans le dessin d'une branche ou le contour de l'urne elle-même, les profils des augustes victimes *(fig. 55)*, Louis XVI et Marie-Antoinette, Louis XVII, Madame Elisabeth mais aussi Madame Royale. Balzac évoque, dans *La Vieille Fille*, « Les murs tendus d'un papier d'auberge, [offrant ici] les profils de Louis XVI et des membres de la famille tracés dans un saule pleureur [...], enfin toutes les sentimentalités inventées par le royalisme sous la Terreur ».

A partir de 1814, le retour des Bourbons sur le trône de France suscita, ou permit, un véritable culte : exhumation des corps de Louis XVI et de Marie-Antoinette, inhumation à Saint-Denis, offices solennels, Te Deum, monuments et projets de monuments[1], où la reine laisse le plus souvent la première place à son époux et même à son fils, éventuellement associé tant aux précédents souverains, et particulièrement Saint Louis, Louis XII et Henri IV, qu'à ses frères et neveux. Une exception cependant : la cellule de la souveraine à la Conciergerie, transformée en chapelle inaugurée dès le 16 octobre 1816, est consacrée à son seul souvenir, avec trois grandes peintures commandées par la ville de Paris, présentées au Salon de 1817, dues à Martin Drolling *(Dernière communion de la Reine)*, Jacques Augustin Pajou *(Marie-Antoinette séparée de sa famille)* et Gervais Simon *(Marie-Antoinette à la Conciergerie)*.

Le culte des Bourbons et celui de Marie-Antoinette qui lui était alors lié ne survécurent pas à la révolution de 1830. Pour d'évidentes raisons politiques, il n'était plus question de célébrer la précédente dynastie. Louis XVI disparut des images et des récits, avant d'être dépeint de façon plus ou moins caricaturale, mais en tout cas négative, dans les manuels scolaires : à partir de 1848, la République devait asseoir sa légitimité.

Le souvenir de Marie-Antoinette n'était pas du même ordre. Pendant la seconde moitié du siècle, le souvenir de la reine connut deux transformations parallèles. D'une part, transcendant les clivages politiques, elle prit la stature d'une héroïne tragique, en particulier dans les peintures consacrées à son procès, par Delaroche, par Raffet, ou à son séjour à la Conciergerie par Muller (Salon de 1857), Holfeld, Flameng (Salon de 1885). D'autre part, en raison des goûts personnels de l'impératrice Eugénie, elle redevint la charmante bergère de Trianon et du hameau. Cette dichotomie apparaît encore dans les films les plus récents.

1. Voir plusieurs articles résumant ces différents aspects, par plusieurs auteurs, dans Trogan et Forray-Carlier 1993.

Fig. 55
Urne et saule pleureur, profils silhouettes
Paris, musée Carnavalet.

Fig. 56
Coffret en forme de sarcophage
Paris, musée Carnavalet.

Ce coffret, qui provient de Mme de Tourzel, contient plusieurs souvenirs de la famille royale.

Marie-Antoinette, d'Eugénie aux Vanderbilt

Olivier Gabet

En cessant d'être un enjeu politique, tel que la Restauration s'était plue à transformer la jeune princesse d'Ancien Régime en austère martyre catholique, la figure de Marie-Antoinette connaît un puissant regain d'intérêt dans les années 1850. Si l'image prégnante de l'*infortunée souveraine* ne se dissipe pas totalement, elle laisse cependant place à une puissante cristallisation des fantasmes autour d'une Marie-Antoinette féminine et élégante, incarnation d'un goût et d'une époque, à l'image de Mme de Pompadour ou Mme Du Barry.

Evoquer Marie-Antoinette au XIXe siècle ne doit pas se résumer au culte voué par l'impératrice Eugénie ; cet engouement est bien plus vaste que le simple transfert de personnalité, où certain parallélisme dressé *a posteriori* donne un cachet romanesque à ce qui n'est qu'une expression parmi beaucoup d'autres d'un enthousiasme pour les grandes figures mythiques d'un passé rêvé avec nostalgie, une volupté de la mélancolie chère au préromantisme. La reine n'est pas une figure à part, mais une facette de cette nouvelle mythologie qui accompagne le triomphe de l'historicisme, entre Cellini et Palissy. Marie-Antoinette et Eugénie partagent des traits biographiques communs, certes, mais il y a assez de divergences dans leurs destins pour saisir combien ce dialogue quasi mystique entretenu par la seconde avec la première s'inscrit avant tout dans un moment du goût européen : Louis II de Bavière célèbre le même culte, en construisant Linderhof entre 1874 et 1878 et en invitant la reine de France guillotinée à des dîners en tête à tête...

Fig. 57
Jean-Baptiste Fortuné de Fournier
Le Cabinet de toilette de l'impératrice Eugénie à Saint-Cloud
1860
Château de Compiègne

Ce cabinet, ici occupé par la reine Victoria lors de sa visite en 1855, est un bel exemple de décor « Louis XVI-Impératrice ».

Dans ce panthéon historiciste, Marie-Antoinette occupe une place d'honneur, et Eugénie fait autant que les nombreux ouvrages alors publiés, des Goncourt à Feuillet de Conches, pour la lui conférer. Elle en traque les objets d'art avec passion, telle la table à écrire de Weisweiler qu'elle arrache à prix d'or à la vente du prince de Beauvau en 1865, pour la placer aussitôt dans le salon bleu de ses appartements aux Tuileries. Fonctionnaires, artistes et érudits sont aussi des courtisans, Thomas Williamson s'échine à donner un cachet Marie-Antoinette aux meubles qu'il extrait du Mobilier de la Couronne pour sa souveraine, les objets liés à la reine ont une place de choix au musée des Souverains, Winterhalter peint Eugénie comme Mme Vigée Le Brun Marie-Antoinette, en robe de velours rouge, son fils sur les genoux *(fig. 58)*, ou en chapeau de paille… Quand est organisée en 1867, à l'occasion de l'Exposition universelle, la première exposition Marie-Antoinette, l'impératrice s'improvise commissaire de l'ombre et la commission qui veille au choix des œuvres agit autant par foi que par érudition.

Ce goût d'Eugénie reflète celui de ses contemporains. En 1855, Napoléon III rappelle à la reine Victoria qu'il a connu Mme Campan, cette dernière l'ayant bercé des souvenirs de la reine. Fournisseur de la cour et de la ville, l'ébéniste Grohé crée les plus élégants exemples de ce style Louis XVI-Impératrice qui n'est rien d'autre qu'un style néo-Marie-Antoinette – plus tard Dasson et Beurdeley ne se lasseront pas de copier les meubles ayant appartenu à la reine. Dans un marché de l'art florissant, une fascination nouvelle pour les provenances royales fait la part belle à Marie-Antoinette, lord Hertford et la famille Rothschild le prouvent publiquement en dépensant sans compter pour acquérir de tels objets d'art… Le baron Double en réunit l'un des plus beaux ensembles, dispersé à sa mort lors d'une vente retentissante en 1881, autant de merveilles qu'il avait toujours refusé de céder à Eugénie. A l'automne 1860, quand, en deuil de sa sœur, Eugénie séjournait chez les ducs d'Hamilton en Ecosse, elle y admirait le secrétaire et la commode livrés par Riesener pour le grand cabinet intérieur de la reine à Versailles en 1783. Vendus à grand prix lors de la vente d'Hamilton Palace en 1882, ils trônaient chez William et Alva Vanderbilt dans le New York du *Gilded Age*.

En quelques décennies, de figure politique et historique, Marie-Antoinette était devenue fantasme, valeur du marché et sésame obligé des plus grands collectionneurs…

Fig. 58
Franz Xaver Winterhalter
L'Impératrice Eugénie tenant sur ses genoux le prince impérial
1857
Collection particulière

Winterhalter s'inspire ici, tant dans l'esprit que dans le costume, d'un portrait de Marie-Antoinette peint par Mme Vigée le Brun (cat. 232).

Bibliographie

Alcouffe 1999
Daniel Alcouffe, « Un aspect du goût de Marie-Antoinette, les vases en pierres dures », *Versalia*, n° 2, 1999, p. 6-15.

Alcouffe 2001
Daniel Alcouffe, *Les Gemmes de la Couronne*, Paris, 2001.

Alcouffe *et al.* 1980-1984
Daniel Alcouffe *et al.*, *Musée du Louvre, Nouvelles acquisitions du Département des Objets d'art, 1980-1984*, Paris, 1985.

Alcouffe *et al.* 1993
Daniel Alcouffe, Anne Dion-Tenenbaum et Amaury Lefébure, *Le Mobilier du musée du Louvre*, t. I, Dijon, 1993.

Alcouffe *et al.* 2004
Daniel Alcouffe, Anne Dion-Tenenbaum et Gérard Mabille, *Les Bronzes d'ameublement du Louvre*, Dijon, 2004.

Alfassa 1914
Paul Alfassa, « Quelques ouvrages du XVIIIe siècle nouvellement rentrés au musée des Arts décoratifs », *Revue de France*, n° 4, 1914.

Allemand-Cosneau et Julia 1999
Claude Allemand-Cosneau et Isabelle Julia (sous la dir. de), *Paul Delaroche : un peintre dans l'histoire*, cat. exp. (Nantes, musée des Beaux-Arts ; Montpellier, pavillon du musée Fabre), Paris, 1999.

Angoulême 1987
Marie-Thérèse de France, dite Madame Royale, duchesse d'Angoulême, *Journal de la duchesse d'Angoulême, corrigé et annoté par Louis XVIII*, Paris, rééd. 1987.

Antiquities to Impressionism 2001
Antiquities to Impressionism. The William A. Clark Collection, Corcoran Gallery of Art, Londres, 2001.

Arizzoli-Clémentel 1988
Pierre Arizzoli-Clémentel, dans *Soieries de Lyon. Commandes royales au XVIIIe siècle (1730-1800)*, cat. exp. (Lyon, Musée historique des tissus, 1988-1989), 1988.

Arizzoli-Clémentel 1998
Pierre Arizzoli-Clémentel, *Vues et plans du Petit Trianon à Versailles*, Paris, 1998.

Arizzoli-Clémentel et Gastinel-Coural 1988
Pierre Arizzoli-Clémentel et Chantal Gastinel-Coural, « Charton d'après Gondoin, 1779, Satin des Indes broché en velouté et sois nuée », dans *Soieries de Lyon, commandes royales au XVIIIe siècle (1730-1800)*, cat. exp. (Lyon, Musée historique des tissus), 1988.

Arizzoli-Clémentel et Meyer 2002
Pierre Arizzoli-Clémentel et Daniel Meyer, *Le Mobilier de Versailles, XVIIe-XVIIIe siècles*, t. I et II, Dijon, 2002.

Arneth 1863-1879
Alfred Arneth, *Geschichte Maria Theresias*, Vienne, 1863-1879.

Arneth 1881
Chevalier Alfred von Arneth (éd.), *Briefe der Kaiserin Maria Theresia an ihre Kinder und Freunde*, t. 1 à 4, Vienne, 1881.

Arneth 1866
Alfred d'Arneth, *Maria-Theresia und Marie-Antoinette, ihr Briefwechsel*, Leipzig, 1866.

Arneth et Geffroy 1874
Chevalier Alfred d'Arneth et A. Geffroy, *Marie-Antoinette. Correspondance secrète entre Marie-Thérèse et le Cte de Mercy-Argenteau avec les lettres de Marie-Thérèse et de Marie-Antoinette*, Paris, 1874, 3 vol.

Augarde 1996
Jean-Dominique Augarde, *Les Ouvriers du Temps. La pendule à Paris de Louis XIV à Napoléon Ier. Ornamental Clocks and clock-makers in eighteenth century Paris*, s. l., 1996.

Augeard 1866
Jacques Mathieu Augeard, *Mémoires secrets de J. M. Augeard, secrétaire des commandements de la reine Marie-Antoinette*, Paris, 1866.

Austin Montenay 2005
Florence Austin Montenay, *Saint-Cloud, une vie de château*, Genève, 2005.

Ayers *et al.* 1990
John Ayers, Oliver Impey & J. V. G. Mallet (éd.), *Porcelain for Palaces. The Fashion for Japan in Europe 1650-1750*, Londres, 1990.

Babeau 1904
Albert Babeau, « Les habitants des Tuileries au XVIIIe siècle », *Bulletin de la Société de l'histoire de Paris*, 1904, p. 55-70.

Bachaumont *et al.* 1783-1789
Louis Petit de Bachaumont, Mathieu François Pidansat de Mairobert et Barthélemy François Joseph Mouffle d'Angerville, *Mémoires secrets pour servir à l'histoire de la République des lettres en France, depuis MDCCLXII jusqu'à nos jours ; ou Journal d'un observateur*, Londres, 1783-1789, 36 tomes en 18 vol.

Baillio 1981a
Joseph Baillio, « Le dossier d'une œuvre d'actualité politique : Marie-Antoinette et ses enfants par Mme Vigée Le Brun », *L'Œil*, n° 308, mars 1981, p. 34-41, 74-75.

Baillio 1981b
Joseph Baillio, « Le dossier d'une œuvre d'actualité politique : Marie-Antoinette et ses enfants par Mme Vigée Le Brun », *L'Œil*, n° 310, mai 1981, p. 53-60, 90-91.

Baillio 1982
Joseph Baillio, *Elisabeth Louise Vigée Le Brun 1755-1842*, Fort Worth, 1982.

Baillio 2004
Joseph Baillio, dans *Renaissance to Rococo. Masterpieces from the collection of the Wadsworth Atheneum Museum of Art*, cat. exp. (Sarasota, John and Marble Ringing Museum of Art ; Fort Worth, Kimbell Art Museum ; Omaha, Joslyn Art Museum) sous la dir. d'Eric Zafran, New Haven et Londres, 2004, notice p. 150-151, 167, n° 57.

Barbet de Jouy 1866
Henry Barbet de Jouy, *Le Musée des souverains*, Paris, 1866.

Barta 2001
Ilsebill Barta, *Familienporträts der Habsburger. Dynastische Repräsentation im Zeitalter der Aufklärung*, Vienne, Cologne et Weimar, 2001.

Bastien 2007
Vincent Bastien, dans *Les Parures du pouvoir, joyaux des cours européennes*, Bruxelles, 2007.

Baulez 1977
Christian Baulez, « Le Domaine de Trianon », *Connaissance de Paris et de la France*, n° 35, 1977.

Baulez 1978
Christian Baulez, « Notes sur quelques meubles et objets d'art des Appartements intérieurs de Louis XVI et Marie-Antoinette », *La Revue du Louvre et des Musées de France*, n° 5-6, 1978, p. 359-373.

Baulez 1980
Christian Baulez, « Jean-Ferdinand-Joseph Schwerdfeger. Console », dans *Cinq années d'enrichissement du patrimoine national, 1975-1980*, Paris, 1980, n° 92.

Baulez 1981
Christian Baulez, « Il Luigi XVI », dans *Il Mobile Francese dal Luigi XVI all'Art deco*, Milan, 1981 (éd. française, 1990).

Baulez 1985
Christian Baulez, dans *« Architecture et décor de Versailles. Esquisses et projets », Le Petit Journal des grandes expositions*, n° 153, 1985, n. p.

Baulez 1986
Christian Baulez, « Pierre Gouthière (1732-1813) », dans Hans Ottomeyer et Peter Pröchel (sous la dir. de), *Vergoldete Bronzen : die Bronzearbeiten des Spätbarock und Klassizismus*, Munich, 1986, t. II, p. 561-642.

Baulez 1987
Christian Baulez, « Le goût turc, François Rémond et le goût turc dans la famille royale au temps de Louis XVI », *L'Objet d'art*, n° 2, décembre 1987, p. 34-45.

Baulez 1988
Christian Baulez, « Acquisitions », *Revue du Louvre*, n° 3, 1988.

Baulez 1990a
Christian Baulez, « Les imaginations de Dugourc », dans *De Dugourc à Pernon. Nouvelles acquisitions graphiques pour les musées*, cat. exp. (Lyon, Musée historique des tissus), Lyon, 1990, p. 11-43.

Baulez 1990b
Christian Baulez, « Meubles royaux récemment acquis à Versailles (1985-1989) », *Revue du Louvre*, n° 2, 1990, p. 94-106.

Baulez 1991
Christian Baulez, « Deux sièges de Foliot et Sené pour Versailles », *Revue du Louvre*, n° 1, 1991, p. 76-81.

Baulez 1991a
Christian Baulez, « Versailles, vers un retour de Sèvres », *La Revue du Louvre et des musées de France*, n° 5-6, 1991, p. 62-76.

Baulez 1992
Christian Baulez, « Acquisitions », *Revue du Louvre*, n° 3, 1992, p. 71.

Baulez 1992a
Christian Baulez, dans *Madame Du Barry, de Versailles à Louveciennes*, cat. exp. (Marly-le-Roi-Louveciennes, Musée-promenade), Paris, 1992, p. 25-85.

Baulez 1995
Christian Baulez, « Toute l'Europe tire ses bronzes de Paris », dans *Bernard Molitor 1755-1833, ébéniste parisien d'origine luxembourgeoise*, Luxembourg, 1995, p. 77-101.

Baulez 1995a
Christian Baulez, « Acquisitions », *Revue du Louvre*, n° 1, 1995, p. 81.

Baulez 1996
Christian Baulez, *Visite du Petit Trianon et du Hameau de la Reine*, Versailles, 1996.

Baulez 1997
Christian Baulez, « Le coffre à bijoux (1770) de Marie-Antoinette revient à Versailles », *Revue du Louvre*, 1997, n° 3, p. 17-19.

Baulez 1998
Christian Baulez, « Acquisitions », *Revue du Louvre*, n° 4, 1998, p. 78-79.

Baulez 1998a
Christian Baulez, « Acquisitions », *Revue du Louvre*, n° 3, 1998, p. 92.

Baulez 2000
Christian Baulez, dans *Chefs-d'œuvre du musée Gulbenkian. Meubles et objets royaux du XVIIIe siècle français*, cat. exp. (Versailles, musée national du château de Versailles), Paris, 2000.

Baulez 2000a
Christian Baulez, « L'antichambre des chiens et la salle à manger des Retours de chasse », *Versalia*, n° 3, 2000, p. 28-49.

Baulez 2001
Christian Baulez, « Essai sur l'œuvre décoratif de Louis-Simon Boizot », dans *Louis-Simon Boizot (1743-1809) : sculpteur du roi et directeur de l'atelier de sculpture à la Manufacture de Sèvres*, cat. exp. (Versailles, musée Lambinet), Paris et Versailles, 2001, p. 274-301.

Baulez 2001a
Christian Baulez, dans *Louis-Simon Boizot (1743-1809) : sculpteur du roi et directeur de l'atelier de sculpture à la Manufacture de Sèvres*, cat. exp. (Versailles, musée Lambinet), Paris et Versailles, 2001.

Baulez 2001b
Christian Baulez, dans *Les Laques du Japon. Collections de Marie-Antoinette*, cat. exp. (Versailles, musée national des châteaux de Versailles et de Trianon ; Münster, Museum für Lackkunst), Paris, 2001.

Baulez 2001c
Christian Baulez, « Deux terrines de la manufacture de la reine », *Versalia*, n° 4, 2001, p. 16-17.

Baulez 2006
Christian Baulez, « Le Garde-Meuble de la Reine », dans *Louis XVI et Marie-Antoinette à Compiègne*, cat. exp. (Compiègne, musée national du château de Compiègne), Paris et Compiègne, 2006, p. 42-45.

Baulez 2007
Christian Baulez, « Acquisitions », *Revue du Louvre*, n° 1, 2007, n° 18, p. 80-81.

Baumstark et Seelig 1994
Reinhold Baumstark et Lorenz Seelig, *Silber und Gold Augsburger Goldschmiedekunst für die Höfe Europas*, cat. exp. (Munich, Bayerisches Nationalmuseum), Munich, 1994.

Beauchamp 1909
Comte de Beauchamp, *Comptes de Louis XVI*, Paris, 1909.

Beaufort et Pfaffenbichler 2005
Christian Beaufort et Matthias Pfaffenbichler, dans Wilfried Seipel (sous la dir. de), *Meisterwerke der Hofjagd- und Rüstkammer, Kurzführer durch das Kunsthistorische Museum*, t. III, Milan, 2005.

Bellaigue 1974
Geoffrey de Bellaigue, *The James A. de Rothschild Collections at Waddesdon Manor, Furniture, Clocks and Gilt Bronzes*, Londres, 1974, 2 vol.

Bellaigue 1980
Geoffrey de Bellaigue, « Sèvres Artists and their sources. I : Paintings and Drawings », *The Burlington Magazine*, vol. CXXII, n° 931, octobre 1980.

Bellaigue 1986
Geoffrey de Bellaigue, *The Louis XVI service*, Cambridge, 1986.

Belleudy 1913
Jules Belleudy, *J. S. Duplessis, peintre du roi*, Chartres, 1913.

Berckenhagen 1970
Ekkart Berckenhagen, *Die Französischen Zeichnungen der Kunstbibliothek Berlin*, Berlin, 1970.

Beugnot 1866
Jacques Claude Beugnot, *Mémoires du comte Beugnot, ancien ministre (1783-1815)*, Paris, 1866, 2 vol.

Billon 2001
Anne Billon, « Catalogue des modèles de Louis-Simon Boizot à Sèvres », dans *Louis-Simon Boizot (1743-1809) : sculpteur du roi et directeur de l'atelier de sculpture à la Manufacture de Sèvres*, cat. exp. (Versailles, musée Lambinet), Paris et Versailles, 2001, p. 177-254.

Bimbenet-Privat 2001
Michèle Bimbenet-Privat, « Marie-Antoinette et ses orfèvres », dans *Les Atours de la reine*, cat. exp. (Paris, Centre historique des Archives nationales), Paris, 2001, p. 79-81.

Birioukova et Smirnov 1974
N. Birioukova et B. Smirnov, *Musée de l'Ermitage. Les arts appliqués de l'Europe occidentale, XIIe-XVIIIe siècle*, Leningrad, 1974.

Bleeker 2006
Isabelle Felicité Bleeker, dans *Jean-Etienne Liotard 1702-1789. Masterpieces from the Musées d'Art et d'Histoire of Geneva and Swiss Private Collections*, cat. exp. (New York, The Frick Collection), Genève, 2006.

Blondel 1773
Jacques François Blondel, *Cours d'architecture*, Paris, 1773.

Boppe 1905
A. Boppe. « Les "Peintres de turcs" au XVIIIe siècle », *Gazette des Beaux-Arts*, t. XXXIV, 1905.

Bordes et Chevalier 1996
Philippe Bordes et Alain Chevalier, *Catalogue des peintures, sculptures et dessins, Musée de la Révolution française*, Vizille, 1996.

Bossard 2001
Roland Bossard, « La famille royale réunie autour du Dauphin Louis-Joseph-Xavier-François », *Versalia*, 2001, n° 4, p. 20-22.

Bossard 2007
Roland Bossard, dans *Un siècle de mécénat à Versailles – Acquisitions de la Société des amis de Versailles*, cat. exp. (Versailles, musée national du château de Versailles), Versailles, 2007.

Boucher 1987
Thierry-G. Boucher, « Rameau et les théâtres de la Cour (1745-1764) », dans *Jean-Philippe Rameau, actes du colloque, Dijon, 21-24 septembre 1983*, Paris et Genève, 1987, p. 565-577.

Boulant 1989
Antoine Boulant, *Les Tuileries, palais de la Révolution, 1789-1799*, Paris, 1989.

Boyer 1947
Ferdinand Boyer, « Les Tuileries sous la Convention et le Directoire », *Bulletin de la Société de l'histoire de l'art français*, 1947.

Boyer 1964
Ferdinand Boyer, « Deux documents sur les Tuileries : l'état des appartements en septembre 1792 et l'inventaire des peintures en décembre 1793 », *Bulletin de la Société de l'histoire de l'art français*, 1964, p. 193-199.

Boysson 1980
Bernadette de Boysson, dans *Les Arts du Théâtre de Watteau à Fragonard*, cat. exp. (Bordeaux, Galerie des beaux-arts) sous la dir. de Gilberte Martin-Méry, Bordeaux, 1980.

Bremer-David 1993
Charissa Bremer-David, *Decorative Arts An Illustrated Summary Catalogue of the Collections of the J. Paul Getty Museum*, Malibu, 1993.

Brière-Misme 1968
Clotilde Brière-Misme, « La résurrection de la salle à manger de Louis XV au Petit Trianon », *Bulletin de la Société d'histoire de l'art français*, année 1967, Paris, 1968, p. 217-240.

Broglie 1951
Raoul de Broglie, « Le hameau et la laiterie de Chantilly », *Gazette des Beaux-Arts*, n° 2, 1951, p. 307-324.

Bruson 1999
Jean-Marie Bruson, *Catalogue des peintures du musée Carnavalet*, Paris, 1999.

Burlingham et Cuno 1988
Cynthia Burlingham et James Cuno, *La Caricature française et la Révolution, 1789-1799 : politique et polémique*, cat. exp. (Los Angeles, Grunwald Center for the Graphic Arts ; New York University, Grey Art Gallery and Study Center ; Paris, Bibliothèque nationale ; Vizille, musée de la Révolution française), Los Angeles, 1988.

Calmettes 1913
Fernand Calmettes, « Les Serre-bijoux de Marie-Antoinette et de Marie-Joséphine de Savoie, Comtesse de Provence », *Revue de l'art ancien et moderne*, 1913-1, p. 463, et 1913-2, p. 201.

Campan 1822, 1823, 1825
Jeanne Louise Henriette Campan, *Mémoires sur la vie privée de Marie-Antoinette, Reine de France et de Navarre suivis de souvenirs et anecdotes historiques sur les règnes de Louis XIV, de Louis XV et de Louis XVI. Par Mme Campan, lectrice de Mesdames, et première femme de chambre de la reine*, Paris, 1822, 1823, 1825, 3 vol.

Campan 1988
Jeanne Louise Henriette Campan, *Mémoires de Madame Campan, première femme de chambre de Marie-Antoinette*, Paris, rééd. 1988.

Carlier 2006a
Yves Carlier, *Le Boudoir de Marie-Antoinette à Fontainebleau*, Paris, 2006.

Carlier 2006b
Yves Carlier, « L'exceptionnel mobilier de Riesener pour le boudoir de Marie-Antoinette à Fontainebleau », *L'Estampille – l'Objet d'art*, n° 410, février 2006, p. 62-69.

Castellucio 1992 (1993)
Stéphane Castelluccio, « Le théâtre de Marie-Antoinette à Marly », *Bulletin de la Société de l'histoire de l'art français*, 1992 (1993), p. 91-111.

Castelluccio 1996
Stéphane Castelluccio, *Le Château de Marly sous le règne de Louis XVI. Etude du décor et de l'ameublement du Pavillon royal sous le règne de Louis XVI*, Paris, 1996.

Castelluccio 2002
Stéphane Castelluccio, *Les Collections royales d'objets d'art de François Ier à la Révolution*, Paris, 2002.

Castelluccio 2004
Stéphane Castelluccio, *Le Garde-Meuble de la Couronne et ses intendants du XVIe au XVIIIe siècle*, Paris, 2004.

Chabaud 2003
Jean-Paul Chabaud, *Joseph-Siffred Duplessis 1725-1802. Biographie*, Mazan, 2003.

Chapman 2007
Martin Chapman, « Preciousness, Elegance, and Femininity : The Personal Taste of Queen Marie-Antoinette », dans *Marie-Antoinette and the Petit-Trianon*, cat. exp., San Francisco, 2007, p. 25-35.

Chapuis et Gélis 1928
Alfred Chapuis et Edouard Gélis, *Le Monde des automates, étude historique et technique*, Pars, 1928, reprint 1984.

Charles 1989
Jacques Charles (sous la dir. de), *De Versailles à Paris. Le Destin des collections royales*, cat exp. (Paris, Centre culturel du Panthéon), Paris, 1989.

Château-Thierry 2006
Irène de Château-Thierry, dans *Les Van Blarenberghe, des reporters du XVIIIe siècle*, cat. exp. (Paris, musée du Louvre), Paris, 2006.

Christoph 1959
Paul Christoph, *Maria Theresia und Marie Antoinette. Ihr geheimer Briefwechsel*, Vienne, 1959.

Citéra 1991
Frédérique Citéra, « Aux origines du néo-classicisme à Sèvres », *L'Estampille – L'Objet d'art*, décembre 1991.

Cléry 1987
Journal de ce qui s'est passé à la tour du Temple pendant la captivité de Louis XVI roi de France, par M. Cléry, valet de chambre du roi, Londres, 1798, rééd. Paris, 1987.

Compardon 1863
Emile Compardon, *Marie-Antoinette et le procès du collier, d'après la procédure instruite devant le Parlement de Paris*, Paris, 1863.

Comtesse de Boigne 1986
Mémoires de la comtesse de Boigne, née d'Osmond : récit d'une tante, éd. et présenté par Jean-Claude Berchet, Paris, 1986.

Correspondance Marie-Antoinette 2005
Marie-Antoinette. Correspondance (1770-1793), établie et présentée par Evelyn Lever, Paris, 2005.

Correspondance Marie-Thérèse Marie-Antoinette 1933
Correspondance entre Marie-Thérèse et Marie-Antoinette, publ. par Georges Girard, Paris, 1933.

Correspondance Mercy-Argenteau Joseph II 1889-1891
Correspondance secrète du comte Mercy-Argenteau avec l'empereur Joseph II et le prince de Kaunitz, Paris, 1889-1891, 2 vol.

Cronin 1975
Vincent Cronin, *Ludwig XVI. und Marie Antoinette*, Düsseldorf, 1975.

Croÿ 1906-1907
Duc de Cröy, *Journal inédit du duc de Croÿ – 1718-1784 – Publié d'après le manuscrit autographe conservé à la bibliothèque de l'Institut, avec introduction, notes et index, Par le Vte de Grouchy et Paul Cottin*, Paris, 1906-1907, 4 vol.

Csendes 1999
Peter Csendes, *Geschichte Wiens*, Vienne, 1999.

Curzon 1988
Henri de Curzon, *La Maison du Temple de Paris*, Paris, 1988.

Czeike 1981
Felix Czeike, *Geschichte der Stadt Wien*, Vienne, Zurich et New York, 1981.

Dacier 1931
Emile Dacier, *Gabriel de Saint-Aubin, peintre, dessinateur et graveur (1724-1780)*, Paris et Bruxelles, 1931, 2 vol.

Darr, Dell *et al.* 1996
Alan Philipps Darr, Theodore Dell *et al.*, *The Dodge Collection of Eighteenth Century French and English Art in The Detroit Institute of Arts*, New York, 1996.

Davranches 1904
Chanoine L. Davranches, *La Petite Tour du Temple*, Rouen, 1904.

Delaborde et Goddé 1858
Henri Delaborde et Goddé, *L'Œuvre de Paul Delaroche*, 1858.

Delieuvin 2006
Vincent Delieuvin, dans *Louis XVI et Marie-Antoinette à Compiègne*, cat. exp. (Compiègne, musée national du château de Compiègne), Paris, 2006.

Desjardins 1885
Gustave Desjardins, *Le Petit Trianon. Histoire et description*, Versailles, 1885.

De Vinck 1909
François-Louis Bruel, Marcel Aubert et Marcel Roux, *Inventaire de la collection de Vinck*, Paris, 1909.

Devinoy et Verlet 1958
Pierre Devinoy et Pierre Verlet, *Le Siège Louis XVI*, Paris, 1958.

Didier 2005
Frédéric Didier, « La restauration du Cabinet doré de la Reine », *Versalia*, nº 8, 2005, p. 30-39.

Dilke 1901
Lady Emilia Dilke, *French Furniture and Decoration in the XVIIIth Century*, Londres, 1901.

Draper 1999
James David Draper, « Pajou et Roland », dans *Augustin Pajou et ses contemporains. Actes du colloque organisé au musée du Louvre les 7 et 8 novembre 1997*, Paris, 1999, p. 537-558.

Draper 2003-2004
James David Draper, dans *L'Esprit créateur de Pigalle à Canova. Terres cuites européennes 1740-1840*, cat. exp. (Paris, musée du Louvre ; New York, The Metropolitan Museum of Art ; Stockholm, Nationalmuseum), Paris, 2003.

Dreyfus 1922
Carle Dreyfus, *Musée du Louvre. Catalogue sommaire du mobilier et des objets d'art du XVIIe et du XVIIIe siècle*, Paris, 2e éd. 1922.

Droguet 2005a
Vincent Droguet, « Deux appuis de loges restaurés à Fontainebleau », *Dossier de l'art*, nº 124, 2005, p. 104-109.

Droguet 2005b
Vincent Droguet, dans *Théâtre de Cour, Les spectacles à Fontainebleau au XVIIIe siècle*, cat. exp. (Fontainebleau, musée national du château de Fontainebleau), Paris, 2005.

Dumonthier [n. d.]
Ernest Dumonthier, *Les Bronzes du Mobilier national*, t. I : *Bronzes d'éclairage et de chauffage* ; t. II : *Pendules et cartels*, Paris, n. d., 2 albums.

Edgeworth de Firmont 1987
Henri Essex Edgeworth de Firmont, *Dernières heures de Louis XVI roi de France*, Paris, 1815, rééd. 1987.

Ehemalige Hofsilber 1996
Katalog Ehemalige Hofsilber- und Tafelkammer, Silber, Bronzen, Porzellan, Glas, Vienne, 1996.

Eisendle 2006
Reinhard Eisendle, dans *Mozart, Experiment Aufklärung im Wien des ausgehenden 18. Jahrhunderts*, cat. exp. (Vienne, Albertina), Vienne, 2006.

Engerand 1900
Fernand Engerand, *Inventaire des tableaux commandés et achetés par la Direction des Bâtiments du Roi (1709-1792)*, Paris, 1900.

Englebert 1980
Martine Englebert, dans *Maria Theresia und ihre Zeit : zur 200. Wiederkehr des Todestages*, cat. exp. (Vienne, château de Schönbrunn), Salzbourg, 1980.

Ennès 1987
Pierre Ennès, « Le surtout de mariage en porcelaine de Sèvres du Dauphin, 1769-1770 », *La Revue de l'art*, 1987, p. 63-73.

Ennès 1993
Pierre Ennès, dans *Versailles et les tables royales en Europe*, cat. exp. (Versailles, musée national du château de Versailles), Paris, 1993.

Ephrussi 1879
Charles Ephrussi, « Inventaire de la collection de la reine Marie-Antoinette », *Gazette des Beaux-Arts*, vol. XX, 1879, p. 389-408.

Eriksen 1974
Svend Eriksen, *Early neo-classicism in France. The creation of the Louis XVI style in architectural decoration, furniture and ormolu, gold and silver, and Sèvres porcelain in the mid-eighteenth century*, Londres, 1974.

Eriksen et Bellaigue 1987
Svend Eriksen et Geoffrey de Bellaigue, *Sèvres Porcelain Vincennes and Sèvres, 1740-1800*, Londres, 1987.

Fabre 2004
Gérard Fabre, dans *Joseph Boze 1745-1826. Portraitiste de l'Ancien Régime à la Restauration*, cat. exp. (Martigues, musée Ziem), Martigues et Paris, 2004.

Felvinczi Takács 1907
Zoltán Felvinczi Takács, *A Történelmi Képcsarnok mutárgyainak leíró lajstroma*, Budapest, 1907.

Felvinczi Takács 1922
Zoltán Felvinczi Takács, *A Magyar Történelmi Képcsarnok katalógusa*, Budapest, 1922.

Fenaille 1907
Maurice Fenaille, *Etat général des tapisseries de la Manufacture des Gobelins depuis son origine jusqu'à nos jours 1600-1900*, t. IV : *1737-1793*, Paris, 1907.

Fennebresque 1899
Juste Fennebresque, *La Petite Venise, histoire d'une corporation nautique*, Paris et Versailles, 1899.

Flammermont 1897
Jules Flammermont, « Les portraits de Marie-Antoinette (premier article). L'Archiduchesse », *Gazette des Beaux-Arts*, nº 2, 1897, p. 5-21.

Forray-Carlier 2000
Anne Forray-Carlier, *Mobilier du musée Carnavalet*, Dijon, 2000.

Fort 1999
Bernadette Fort, *Les Salons des « Mémoires secrets » 1767-1787*, Paris, 1999.

France d'Hézecques 1873
Félix de France d'Hézecques, *Souvenirs d'un page de la cour de Louis XVI*, Paris, 1873.

Frégnac et Meuvret 1963
Claude Frégnac et Jean Meuvret, *Les Ebénistes du XVIIIe siècle français*, Paris, 1963.

Fuhring 2005
Peter Fuhring, dans *Designing the décor : French drawings from the Eighteenth century*, cat. exp. (Lisbonne, Calouste Gulbenkian Foundation, 2005-2006), Lisbonne, 2005.

Fuhrmann 1766-1770
Mathias Fuhrmann, *Historische Beschreibung Und kurz gefaste Nachricht Von der Römisch. Kaiserl. Und Königlichen Residenz-Stadt Wien, und Ihren Vorstädten,* Vienne, 1766-1770.

Furcy-Raynaud 1905
Marc Furcy-Raynaud, « Correspondance de M. de Marigny avec Coypel, Lépicié et Cochin », *Nouvelles archives de l'art français*, année 1904, Paris, 1905.

Gabillot 1906
C. Gabillot, « Les trois Drouais », *Gazette des Beaux-Arts*, février 1906, p. 155-174.

Ganay 1926
Ernest de Ganay, « Les jardins à l'anglaise de Mesdames de France », *La Revue de l'art ancien et moderne*, juin-décembre 1926, p. 215-228.

Gastinel-Coural 1988
Chantal Gastinel-Coural, « Notes et documents », dans *Soieries de Lyon, commandes royales au XVIIIe siècle (1730-1800)*, cat. exp. (Lyon, musée historique des Tissus, 1988-1989), Lyon, 1988, p. 28-109.

Genoux 1964
Denise Genoux, « Philippe Laurent Roland décorateur : ses travaux au palais de Fontainebleau en 1786 », *Bulletin de la Société de l'histoire de l'art français*, 1964, p. 110-125.

Girardin 1791
René Louis, marquis de Girardin, *Promenade ou Itinéraire des jardins de Chantilly*, Paris, 1791.

Girardot 1792.
Girardot, *Désespoir de Marie-Antoinette de se voir elle et son mari renfermé au cachot dans la Tour du Temple, demandant à faire divorce avec son mari, et à s'en retourner en Allemagne, et les reproches du petit Veto à sa mère*, Paris, 1792.

Gonzalez-Palacios 1976
Alvar Gonzalez-Palacios, « Pour une de ses plus fameuses pendules, Thomire s'est inspiré du peintre Hubert Robert », *Connaissance des arts*, septembre 1976, p. 11-13.

Goret 1825
Charles Goret, *Mon témoignage sur la détention de Louis XVI et de sa famille dans la tour du Temple…*, Paris, 1825.

Gorguet-Ballesteros 2000
Pascale Gorguet-Ballesteros, *Le Coton et la Mode, 1 000 ans d'ouvertures*, cat. exp. (Paris, musée Galliera), Paris, 2000.

Grimm 1880
Friedrich Melchior Grimm, *Correspondance littéraire, philosophique et critique par Grimm, Diderot, Raynal, Meister, etc.*, t. XII, Paris, 1880.

Gruber 1972
Alain-Charles Gruber, *Les Grandes Fêtes et leurs décors à l'époque de Louis XVI*, Genève, 1972.

Gruber 1992
Alain Gruber (sous la dir. de), *L'Art décoratif en Europe : classique et baroque*, Paris, 1992.

Guilbaud 1989
Guilbaud, dans *De Versailles à Paris. Le destin des collections royales*, cat. exp. (Paris, Centre culturel du Panthéon, 1989), Paris, 1989.

Guillemé Brulon 1983
Dorothée Guillemé Brulon, « Le service de L'Empereur Joseph II d'Autriche », *L'Estampille*, nº 158, 1983, p. 33-42.

Guillemé Brulon 1985
Dorothée Guillemé Brulon, « Le service à rubans verts de l'Impératrice d'Autriche », *L'Estampille*, nº 179, mars 1985, p. 22-29.

Guillemé Brulon 1993
Dorothée Guillemé Brulon, *Versailles et les tables royales en Europe XVIIe-XIXe siècles*, cat. exp. (Versailles, musée national des châteaux de Versailles et Trianon), 1993.

Guillemé Brulon 2003
Dorothée Guillemé Brulon, *Le Service de la princesse des Asturies, ou l'histoire d'un cadeau royal pour la cour de Madrid*, Paris, 2003.

Hajós 1995
Beatrix Hajós, *Schönbrunner Schlossgärten. Eine topographische Kulturgeschichte*, Vienne, 1995.

Hans 2002
Pierre-Xavier Hans, dans *Fastes de Versailles*, cat. exp. (Kobe, musée municipal ; Tokyo, Metropolitan Art Museum), Tokyo, 2002.

Hans 2005
Pierre-Xavier Hans, dans *Marie-Antoinette à Versailles. Le goût d'une reine*, cat. exp. (Bordeaux, musée des Arts décoratifs), Paris, 2005.

Hans 2007
Pierre-Xavier Hans, dans *Un siècle de mécénat à Versailles*, cat. exp. (Versailles, musée national du château de Versailles), Paris, 2007.

Hanzl-Wachter 2005
Lieselotte Hanzl-Wachter (sous la dir. de), *Schloß Hof. Prinz Eugens tusculum rurale und Sommerresidenz der kaiserlichen Familie, Geschichte und Ausstattung eines barocken Gesamtkunstwerks*, Schloss Hof, 2005.

Havard 1887-1889
Henry Havard, *Dictionnaire de l'ameublement*, Paris, 1887-1889.

Heinz 1979
Günther Heinz, « Bemerkungen zur Geschichte der Malerei zur Zeit Maria Theresias », dans Walter Koschatzky (sous la dir. de), *Maria Theresia und ihre Zeit : eine Darstellung der Epoche von 1740-1780 aus Anlaß der 200. Wiederkehr des Todestages der Kaiserin*, Salzbourg, 1979.

Heinz et Schütz 1982
Günther Heinz et Karl Schütz (sous la dir. de), *Kunsthistorisches Museum, Wien. Katalog der Gemäldegalerie. Porträtgalerie zur Geschichte Österreichs von 1400 bis 1800*, Vienne, 1982.

Heitmann 1985
Bernhard Heitmann, « Die Wiener Goldgarnitur », dans *Gold und Silber aus Wien und Kopenhagen*, cat. exp. (Copenhague, Schloss Christiansborg), 1985, p. 11-14.

Heitzmann 2001
Annick Heitzmann, « Hameau de Trianon : La laiterie de préparation », *Versalia*, nº 4, 2001, p. 72-79.

Heitzmann 2002
Annick Heitzmann, « Restauration au Hameau de Trianon : La tour de Marlborough et la laiterie », *Versalia*, nº 5, 2002, p. 32-43.

Heitzmann 2007
Annick Heitzmann, « La laiterie de Rambouillet », *Versalia*, n° 10, 2007, p. 46-57.

Hennin 1856
Michel Hennin, *Monuments de l'Histoire de France. Catalogue des productions de la sculpture, de la peinture et de la gravure relatives à l'histoire*, Paris, 1856.

Heraeus 2003
Stefanie Heraeus, *Spätbarock und Klassizismus. Bestandskatalog der Gemälde in den Staatlichen Museen Kassel*, Cassel et Wolfratshausen, 2003.

Herdt 1992
Anne de Herdt, dans *Dessins de Liotard. Suivi du catalogue de l'œuvre dessiné*, cat. exp. (Genève, musée d'Art et d'Histoire ; Paris, musée du Louvre), Paris et Genève, 1992.

Herdt et La Rochefoucauld 1986
Anne de Herdt et Lydie de La Rochefoucauld, *Louis-Auguste Brun 1758-1815 dit Brun de Versoix. Catalogue des peintures et dessins*, Genève, 1986.

Hessling 1910
Egon Hessling, *Louis XV, Möbel des musées des arts décoratifs*, Berlin, Paris et New York, 1910.

Hladky 2005
Franziska Hladky, « Möbel aus Schloss Hof », dans Lieselotte Hanzl-Wachter (sous la dir. de), *Schloss Hof. Prinz Eugens tusculum rurale und Sommerresidenz der kaiserlichen Familie*, Schloss Hof, 2005.

Hoog 1992
Simone Hoog, dans *Les Jardins de Versailles et de Trianon d'André Le Nôtre à Richard Mique*, cat. exp. (Versailles, château de Versailles), Paris, 1992.

Hoog 1993
Simone Hoog, *Musée national de Versailles. Les sculptures*, I : *Le musée*, Paris, 1993.

Hosford 2004
Desmond Hosford, « The Queen's Hair : Marie-Antoinette, Politics, and DNA », *Eighteenth-Century Studies*, vol. XXXVIII (1), 2004, p. 183-200.

Hüe 1860
Baron François Hüe, *Dernières années du règne et de la vie de Louis XVI*, Paris, 1860.

Hughes 1996
Peter Hughes, *The Wallace Collection, Catalogue of Furniture*, Londres, 1996, 3 vol.

Hugues 2003
Laurent Hugues, « La famille royale et ses portraitistes sous Louis XV et Louis XVI », dans *De soie et de poudre. Portraits de cour dans l'Europe des Lumières*, sous la dir. scientifique de Xavier Salmon, Arles et Versailles, 2003, p. 135-175.

Huisman et Jallut 1970
Philippe Huisman et Marguerite Jallut, *Marie-Antoinette, l'impossible bonheur*, Lausanne, 1970.

Humbert 1989
Jean-Marcel Humbert, *L'Egyptomanie dans l'art occidental*, Courbevoie, 1989.

Humbert 1996
Jean-Marcel Humbert, « Postérité du sphinx antique : la sphinxomanie et ses sources », dans *L'Egyptomanie à l'épreuve de l'archéologie*, Paris, 1996, p. 99-138.

Iby et Koller 2000, 2007
Elfriede Iby et Alexander Koller, *Schönbrunn*, Vienne, 2000, rééd. 2007.

Impey et Whitehead 1990
Oliver Impey et John Whitehead, « From Japanese Box to French Royal Furniture », *Apollo*, vol. CXXXII, n° 343, septembre 1990, p. 159-165.

Jallut 1955a
Marguerite Jallut, *Marie-Antoinette. Archiduchesse, dauphine et reine*, cat. exp. (Versailles, musée national du château de Versailles), Paris, 1955.

Jallut 1955b
Marguerite Jallut, *Marie-Antoinette et ses peintres*, Paris, 1955.

Jallut 1964
Marguerite Jallut, « Château de Versailles. Cabinets intérieurs et petits appartements de Marie-Antoinette », *Gazette des Beaux-Arts*, mai 1964, p. 289-353.

James-Sarazin et Lapasin 2006
Ariane James-Sarazin et Régis Lapasin, *Gazette des atours de Marie-Antoinette. Garde-robe des atours de la reine. Gazette pour l'année 1782*, Paris, 2006.

Jean-Richard 1994
Pierrette Jean-Richard, *Musée du Louvre. Département des arts graphiques. Inventaire des miniatures sur ivoire conservées au cabinet des dessins. Musée du Louvre et musée d'Orsay*, Paris, 1994.

Jean Richard et Mondin 1989
Pierrette Jean-Richard et Gilbert Mondin, *Un collectionneur pendant la Révolution : Jean Louis Soulavie (1752-1813). Gravures et dessins*, cat. exp. (Paris, musée du Louvre), Paris, 1989.

Jedding 1971
Hermann Jedding, *Europäisches Porzellan*, t. I, Munich, 1971.

Johann Basilii Küchelbeckers 1732
D. Johann Basilii Küchelbeckers [...] Allerneueste Nachricht vom Römisch Kayserl. Hofe nebst einer ausführlichen Beschreibung der Kayserlichen Residenzstadt Wien, und der umliegenden Oerter, Hanovre, 1732.

Jordan 2005
Marc-Henri Jordan, dans *Théâtre de Cour, Les spectacles à Fontainebleau au XVIIIe siècle*, cat. exp. (Fontainebleau, musée national du château de Fontainebleau), Paris, 2005.

Jordan 2007
Marc-Henri Jordan, « Eigtheenth-Century Scenery at Fontainebleau », dans *The World of Baroque Theatre, A compilation of Essays from the Cesky Krumlov Conferences 2004, 2005, 2006*, Cesky Krumlov, 2007, p. 43-52, 415-422.

Kahng et Roland Michel 2003
Eik Kahng et Marianne Roland Michel (sous la dir. de), *Anne Vallayer-Coster. Peintre à la cour de Marie-Antoinette*, cat. exp. (Washington, National Gallery of Art ; Dallas, Museum of Art ; New York, The Frick Collection ; Marseille, musée des Beaux-Arts), Paris, 2003.

Khevenhüller-Metsch 1911
Prince Johann Joseph Khevenhüller-Metsch et Hanns Schlitter (sous la dir. de), *Tagebuch des Fürsten Johann Khevenhüller-Metsch, kaiserlichen Obersthofmeisters 1742 – 1776*, vol. *1758-1759*, Vienne et Leipzig, 1911.

Kirchweger 2006
Kirchweger, dans *Maria Theresia und Schloß Schönbrunn, Familienresidenz und politische Bühne einer außergewöhnlichen Regentin* (version allemande et japonaise), Fukuoka City Museum, The Matsuzakaya Museum, The Museum of Kyoto 2006 ; *Maria Theresia, Mother Empress of Habsburg Austria* (version anglaise), Singapour, The National Museum of Singapore, 2006.

Kisluk-Grosheide 2005
Daniëlle Kisluk-Grosheide, « Versailles au Metropolitan Museum de New York », *Versalia*, n° 8, 2005, p. 66-93.

Kisluk-Grosheide 2006a
Daniëlle Kisluk-Grosheide, « French Royal Furniture in the Metropolitan Museum », *The Metropolitan Museum of Art Bulletin*, hiver 2006.

Kisluk-Grosheide 2006b
Daniëlle Kisluk-Grosheide, *European Furniture in The Metropolitan Museum of Art. Highlights of the Collection*, New York, The Metropolitan Museum of Art, 2006.

Knofler 1979
Monika J. Knofler, *Das Theresianische Wien. Der Alltag in den Bildern Canalettos*, Vienne, Cologne et Graz, 1979

Kopplin 2001
Monika Kopplin (sous la dir. de), *Les Laques du Japon. Collections de Marie-Antoinette*, cat. exp. (Versailles, musée national des châteaux de Versailles et de Trianon ; Münster, Museum für Lackkunst), Paris, 2001.

Koschatzky 1979
Walter Koschatzky (sous la dir. de), *Maria Theresia und ihre Zeit : eine Darstellung der Epoche von 1740-1780 aus Anlaß der 200. Wiederkehr des Todestages der Kaiserin*, Salzbourg, 1979.

Koschatzky 1980
Walter Koschatzky, « Liotard in Wien », dans *Maria Theresia und ihre Zeit : zur 200. Wiederkehr des Todestages*, cat. exp. (Vienne, château de Schönbrunn), Salzbourg, 1980.

Koschatzky et Krasa 1982
Walter Koschatzky et Selma Krasa, *Herzog Albert von Sachsen-Teschen 1738-1822. Reichsfeldmarschall und Kunstmäzen*, Vienne, 1982.

Kozakiewicz 1972
Stefan Kozakiewicz, *Bernardo Bellotto, genannt Canaletto*, Recklinghausen, 1972, 2 vol.

Krack 1912
Otto Krack, *Briefe eines Kaisers. Joseph II. an seine Mutter und Geschwister*, Berlin, 1912.

Labbé de La Mauvinière 1924
Henri Labbé de La Mauvinière, « Deux documents artistiques concernant la chambre de Marie-Antoinette à Versailles », *Gazette des Beaux-Arts*, n° 1, 1924, p. 313-316.

Lafont d'Aussonne 1824, 1838
L. Lafont d'Aussonne, *Mémoires secrets et universels des malheurs et de la mort de la reine de France*, Paris, 1824, 1838.

Langlade 1911
Emile Langlade, *La Marchande de modes de Marie-Antoinette. Rose Bertin*, Paris, 1911.

La Suède et Paris 1947
La Suède et Paris, cat. exp. (Paris, musée Carnavalet), Paris, 1947.

Leben 1995
Ulrich Leben, « D'acier, L'art du mobilier et des objets en fer et aciers polis », *Connaissance des arts*, septembre 1995, p. 109.

Leben 2003
Ulrich Leben, « Versailles à Waddesdon Manor », *Versalia*, n° 6, 2003, p. 62-86.

Lebois [n. d.]
René Francois Lebois, *Grand complot découvert, de mettre Paris à feu et à sang à l'époque du 10 août jusqu'au 15; de faire assassiner les patriotes par des femmes, et par des calotins déguisés en femmes; Marie-Antoinette (d'Autriche) d'infernale mémoire, sur la scelette. Interrogatoire de cette scélérate comme complice avec les traîtres qui ont livré Condé, Mayence et Valenciennes, avec les rebelles de la Vendée, avec le sélèrat Pitt, ministre anglais, qui voulaient affamer Paris et assassiner les braves sans-culottes. De l'imprimerie de l'ami des Sans-Culottes*, Paris, n. d.

Ledoux-Lebard 1989
Denise Ledoux-Lebard, *Versailles le Petit Trianon*, Paris, 1989.

Lefuel 1923
Hector Lefuel, *Georges Jacob, ébéniste du XVIIIe siècle*, Paris, 1923.

Leitner 1875
Quirin Leitner (éd.), *Monographie des Kaiserlichen Lustschlosses Schönbrunn*, Vienne, 1875.

Lemoine 1976
Pierre Lemoine, « La chambre de la Reine », *La Revue du Louvre et des musées de France*, n° 3, 1976, p. 139-145.

Lemonnier 1983
Patricia Lemonnier, *Weisweiler*, Paris, 1983.

Leribault 2003
Christophe Leribault, dans *L'Apothéose du geste. L'esquisse peinte au siècle de Boucher et Fragonard*, cat. exp. (Strasbourg, musée des Beaux-Arts ; Tours, musée des Beaux-Arts) sous la dir. de Dominique Jacquot et Sophie Join-Lambert, Strasbourg, Paris et Tours, 2003.

Léry 1931
Edmond Léry, « Les pendules de Marie-Antoinette », *Revue de l'histoire de Versailles*, 1931, p. 95-100.

Lescure 1867
Adolphe Mathurin de Lescure, *Les Palais de Trianon. Histoire, description. Catalogue des objets exposés, sous les auspices de Sa Majesté l'Impératrice*, Paris, 1867.

Ligne 1989
Charles-Joseph, prince de Ligne, *Mémoires, lettres et pensées*, Paris, 1989.

L'intermédiaire 1908
L'intermédiaire, « Ce qu'on trouva dans les appartements de Marie-Antoinette à Versailles, le 10 octobre 1789. Inventaire de Lignereux », *L'Intermédiaire des Chercheurs et Curieux*, vol. LVII, 44e année, n° 1186, 10 juin 1908, col. 880-884.

Lisholm 1974
Birgitta Lisholm, *Martin van Meytens d. y. Hans liv och hans verk*, Malmö, 1974.

Lugt 1921, 1956
Frits Lugt, *Les marques de collections de dessins et d'estampes*, Amsterdam, 1921, et *Supplément*, La Haye, 1956.

Lyon 1958
Georgette Lyon, *Joseph Ducreux (1735-1802), premier peintre de Marie-Antoinette. Sa vie, son œuvre*, Paris, 1958.

Mabille 1999
Gérard Mabille, dans *Les Bronzes du Louvre*, Paris, 1999.

Macé de L'Epinay et Charles 1989
François Macé de L'Epinay et Jacques Charles, « *Marie-Antoinette du Temple à la Conciergerie* », *Guide Historia*, Paris, 1989.

Maillet-Chassagne 2001
Monique Maillet-Chassagne, *Une dynastie de peintres lillois, les Van Blarenberghe*, Paris, 2001.

Marie 1951
Alfred Marie, « La salle du théâtre du château de Fontainebleau (d'Henri IV à Louis-Philippe) », *Revue d'histoire du théâtre*, n° 3, 1951, p. 237-247.

Marie-Thérèse Charlotte de France 1987
Mémoire écrit par Marie-Thérèse Charlotte de France sur la captivité des princes et des princesses ses parents depuis le 10 août 1792 jusqu'à la mort de son frère, Paris, 1892, rééd. Paris, 1987.

Mathis 1981
Andrea Mathis, « *Tu felix Austria nube* » *aus theaterwissenschaftlicher Sicht. Theatrale Festveranstaltungen anlässlich der Hochzeiten Maria Theresias und ihrer Kinder*, thèse de doctorat, Vienne, 1981.

Mattl-Wurm 1999
Sylvia Mattl-Wurm, *Wien vom Barock bis zur Aufklärung. Geschichte Wiens*, t. IV, Vienne, 1999.

Maumené et d'Harcourt 1931
Charles Maumené et Louis d'Harcourt, « Iconographie des rois de France. Seconde partie. Louis XIV, Louis XV, Louis XVI », *Archives de l'art français*, nouvelle période, t. XVI, années 1929-1930, Paris, 1931.

Mauricheau-Beaupré 1934
Charles Mauricheau-Beaupré, « Un mobilier de G. Jacob dessiné par Hubert Robert », *Bulletin des musées de France*, 1934, 6e année, n° 4, avril 1934, p. 77-80.

Metman 1905
Louis Metman, *Le Musée des Arts décoratifs : le Bois*, Paris, 1905.

Metra 1933
Louis François Metra, *Correspondance secrète*, Paris, 1933.

Meyer 1965
Daniel Meyer, « Les appartements royaux du château de Saint-Cloud sous Louis XVI et Marie-Antoinette, 1785-1792 », *Gazette des Beaux-Arts*, n° 66, octobre 1965, p. 223-232.

Meyer 1974
Daniel Meyer, « A propos du mobilier de Marie-Antoinette au Petit-Trianon », *Revue du Louvre*, n° 4-5, 1974, p. 279-283.

Meyer 1978
Daniel Meyer, dans *De Versailles à Paris. Le destin des collections royales*, cat. exp. (Paris, Centre culturel du Panthéon, 1989), Paris, 1989.

Meyer 1980
Daniel Meyer, « Chaise et fauteuil de toilette du Petit Appartement de Marie-Antoinette à Versailles », dans *Cinq années d'enrichissement du patrimoine national, 1975-1980*, Paris, 1980, n° 68, p. 88-89.

Meyer 2002
Daniel Meyer, *Le Mobilier de Versailles : XVIIe et XVIIIe siècles*, t. I : *Les Meubles royaux prestigieux*, Dijon, 2002.

Moelle 1820
Claude Antoine Moelle, *Six journées passées au Temple et autres détails sur la famille royale qui a été détenue*, Paris, 1820.

Molinas et Surugue 1994
Christelle Molinas et Bruno Surugue, *Les Faïences de Creil du musée Gallé-Juillet*, La Ferté-sous-Jouarre, 1994.

Molinier [1902]
Emile Molinier, *le Mobilier français du XVIIe et du XVIIIe siècle*, Paris, [1902].

Motsch 2002-2003
Motsch, dans *Matières de rêves : Stuff of Dreams from the Paris Musée des Arts décoratifs*, cat. exp., Portland, Hartford et Birmingham, 2002-2003.

Moureau 1893
Adrien Moureau, *Les Moreau*, Paris, 1893.

Mourot 2001
M. Mourot, notice « Proue du canot de promenade de Marie-Antoinette », dans *Les Génies de la mer*, cat. exp. (Québec, musée du Québec ; Paris, musée national de la Marine), Paris et Québec, 2001, p. 123.

Mourot 2006
M. Mourot, notice « Proue du canot de promenade de Marie-Antoinette », dans *Trésors du Musée national de la Marine*, Paris, 2006, p. 119.

Mraz 1979
Gerda et Gottfried Mraz, *Maria Theresia. Ihr Leben und ihre Zeit in Bildern und Dokumenten*, Munich, 1979.

Nagashima 1999
Meiko Nagashima, « Edo-jidai chuki no yushutsu shikki. Marie Antoinette no kore-kushon o chushin ni » [« Mid-Edo period Japanese export lacquer. The collection of Marie-Antoinette »], *Shikkoshi*, t. XXII, 1999, p. 25-26 et IV-V.

Neumann 1964
Erwin Neumann, « Das sogenannte "Nachtzeug der Kaiserin Maria Theresia" », *Notring-Jahrbuch*, 1964 (*Kunst im Handwerk Österreichs*), p. 93.

Niclausse 1947
Juliette Niclausse, *Thomire*, Paris, 1947.

Nicolai 1783-1785
Friedrich Nicolai, *Beschreibung einer Reise durch Deutschland und die Schweiz im Jahre 1781*, Berlin et Stettin, 1783-1785, 6 vol.

Nolhac 1896
Pierre de Nolhac, « La Décoration à Versailles au XVIIIe siècle (quatrième article). VII, La chambre de la reine », *Gazette des Beaux-Arts*, XVI, 3e période, 1896, p. 89-101.

Nolhac 1908
Pierre de Nolhac, *Madame Vigée Le Brun, peintre de la reine Marie-Antoinette*, Paris, 1908.

Nolhac 1909
Pierre de Nolhac, « Trois portraits inédits de Marie-Antoinette », *Gazette des Beaux-Arts*, 1er semestre 1909, p. 121-124.

Nolhac 1920
Pierre de Nolhac, « Les portraits de Marie-Antoinette par Ducreux », *Gazette des Beaux-Arts*, décembre 1920, p. 367-374.

Nolhac 1925a
Pierre de Nolhac, « La garde-robe de Marie-Antoinette d'après des documents inédits », *Le Correspondant*, 25 septembre 1925, p. 840-859.

Nolhac 1925b
Pierre de Nolhac, *La Gazette de la reine pour l'année 1782*, éd. en fac-similé, Paris, 1925.

Nolhac 1926
Pierre de Nolhac, « Les Cabinets de Marie-Antoinette à Versailles », *Le Figaro artistique*, 2 décembre 1926, p. 114-117.

Nolhac 1927
Pierre de Nolhac, *Versailles et la cour de France. Trianon*, Paris, 1927.

Nolhac 1927a
Pierre de Nolhac, *Etudes sur la Cour de France. Le Trianon de Marie-Antoinette*, Paris, 1927.

Oberkirch 1970, 2000
Baronne d'Oberkirch, *Mémoires de la baronne d'Oberkirch sur la cour de Louis XVI et la société française avant 1789*, Paris, 1970, 2000.

Les Œuvres d'art en Russie 1902
Les Œuvres d'art en Russie, 1902, n° 1, t. II, p. 35, n° 141.

Oka 2002
Yasumasa Oka, « Japonaiseries et chinoiseries du Musée national du château de Versailles », dans *Fastes de Versailles*, cat. exp. (Kobe ; Tokyo, Metropolitan Art Museum), Tokyo, 2002, p. 195-201.

Ottillinger 2000
E. B. Ottillinger, « Das Pietra Dura-Zimmer in der Wiener Hofburg », dans *Lothringens Erbe, Franz Stephan von Lothringen (1708-1765) und sein Wirken in Wirtschaft, Wissenschaft und Kunst der Habsburgermonarchie*, cat. exp. (Schallaburg), Vienne, 2000, p. 256 *sq*.

Ottomeyer et Pröschel 1986
Hans Ottomeyer et Peter Pröschel, *Vergoldete Bronzen : die Bronzearbeiten des Spätbarock und Klassizismus*, Munich, 1986, 2 vol.

Pallot 1987
Bill Pallot, *L'Art du siège au XVIIIe siècle en France (1720-1775)*, Paris, 1987.

Pallot 1993
Bill G. B. Pallot, *Le Mobilier du musée du Louvre*, t. II, Dijon, 1993.

Pape 1989
Maria Elisabeth Pape, « Turquerie im 18. Jahrhundert und der "Recueil Ferriol" », dans *Europa und der Orient, 800-1900*, cat. exp. (Berlin, Martin-Gropius-Bau), Berlin, 1989, p. 305-323.

Papillon de La Ferté 1887
Denis Pierre Jean Papillon de La Ferté, *Journal de Papillon de la Ferté*, Paris, 1887.

Papillon de La Ferté 2002
Denis Pierre Jean Papillon de La Ferté, *Journal des Menus plaisirs du Roi. 1756-1780*, Clermont-Ferrand, 2002.

Pasquier 1894
Pasquier, *Histoire de mon temps. Mémoires...*, Paris, 6e éd, 1894.

Passez 1973
Anne-Marie Passez, *Adélaïde Labille-Guiard (1749-1803) : Biographie et catalogue raisonné de son œuvre*, Paris, 1973.

Péchère 1973
René Péchère, « Un inédit : le plan du comte de Caraman pour le jardin du Petit Trianon », *Vieilles maisons françaises*, n° 99, octobre 1973, p. 98-99.

Pératé et Brière 1931
André Pératé et Gaston Brière, *Musée national de Versailles. Catalogue. I. Compositions historiques*, Paris, 1931.

Peregriny 1915
János Peregriny, *Az Országos Magyar Szépmuvészeti Múzeum állagai. IV. Magyar Történelmi Képcsarnok*, Budapest, 1915.

Peregriny et Pulszky 1894
János Peregriny et Károly Pulszky (sous la dir. de), *A Magyar Történeti Képcsarnok lajstroma*, Budapest, 1894.

Pereira Coutinho 2000
Isabel Pereira Coutinho, dans *Chefs-d'œuvre du musée Gulbenkian. Meubles et objets royaux du XVIIIe siècle français*, cat. exp. (Versailles, musée national du château de Versailles), Paris, 2000.

Peters 2005
David Peters, *Sèvres Plates and Services of the 18th century*, Little Berkhamsted, 2005.

Pichler 1844
Caroline Pichler, *Denkwürdigkeiten aus meinem Leben*, t. 1 : *1769-1788*, Vienne, 1844.

Picquenard 1996
Thérèse Piquenard, dans Jean-René Gaborit (sous la dir. de), *Musée du Louvre. Nouvelles acquisitions du département des sculptures 1992-1995*, Paris, 1996.

Picquenard 2001
Thérèse Picquenard, dans *Louis-Simon Boizot (1743-1809). Sculpteur du roi et directeur de l'atelier de sculpture à la manufacture de Sèvres*, cat. exp. (Versailles, musée Lambinet), Paris et Versailles, 2001.

Pincemaille 2003
Christophe Pincemaille, « L'impératrice Eugénie et Marie-Antoinette : autour de l'exposition rétrospective des souvenirs de la reine au Petit Trianon en 1867 », *Versalia*, n° 6, 2003, p. 124-134.

Plank 1999
Angelika Plank, *Akademischer und schulischer Elementarzeichenunterricht im 18. Jahrhundert*, Vienne, 1999.

Plinval de Guillebon 1986
Régine de Plinval de Guillebon, « Premières porcelaines de Paris », *Antologia di Belle Arti*, n° 20-30, 1986, p. 30-44.

Poisson *et al.* 1985
Georges Poisson et *al.*, *Musée de l'Ile de France. Château de Sceaux. Catalogue raisonné des collections. Hauts-de-Seine*, Paris, 1985.

Pons 1995
Bruno Pons, *Grands Décors français 1650-1800 reconstitués en Angleterre, aux Etats-Unis, en Amérique du Sud et en France*, Dijon, 1995.

Pradère 1989
Alexandre Pradère, *Les Ebénistes français de Louis XIV à la Révolution*, Paris, 1989.

Préaud 1989
Tamara Préaud, « Sèvres, la Chine et les "chinoiseries" au XVIIIe siècle », *The Journal of The Walters Art Gallery*, n° 47, 1989, p. 39-50.

Prohaska 1999
W. Prohaska, dans *Geschichte der bildenden Kunst in Österreich*, t. IV : *Barock* (sous la dir. de Helmut Lorenz), Munich, Londres et New York, 1999.

Prohaska 2005
W. Prohaska, dans *Bernardo Bellotto, genannt Canaletto, Europäische Veduten*, cat. exp. (Vienne, Kunsthistorisches Museum), Vienne, 2005.

Ravel 1987
Paul Ravel, *Le Palais des Tuileries sous Louis XVI*, mémoire de maîtrise, université Paris IV Sorbonne, 1987.

Réau 1927
Louis Réau, *Une dynastie de sculpteurs au XVIIIe siècle. Les Lemoyne*, Paris, 1927.

Revel 1959
Jean-François Revel, « Les plus belles découvertes de ces dix dernières années. X. Les appliques de Trianon », *Connaissance des arts*, n° 94, décembre 1959, p. 150-159.

Rey 1936
Robert Rey, *Histoire mobilière du palais de Fontainebleau*, Fontainebleau et Paris, 1936.

Rieder 2002
William Rieder, « A royal commode and secretaire by Riesener », *The Journal of the Furniture History Society*, vol. XXXVIII, 2002, p. 83-96.

Ritter 1832
Franz Xavier Ritter von Sickingen, *Darstellung der K.K. Haupt- und Residenzstadt Wien*, Vienne, 1832.

Robiquet 1910
Jacques Robiquet, *Chronique des arts et de la curiosité*, Paris, 1910.

Robiquet 1912
Jacques Robiquet, *Gouthière, sa vie, son œuvre*, Paris, 1912.

Rochebrune 1988
Marie-Laure de Rochebrune, « A propos de quelques plaques de porcelaine tendre de Sèvres peintes par Charles Nicolas Dodin », *Bulletin de la Société de l'histoire de l'art français*, 1988 (1989), p. 105-129.

Roland Michel 1970
Marianne Roland Michel, *Anne Vallayer-Coster, 1744-1818*, Paris, 1970.

Ronfort et Augarde 1989
Ronfort et Augarde, dans *De Versailles à Paris. Le destin des collections royales*, cat. exp. (Paris, Centre culturel du Panthéon, 1989), Paris, 1989.

Rosenberg et Prat 2002
Pierre Rosenberg et Louis-Antoine Prat, *Jacques-Louis David (1748-1825). Catalogue raisonné des dessins*, Venise, 2002.

Röttgen 1972
S. Röttgen, « Antonius Maron faciebat Romae, Zum Werk Anton von Marons in Rom », dans *Österreichische Künstler und Rom vom Barock zur Secession*, cat. exp., (Rome, Österreichisches Kulturinstitut in Rom ; Vienne, Akademie der Bildenden Künste), Vienne, 1972.

Rouchès et Huyghe 1938
Gabriel Rouchès et René Huygue, *Inventaire général des dessins du Musée du Louvre et du château de Versailles. Ecole française. XI (Millet-Müller)*, Paris, 1938.

Roussel d'Epinal 1802
Pierre Joseph Alexis Roussel d'Epinal, *Le château des Tuileries ou Récit de ce qui s'est passé dans l'intérieur de ce Palais depuis sa construction jusqu'au 18 brumaire an VIII. Avec des particularités que le Lord Bedford y a fait après le 10 août 1792*, Paris, 1802.

Saint-Priest 1929
Mémoires du comte de Saint-Priest publiés par le baron de Barante, Paris, 1929.

Saint-Priest 2006
Comte de Saint Priest, *Mémoires. Edition présentée et annotée par Nicolas Mietton*, Paris, 2006.

Salmon 1993
Xavier Salmon, dans *Versalles, retratos de una Sociedad : siglos XVII-XIX*, cat. exp. (Barcelone, Fondation La Caixa), 1993.

Salmon 1997
Xavier Salmon, *Musée national du château de Versailles. Les pastels*, Paris, 1997.

Salmon 1998
Xavier Salmon, « Un chef-d'œuvre d'Elisabeth Louise Vigée Le Brun entre en dation au château de Versailles : La duchesse de Polignac au chapeau de paille », *Revue du Louvre*, n° 3, 1998, p. 13-14, repr.

Salmon 1999
Xavier Salmon, *Château de Versailles. Nouvelles acquisitions du Cabinet des Dessins 1988-1998*, Baume-les-Dames, 1999.

Salmon 2000
Xavier Salmon, « Le portrait de la duchesse de Polignac. Un nouveau chef-d'œuvre de Madame Vigée Le Brun entre dans les collections du château de Versailles », dans *Château de Versailles, deux acquisitions exceptionnelles*, livret accompagnant l'exposition organisée à Versailles, 2000, n. p.

Salmon 2001
Xavier Salmon, *Trésors cachés. Chefs-d'œuvre du cabinet d'Arts graphiques du château de Versailles*, cat. exp. (Rouen, musée des Beaux-Arts ; Le Mans, musée de Tessé), Paris, 2001.

Salmon 2002
Xavier Salmon, dans *Fastes de Versailles*, cat. exp. (Kobe, musée municipal ; Tokyo, Metropolitan Art Museum), 2002.

Salmon 2003
Xavier Salmon, « Petits portraits de cour et d'amitié : l'exemple de Charles Leclercq (1753-1821), peintre flamand au service de Sa Majesté la reine de France », dans *De soie et de poudre. Portraits de cour dans l'Europe des lumières*, Versailles, 2003, p. 176-192.

Salmon 2004
Xavier Salmon, « Un nouveau portrait du Dauphin, futur Louis XVI, dessiné par Gabriel de Saint-Aubin », *La Revue des musées de France. Revue du Louvre*, n° 5, 2004, p. 21-22.

Salmon 2005a
Xavier Salmon, dans *Marie-Antoinette à Versailles. Le goût d'une reine*, cat. exp. (Bordeaux, musée des Arts décoratifs), Paris, 2005.

Salmon 2005b
Xavier Salmon, *Marie-Antoinette. Images d'un destin*, Neuilly-sur-Seine, 2005.

Salmon 2006
Béatrice Salmon (sous la dir. de), *Chefs-d'œuvre du musée des Arts décoratifs*, Paris, 2006.

Salmon 2007
Xavier Salmon, dans *Imagens do Soberano. Acervo do Palácio de Versalhes*, cat. exp. (São Paulo, Pinacoteca do Estado), São Paulo, 2007.

Salverte 1923, 1975
François de Salverte, *Les Ebénistes du XVIIIe siècle*, Paris, 1923, 6e éd. 1975.

Samoyault 1989
Jean-Pierre Samoyault, *Pendules et bronzes d'ameublement entrés sous le Premier Empire. Musée national du château de Fontainebleau*, Paris, 1989.

Samoyault 1999
Jean-Pierre Samoyault, « L'appartement de la générale Bonaparte puis de l'impératrice Joséphine aux Tuileries (1800-1807) », *Bulletin de la Société de l'histoire de l'art français*, 1999 (2000), p. 215-243.

Samoyault-Verlet 1977
Colombe Samoyault-Verlet, « Les travaux de Pierre Rousseau à Fontainebleau », *Antologia di Belle Arti*, n° 2, juin 1977, p. 157-169.

Sapori 2003
Michelle Sapori, *Rose Bertin. Ministre des modes de Marie-Antoinette*, Paris, 2003.

Savill 1988
Rosalind Savill, *The Wallace Collection Catalogue of Sèvres Porcelain*, Londres, 1988.

Schedelmann 1972
Hans Schedelmann, *Die großen Büchsenmacher. Leben, Werke, Marken vom 15. bis 19. Jahrhundert*, Brunswick, 1972.

Scherf 1997
Guilhem Scherf, dans *Pajou, sculpteur du roi 1730-1809*, cat. exp. (Paris, musée du Louvre ; New York, The Metropolitan Museum of Art), Paris, 1997.

Scherf 2001
Guilhem Scherf, « Jean-Baptiste Nini et le portrait sculpté en médaillon au XVIIIe siècle », dans Anna Cerboni Baiardi et Barbara Sibille (sous la dir. de), *Jean-Baptiste Nini 1717-1786. D'Urbino aux rives de la Loire. Paysages et visages européens*, Milan, 2001, p. 85-91.

Scherf 2006
Guilhem Scherf, dans *Portraits publics, portrait privés 1770-1830*, cat. exp. (Paris, Galeries nationales du Grand Palais ; Londres, The Royal Academy of Arts ; New York, The Solomon R. Guggenheim Museum), Paris, 2006.

Schütz 2006
Karl Schütz, « Familie und Heiratspolitik », dans *Maria Theresia und Schloß Schönbrunn, Familienresidenz und politische Bühne einer außergewöhnlichen Regentin*, cat. exp. (Fukuoka City Museum, The Matsuzakaya Museum, The Museum of Kyoto) ; *Maria Theresia, Mother Empress of Habsburg Austria*, cat. exp. (Singapour, The National Museum of Singapore), 2006, p. 187-188.

Schwartz 2007
Selma Schwartz, « Un air d'antiquité, Le service de Sèvres réalisé pour la laiterie de Marie-Antoinette à Rambouillet », *Versalia*, n° 10, 2007, p. 154-181.

Séret 2006
Guillaume Séret, *Catalogue des porcelaines de Sèvres – Musée Ile-de-France de Saint-Jean-Cap-Ferrat*, thèse de l'Ecole du Louvre, 2006, non publ.

Seznec et Adhémar 1957
Jean Seznec et Jean Adhémar, *Salons*, Oxford, 1957.

Sorg 1955
Roger Sorg, « Le véritable testament de Marie-Antoinette », *Historia*, 1955, n° 105, p. 159-167, et n° 6, p. 317-324.

Souchal 1962
Geneviève Souchal, *Le Mobilier français au XVIIIe siècle*, Paris, 1962.

Souchal 1967
François Souchal, *Les Slodtz, sculpteurs et décorateurs du roi (1685-1764)*, Paris, 1967.

Souchal 1977-1987
François Souchal, *French sculptors of the 17th and 18th centuries : the reign of Louis XIV*, Londres, 1977-1987.

Stein 1912
Henri Stein, *Augustin Pajou*, Paris, 1912.

Stein 1994
Perrin Stein, « Madame de Pompadour and the harem imagery at Bellevue », *Gazette des Beaux-Arts*, VIe période, t. CXXIII, 136e année, janvier 1994, p. 29-44.

Stein 1996
Perrin Stein, « Amédée Van Loo's *Costume turc* : The French Sultana », *Art Bulletin*, vol. LXXVIII, n° 3, septembre 1996, p. 417-438.

Stern 1930
Jean Stern. A l'ombre de Sophie Arnould. François-Joseph Bélanger, architecte des Menus Plaisirs, premier architecte du comte d'Artois, Paris, 1930.

La Suède et Paris 1947
La Suède et Paris, cat. exp. (Paris, musée Carnavalet), Paris, 1947.

Tétart-Vittu 2001
Françoise Tétart-Vittu, « La garde-robe de Marie-Antoinette », dans *Les Atours de la reine. Art et commerce au service de Marie-Antoinette*, Paris, 2001, p. 39-44.

Thornton 1998
Peter Thornton, *Form & decoration. Innovation in the decorative arts 1470-1870*, Londres, 1998.

Tietze 1908
Hans Tietze, *Österreichische Kunsttopographie*, t. II : *Die Denkmale der Stadt Wien XI.-XXI. Bezirk*, Vienne, 1908.

Tollfree 2006
Eleanore Tollfree, « Le mobilier de Marie-Antoinette à la Wallace Collection », *Versalia*, n° 9, 2006, p. 156-177.

Tourzel 1868
Pauline de Tourzel, comtesse de Galard de Béarn, *Souvenirs de quarante ans, 1789-1830*, Paris, 1868.

Tourzel 1969, 1986
Louise-Elisabeth Joséphine de Croÿ d'Havré, duchesse de Tourzel, *Mémoires de Madame la duchesse de Tourzel, gouvernante des enfants de France, pendant les années 1789 à 1795*, Paris, 1969, rééd. 1986.

Trésors du Musée de la Marine 2006
Trésors du Musée national de la Marine, Paris, 2006.

Trogan et Forray-Carlier 1993
Rosine Trogan et Anne Forray-Carlier, *La Famille royale à Paris, de l'histoire à la légende*, cat. exp. (Paris, musée Carnavalet), Paris, 1993.

Tuetey 1916
Alexandre Tuetey, « Inventaire des laques anciennes et des objets de curiosité de Marie-Antoinette confiés à Daguerre et Lignereux, marchands bijoutiers, le 10 octobre 1789 », *Archives de l'art français*, nouvelle période, vol. VIII, 1916, p. 283-319.

Vandalle 2002
Claude Vandalle, dans *Fastes de Versailles*, cat. exp. (Kobe, musée municipal ; Tokyo, Metropolitan Art Museum), 2002.

Védère 1955
Xavier Védère, *Le Palais de la Bourse de Bordeaux*, Bordeaux, 1955.

Verlet 1938
Pierre Verlet, « La chambre de Marie-Antoinette, gouache de Gautier-Dagoty au musée de Versailles », *Bulletin des musées de France*, avril 1938, p. 49-51.

Verlet 1945
Pierre Verlet, *Le Mobilier royal français*, t. I : *Meubles de la Couronne conservés en France*, Paris, 1945.

Verlet 1949
Pierre Verlet, « Musée de Fontainebleau. La table à ouvrage de Marie-Antoinette », *Musée de France*, juillet-août 1949, p. 162-163.

Verlet 1953
Pierre Verlet, *Sèvres, le XVIIIe siècle*, Paris, 1953.

Verlet 1954
Pierre Verlet, « Orders for Sèvres for the French court », *The Burlington Magazine*, vol. XCVI, n° 616, juillet 1954.

Verlet 1955, 1992
Pierre Verlet, *Le Mobilier royal français*, t. II : *Meubles de la couronne conservés en France, avec une étude sur le garde-meuble de la Couronne*, Paris, 1955, 2e éd., 1992.

Verlet 1956
Pierre Verlet, *Le Mobilier royal français*, t. II, Paris, 1956.

Verlet 1956a
Pierre Verlet, dans *Le Cabinet de l'amateur*, Paris, 1956, n° 243.

Verlet 1961
Pierre Verlet, « Le boudoir de la Reine à Fontainebleau », *Art de France*, I, 1961, p. 161-168.

Verlet 1963
Pierre Verlet, *French Royal Furniture*, Londres, 1963 (2e éd., *Le Mobilier royal français*, t. III : *Meubles de la couronne conservés en Angleterre et aux Etats-Unis*, Paris, 1994).

Verlet 1969
Pierre Verlet, *Objets d'art français de la collection Calouste Gulbenkian*, Lisbonne, 1969.

Verlet 1976
Pierre Verlet, « Objets prestigieux retrouvés », *Revue de l'art*, n° 34, 1976, p. 66-67.

Verlet 1985
Pierre Verlet, *Le Château de Versailles*, Paris, 2e éd., 1985.

Verlet 1987
Pierre Verlet, *Les Bronzes dorés français du XVIIIe siècle*, Paris, 1987.

Verlet 1990
Pierre Verlet, *Le Mobilier royal français*, t. IV : *Meubles de la couronne conservés en Europe et aux Etats-Unis*, Paris, 1990.

Verlet 1994
Pierre Verlet, *Le Mobilier royal français*, t. III, Paris, 1994.

Verlet et Devinoy 1958
Pierre Verlet et Pierre Devinoy, *Le Siège Louis XVI*, Paris, 1958.

Verzier 2002
Verzier, dans *Soies tissées, soies brodées chez l'impératrice Joséphine*, cat. exp. (Rueil-Malmaison, musée national des châteaux de Malmaison et Bois-Préau), Paris, 2002, p. 13-19.

Viegenthart 1995
A. W. Viegenthart, *Boulle Möbel für die Fürsten Salm*, Rhede, 1995.

Vigée Le Brun 1835-1837
Elisabeth Louise Vigée Le Brun, *Souvenirs de Madame Louise Elisabeth Vigée Le Brun*, Paris, 1835-1837, 3 vol.

Vitry 1991
Paul Vitry, *Les Musées de France, Bulletin sous la direction des musées nationaux et de la Société des Amis du Louvre*, 1991, n° 4, p. 58-59.

Vocelka et Heller 1998
Karl Vocelka et Lynn Heller, *Die private Welt der Habsburger. Leben und Alltag einer Familie*, Graz, Vienne et Cologne, 1998.

Volle 1979
Nathalie Volle, *Jean-Simon Berthélemy 1743-1811*, Paris, 1979.

Vollmer [n. d.]
Hans Vollmer (éd.), *Allgemeines Lexikon der bildenden Künste von der Antike bis zur Gegenwart. Begründet von Ulrich Thieme und Felix Becker*, t. XI et XXXV, Leipzig, [n. d.].

Vovelle 1984
Michel Vovelle, *The Fall of the French Monarchy, 1787-1792*, Cambridge, 1984.

Wachter 1968
Friederike Wachter, *Die Erziehung der Kinder Maria Theresias*, thèse de doctorat, Vienne, 1968.

Waltisperger 2007
Chantal Waltisperger, dans *Un siècle de mécénat à Versailles – Centenaire de la Société des amis de Versailles*, cat. exp. (Versailles, musée national du château de Versailles), Paris, 2007.

Watson 1960
Francis John Bagott Watson, *Louis XVI Furniture*, Londres, 1960.

Watson 1963
Francis John Bagott Watson, *Le Meuble Louis XVI*, Paris, 1963.

Watson 1966
Francis John Bagott Watson, *The Wrightsman Collection*, New York, 1963, 2 vol.

Weissensteiner 1994
Friedrich Weissensteiner, *Die Töchter Maria Theresias*, Vienne, 1994.

Weissensteiner 2004
Friedrich Weissensteiner, *Die Söhne Maria Theresias*, Vienne, 2004.

Wild 1985
Wild, dans *Gold und Silber aus Wien und Kopenhagen*, cat. exp. (Copenhague, Schloss Christiansborg), Copenhague, 1985.

Wildenstein 1958
Georges Wildenstein, « A propos des portraits peints par François-Hubert Drouais », *Gazette des Beaux-Arts*, 1958, p. 97-104.

Williamson 1883
Edouard-Thomas Williamson, *Les Meubles d'art du Mobilier national…*, Paris, 1883, 2 vol.

Williamson et Champeaux 1882
Edouard Thomas Williamson et Alfred de Champeaux, *Catalogue des objets appartenant au service du Mobilier national / Ministère de l'instruction publique et des beaux-arts*, Paris, 1882, vol. II, pl. 65, p. 392.

Willk-Brocard 1978
Nicole Willk-Brocard, *François-Guillaume Ménageot (1744-1816)*, Paris, 1978.

Winkler 1996
Hubert Chryspolitus Winkler, *Ehemalige Hofsilber & Tafelkammer, Silber, Bronze, Porzellan, Glas, Publikationsreihe der Museen des Mobiliendepots*, I, Vienne, Cologne, Weimar, 1996.

Witt-Dörring 1978
Christian Witt-Dörring, *Die Möbelkunst am Wiener Hof zur Zeit Maria Theresias (1740-1780)*, thèse manuscrite, Vienne, 1978.

Witt-Dörring 1980
Christian Witt-Dörring, « Maria Theresia und ihre Beziehung zur Möbelkunst am Wiener Hof », dans *Maria Theresia und ihre Zeit : zur 200. Wiederkehr des Todestages*, cat. exp. (Vienne, château de Schönbrunn), Salzbourg, 1980.

Wolvesperges 2000
Thibaut Wolvesperges, *Le Meuble français en laque au XVIIIe siècle*, Bruxelles et Paris, 2000.

Yonan 2004
Michael E. Yonan, « Veneers of authority : Chinese Lacquers in Maria Theresa's Vienna », *Eighteenth-Century Studies*, vol. XXXVII, nº 4 (2004).

Zeck 1990 (1991)
Jouna Zeck, « La garniture de cheminée de Marie-Antoinette en ivoire tourné conservée à l'Ermitage », *Bulletin de la Société de l'histoire de l'art français*, 1990 (1991), p. 145-148.

Zedinger 2000
Renate Zedinger (sous la dir. de), *Lothringens Erbe. Franz Stephan von Lothringen (1708-1765) und sein Wirken in Wirtschaft, Wissenschaft und Kunst der Habsburgermonarchie*, St. Pölten, 2000.

Zweig 1999
Stefan Zweig, *Marie-Antoinette*, Paris, 1999.

Expositions

Berlin 2006
Heiliges Römisches Reich Deutscher Nation. 962 bis 1806. Altes Reich und neue Staaten. 1495 bis 1805, Berlin, Deutschen Historischen Museum, 28 août – 10 décembre 2006.

Bordeaux 2005-2006
Marie-Antoinette à Versailles. Le goût d'une reine, Bordeaux, musée des Arts décoratifs, 21 octobre 2005 – 30 janvier 2006.

Budapest 2000-2001
A budavári királyi palota évszázadai, Budapest, Budapesti Történeti Múzeum, mars 2000 – janvier 2001 (cat. par Farbaky Péter *et al.*).

Compiègne 2006-2007
Louis XVI et Marie-Antoinette à Compiègne, Compiègne, musée national du château de Compiègne, 25 octobre 2006 – 29 janvier 2007.

Copenhague 1985
Gold und Silber aus Wien und Kopenhagen, Copenhague, Schloss Christiansborg, 9 octobre – 3 novembre 1985.

Düsseldorf 2000
Imari-Porzellan am Hofe der Kaiserin Maria Theresia, Düsseldorf, Hetjens-Museum, Deutsches Keramikmuseum, 21 juillet – 15 octobre 2000.

Florence 1988-1989
Splendori di pietre dure, L'arte di Corte nella Firenze dei Granduchi, Florence, Sala Bianca di Palazzo Pitti, 21 décembre 1988 – 30 avril 1989.

Fontainebleau 2005-2006
Théâtre de Cour, Les spectacles à Fontainebleau au XVIIIe siècle, Fontainebleau, musée national du château de Fontainebleau, 18 octobre 2005 – 23 janvier 2006 (cat. sous la dir. de Vincent Droguet et Marc-Henri Jordan).

Fukuoka, Kyoto et Singapour 2006
Maria Theresia und Schloß Schönbrunn, Familienresidenz und politische Bühne einer außergewöhnlichen Regentin (version allemande et japonaise), Fukuoka City Museum, The Matsuzakaya Museum, The Museum of Kyoto 2006 ; *Maria Theresia, Mother Empress of Habsburg Austria* (version anglaise), Singapour, The National Museum of Singapore, 2006 (cat. sous la dir. de Ilsebill Barta, Elfriede Iby et Karl Schütz).

Kobe et Tokyo 2002-2003
Fastes de Versailles, Kobe, musée municipal, Tokyo, Metropolitan Art Museum, 2002-2003.

Lisbonne 2005-2006
Designing the décor : French drawings from the Eighteenth century, Lisbonne, Calouste Gulbenkian Foundation, 2005-2006 (cat. par Peter Fuhring).

Londres 1979-1980
Sèvres Porcelain from the Royal Collection, Londres, The Queen's Gallery Buckingham Palace, 1979-1980.

Lyon 1988-1989
Soieries de Lyon. Commandes royales au XVIIIe siècle (1730-1800), Lyon, Musée historique des tissus, décembre 1988 – mars 1989.

Lyon 1990-1991
De Dugourc à Pernon : nouvelles acquisitions graphiques pour les musées, Lyon, Musée historique des tissus, décembre 1990 – mars 1991.

Marly-le-Roi-Louveciennes 1992
Madame Du Barry, de Versailles à Louveciennes, Musée-promenade de Marly-le-Roi-Louveciennes, 21 mars – 19 juin 1992.

Munich 1994
Silber und Gold Augsburger Goldschmiedekunst für die Höfe Europas, Munich, Bayerisches National Museum, 23 février – 29 mai 1994 (cat. sous la dir. de Reinhold Baumstark et Lorenz Seelig).

New York 1955
Art Treasures Exhibition, New York, Parke Bernet Galleries, juin 1955.

Paris 1882
Union centrale des arts décoratifs. Exposition rétrospective de 1882. Catalogue des objets appartenant au service du Mobilier national, Paris, musée des Arts décoratifs, 1882.

Paris 1884
Rétrospective des porcelaines de Sèvres, Paris, Union centrale des arts décoratifs, 1884.

Paris 1900 [1901]
1900 : L'Exposition rétrospective de l'art décoratif français, Paris, 1901 (cat. par Gaston Migeon).

Paris 1931
Paris et la Révolution, Paris, musée Carnavalet, 19 mars – 2 mai 1931.

Paris 1939
Commémoration du 150e anniversaire de la Révolution française 1789-1939. La Révolution française dans l'histoire, dans la littérature et dans l'art, Paris, musée Carnavalet, juillet-août 1939.

Paris 1947
La Suède et Paris, Paris, musée Carnavalet, 1947.

Paris 1954
Horloges et automates, Paris, musée du Conservatoire national des Arts et Métiers, septembre-novembre 1954.

Paris 1978
Défense du patrimoine national, Paris, musée du Louvre, 1978.

Paris 1980-1981
Cinq années d'enrichissement du patrimoine national, 1975-1980, Paris, Galeries nationales du Grand Palais, 5 novembre 1980 – 2 mars 1981.

Paris 1987
Louis XVII, Paris, mairie du 5e arrondissement, 1987.

Paris 1989
De Versailles à Paris. Le destin des collections royales, Paris, Centre culturel du Panthéon, 1989.

Paris 1993-1994
La Famille royale à Paris, de l'histoire à la légende, Paris, musée Carnavalet, 16 octobre 1993 – 9 janvier 1994.

Paris et Ottawa 1994
Egyptomania. L'Egypte dans l'art occidental, 1730-1930, Paris, musée du Louvre, 20 janvier – 18 avril 1994, Ottawa, musée des Beaux-Arts du Canada, 17 juin – 18 septembre 1994.

Paris 1999
Les Bronzes de la Couronne, Paris, musée du Louvre, 12 avril – 12 juillet 1999.

Paris 2000-2001
Le Coton et la mode, 1 000 ans d'ouvertures, Paris, musée Galliera, 10 novembre 2000 – 11 mars 2001.

Paris 2007
Fastes du pouvoir : objets d'exception, XVIIIe-XIXe siècles : collections du Mobilier national, Paris, Galerie des Gobelins, 12 mai – 30 septembre 2007.

Paris et New York 2003-2004
L'Esprit créateur de Pigalle à Canova. Terres cuites européennes 1740-1840, Paris, New York, Stockholm, 2003-2004.

Paris et Québec 2001-2004
Les Génies de la mer, Québec, musée du Québec, 11 octobre 2001 – 17 mars 2002, Paris, musée national de la Marine, 5 février 2003 – 2 février 2004.

Portland, Hartford et Birmingham 2002-2003
Matières de rêves : Stuff of Dreams from the Paris Musée des Arts décoratifs, Portland, Hartford et Birmingham, 2002-2003.

Québec 2000-2002
Trésors du Musée national de la Marine de Paris, Québec, musée de la Civilisation, 1er novembre 2000 – 6 janvier 2002.

Rodez 2000
Maurice Fenaille : mécène de Rodin, Bourdelle, Viala, Rodez, musée Denys-Puech, 2000.

Rueil-Malmaison 2002-2003
Soies tissées, soies brodées chez l'impératrice Joséphine, Rueil-Malmaison, musée national des châteaux de Malmaison et Bois-Préau, 23 octobre 2002 – 17 février 2003.

Salem 2002
Rendez-vous with the Sea, Salem, 2002.

Schallaburg 2000
Lothringens Erbe, Franz Stephan von Lothringen (1708-1765) und sein Wirken in Wirtschaft, Wissenschaft und Kunst der Habsburgermonarchie, Schallaburg, 29 avril – 29 octobre 2000

Schloss Hof 1995
F. Dózsa Katalin, *Die Frauen der Habsburger. Glanz und Schicksal der Frauen des Hauses Habsburg*, Schloss Hof – Schloss Niederweiden, 8 avril – 1er novembre 1995.

Sidney 2005
Les Génies de la mer, Sidney, 2005.

Tokyo 1970
Versailles Symbole Royal, Tokyo, 1970.

Tokyo 1992
Der Glanz des Hauses Habsburg, Tokyo, 1992, Tobu Museum of Art

Tokyo 1998
Die Frauen des Hauses Habsburg, Tokyo, 1998.

Versailles 1867
Versailles, Trianon, 1867.

Versailles 1927
Marie-Antoinette et sa cour, Versailles, bibliothèque municipale, 1927.

Versailles 1937
Deux siècles de l'Histoire de France. Centenaire du musée de Versailles, Versailles, 1937.

Versailles 1993-1994
Versailles et les tables royales en Europe, Versailles, musée national du château de Versailles, 3 novembre 1993 – 27 février 1994.

Versailles 1989
Louis XVII (1785-1795), Versailles, hôtel de ville, 17 mai – 16 juillet 1989.

Versailles 2000-2001
Chefs-d'œuvre du musée Gulbenkian de Lisbonne. Meubles et objets royaux du XVIIIe siècle français, Versailles, musée national des châteaux de Versailles et de Trianon, 8 novembre 2000 – 30 janvier 2001.

Versailles 2001-2002
Louis-Simon Boizot, 1743-1809 : sculpteur du roi et directeur de l'atelier de sculpture à la Manufacture de Sèvres, Versailles, musée Lambinet, 23 octobre 2001 – 24 février 2002.

Versailles 2006-2007
Marie-Antoinette, femme réelle, femme mythique, Versailles, bibliothèque municipale, 7 décembre 2006 – 4 janvier 2007.

Versailles 2007
Un siècle de mécénat à Versailles – Centenaire de la Société des amis de Versailles, Versailles, musée national du château de Versailles, 18 septembre – 18 novembre 2007.

Versailles et Münster 2001-2002
Les Laques du Japon. Collections de Marie-Antoinette, Versailles, musée national des châteaux de Versailles et de Trianon, 15 octobre 2001 – 7 janvier 2002, Münster, Museum für Lackkunst, 27 janvier – 7 avril 2002 (cat. sous la dir. de Monika Kopplin).

Vienne 1976
Porträtgalerie zur Geschichte Österreichs von 1400 bis 1800, Vienne, Kunsthistorisches Museum, 1976, 2e éd. 1982 (cat. par Günther Heinz et Karl Schütz).

Vienne 1980
Maria Theresia und ihre Zeit : zur 200. Wiederkehr des Todestages, Vienne, Schloss Schönbrunn, 13 mai – 26 octobre 1980 (cat. par Walter Koschatzky).

Vienne 2005
Bernardo Bellotto, genannt Canaletto, Europäische Veduten, Vienne, Kunsthistorisches Museum, 16 mars – 19 juin 2005.

Vienne 2006
Mozart, Experiment Aufklärung im Wien des ausgehenden 18. Jahrhunderts, Vienne, Albertina, 17 mars – 20 septembre 2006 (cat sous la dir. de Herbert Lachmayer).

Wilmington 2002
Le Grand Voyage, Wilmington, 2002.

Index

D

E

F

G

M

N

T

V

W

Z

Crédits photographiques

Baltimore, Walters Art Museum : fig. 37.
Berlin, Deutsches Historisches Museum, Photo Archive : cat. 21, 22, 23, 24.
Berlin, BPK, Berlin, Distr. RMN : cat. 46, 47, 167.
Besançon, Bibliothèques municipales : cat. 45, 190 à 194.
Bordeaux, C.C.I., photo Lysiane Gauthier : cat. 60.
Bordeaux, Mairie, photo Lysiane Gauthier : cat. 62, 65.
Budapest, Magyar Menzeti Muzeum (Történelmi Képcsarnok, MNM TKCs) : cat. 26.
Châlons-en-Champagne, Bibliothèque municipale Georges-Pompidou : cat. 284.
Creil, Musée Gallé-Juillet : cat. 162 a, b.
Düsseldorf, photo Horst Kolberg : cat. 128.
Epinal, Musée départemental d'Art ancien et contemporain - Bernard Prud'homme : cat. 67.
Fontainebleau, Château : fig. 22.
Francfort, Museum für Angewandte Kunst : cat. 166 b.
Genève, Musée d'Art et d'Histoire, photo Bettina Jacot-Descombes : cat. 3 à 8.
Genève, Musée de l'Horlogerie et de l'Emaillerie : fig. 21.
Innsbruck, Bundesmobilienverwaltung, Kaiserliche Hofburg, photo Tina Haller : cat. 1.
Lisbonne, Museu Calouste Gulbenkian : cat. 114, 207.
Linkoping, Östergotlands Länsmusem. photo Lars Eklund : cat. 91, 184, 214, 218, 231.
Londres, The Royal Collection / HM Queen Elizabeth II, photo SC/A C Cooper : cat. 146.
Londres, Victoria and Albert Museum, V&A Images : cat. 59.
Lyon, Musée des Tissus et des Arts décoratifs : fig. 35.
Modène, Studio Fotografico Roncaglia : cat. 200.
New York, The Metropolitan Museum of Art : fig. 16, 17, 23, 24, 31, 32, 33.
Paris, Archives nationales, Atelier photographique : cat. 49, 81, 188, 285.
Paris, Bibliothèque historique de la Ville de Paris, BHVP / Leyris : cat. 279.
Paris, Bibliothèque nationale de France : cat. 71, 80, 186, 245, 246, 254, 255, 257, 259 à 266, 282.
Paris, Ecole nationale supérieure des Beaux-Arts : cat. 170 à 172.
Paris, Institut de France - Musée Jacquemart-André : cat. 199.
Paris, Les Arts Décoratifs, Musée des Arts décoratifs, photo Jean Tholance : cat. 54, 161, 177 à 180, 224.
Paris, Musée des Arts et Métiers - CNAM, Paris Photo P. Faligeot / Seventh Square : cat. 75.
Paris, Musée Carnavalet / Roger-Viollet : cat. 39, 52, 86, 252, 253, 270, 274 à 277, fig. 48 à 51, 53 à 55, 278 a ; photo Françoise Cochennec : fig. 52, 56 ; photo Philippe Joffre : cat. 278 ; photo Daniel Lifermann : cat. 268, 269.
Paris, Musée national de la Marine / A. Fux : cat. 219.
Paris, Réunion des musées nationaux : cat. 35, 51, 63, 64, 83 à 85, 96, 97, 145, 154, 155, 157, 165 a, c, d, f, 197, 202 à 206, 225, 226, 229, 247, 248, 249, 256, 271, fig. 10, 19, 27, 40, 58, 66 a ; Daniel Arnaudet : cat. 2, 38, 61, 66, 70, 118, 119, 121 à 125, 141, 151, 153, 158, 159, 217, 227, 240, fig. 30, 42, 57 ; Daniel Arnaudet / Gérard Blot : cat. 78, 220, 221 ; Daniel Arnaudet / Christian Jean : cat. 164 g, 165 g ; Daniel Arnaudet / Hervé Lewandowski : cat. 104 ; Daniel Arnaudet / Jean Schormans : cat. 239 ; Martine Beck-Coppola : cat. 120, 126, 140, 142, 144, 147, 148, 166 a, c, d, f, fig. 25 ; Michèle Bellot : cat. 72, 163 l, 234, 251 ; Philipp Bernard : cat. 187 ; Gérard Blot : cat. 34, 36, 37, 42, 43, 44, 48, 50, 53, 58, 73, 77, 79, 82, 88, 89, 90, 92, 93, 99, 108, 111, 112, 113, 116, 164 e, f, 165 b, 169, 181, 182, 183, 185, 198, 209, 210, 212, 216, 230, 232, 237, 250, 281, 283, fig. 8, 38, 41, 43 à 47, 76 a, 106 a ; Gérard Blot / Jean Schormans : cat. 233 ; Madeleine Coursaget : cat. 280 ; K. Ignatiadis : cat. 160 ; Thierry Le Mage : cat. 40, 287 ; Hervé Lewandowski : cat. 156, 208 ; René-Gabriel Ojéda : cat. 98 ; Thierry Ollivier : cat. 130 à 139, fig. 26 ; Franck Raux : cat. 162 c, d, 173, 174, 175, fig. 29, 231 a ; Jean Schormans : cat. 110.
Reims, Musée des Beaux-Arts de la Ville de Reims, photo Devleeschauwer : cat. 106.
Saint-Pétersbourg, Musée d'Etat de l'Ermitage : cat. 74, 117, 127.
San Marino, The Huntington Library, Art Collections and Botanical Gardens, The Arabella D. Huntington Memorial Collection : fig. 18.
Sassenage, Fondation Bérenger-Sassenage, sous l'égide de la Fondation de France, collection Château de Sassenage : cat. 105.
Sceaux, Collection Musée de l'Ile-de-France, photo Lemaître : cat. 196.
Stockholm, Nationalmuseum : fig. 39.
Turin, Fotografia Ernani Orcote / courtesy by Soprintendenza per i Beni Architettonici e il Paesaggio del Piemonte, Ministero per i Beni e le Attivita Culturali : cat. 68.
Vendôme, François Lauginie : cat. 222.
Versailles, Bibliothèque municipale : cat. 41, 272, 273.
Versailles, Editions Faton : cat. 152.
Versailles, Jean-Marc Manaï : cat. 69, 101, 107, 129, 168, 176, 223, fig. 11, 20, 229 a.
Vienne, Albertina : cat. 30, 76, 87.
Vienne, Bundesmobilienverwaltung, Schloss Schönbrunn : fig. 4 à 7 ; photo Marianne Haller : cat. 12 ; photo Fritz Simak : cat. 14 – Silberkammer Hofburg, photo Marianne Haller : cat. 16, 19, 20, 242, 243 ; photo Edgar Knaack : cat. 18 – Hofmobiliendepot Möbel Museum : fig. 13 ; photo Marianne Haller : cat. 102, 103 ; photo Edgar Knaack : cat. 13.
Vienne, IMAGNO / Austrian Archives : cat. 27 – Schloss Schönbrunn Kultur- u. Betriebsges. M.b.H : cat. 28, 95, 241.
Vienne, Kunsthistorisches Museum mit MVK und ÖTM Wissenschaftliche Anstalt öffentlichen Rechts : cat. 9, 10, 17, 25, 32, 33, 57, 94, 235, 236, 238, 244.
Vienne, Kupferstichkabinett der Akademie der bildenden Künste : cat. 29, 31.
Vienne, ÖNB, Picture Archive : cat. 11.
Vienne, Österreichisches Staatsarchiv : cat. 55.
Vienne, Sammlungen des Fürsten von und zu Liechtenstein, Vaduz : cat. 211.
Vizille, Musée de la Révolution française, photo Pierre Fillioley : cat. 286.
Waddesdon, The National Trust, Waddesdon Manor, photo Mike Fear : cat. 163 a à k, fig. 38.
Waddesdon, Rothschild Family Trust, Waddesdon Manor : fig. 9.
Washington, Image courtesy of the Board of Trustees, National Gallery of Art : cat. 228.
Washington, Department of Image Collection, National Gallery of Art Library : fig. 14 et 15.
Paris, Studio Bénédicte Petit : cat. 56, 195.
Paris, Yves Tribes : cat. 143, 149, 150, 164 a à d, 189, 215, 267.
Stéphane Prost : cat. 100.

Publication de la Réunion des musées nationaux

Directeur des Editions
Pierre Vallaud

Chef du département Livre, Image, Jeunesse
Catherine Marquet

Coordination éditoriale
Laurence Posselle

Conception graphique et mise en page
Frédéric Célestin

Relecture des textes
Anne Chapoutot

Fabrication
Hugues Charreyron

Iconographie
Elise Vanhaecke

Conception graphique de la couverture
Rachel Cazadamont / H5

Les textes ont été composés en Granjon

Les illustrations ont été gravées par Bussière à Paris

Cet ouvrage a été achevé d'imprimer en mars 2008
sur les presses de l'imprimerie Kapp, Lahure, Jombart à Evreux, France

Dépôt légal : mars 2008
I.S.B.N. : 978-2-7118-5486-8
EC 10 5486